国家出版基金项目

李达全集

汪信砚 主编

第一卷

人民出版社

国家社会科学基金重大招标项目
"李达全集整理与研究"（批准号：10ZD&062）最终成果

国家出版基金项目
"《李达全集》（1—20卷）的整理、编纂与出版"最终成果

中国共产党的主要创始人和早期领导人之一的李达

青年时期的李达

中年时期的李达

上海原南成都路辅德里 625 号，中共二大会址，也是人民出版社旧址

今日人民出版社

20世纪二三十年代人民出版社出版的部分图书

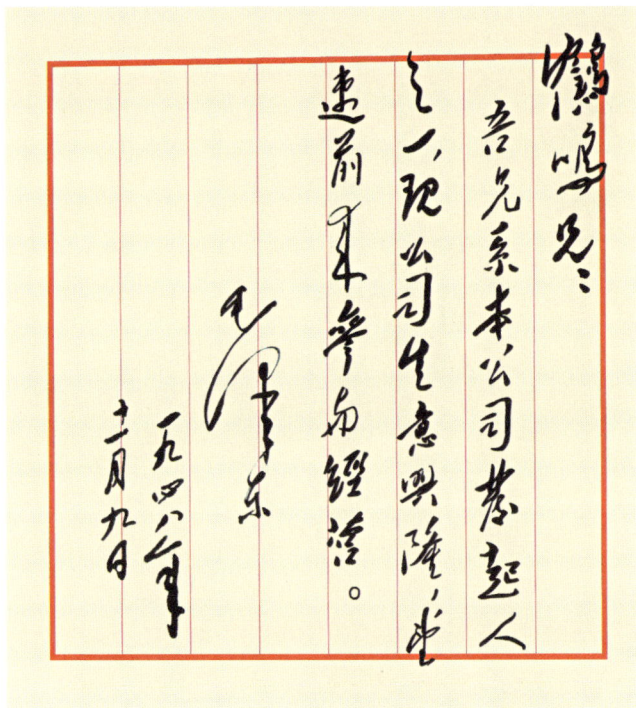

1948 年毛泽东致李达的信

李达关于抗美援朝的题词和讲话

李达 1953 年"庆元旦"献词

李达主持编写《马克思主义哲学大纲》

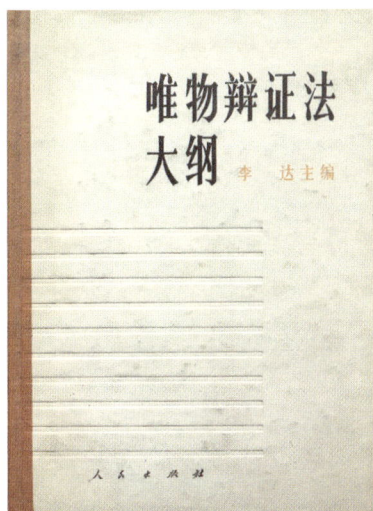

唯物辩证法
大纲
李 达主编

人民出版社

1978 年人民出版社出版的
《唯物辩证法大纲》(《马克思主义哲学大纲》上册)

1958年4月6日，李达陪同毛泽东会见武汉科学界人士

《〈实践论〉解说》和《〈矛盾论〉解说》

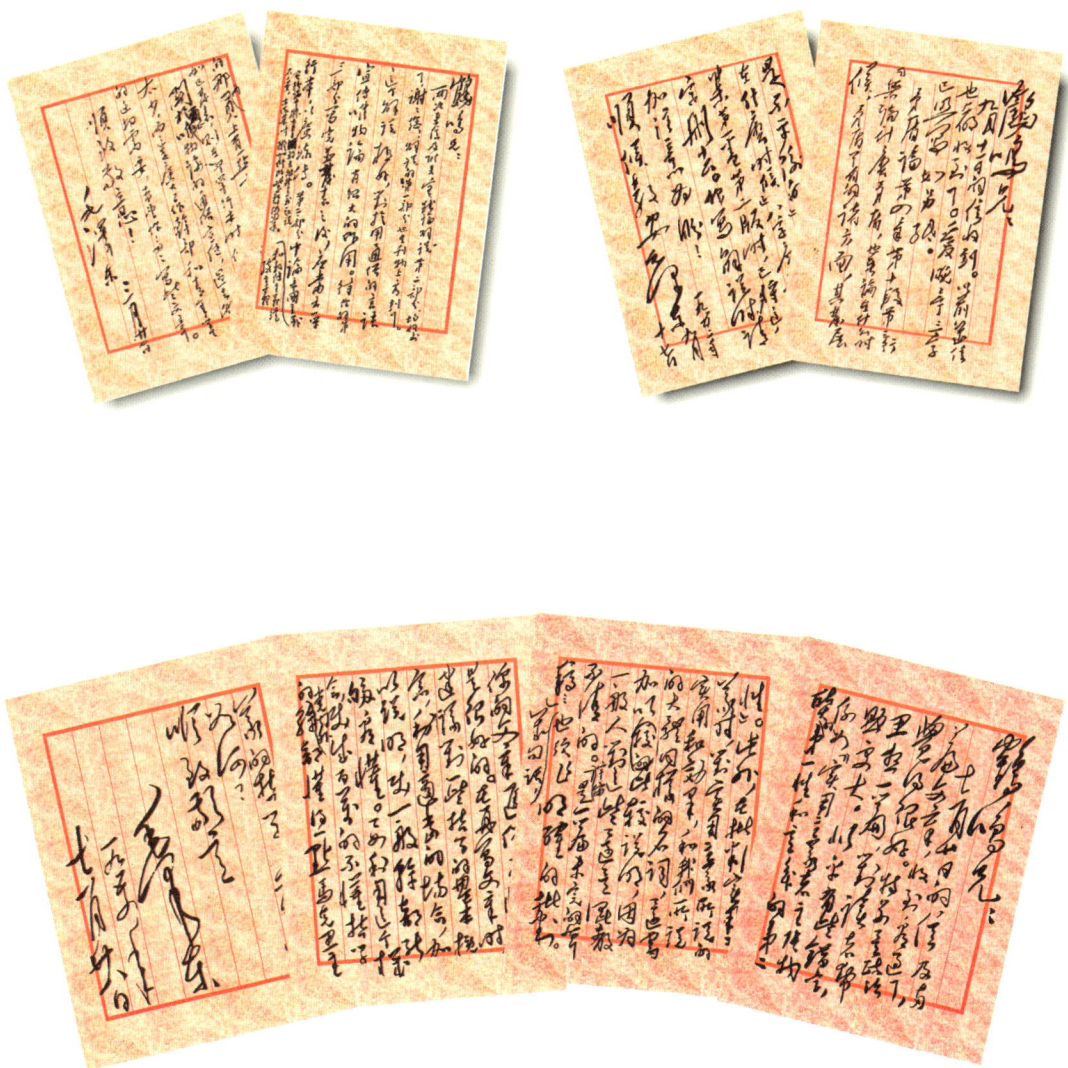

1951—1954 年毛泽东致李达的三封信

李达在一届全国政协三次会议上发言（1951）

李达与刘少奇在湖南大学（1952）

李达与武汉大学学生交谈（1964）

李达在学术报告会上讲话

李达在武汉大学书房（1965）

李达漫步在武汉大学樱花大道上

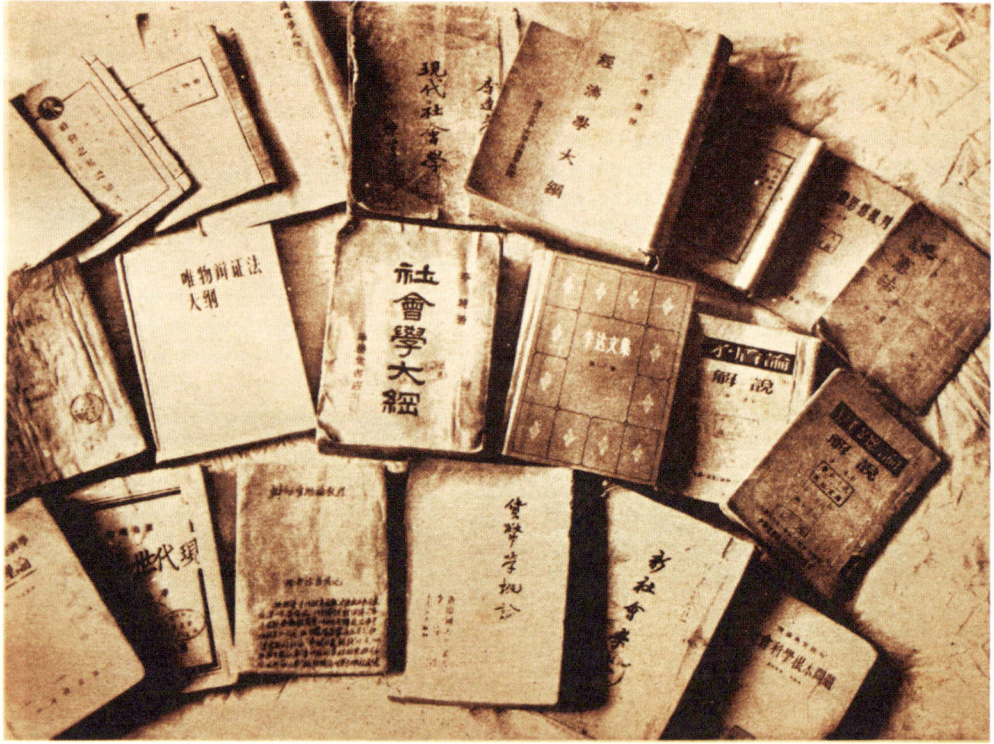

李达的部分著作

《李达全集》总序

李达(1890—1966)是我国传播马克思主义的先驱之一、中国共产党的创始人之一和中国最有影响的马克思主义理论家之一。他毕生从事马克思主义的研究、著述和宣传，在哲学、经济学、科学社会主义、法学理论等诸多领域都有开拓性的贡献。习近平同志最近指出："当代中国哲学社会科学是以马克思主义进入我国为起点的，是在马克思主义指导下逐步发展起来的"，并将李达列为"名家大师"。①

以汪信砚教授为首席专家的国家社会科学基金重大招标项目"李达全集整理与研究"课题组，经过五年多时间的持续不断的努力，终于完成了《李达全集》的编纂工作。②《李达全集》的编纂和出版，对于全面展示李达一生的丰硕成果和重大理论贡献，对于推动学术界深化对李达学术思想的研究、对马克思主义中国化的进一步探索，无疑具有极其重要的意义。

李达的一生、特别是他的理论生涯，大体上可分为以下几个阶段。

一、从爱国主义到马克思主义（1913—1919）

李达字永锡，号鹤鸣，1890 年 10 月 2 日出生于湖南零陵。父亲李辅仁生于清朝咸丰七年(1857)，在伯父李光明的资助下读过私塾，教过蒙馆，当过银匠，后来成为佃农。李辅仁有五子一女，李达排行第四。李达的两兄一姐一弟

---

① 习近平 2016 年 5 月 17 日《在哲学社会科学工作座谈会上的讲话》。

② 以往人民出版社曾出版了四卷本的《李达文集》。各卷出版的时间为：第一卷 1980 年 7 月，第二卷 1981 年 2 月，第三卷 1984 年 9 月，第四卷 1988 年 8 月。全文 2107000 字。编辑组成员为李其驹、陶德麟、熊崇善、段启咸、曾勉之。

都因家贫终身务农,只有他一人上学。他7岁入私塾跟前清秀才胡燮卿读古书。15岁考入公费的永州中学(即由零陵的"蘋洲书院"改成的"蘋洲中学"),开始接触新知识,知道了列强的侵略、清廷的腐败。有一次,学生们接到《徐特立断指血书,号召人民起来做反日救国运动》的通知,群情激昂,集会决定抵制日货和练军事操。以后每逢列强向清廷提出亡国条件时,学生就举行集会,呼口号,发宣言,但每次都以被压制告终。少年李达参加了这些活动,产生了强烈的爱国思想。

1909年秋,李达考进了京师优级师范学堂(北京师范大学前身)。在道经汉口、上海、天津时,目睹到处是外国商船、租界和军警,悲愤满腔,决心学习科学知识、复兴祖国。辛亥革命后北洋军阀统治取代了清王朝,京师优级师范学堂因经费紧缺停办,李达回到湖南。1912年到祁阳中学教书半年,又去长沙读湖南工业专门学校两个月,因无力缴纳食宿费,转入公费的湖南优级师范。这时他接受了孙中山"大办实业,以利国富民强"的主张,决定改学理工科。

1913年,李达以第二名的成绩考取了湖南留日官费生,入东京第一师范数理科学习。他发愤学习了日文、英文和德文。但因中国政府取消了留日学生的官费,他又染上了肺病,不得不于1914年辍学回国。1917年再赴日本,入第一高等学校学习理科。日本政府向袁世凯提出"二十一条"时,留日中国学生义愤填膺,集会抗议,被警察驱散。李达感到"科学救国"、"实业救国"的梦想破灭,找不到出路。1917年俄国十月革命成功,使苦闷中的李达看到了希望,初步产生了对十月革命和马克思主义的向往。

1918年4月,留日中国学生得知段祺瑞政府与日本秘密签订了卖国反苏的《中日共同防敌协定》后怒不可遏,5月7日在东京开会抗议,被军警拘捕多人,于是决定组织留日学生救国团回国请愿。李达是救国团的主要首领。他5月中旬赴北京大学与学生领袖许德珩等联络,在5月21日发动了向政府示威请愿的运动。这是中国学生第一次示威运动,影响遍及京津沪宁,成了次年五四运动的预演和先导。但这次运动很快失败。他回忆说:这次失败"使我们深切地觉悟到:要想救国,单靠游行请愿是没有用的;在反动统治下'实业救国'的道路也是一种行不通的幻想。只有由人民起来推翻反动政府,像俄国那样走革命的道路。而要走这条道路,就要加紧学习马克思列宁主义的理论,学习俄国人的革命经验。"①这样,他当年毅然再赴日本,放弃了理科的学习,全力研读马克思主义。

1918 年秋至 1920 年夏,李达发愤学习了《共产党宣言》、《资本论》第一卷和《国家与革命》等马列原著和许多介绍马克思主义的书籍,成了马克思主义的笃信者。他掌握了多种外文,翻译了马克思《资本论》日文译者高畠素之的《社会问题总览》、荷兰社会民主党左派领袖赫尔曼·郭泰的《唯物史观解说》等书,1921 年 4—5 月先后由中华书局出版。他在日本热情支持国内的五四运动,1919 年发表了《什么叫社会主义?》、《社会主义的目的》、《战前欧洲社会党运动的情况》等文章,积极宣传科学社会主义。② 陈独秀被捕时,他立即写了《陈独秀与新思想》一文③,热烈赞扬陈独秀,断言"顽固守旧思想的政府能捕得有'新思想'、'鼓吹新思想'的陈先生一个人,不能捕得许多有'新思想'、'鼓吹新思想'的人,纵使许多人都给政府捕去,那许多人的'精神'还是无恙的。"这时,青年李达在时代潮流的激荡下实现了由爱国主义到马克思主义的转变,走进了中国第一批共产主义者的行列。

1920 年 5 月,第三国际的维经斯基经李大钊介绍来上海与陈独秀见面,建议组织中国共产党。8 月,李达从日本归国寻找同志,与陈独秀、李达、李汉俊、陈望道、俞秀松、沈玄庐、施存统等一起发起建立中国共产党,决定创办秘密党刊《共产党》月刊,由李达任主编。李达在自己寓所一个不到 6 平米的亭子间里设立"编辑部",一人担负起从写稿组稿到发行的全部工作。《共产党》月刊在十月革命三周年纪念日即 1920 年 11 月 7 日首次发行,到 1921 年 7 月 7 日停刊,共出版 6 期,中共上海发起组的许多成员都曾为该刊撰稿。《共产党》月刊在中国第一次喊出了"共产党万岁"的口号,号召"举行社会革命,建设劳工专政的国家"。它宣传列宁的无产阶级革命理论和建党学说,介绍十月革命的成就和经验,报道国际共产主义运动的消息,探讨中国革命的问题,最高发行量达到过 5000 份,实际上成了半公开刊物(《新青年》从 1920 年 9 月 1 日第 8 卷第 1 号起也成为上海共产主义小组

---

① 李达:《沿着革命的道路前进》,《中国青年》1961 年第 13、14 期合刊。
② 参见 1919 年 6 月 20 日至 7 月 3 日上海《民国日报》副刊《觉悟》,署名鹤。
③ 载 1919 年 6 月 24 日上海《民国日报》副刊《觉悟》,署名鹤。

的公开刊物）。毛泽东曾高度赞扬《共产党》月刊"颇不愧'旗帜鲜明'四字"①。

二、建党前后的理论探索（1919—1922）

要建立马克思列宁主义的中国共产党，首要的任务是做好思想理论上的准备。一批共产主义知识分子与各种反马克思列宁主义思潮展开了论战。李达是论战的主将之一。

（一）批判研究系

1920 年 11 月 6 日和 7 日张东荪在《时事新报》发表《由内地旅行而得之教训》和《由内地旅行而得之又一教训》两文，主张"开发实业"，反对"空谈主义"。李达当天就写了《张东荪现原形》②的短文予以驳斥，当天见报。接着又发表了《社会革命底商榷》③的长文，批驳中国"无地主资本家"、"无劳动阶级"的理论。1920 年 12 月 15 日，张东荪在《改造》第 3 卷第 4 号发表《现在与将来》一文，两个月后梁启超也在《改造》第 3 卷第 6 号发表《复张东荪书论社会主义运动》的长文，断言中国"实业不发达"，"劳动阶级不存在"，社会主义只能是"毁灭社会"的"游民运动"，"欲社会主义之实现，其道无由"。李达在1921 年 4 月 8 日写了《讨论社会主义并质梁任公》④一文，鲜明地指出这场争论是"社会主义与反社会主义"之争，"认定梁任公这篇文字是最有力的论敌"。李达就一系列根本问题批驳了梁文，指出梁文"主张贫人丐富人恩惠以谋生的运动，只可说是乞丐的社会主义运动"，认为中国革命"只有采取直接行动的一法"，"结合共产主义信仰者，组织巩固之团体，无论受国际的或国内的恶势力的压迫，始终为支持共产主义而战"。这篇文章是当时最有分量的

---

① 毛泽东 1921 年 1 月 21 日给蔡和森同志的信，载《毛泽东书信选集》，中央文献出版社2003 年版，第 15 页。

② 载 1920 年 11 月 7 日《民国日报》副刊《觉悟》，署名江春。

③ 载《共产党》月刊 1921 年 12 月 7 日第 2 号，署名江春。

④ 载《新青年》1921 年第 9 卷第 1 号。

论战作品。

（二）批判无政府主义

1919 年 2 月黄凌霜著文宣称他"极端反对马克思的集产社会主义"①，同年 5 月又发表《马克思学说的批评》②一文。当时还远在日本的李达就写了《什么叫社会主义？》③的短文在国内发表，初步批判了无政府主义。1920 年，无政府主义的刊物和小团体增多。这年 2 月易家钺发表《我们反对"布尔札维克"》④一文，攻击马克思列宁主义。《共产党》月刊从第 1 期至第 5 期的《短言》都重点批判了无政府主义。李达撰写的《社会革命底商榷》⑤和《无政府主义之解剖》⑥两文抓住无政府主义的鼻祖施蒂纳和蒲鲁东以及影响最大的代表人物巴枯宁和克鲁泡特金的理论进行了逐点批判，证明"社会主义和无政府主义，本来是有不能相合的历史"，着重揭露了各派无政府主义共同的世界观基础是"极端的个体主义"，"是没有科学的体系和哲学的基础的"，是"迷想"和"空中楼阁"。两文批判了无政府主义主张立即废除一切国家、鼓吹绝对自由的论点，明确指出"资本主义机关的国家法律政治，本是劳动阶级所痛恨的；若是社会主义的国家政治法律，劳动者就会欢迎之不暇了"。两文还批判了无政府主义在社会生产和分配上的论点，指出应当"借助货币的形式，分配生产物"。两文还注意把无政府主义理论与无政府主义者区别开来，指出无政府主义者"是我们的朋友，不是我们的同志"，"希望我们的朋友们，不要向着那不可通行的道路上前进，免得耗费有用的精神干那于革命无益的事"。⑦

---

① 《评〈新潮杂志〉所谓今日世界之新潮》，载《进化》1919 年第 2 号。
② 载《新青年》1919 年第 6 卷第 5 号。
③ 载 1919 年 6 月 18 日《民国日报》副刊《觉悟》，署名鹤。
④ 载《奋斗》1920 年第 2 号。"布尔札维克"即"布尔什维克"。
⑤ 载《共产党》月刊 1920 年 12 月 7 日第 2 号，署名江春。
⑥ 载《共产党》月刊 1921 年 5 月 7 日第 4 号，署名江春。
⑦ 有些论著叙述这次论战时认为当时所有的共产主义者都只就无政府主义者提出的具体问题进行了批评和讨论，未能对无政府主义的世界观加以本质的揭露，这并不符合历史事实。

（三）批判第二国际

1920 年 11 月 7 日,李达在《共产党》创刊号上发表《第三国际党(即国际共产党)大会的缘起》①一文,概述了第二国际"堕落的历史",介绍了第三国际成立的经过,得出结论:"国际共产党联盟的主旨,就是实行马克思的共产主义,即革命的社会主义,由公然的群众运动,断行革命,至于实现的手段,就是采用无产阶级专政。现在代表国际社会主义的权威,就是这个国际共产党。"他在同年 12 月 26 日写作的《马克思还原》②一文中,把马克思的社会主义集中地概述为七点,指出马克思的社会主义是革命的而非妥协的,是国际的,是主张劳动专政的③。他指出:"马克思的社会主义,经过德国社会民主党的蹂躏,精彩完全消失,由国际主义堕落到国家主义,由社会主义堕落到自由主义,由革命主义堕落到改良主义,由阶级斗争堕落到阶级调和,由直接行动堕落到议会主义"。然后说明劳农俄国实行的"都是数十年前马克思所倡导,所主张的,用不着大惊小怪"。被第二国际"弄堕落了的马克思社会主义,到今日却能因列宁等的发扬光大,恢复了马克思的真面目了,这是一件很重要的事实。所以我要大声疾呼地说,'马克思还原!'"中共"一大"召开前不久,他又发表了《马克思派社会主义》④一文,对考茨基的"正统派社会主义"、伯恩斯坦的"修正主义"以及工团主义、组合社会主义逐一进行了分析批判,着重论证了"多数主义(即布尔什维主义——引者注)的施设,完全遵奉马克思主义"。此文阐明了资产阶级民主和无产阶级民主的对立,无产阶级专政和无产阶级民主的统一,武装夺取政权,无产阶级专政国家的职能、组织形式和历史使命等一系列重大问题,指出:"劳动专政的目的在征服资本阶级,根本铲除资本主义的一切思想、风俗习惯和制度,确定社会主义的根基;一方面用强制的权力,破坏资本阶级压迫劳动阶级的机关,从资本阶级夺取武装,把劳动阶级武装起来,制服一切反革命的反动力,因此徐徐地经过这政治的过渡时

---

① 署名胡炎。
② 载《新青年》1921 年第 8 卷第 5 号。
③ "劳动专政"、"劳动阶级专政"、"劳工专政"与"无产阶级专政"在当时是同义的。
④ 载《新青年》1921 年第 9 卷第 2 号。

期,巩固新社会的基础"。他认为劳动专政的典型形式是"劳动阶级和下等农民永久专政的典型的劳农会共和制度"①。

（四）批判第四国际

中共"一大"召开不久,国际共产主义运动中的极"左"派于1921年10月在柏林成立了"第四国际",反对列宁主义②。李达在第四国际出现仅仅半年时就写了《评第四国际》③一文,批评了他们的理论和策略:(1)第四国际鼓吹"全体"无产者都做革命的"指导人"。李达批评说:"无产阶级要实行革命,必有一个共产党从中指导,才有胜利之可言。""阶级争斗④就是战争。一切作战计划,全靠参谋部筹划出来,方可以操胜算。这参谋部就是共产党。""共产党是无产阶级的柱石,是无产阶级的头脑","共产党不仅在革命以前是重要,即在革命时也是重要,革命之后又须监督劳农会尤其重要。除非到了共产主义完全实现的时代,共产党不可一日不存在。"(2)第四国际主张退出黄色工会,组织"共产主义工会"。李达指出这是"部落式的共产主义"。他认为,"共产党的天职,以组织训练无产阶级为己任的,所以一面要组织劳动组合以外的劳动者而加以训练,一面要唤醒劳动组合员而引为同志。这样,共产主义军队的势力才能雄厚起来,方有胜利的希望。"第四国际的主张只会使工人"永远脱离不了那班黄色领袖的支配,永远受不到共产主义的洗礼,这简直是放弃有组织的无产阶级了,这简直是替那班黄色领袖,譬如雷金、孔巴斯、亨德逊一流人淘汰他们组合中的共产主义分子。"(3)第四国际鼓吹与资产阶级议会"绝缘"。李达批评说:"共产党对于革命运动,凡在可能的范围内,没有不利用。

---

① 过去有的中共党史教材在叙述党的"一大"时,说"一大"进行了"两条路线的斗争",批判了以张国焘为代表的"左"倾机会主义路线和以李达、李汉俊为代表的右倾机会主义路线,并说李达主张"合法马克思主义",认为党只应该是一个研究马克思主义的学术团体,不必强调组织纪律,不必从事工人运动和实际斗争,不要建立无产阶级专政,主张只到资产阶级议会去作宣传,等等。这与事实完全不符。

② 第四国际是1921年10月由英、德、荷、葡等国的共产主义极"左"派团体在柏林成立的组织;存在的时间不长。这与1938年9月由托洛茨基及其支持者建立的第四国际不是同一组织。

③ 载《新青年》1922年第9卷第6号。

④ "阶级争斗"与"阶级斗争"在当时是同义的。

共产党人若是抱定革命的目的跑进议会去,利用议会而不为议会所利用,定可以得到很好的成绩。"他举出卡尔·李卜克内西和俄国布尔什维克利用议会的范例,说明共产党人应当利用议会讲坛和资产阶级报纸的必要。(4)第四国际反对联合农村无产阶级的策略。李达指出:"社会革命,工业劳动者固然是主力军,而非与农村无产阶级结合,就不易成就。"李达一方面警告第四国际不要"帮助敌人攻击第三国际",否则"便是故意分裂无产阶级,等于放弃世界革命";另一方面仍希望他们放弃错误,同第三国际合以完成世界革命。

此外,李达根据自己翻译的大量材料,写成了《劳农俄国研究》①。这部长达 377 页的著作(包括俄国革命小史、劳农政治的特质——无产阶级专政与民主主义、劳农制度研究、劳农组合之组织与职分、农民与革命、劳农俄国的劳动者、农业的社会主义化、劳农俄国的教育制度、文化的设施、妇女之解放等十章),对苏俄作了详尽系统的介绍,帮助党内外群众了解十月革命的成就,坚定"走俄国人的路"的信心。

李达还参加了大量的实际工作。除主编《共产党》月刊外,主要有四个方面:(1)筹备和组织党的"一大"。1920 年 11 月,陈独秀应孙中山的邀请赴广东任教育厅长,由李汉俊代理书记。1921 年 2 月李汉俊辞去书记职务,由李达代理书记,全面主持党的"一大"的准备工作。他代表党的发起组通知北京、济南、长沙、广州、武汉、东京的小组各派两名代表来上海开会(他和李汉俊是上海代表),负责安排一切会务,参加起草文件。当会议在李书城②家举行、险遭法国巡捕房搜捕时,他和夫人王会悟设法把代表们转移到嘉兴南湖一条画舫上继续开会,直到闭幕。大会决议成立中央工作部,推选陈独秀为书记,张国焘为组织主任,李达为宣传主任。各地小组都改成了支部。中国共产党正式诞生。(2)主持人民出版社。1921 年 9 月陈独秀回上海专任党的书记后,决定成立地下的人民出版社,由李达任社长。人民出版社计划出版《马克思全书》15 种,《列宁全书》14 种,《共产主义者(康民尼斯特)丛书》11 种,其他 9 种。在一年之内就实际出版了 15 种,包括《共产党宣言》、《哥达纲领批

① 1922 年 8 月由商务印书馆出版。
② 李汉俊的胞兄。

判》、《工钱劳动与资本》、《国家与革命》等马列著作以及《资本论入门》、《第三国际决议案及宣言》、《李卜克内西纪念》等。李达亲自担任组稿、编辑、校对和发行工作,并亲自译稿撰稿。(3)主持平民女学,领导《妇女声》杂志。1921年10月,陈独秀与李达商定开办上海平民女学,李达兼任校务主任。学校实行工读。李达为她们讲授马列主义理论,请陈独秀、陈望道、沈雁冰、沈泽民等为她们讲课。丁玲、王一知、王剑虹等当时都是该校学生。学生们常到工厂做宣传鼓动工作。李达还领导《妇女声》杂志。他发表了《平民女学是到新社会的第一步》、《说明本校工作部之内容》、《告诋毁男女社交的新乡愿》、《介绍几个女革命家》、《女权运动史》等文;翻译了《社会主义的妇女观》、《列宁的妇人解放论》、《劳农俄国的妇女解放》、《绅士阀与妇女解放》①等,宣传马克思主义的妇女解放理论。(4)向工人做宣传鼓动。党的发起组成立后,李达在《劳动者与社会主义》②一文中刻画了工人备受压迫剥削的状况后指出:"这里有一个最大的根本解决方法,就是社会主义。"他在《新青年》上发表的《劳工神圣颂》③一文中指出剥夺剥夺者是必然的、合理的。1922年五一节中国劳动组合书记部在广州召开全国劳动大会时,李达发表了《对于全国劳动大会的希望》④一文,热情歌颂大会的召开"是中国劳动界破天荒的举动,与1864年万国劳动者的大会⑤有同样重要的意义"。他简明通俗地宣传了《共产党宣言》和第一国际宣言的基本思想。会后又发表《劳动立法运动》⑥一文,揭露赵恒惕、肖耀南等军阀压迫屠杀工人的罪行,指出"中华民国"的"约法"只是"限制人民自由的工具"、"压迫人民的武器",号召全国劳动者把劳动立法作为斗争的"第一步",然后发展成"政治运动","一致行动起来要打破这类法律,甚者是要推倒这种政府"。"劳动者若只是一味哀求特权阶级赐给恩惠,这种恩惠也是不可靠的"。

这时的李达也带有中国早期共产主义者不成熟的痕迹,对中国的历史特

① 均见《李达文集》第一卷,人民出版社1978年版。
② 载《劳动界》1920年第16号,署名立达。
③ 载《新青年》1920年第8卷第4号,署名H.M.。
④ 载《先驱》1922年五一纪念号。
⑤ 指第一国际成立大会。
⑥ 载1922年9月10日上海《民国日报》副刊《觉悟》。

点和社会性质还缺乏具体的分析,还没有认识到中国的民族资产阶级和买办资产阶级的区别,还不了解中国革命必须分两步走的道理。但他的论著在当时是最系统最准确地符合马克思列宁主义的普遍原理的。他在短短的三年里为奠定建党的理论基础作出了卓越贡献。

三、大革命时期的理论探索(1922—1927)

1922年7月李达出席中共"二大",辞去了党中央宣传主任的职务。11月应毛泽东邀请,到湖南任自修大学学长。自修大学是党培养干部的学校,采取书院与现代学校相结合的形式。李达亲自制订教学计划,讲授唯物史观、剩余价值理论、科学社会主义和社会发展史。一批党的骨干如夏明翰、萧劲光、夏曦等都是学员。自修大学还创办了《新时代》月刊,李达任主编。该刊刊载了李达撰写的《何谓帝国主义》、《为收回旅大敬告国人》、《马克思学说与中国》、《旧国会不死大盗不止》、《中国商工阶级应有之觉悟》①和马克思《哥达纲领批判》②的译文,刊载了毛泽东、李维汉、罗学瓒等的论文。1923年7月,湖南军阀赵恒惕以"纠正本省青年对于社会主义的谬误观念"③为名请江亢虎讲演《社会主义概论》,李达立即发表《社会主义与江亢虎》的长文予以揭露,指出江亢虎的"社会主义"是"官僚的社会主义"④。1923年11月,《新时代》与自修大学一起被赵恒惕封闭。

李达对1922年7月党的"二大"通过的《关于民主的联合战线的决议案》是拥护的,他赞成与国民党实行党外合作。但他对同年中央特别会议决定与国民党实行党内合作的方针抵触很大,担心共产党丧失独立性,他本人更不愿加入国民党。他在1923年5月15日《新时代》第1卷第2号上发表的《马克思学说与中国》一文中表达了这种担心。他说:"中国共产党联合国民党推倒军阀政治的主张,在马克思学说上也是有基础的。只是我在这里要促中国共

---

① 参见《李达文集》第一卷,人民出版社1980年版。
② 当时译名为《德国劳动党纲领栏外批评》。
③ 参见《李达文集》第一卷,人民出版社1980年版,第221页。
④ 参见《李达文集》第一卷,人民出版社1980年版,第230页。

产党注意的地方,约有下列二项:一,中国国民党似乎是一个社会民主的党派,有资本家、智识分子及劳动者的三种党员,共产党至好是影响他们向左倾。将来民主革命成熟时,共产党至好引导到无产阶级革命去。不然,共产党应该单独的严整无产阶级的阵。二,共产党应注重'组织无产者成为一阶级'的工作,时时要保持独立的存在,免受他党所影响。"①同年暑假,他到上海面见陈独秀陈述自己的看法,与陈独秀发生激烈争吵,陈独秀甚至要开除他的党籍。李达未能正确处理这一争执,回长沙后就愤而中断了与中央的联系,离开了党的组织。他在1949年重新入党时写的《自传》中承认这是"生平所曾犯的最严重的、最不能饶恕的大错误"②。李达离开党的组织后,坚持马克思主义的立场始终没有改变,在艰苦危险的条件下继续从事马克思主义理论的研究和宣传。湖南自修大学被查封后,李达应聘到湖南公立政法学校、湖南大学、湖南第一师范学校任教,讲授唯物史观,对许多青年进行马克思主义教育。例如,后来成为著名马克思主义历史学大师的吕振羽当时就是经夏明翰介绍去听李达的讲课,开始接受马克思主义的。③

1926年至1927年,李达到武汉任国民革命军中央军事政治学校代理政治总教官,在该校和农民运动讲习所讲授唯物史观。这一时期的代表性著作是1926年6月出版的专著《现代社会学》。

该书的内容即是马克思的唯物史观。李达在"序言"中说:"马克思固未尝著述社会学,亦未尝以社会学者自称,然其所创之唯物史观学说,其在社会学上之价值,实可谓空前绝后。"因此,他"特采唯物史观学说为根据,编著此书"。该书虽不是中国最早阐述唯物史观的论著④,但却是"中国人自己写的最早的一部联系中国革命实际系统论述唯物史观的专著"⑤,具有严密的理论体系和鲜明的中国特色。第一,所论问题系统深刻。该书论及了社会的本质、构造、起源、发展、变革、社会意识、阶级与国家等一系列基本理论问

---

① 参见《李达文集》第一卷,人民出版社1980年版,第212页。
② 参见《李达自传》。
③ 参见江明:《展读遗篇泪满襟——记李达和吕振羽的交往》,《文献》1980年第4期。
④ 在李达的《现代社会学》之前问世的有瞿秋白1924年出版的《现代社会学》。
⑤ 参见江明:《展读遗篇泪满襟——记李达和吕振羽的交往》,《文献》1980年第4期。

题,以及帝国主义、世界革命、国际社会主义运动、中国社会的性质和中国革命的任务和前途等重大现实问题。对科学社会主义的内容和实现共产主义的步骤也有专章加以阐述,还批判了"契约的社会说"、"生物的社会说"、"心理的社会说"等资产阶级学说,初步形成了一个有中国特色的唯物史观理论表述体系。第二,密切联系中国实际。作者以《帝国主义与中国》一节专论中国革命问题,指出由于国际帝国主义的侵略,中国已沦为"国际的半殖民地"。"帝国主义者对于中国之侵略,可分为政治的经济的两种。经济的侵略,即在于利用金融资本支配中国,使成为彼等之商品市场原料产地与投资处所;政治的侵略,即在于利用武力或政治的优越势力控制中国以予取予求。经济的侵略,目的也;政治的侵略,手段也。海通以来,中国所受帝国主义之压迫,日甚一日,至今日而尤亟。"作者根据实际材料的分析后说:"帝国主义之为祸于中国,至今日而极矣。金钱奴我以物质,宗教奴我以文明,教育奴我以服从,勾结我国贼,制造我内乱,涂炭我人民,迹其用意,直欲永远陷中国于分崩离析万劫不复之境,以继续其掠夺宰割之政策而已。帝国主义不死,大盗不止。中国年来之革命运动,其殆为帝国主义侵略之反响也欤!"该书在《世界革命与国民革命》一节论证了中国革命的动力、对象、领导权和归趋等重大问题,得出了正确结论。第三,语言表述通俗易懂。全书用浅近的文言文写成,对经典作家的思想也用中国人喜闻乐见的语言表述,有鲜明的中国气派。

李达自称该书是"摸索写成的不成熟的著作","颇有缺点"。但它的出版轰动了思想界。著名社会科学家邓初民回忆,在 1927 年大革命时期"差不多人手一册"。[①] 吕振羽认为:"李达老师是我国有系统地传播唯物史观的第一人。""这部著作在当时影响之大,凡是亲身经历过那些岁月的老同志一定都不会忘却的。"[②]大革命失败后,李达被通缉的"犯罪事实"是"著名共首,曾充大学教授,著有《现代社会学》,宣传赤化甚力"。即使在这种情况下,该书仍然再版达 14 次之多,时间长达六年之久,其影响之大可以想见。

---

① 参见邓初民:《忆老友李达先生》,《人物》1946 年第 9 期。

② 江明:《展读遗篇泪满襟——记李达和吕振羽的交往》,《文献》1980 年第 4 期。

四、从大革命失败到新中国成立前夕的
理论探索(1927—1948)

(一) 上海时期(1927—1932)

1927 年冬,李达潜往上海,在文化"围剿"的险恶环境中与邓初民等在租界里创办昆仑书店,大量出版马克思主义的书籍。他本人也在著述和翻译方面进行了大量工作。

李达在 1929 年发表了《中国产业革命概观》、《社会之基础知识》、《民族问题》三本专著,在革命低潮中回答了中国向何处去的问题。《中国产业革命概观》是中国人用马克思主义观点系统分析中国近代经济的第一本著作。李达开宗明义指出:"就中国经济发展的倾向作正确的分析,才能了解革命的理论,树立建设的计划。这是我所以要编这本小册子的动机。"他根据国内外有关统计材料,系统地剖析了中国近代经济演变的三个互相交错过程,即帝国主义的侵略过程、封建农业的瓦解和挣扎过程以及民族资本主义的形成和萎缩过程,论证中国自帝国主义侵入后开始了殖民地的资本主义化,认为"中国社会的新生产力,早已受着国际资本主义生产关系所限制,而绝少发展余地,何况还有封建势力和封建制度来障碍它的发达呢"。他得出结论:"要发展中国产业,必须打倒帝国主义的侵略,廓清封建势力和封建制度,树立民众的政权,发展国家资本,解决土地问题。"关于中国革命的动力,该书指出中国产业工人"确是中国革命的急先锋";农民的绝大部分则"失地的失地,失业的失业,生活的困难,已是达于极点。就近年来全国农民运动的形势说,有组织的农民曾发展到数千万之多,尤其是粤湘鄂赣等省的农民,已经表现着反抗帝国主义和封建势力的大力量,表现着为革命而奋斗的大功绩。"《社会之基础知识》在阐述了马克思主义的社会发展原理后专门分析了中国革命,全书结尾明晰地指出"中国的出路":"中国一面是半殖民地的民族,同时又是半封建的社会。所以为求中国的生存而实行的中国革命,一面要打倒帝国主义,一面要铲除封建遗物,前者是民族革命的性质,后者是民主革命的性质,其必然的归趋,必到达于社会革命,而与世界社会进化的潮流相汇合。"《民族问题》一书在论述研

究民族问题的目的时指出："民族问题,是世界革命的根本问题之一,也是中国革命的根本问题之一。"这三本著作以科学论证澄清了许多人在革命低潮中的迷茫和困惑,在国内外影响巨大。其中《中国产业革命概观》一书出版后很快就被译成俄、日等国文字。

辩证唯物论的研究和宣传在当时还是薄弱环节。大革命以前马克思主义在中国的传播基本上还限于社会革命论和唯物史观。中国马克思主义者(包括李达)虽然在论著中运用了辩证唯物论,但并未把它作为整个马克思主义的哲学基础来理解、研究和宣传。除了瞿秋白在 1924 年出版的《社会哲学概论》中有简略的介绍,1926 年又翻译了郭列夫的《无产阶级的哲学——唯物论》以外,几乎没有这方面的论著。李达清醒地意识到国内还处在"开始研究辩证唯物论的时候",最需要的是"很好的入门书"。他的第一步工作是翻译介绍。他在 5 年中翻译了 7 本名著,其中有 4 本是辩证唯物论的著作:德国塔尔海玛的《现代世界观》(1929 年 9 月出版),日本河上肇的《马克思主义哲学基础》(《马克思主义经济学基础理论》一书的上篇,李达与王静、张栗原合译,全书 1930 年 6 月出版),苏联卢波尔的《理论与实践的社会科学根本问题》(1930 年 10 月出版),苏联西洛可夫等的《辩证法唯物论教程》(与雷仲坚合译并校改全文,1932 年 9 月出版)。有人认为:"中国研究马克思及辩证唯物的要以陈独秀、李大钊、李达为最早,最有贡献。至于今日,一死,一囚;所以只有李达氏了,在今日介绍成绩最佳、影响最大,当然是李氏。""今日辩证唯物论之所以澎湃于中国社会,固因时代潮流之所趋,非人力之所能左右,然李先生一番介绍翻译的工作,在近五十年思想史之功绩不可忘记。"①仅就《辩证法唯物论教程》一书而言,出版后立即受到广泛重视。毛泽东在 1936 年 11 月到 1937 年 4 月阅读了该书的第三、四版,作了摘要和批注。② 这本书也是许多革命者的精神食粮,有的革命者在监狱里、战场上还带着它。魏文伯在他珍藏的该书扉页上写下了一段感人的经历,说明该书是 20 世纪 30 年代在国民党监狱里由郭洪涛送给他的,出狱后他在抗日战场上一直带在身边,后来"在日寇

---

① 郭湛波:《近五十年中国思想史》,山东人民出版社 1997 年版,第 281、179 页。
② 参见《毛泽东哲学批注集》,中央文献出版社 1988 年版,第 5—136 页。

扫荡中被剔抉以去",然后又在反击时夺回;"文化大革命"中被没收,粉碎"四人帮"以后才物归原主。

1930 年李达经左翼社会科学家联盟书记、中共地下党员张庆孚介绍先后到暨南大学和上海法政学院任教,利用大学讲坛传播马克思主义,他曾被特务打折了右臂,也不屈服。听过他讲课的学生几十年后回忆起从他身上受到的教益和感染,还禁不住流下热泪。1932 年 5 月,当局剥夺了李达讲课的权利,他不得不离开上海,在党组织的安排下到泰山为冯玉祥先生讲授马克思主义哲学三个月。[①]

(二) 北平时期(1932—1937)

"九一八"事变的次年,1932 年 8 月,李达转移到了北平,在北平大学法商学院、中国大学、朝阳大学任教授。在民族灾难中渴求出路的青年学生热烈欢迎这位享有盛誉的红色教授的到来。李达与侯外庐、吕振羽、张友渔、黄松龄等学者一道,形成了影响很大的红色教授集团,共同研究和宣传马克思主义。吕振羽回忆说:"李达老师是学校进步师生和反动派作斗争的一面旗帜。"[②]侯外庐说:"抗战前,在北平敢于宣讲马克思主义学说的学者,党内外都有,大家都是很冒风险的。但是,就达到的水平和系统性而言,无一人出李达之右。"[③]张友渔说:"我年纪虽然与李达差不了几岁,但是,在政治上他是先驱,在理论上他是导师。我们 30 年代在北平相识,同在北平法商学院任教,他是当时最杰出的一个。"[④]杨易辰、段君毅、任仲夷、陈沂、史立德、陈星野、彭德纯、陆斐文等一批青年都是李达的学生,都是在他的影响下投入党领导的"一二·九"运动,成为共产党员的。

在北平的五年是李达在理论上硕果累累的时期。除继续译介马克思主义

① 1933 年 8 月冯玉祥又曾请李达第二次到泰山讲学,这时李达刚到北平大学法商学院任教。
② 江明:《展读遗篇泪满襟——记李达和吕振羽的交往》,《文献》1980 年第 4 期。
③ 侯外庐:《韧的追求》,人民出版社 2015 年版,第 35 页。
④ 张友渔:《在纪念李达诞辰一百周年座谈会上的讲话》。张友渔在首都理论界和教育界纪念李达诞辰 100 周年座谈会上的讲话,转引自王身炳:《中国马克思主义的一代宗师》,载于《纪念李达诞辰一百周年——中国现代哲学与文化思潮续集》,湖南出版社 1991 年版,第 31 页。

名著外,他撰写了《社会学大纲》、《经济学大纲》、《社会进化史》、《货币学概论》四部专著,还撰写了《中国现代经济史之序幕》、《中国现代经济史概观》、《辩证逻辑与形式逻辑》等论文。这两百万言的论著范围广阔,内容宏富。把这些著作放在中国革命的大背景下考察,意义就更加重大。

这里只谈谈《社会学大纲》和《经济学大纲》两部著作。

《社会学大纲》是一部 47 万字的马克思主义哲学专著,第一篇是唯物辩证法,第二篇至第五篇是历史唯物论。1935 年北平大学法商学院作为讲义首次印行,补充修改后 1937 年 5 月由上海笔耕堂书店出版。作者在扉页上满怀激情地题了"献给英勇的抗日战士"九个大字,又在四版"序言"中说明了撰写该书的目的:"中国社会已经踏进了伟大的飞跃的时代,我无数同胞都正在壮烈的牺牲着,英勇的斗争着,用自己的血和肉,推动着这个大飞跃的实现,创造着这个大时代的历史。这真是有史以来空前的大奇迹! 可是,战士们为要有效地进行斗争的工作,完成民族解放的大业,就必须用科学的宇宙观和历史观,把精神武装起来,用科学的方法去认识新生的社会现象,去解决实践中所遭遇的新问题,借以指导我们的实践。这一部《社会学大纲》是确能帮助我们建立科学的宇宙观和历史观,并锻炼知识和行动的方法的。因此,我特把这书推荐于战士们之前。"

该书一出版就在全国广泛流传,三年中再版了三次。毛泽东在延安收到李达寄来的该书后非常重视,认真阅读,作了详细地摘要和批注①,并在日记中记载了此事②。据当时在毛泽东身边工作的郭化若回忆,毛泽东当时高兴地说:"李达同志寄给我一本《社会学大纲》,我读了十遍。我写信请他再寄十本来,让你们也可以看看。"③毛泽东向延安哲学研究会和抗日军政大学推荐了该书,指出这是"中国人自己写的第一本马列主义的哲学教科书",并写信给李达高度评价他的功绩。他还称赞李达是"真正的人"。1948 年,中原新华书店根据毛泽东的意见重版了该书,作为干部学习的教材。

---

① 参见《毛泽东哲学批注集》,中央文献出版社 1988 年版,第 209—276 页。

② 参见《毛泽东哲学批注集》,中央文献出版社 1988 年版,第 279 页。

③ 郭化若:《在毛主席身边工作的片断——纪念毛主席八十五诞辰》,《解放军报》1978 年 12 月 28 日。

《社会学大纲》所以产生如此巨大的影响,是因为它出现在中国人民迫切需要马克思主义哲学武装自己的历史时刻。第一,该书对马克思主义哲学的阐述在当时是最系统最准确的。从涉及的问题和引证的材料看,他已精研了当时已出版的马列的全部哲学著作,包括马克思、恩格斯早期著作和列宁晚期著作,加上他对历史的丰富知识,对古今哲学流派的深刻了解,对各国马克思主义优秀著作的认真吸取,对国内外哲学斗争经验教训的及时总结,使他能比较全面准确地把握马克思哲学的实质,没有苏联哲学教科书那些片面性的毛病。例如,他始终把马克思主义哲学当作统一的哲学科学来论述,反复强调马克思主义哲学既是世界观又是方法论,既是认识方法又是实践方法;作为人类认识史的综合的唯物辩证法和认识论、论理学(逻辑)是同一的东西;实践的观点是马克思主义哲学的根本观点;对立统一法则是唯物辩证法的实质和核心;认识是以实践为基础的圆圈式上升运动;生产力是社会发展的最终决定力量和上层建筑的反作用;科学技术的重大作用;等等。第二,该书不是马列著作的一般复述,更不是外国研究成果的照搬,而是独立完成的作品,有自己的严密体系。虽然由于恶劣政治环境的限制,不可能直接援引中国革命的具体经验,原定以中国社会研究为内容的第六篇也未能问世,然而全书的论述都是估计到并针对着中国国情的。第三,该书以教科书的形式写成,分篇章节目,层次显豁;论述问题条分缕析,说理透辟。虽然并非普及性读物,但对有志钻研理论而又有相当知识准备的人来说,并无艰深晦涩之弊。该书当然也有不足之处。例如对当时为世界公认的重大自然科学成果(相对论、量子力学等)没有反映,对形式逻辑和形而上学没有加以区别等等。但该书无疑是我国唯物辩证法运动达到成熟阶段的一个重要标志。①

---

① 有一种流行的观点认为中国的马克思主义哲学著作都是在 1938 年斯大林的《辩证唯物主义和历史唯物主义》的影响下写成的。这不符合事实。李达的《社会学大纲》的问世早在斯大林此著之前。[参见陶德麟:《对马克思主义中国化研究中两个问题的理解》,载《中国社会科学》2009 年第 1 期首篇,《新华文摘》2009 年第 9 期全文转载。中国社会科学院内部学习刊物《学习与参阅》2009 年第 5 期(总第 270 期)全文刊登。中国人民大学书报资料中心《马克思列宁主义研究》2009 年第 4 期首篇全文转载。2013 年获教育部第六届人文社会科学优秀成果一等奖。]

《经济学大纲》是中国人自己写的第一本马克思主义经济学教科书和专著①,1935 年由北平法商学院印行,40 万字。毛泽东向延安理论界推荐《社会学大纲》的同时也推荐了该书,说:"李达还寄给我一本《经济学大纲》,我现在已读了三遍半,也准备读它十遍。"②1948 年三联书店出版了该书的《先资本主义的经济形态》部分。《经济学大纲》的突出特点是:第一,坚持为中国革命实践服务的方向。该书指出:"现在的中国经济,是处于帝国主义宰割之下的、工农业陷于破产状态的经济。这种经济,可以说是国际资本主义殖民地化的经济。在这种特殊的经济状况下挣扎着的中国国民,究竟应怎样寻求自己的生路呢? 这不仅是一个经济问题,而是整个中国自求生存、自求解放的问题。要解决这个问题,必须有正确的客观的理论做实践的指导,才能成立民族解放的战线,才能进行民族解放的工作,才能提起中国经济改造的问题。但要获得那种客观的正确的指导的理论,就必须把捉住一般根本路程上的经济的进化之客观的法则,同时具体的考察中国经济的特殊的发展法则,以期建立普遍与特殊之统一的理论。"第二,强调研究中国经济特殊规律的重要性。该书"绪论"明确指出:"研究经济学的我们,是现代的中国人。我们不仅生活于现代的资本主义世界,并且生活于资本主义世界中的现代的中国。我们研究经济学,能够只知道注意于世界经济,反而忽视了中国的经济么?"作者尖锐地批评说:"从来的中国的经济学,或者只是研究资本主义经济,或者并行的研究资本主义经济和社会主义经济,但对于中国经济却从不曾加以研究。这些经济学专门研究外国经济,却把中国经济忽略了。我认为这是一个严重的错误,是极大的缺点。""我们不是为理论而理论,为科学而科学,而是为了经济上的实践才研究经济学。"他认为必须研究原始社会以来所有社会形态的规律和诸社会形态转变的规律,更要着重研究殖民化的中国经济的规律。该书把先资本主义社会形态作为独立部分,以三章的篇幅对原始社会、古代社会

---

① 陈豹隐发表的《经济学讲话》是由陈豹隐口述、马玉璞等五人记录的。陈豹隐在"自序"中说明:"这本讲话是根据听讲者的笔记(除第二篇第二章第四节是我自己写的外),由我亲自动笔,大加补削而成的,所以严格地说当然算不得是一种著述。"此书也只讲了资本主义经济,没有涉及其他经济形态。

② 郭化若:《在毛主席身边工作的片断——纪念毛主席八十五诞辰》,《解放军报》1978 年12 月 28 日。

（即奴隶社会）、封建社会的经济形态作了系统扼要的探讨,然后以十三章的篇幅重点论述资本主义的经济形态。这是极有特色的首创。虽然由于环境恶劣,预定的社会主义经济和中国经济两部分未能完成,但该书指出的正确方向仍然极为宝贵,而且其基本思想已早在其他著作(如《中国产业革命概观》、《中国现代经济史之序幕》、《中国现代经济史概观》等)中即已有所阐发,可以视为对这一缺陷的弥补。

（三） 两广和湖南时期（1937—1948）

1937 年"七七"事变爆发,李达被迫离开北平,应聘任广西大学教授,还未到职就被解聘。次年进步人士白鹏飞任广西大学校长,他才重新就聘,但不到一年又随着白鹏飞被解职而失去教席。1939 年他应冯玉祥先生的邀请到重庆讲学九个月(并代邀邓初民和黄松龄同往),把冯先生的研究室变成了以学习马克思主义和研究中国革命问题为中心的集体。冯玉祥先生带头听课,认真笔记,参加讨论。这九个月的工作以及此前 1932 年和 1933 年在泰山为冯先生讲学的工作对冯先生晚年政治立场的转变起了重要作用。① 1940 年他应聘到广东坪石中山大学任教,不到一年又被教育部电令解聘,困居家乡。1944年零陵沦陷,他逃往徭山避难。直到 1947 年春,经中共地下组织的协助和友人李祖荫的介绍,他才就聘于湖南大学。但在湖南大学,李达受到当局的严密监视。当局不让他讲授他造诣很深的哲学和经济学,而要他担任"法理学"的课程。李达不仅没有被难倒,反而借此机会开拓了一个新领域。他以辩证唯物论和历史唯物论为武器,把卷帙浩繁的各派法学著作整理成一个秩序井然的系统,对各派法学观点给予切中肯綮的批评,对历史和现实的法律现象给予科学的解释,对玩弄"制宪"的当局给予巧妙地揭露。他在酷热的夏天带病开始写作,一年多就完成了《法理学大纲》,湖南大学只作为讲义石印了上册(约占全文的一半)。新中国成立后李达也没有将手稿交付出版,"文化大革命"中手稿被抄走遗失。党的十一届三中全会后,我国法学界研究了石印本讲义,才发现这是一部有开拓意义的重要著作。著名法学家韩德培教授撰文指出:

---

① 参见赖亚力 1978 年为《李达文集》编辑组写的回忆材料。

"从这部讲义中,可以看出他(指李达——引者注)为我国的法学研究开辟了一条新的路子。我们不妨说,他是我国最早运用马克思主义研究法学的一位拓荒者和带路人。他的这部讲义是我国法学研究中的重要文献,也是他对我国法学的重大贡献。"[1]1983 年 11 月法律出版社出版了该书上册,韩德培作"序",陆定一题写书名。

这一时期李达为湖南和平解放做了大量工作,在中共地下组织的策划下动员程潜将军起义,取得了极大的成功。

五、新中国成立后的理论探索(1949—1966)

1949 年年初,毛泽东邀请李达赴北京。同年 4 月李达在地下党的安排下由长沙经香港来到北京。毛泽东与他彻夜长谈,对他在艰苦条件下长期坚持马克思主义的精神和建树作了高度评价。由毛泽东、李维汉、张庆孚作历史证明人,刘少奇为介绍人,李达在同年 12 月重新入党,无候补期。李达表示他希望继续在高校从事理论工作。

新中国成立后,李达先后担任中央政法干部学校副校长、湖南大学校长、武汉大学校长,当选为第一、二、三届全国人民代表大会代表和第三届全国人民代表大会常务委员会委员,中共第八次全国代表大会代表,被推选为中国科学院哲学社会科学部委员,中国哲学会会长。这时他已患有胃溃疡、高血压和冠心病,繁重的行政工作和社会活动已使他常感不支,但他仍以理论战线上的"老兵"自任,把研究和宣传马克思主义哲学、特别是毛泽东哲学思想作为职责,为此奋斗到最后一息。

李达解放初期的重要哲学著作是《〈实践论〉解说》和《〈矛盾论〉解说》。

1950 年和 1951 年毛泽东的《实践论》和《矛盾论》相继重新发表时,李达抱病撰写了两本"解说"。为力求精粹准确,写完一部分就寄请毛泽东本人审阅。在看完《〈实践论〉解说》第一、二部分后,毛泽东于 1951 年 3 月 17 日写

---

① 韩德培:《一位少有的马克思主义法学家》,载《武汉大学学报》(哲学社会科学版)1981 年第 1 期。

信给李达说:"这个解说极好,对于用通俗的言语宣传唯物论有很大的作用。"并说:"关于辩证唯物论的通俗宣传,过去做得太少,而这是广大工作干部和青年学生的迫切需要,希望你多多写些文章。"①

两本《解说》不是注释性的读物,而是独立研究的成果,准确深刻而又通俗易懂。作者反复强调毛泽东的哲学著作是"辩证唯物论的基本原理与中国革命的具体实践的结合",反复强调"只有实践才是认识的真理性的唯一标准,除此以外再没有别的标准","我们是为实践而学习《实践论》,不是为学习而学习《实践论》"。两本《解说》为马克思主义哲学中国化、时代化、大众化作出了榜样。

此后,李达还发表了大量阐发马克思列宁主义、毛泽东思想的论著和讲演。他十分注重用马克思主义哲学武装群众、教育青年。1954年他在武汉大学创办教职员工马列主义夜大学,创办马列主义教研室,亲自制订教学计划,亲自讲课并带领教员备课。1956年他重新创办武汉大学哲学系②,亲自兼任系主任,带头讲课,多方延揽人才,尊重教师,团结群众,奖掖后学,爱护青年,鼓励学术研究,不遗余力。

李达主编的《唯物辩证法大纲》是他生平最后一部专著。

1961年8月,毛泽东在庐山约见李达,畅谈理论问题。毛泽东对苏联哲学教科书的内容和体系有很多不满之处,说不能让它"一统天下",中国人要有自己的哲学教科书。他又一次谈到李达的《社会学大纲》就是中国人自己写的第一本马列主义的哲学教科书,现在还有意义,要李达修改出版。李达在给武汉大学哲学系副系主任余志宏的信中说:"日前见到毛主席,在谈话中,主席嘱咐我把《社会学大纲》修改出版。我说,现在的精力不济,他说可找几个得力的助手帮忙。我表示照做。因此,我想回校后即开始这一项工作。"他谈到自己"旧病未去,新病续增","不能不作思想上的准备"。但他还是立即停止休养,回校开始工作。这时他的想法有所变化,认为《社会学大纲》毕竟是二十多年前的旧著,没有反映中国革命建设的丰富经验和毛泽东思想对马

---

① 影印件载《哲学研究》1978年第12期。
② 武汉大学哲学系在1952年全国高校院系调整时撤销,并入北京大学哲学系。1956年李达同志重新创办。

克思主义哲学的新贡献,于是决心重新主编一部《马克思主义哲学大纲》,分《唯物辩证法大纲》和《唯物史观大纲》两大部分。他指定陶德麟为该书的主要执笔人,并抽调了几位武大哲学系的应届毕业生协助。次年冬天他患脑溢血和心力衰竭,经救治缓解后不得不遵医嘱到外地休养。但他仍然不顾医生的警告,不肯休息,经常从病榻上爬起来阅读材料,思考问题,以颤抖的字迹亲笔写信对编书提出许多具体意见。① 同时,他要陶德麟用初稿的内容给学生讲课,听取意见,并征求哲学系教师们的意见。他本人也亲自审读书稿并提出意见。"1965 年,李达主编的《唯物辩证法大纲》(上册)在陶德麟的辅助下完成,概括地论述了马克思主义哲学的产生、发展和辩证唯物主义的基本原理及毛泽东对它的主要贡献,紧密联系当时思想战线的实际,批判了各种错误思潮,同时结合我国社会主义革命和建设的实际,从方法论上论述了学习和运用马克思主义哲学的重要意义,是一部优秀的马克思主义哲学专著。"②李达把已完成的书稿寄请毛泽东等有关领导人审阅,并广泛听取学术界的意见,同时开始指导编写下册唯物史观。他感慨地说:"人生七十古来稀,我已经快八十岁了,要赶快做!"这时,一场奇灾大祸从天而降,"文化大革命"突然到来,李达被诬陷为"武汉大学三家村黑帮头目"而惨遭迫害,他的学术助手陶德麟也被打成"黑帮",书稿成了"反毛泽东思想"的"毒草",当时不仅不可能出版,连保存送审稿都成了"罪行"。但李达在身处绝境时仍然不忘这部专著。他当时虽然已不可能与陶德麟见面,但他在 1966 年 8 月 24 日含冤去世前却仍然叮嘱夫人石曼华同志设法转告陶德麟将来为他完成毛主席交给他的编书任务。

　　1974 年 1 月,中共中央为李达平反昭雪,恢复名誉。但当时还在"文化大革命"期间,该书的出版还提不上日程。1977 年,人民出版社找到陶德麟,委托他将该书修订出版。陶德麟根据李达生前的遗愿和嘱托,按李达的思路对1965 年的送审稿做了修订,1978 年 6 月由人民出版社以《唯物辩证法大纲》

---

　　① 参见李达在 1962—1965 年为编书问题给陶德麟的 14 封信,载《陶德麟文集》,武汉大学出版社 2007 年版,第 822—835 页。
　　② 汝信主编:《20 世纪中国知名科学家学术成就概览》(哲学卷)第一分册。参见钱伟长主编:《20 世纪中国哲学学科发展史》,科学出版社 2014 年版,第 11 页。

的书名出版。这时离李达同志去世已经 12 年了。① 该书在保持《社会学大纲》优点的基础上着重总结了当代自然科学的成就,概括了中国革命的丰富经验,系统阐发了毛泽东哲学思想对马克思主义哲学的发展。该书出版后受到理论界的高度重视。评论者认为:"李达一生留下了近千万字的著译","他的《现代社会学》、《社会学大纲》、《唯物辩证法大纲》三部论著是我国三个不同时期马克思主义哲学的代表作。在中国现代哲学史上,除了革命家兼哲学家的毛泽东之外,在专门的马克思主义哲学理论工作者中无人能高出李达者。李达是名符其实的中国马克思主义哲学界的泰斗。"②

李达是一位探索者,他的认识也有一个发展过程。现在看来,他在 20 世纪 50 年代写的某些批判性的论著中有些也受到当时形势的影响,认识上有一定的局限性。但这些论著在当时仍然是比较最实事求是的,因而多次被当时的某些人们认为"火气不足"。他的难能可贵之处是他始终唯真理是从,绝不支持或附和那些明知其为错误的东西。当错误的潮流席卷而来的时候,他不顾个人的得失安危,勇于旗帜鲜明地反对。1958 年浮夸风盛行的时候,他写了《共产主义社会的两个阶段》的论文,并在 1959 年 1 月武汉大学党员代表大会上作了专题发言,尖锐地指出:"目前的生产力发展水平毕竟还是相当低的。我国现在还是处于社会主义阶段,社会消费品的分配还不得不实行'按劳分配'的原则。""要保持冷静的头脑,既看到大的成绩也不忽视小的缺点,才能防止浮夸倾向,才能区别事物的真象和假象,区别有根据的要求和没有根据的要求",反对"降低共产主义的标准"。1959 年庐山会议刚结束,他闻讯后就明确表示现在应该反"左",不应该反右,把彭德怀等定为"反党集团"是"党内出了怪事"。1961 年 8 月,他在庐山向毛泽东痛陈"大跃进"和"教育革命"中违背客观规律的危害。1962 年,他抱病到零陵作农村调查,再一次明确表示"彭德怀同志的意见是正确的",并写了详细的书面意见交给零陵县委和湖南省委转中央。全国展开对杨献珍和冯定的"批判斗争"时,他保持沉默,不

---

① 原定《马克思主义哲学大纲》的下册《唯物史观》部分本来已有提纲和少量初稿,但它们在"文化大革命"中被抄家者损毁,片纸无存,故未能修订出版。

② 许全兴:《中国马克思主义哲学界泰斗》,载《纪念李达诞辰一百周年》,湖南人民出版社1991 年版,第49—50 页。

随声附和。1966 年 3 月某些报刊发表文章鼓吹"顶峰"论时,他愤怒地指出这"不科学"、"不合乎辩证法"。有人提醒他说这是林副主席讲的,他坚定地说:"违反科学的东西不管是哪个讲的都不能同意!"这些在"文化大革命"中都成了他的"罪行",他以身殉道,无怨无悔。这是他留给我们的最宝贵的遗产。

1990 年经党中央批准,纪念李达同志诞辰 100 周年座谈会在北京人民大会堂举行。胡乔木、胡绳、张友渔、任继愈、邢贲思、汝信和李达 30 年代的学生段君毅、任仲夷、陈沂等发言高度评价了他的功绩。胡乔木指出:"李达同志是我们党杰出的马克思主义宣传家、教育家、理论家、著作家,他是多方面的学者。李达同志是中国共产党的发起人之一,也是我们党的早期领导人之一。""我国马克思主义理论界完全有理由以有李达同志这样一位在十月革命和'五四'运动以来,就以全部身心投入为坚持和发展马克思主义而奋斗,数十年如一日的前驱和榜样而自豪。"[1]胡乔木为李达百年诞辰的题词是:"坚持真理,不屈不挠,身体力行,万世师表。"

陶德麟

2016 年 6 月 20 日

---

[1]　胡乔木:《深切地悼念伟大的马克思主义理论家李达同志——在纪念李达同志诞辰一百周年座谈会上的讲话》,《武汉大学学报》(人文社会科学版)2000 年第 6 期。

编纂说明

李达(1890—1966)是在中国传播马克思主义的先驱和杰出的马克思主义理论家,是马克思主义中国化的重要代表人物之一,也是中国共产党的创始人和早期领导人之一。1990 年 12 月 27 日,胡乔木同志在纪念李达同志诞辰100 周年座谈会上的讲话中指出:"李达同志是我们党杰出的马克思主义宣传家、教育家、理论家、著作家,他是多方面的学者。李达同志是中国共产党的发起人之一,也是我们党早期的领导人之一。李达同志从他接受马克思主义的思想开始,为宣传马克思主义的真理奋斗到最后一息。我想,在我们党将近70 年的历史上,还很少有像李达同志这样勤奋,这样有丰富的卓越的成就,这样在任何困难危险的环境下生命不息、战斗不止的马克思主义宣传家、教育家,这样坚定勇敢而不断追求进步,力求达到当代的最高水平的马克思主义理论战士。我国马克思主义理论界完全有理由以有李达同志这样一位在十月革命和'五四'运动以来,就以全部身心投入为坚持和发展马克思主义而奋斗,数十年如一日的前驱和榜样而自豪。"①2016 年 5 月 17 日,习近平同志在哲学社会科学工作座谈会上的讲话中,也称赞李达是十月革命后在运用马克思主义进行哲学社会科学研究的过程中产生的"名家大师"之一,"为我国当代哲学社会科学发展进行了开拓性努力"。

李达是中国马克思主义史乃至整个中国近现代思想史上少有的一位百科全书式的学术大师。他毕生从事马克思主义理论的研究、著述、教育和宣传,在哲学、经济学、政治学、史学、法学、社会学、教育学等众多领域都取得了开创

---

① 胡乔木:《深切地悼念伟大的马克思主义理论家李达同志——在纪念李达同志诞辰一百周年座谈会上的讲话》,《武汉大学学报》(人文社会科学版)2000 年第 6 期。

性的成就,真正实现了对于马克思主义理论的整体探索和综合创新。他所留下的卷帙浩繁的论著,是中国共产党和中国马克思主义理论界的一笔巨大的精神财富,也是当代中国推进马克思主义中国化、时代化和大众化的宝贵思想资源。

为了开掘好李达论著这一笔宝贵的精神财富和思想资源,我们于2010年7月向全国哲学社会科学规划办公室提交了选题为"李达全集整理与研究"的国家社会科学基金重大项目选题申报表,随后又进行了该重大项目选题的投标和评审答辩。2010年12月,以我为首席专家的国家社会科学基金重大招标项目"李达全集整理与研究"被正式批准立项。自那时以来,经过五年多时间的紧张工作和持续努力,我们终于完成了这套共20卷、约800万字的《李达全集》的编纂工作。

《李达全集》编纂的指导思想和基本原则是,尊重历史,忠于原文,力求再现李达作为一位"杰出的马克思主义宣传家、教育家、理论家、著作家"和"名家大师"的真实心路历程。李达的理论生涯,历经自"五四"运动至"文化大革命"前的各个不同的历史时期。李达的重大理论成就的取得,离不开他所生活于其中的时代条件。另一方面,李达的论著也不可避免地带有特定时代的历史烙印,其中,某些还具有明显的历史局限性。但是,我们不掩盖历史,不粉饰历史人物,不以今天看来"不合适"为由删节李达论著,而是完整地呈现了我们所搜集到的全部李达论著。对于特定社会政治背景下的某些李达论著,如20世纪50年代中后期反右运动中的批判性论著,我们在题注中对这些论著的写作背景作了说明,也希望人们以历史的眼光去看待和理解它们。

根据上述指导思想和基本原则,我们编纂《李达全集》的具体工作思路如下:

第一,按时间顺序编排李达论著。《李达全集》前15卷收入的是新中国成立前的李达论著,后5卷则属于新中国成立后的李达论著和李达的少量书信。《李达全集》中李达论著题名后括号内所标注的时间,是李达生前已出版、发表或印行的论著的出版、发表或印行时间,或李达生前未曾出版、发表或印行的论著的成文时间。李达生前已出版、发表或印行的论著,一般按出版、发表或印行的时间顺序排列。李达论著往往有多种不同的版本(著作多次再版或印行、文章先后在不同报刊上发表),对于这种情况,我们按李达论著最初版本的时间标注和排序(一般收入其最初版本,并在注释中对后续各版的重要更改或修订作出简要说明,只有两个重要例外:一是《社会学大纲》,我们同时收入了其1935年北平大学法商学院教材本和1937年5月笔耕堂书店初版,并根据按最初版本时间排序的原则将它们编排在紧紧相邻的前后两卷中;二是《〈矛盾论〉解说》和《〈实践论〉解说》两部著作,其题名后括号内注明的是整体成书和最初出版的时间,而我们收入的却是其相对完善的版本)。李达生前未曾出版、发表或印行的论著,则一般按其成文的时间顺序排列(《唯物辩证法大纲》题名后括号内所标注的是李达逝世后的该书出版时间即1978年6月,而这基本上也是该书修订成书的时间)。当然,也有个别例外。例如,我们将所收集到的李达书信全部集中编排于最后一卷即第20卷并按类别排列。

第二,注重对李达论著的题注和文后说明。我们为李达的所有著作(包括那些曾由有关出版社出版过单行本的长篇论文)和部分文章写了题注。著作题注主要说明版本流变、写作背景、整体或部分章节在报刊上发表及整体或部分内容被收入20世纪80年代人民出版社出版的四卷本《李达文集》的情况(那些发表在有关报刊上的与李达著作某些章节内容完全相同的文章,不再收入《李达全集》)。文章题注主要说明写作背景、原题、在其他报刊上发表的情况或那些未曾发表的文章的来源或出处,而所有被收入的已发表文章的出处则在文后括号内说明。至于李达论著被评论、被其他报刊或文集摘录、收录、转载的情况(包括在报刊上发表的文章被收入《李达文集》的情况),则不再注明。

第三,尽量保持李达论著的原貌,同时也兼顾今天通行的学术规范和人们的阅读习惯。一方面,我们概不更改李达论著的原文。李达论著中的很多表述,包括很多译名和译文,与现今很不相同,我们均保持其原貌。李达论著中的引文,特别是民国时期李达论著中的引文,包括马克思主义经典著作的引文,多是李达自己从俄文或其他外文版著作翻译过来的,往往没有作详细的注释,我们没有甚至也无从对这些引文(译文)一一进行校订和注释,仅对与经典著作的新译有较大出入的少量引文(译文)作了注释和说明。李达论著中与现今通用译语不同的各种专名和概念的译名,如"黑智儿"(黑格尔)、"涅宁"或"伊里奇"(列宁)、"柯祖基"(考茨基)、"布尔乔亚"(资产阶级)、"普罗列达里亚"(无产阶级)、"意德沃罗基"(意识形态)、"亚美利加"(美国)、"和兰"(荷兰)等,今天已为人们所熟知,并且这些译名后往往用括号标有相应的西文原名,故我们也不再一一注释,仅就某一论著中对于同一专名或概念的不同译名作了简单的注释说明。此外,李达的某些译著系其与他人合译,其中,有的是李达译上篇、他人译下篇,为保持译著本身的完整性,我们均一并收入。

另一方面,我们注意加强对李达论著的文字整理和编辑。对于李达论著、特别是民国时期李达论著中的文字、标点符号和格式方面的的问题,我们作了如下一些编辑处理工作:一是将繁体字转换为简体字,但对于那些异体字、通假字,我们只改动那些今天通常已被视为错别字的情况,如"狠象"(很像)。二是改正了原文中文字或标点符号方面的一些明显的笔误或排版印刷错误,但对于那些尚不能完全确定的存疑之处,我们只作简要的注释;对于那些无法辨识的文字或因排版问题而造成的文中空白,如果能明确判断出空白处所遗漏的文字,我们以加括号的方式补上并加以注释,否则,我们就以"□"代替和标识。三是根据语意和现代汉语语法为那些未曾标点或仅以"·"断句的少量文字加上了标点符号,并在注释中作了简要说明。四是删除了原文中人名、地名、国名等的下划或左划(竖排版)直线,并将论著名的下划或左划(竖排版)波浪线改为书名号,将一般文字下表示强调的下划或左划(竖排版)波浪线改为着重号。五是将原文中的尾注全部转换为脚注,并把原文中那些较为完整的夹注也转换为脚注。六是对正文中与目录中不完全一致的标题,我们根据正文中的内容和表述对之做了统一。七是为了便于排版,我们对李达论著中的某些标题的序号做了统一处理。

在国家社会科学基金重大招标项目"李达全集整理与研究"的实施过程中,我们专门撰写了一部20余万字的《李达年谱》,它也是该重大项目的成果之一。因此,我们不再像人们通常所做的那样在《李达全集》中附上李达年谱。

《李达全集》的编纂是在武汉大学《李达全集》编纂委员会的指导下,由国家社会科学科学基金重大招标项目"李达全集整理与研究"课题组成员共同完成的。早在 2010 年 11 月 18 日，武汉大学就行文（武大科文字［2010］33号）成立了《李达全集》编纂委员会，"负责统筹规划、组织协调《李达全集》编纂工作，研究解决编纂和出版工作中的重大事项"。尔后，《李达全集》编纂委员会与课题组一起多次召开会议，就《李达全集》编纂的指导思想、基本原则和一些重要事项进行了研讨和协调。特别是作为编委会主任的陶德麟教授和顾海良教授，更是对《李达全集》的编纂工作提出了许多重要的指导意见。

在课题组内部，《李达全集》的编纂最初是分子课题进行的，并始终坚持了整理与研究相结合的原则，力求使《李达全集》的编纂建立在对李达论著和思想的深入研究的基础之上。其中，李维武教授负责子课题"李达部分哲学论著整理与研究"（含《实用主义——帝国主义的御用哲学》、《毛泽东对马克思主义认识论的发展》等著作和部分哲学论文的整理与研究），赵士发教授负责子课题"李达哲学译著整理与研究"（含《唯物史观解说》、《社会科学概论》、《现代世界观》、《理论与实践的社会科学根本问题》、《辩证法唯物论教程》等译著和有关译文的整理与研究），颜鹏飞教授负责子课题"李达经济学论著整理与研究"（含《中国关税制度论》、《中国产业革命概观》、《农业问题之理论》、《经济学入门》、《马克思主义经济学基础理论》、《土地经济论》、《政治经济学教程》、《经济学大纲》、《货币学概论》等著作和相关论文的整理与研究），丁俊萍教授负责子课题"李达政治学论著整理与研究"（含《劳农俄国研究》、《民族问题》、《社会主义革命与社会主义建设的共同规律》、《整风运动的辩证法》等著作和相关论文的整理与研究），向荣教授负责"李达史学论著整理与研究"（含《社会进化史》、《社会发展史》等著作和相关论文的整理与研究），徐亚文教授负责子课题"李达法学论著整理与研究"（含译著《法理学大纲》、专著《法理学大纲》、《谈宪法》、《中华人民共和国宪法讲话》等著作和相关论文的整理与研究），李志教授负责子课题"李达社会学、教育学论著整理与研究"（含《社会问题总览》、《女性中心说》、《产儿制限论》、《妇女问题与妇女运动》等著作和相关论文的整理与研究），朱传棨教授负责子课题"李达批判性论著和书信整理与研究"（含《胡适反动思想批判》、《梁漱溟政治思想批判》、《费孝通的买办社会学批判》等著作、相关论文和李达书信的整理与研究），我本人则承担了李达其他论著（含《现代社会学》、《社会之基础知识》、

《社会学大纲》、《辩证法的唯物论问答》、《历史唯物主义讲座》、《〈矛盾论〉解说》、《〈实践论〉解说》、《唯物辩证法大纲》和相关论文）的整理与研究。此外，宋镜明教授、何萍教授、谢红星教授、李斌雄教授、邹进文教授、皮家胜教授、彭继红教授、胡艺华教授、陈翠芳教授、刘明诗教授、朱耀平教授、鲁涛副研究员、李向勇副教授、徐信华副教授、熊芳芳副教授、李白鹤副教授、葛彬超副教授以及周可、朗廷建、刘秉毅、蒋焰、张闯、本志红、丁国锋、裴庚辛、张夏青、虞志坚、吕惠东、任向阳、李侦、周德清、刘会闯、李禾风、刘创、莫志斌、朱晓璇、袁雪、肖琼露、李成龙等人，也参加了有关子课题的李达论著整理与研究工作。各子课题负责人提交李达论著整理稿后，由我负责统一勘校、编纂和最后定稿。

《李达全集》的编纂，任务十分艰巨，涉及的问题非常广泛和复杂。仅就李达论著的搜集和甄别而言，事情就极其繁难。尽管我们历尽艰辛，但李达论著的搜集情况仍不尽如人意。例如，1947 年李达在湖南大学执教时所著的《法理学大纲》的下册早已遗失，1949 年 12 月李达重新入党时撰写的自传全文至今仍未公开，1954 年下半年李达为武汉大学马列主义夜大学撰写的铅印讲义《马克思主义辩证法》、《真理论》渺无踪影，李达一些未曾发表的手稿在他蒙冤后被抄家洗劫一空，保存至今的李达书信寥寥无几。李达一生使用过的笔名多达十几种（除"李达"、"李鹤鸣"外，还有"鹤鸣"、"鹤"、"立达"、"达"、"H.M."、"江春"、"李特"、"胡炎"、"平凡"、"李平凡"、"白鸽"等），而同样也使用其中一些笔名的人不在少数，要准确地甄别和区分它们绝非易事。尽管我们在《李达全集》的编纂过程中尽了最大的小心和努力，但由于时间紧迫，疏漏和错谬之处定在所难免，祈望学界同仁和读者提出宝贵意见。

汪信砚

2016 年 7 月 2 日

目　录

社会问题总览（1921.4）

第二篇　社会主义

第四篇　妇人问题

唯物史观解说（1921.5）

什么叫社会主义

（1919.6）

社会主义是怎么呢？近来报纸里面虽然登载了许许多多，但是看的人很有不明白的地方。我现在索性把它简简单单的写出来，给大家看看。

社会主义，是反对个人竞争主义，主张万人协同主义。

社会主义，是反对资本万能主义，主张劳动万能主义。

社会主义，是反对个人独占主义，主张社会公有主义。

社会主义，是打破经济的束缚，恢复群众的自由。

以上所写的，诸君谅来可以明白。但是有两点应注意的：第一，社会主义和共产主义是不同的；第二，社会主义和无政府主义是不同的。

第一，社会主义和共产主义不同点在什么地方？

社会主义是主张共同的生产及支配，共产主义是主张共同的生活。社会主义是主张全废私有资本，没有主张全废私有财产。共产主义是主张全废私有财产，各人应以财产献出给社会共有的。由实际上说起来，社会主义里头也很有人主张共产主义是社会主义终极的理想。因为社会主义既主张资本公有，若使再进一步，私有财产也可以共有的。这种的话头，不过有人在那里理想。现在社会主义的纲领，还没有主张到这个田地。

第二，社会主义和无政府主义不同之点在什么地方？

主张无政府主义的人，是根据"个人主权的哲学"上面说话的。他们的主张是说人人都是主权者，没有受政府统治的必要。本来政府这个东西，都是拘束个人的自由，结果不但没有增进个人的幸福，反是有损害的。若拿过去的事实做个证据，那个政府不是暴君污吏残害人的机关么。所以政府一定要废去的，一任个人自由，各人方得完全享受真正的幸福。总而言之，无政府主义全

1

然不承认有"国家的组织"的。它里头虽分激进和渐进两派,目的却都是要打破国家政府的,所以和那社会主义是不相同。在主张社会主义的人,虽然也是不承认现在这样的国家,这样的政府,但是也要设一种代表社会的中央机关,用着它统一社会产业。由这一点看起来,社会主义也是要组织一种社会主义的政府,和那无政府主义根本打破政府组织的是不一样的。这是社会主义和无政府主义的主张不同。再就它的手段说来,也是不同的。

无政府主义里面,分了渐进和激进两派,渐进派的手段比较的稳和,激进派的手段都是公然用暴力或是用暗杀的。社会主义里,虽然也有用暴力或是用暗杀,和那无政府主义中激进派的手段一样,但是多数社会主义的人,它的手段都比那无政府主义激进派中人温和。

社会主义、共产主义、无政府主义各有各的主张,不能笼统说的。近时很有人把社会主义当作共产主义,也有人把无政府主义置在社会主义头上,实在可笑得很,又是可怜得很。……这也别怪他,我们中国人近今才有听见"社会主义"四个字,但是头脑里社会主义的思想还太薄弱。就有晓得的,也不大清楚。所以才有把这张三的帽硬送给李四戴的怪事。

(原载 1919 年 6 月 18 日上海《民国日报》副刊《觉悟》,署名鹤)

社会主义的目的

（1919.6）

社会主义是 19 世纪的产物。19 世纪以前，虽然也有类似社会主义这类思想的东西，但是拿这思想当作一种主义学说，造成时代里面一种的势力，并给一般学者把他做一种研究的目的物，的确是 19 世纪初期的事实。

法兰西革命，虽是推倒皇帝的专制，打破贵族的阶级，灭除寺院僧侣的特权。但所有成功只算政治的革命成功。若回头看到经济社会里面，许许多多的劳动者，实在没有丝毫受政治革命的恩泽。那资本家借了金钱和势力，压抑劳动者的辣手段，真是惨无人道咧！结果弄到贫者愈贫（这是劳动者），富者愈富（这是资本家），贫富相差愈远。这就是 19 世纪政治革命成功后的文明现状。社会上受了这不平等的刺激，自然会生出近世的社会主义来了。

社会主义确是要改掉 19 世纪的文明弊病，是一帖对症的良药。

社会主义简直说起来，就是救济经济上不平均的主义。但是还不止此咧。因为经济上的不平均由来很远，不但是 19 世纪近代才有的，就说上古时候人家把奴隶当着家畜一样的看待，生杀予夺，一任所有主的意思。当时酋长领主的权力，和今日资本家对待劳动者是一样的。可怜下层社会的劳动者终岁劳苦，替地主资本家做牛马做奴隶，永远没有跳出火坑受经济上平均待遇的利益。不要说别事，就是那地主资本家所住高大的洋房子，人家以为它是砖头建筑的。据我看来却是劳动者血汗造成。经济上不平均，举这一桩事就可联想到百桩事万桩事了。

社会主义，虽然是救济经济上不平均的主义，但是另外还有一个重要的目的。

这目的是怎样呢？就是人类平等的思想，不平等的自觉。

总而言之,社会主义有两面最鲜明的旗帜,一面是救济经济上的不平均,一面是恢复人类真正平等的状态。

(原载 1919 年 6 月 19 日上海《民国日报》副刊《觉悟》,署名鹤)

战前欧洲社会党运动的情形*

（1919.6—1919.7）

世界的大战争，已经休止了多时。现在欧洲方面，有一种很大的势力就是社会党，他们的势力一天大过一天。可怜我们许多的中国人，能够明白这情形的，实在是极少数。在这时候要晓得现在欧洲社会党活动的状态，先要晓得现在活动状态的背影。这背影是怎么呢？就是战前种种运动的事实。我今把战前俄、法、英、伊、比、德、奥等国社会党的运动写出来。

一、俄 国

从来人家每逢谈论俄国的事情，都是把"专制"、"虚无党"、"暗杀"、"流刑"、"西伯利亚"各名词连作一堆。实际上说起，俄国的的确确是社会运动最激烈最宝贵的国。政府压抑社会运动的人，俄国的手段，比别国辣得厉害。俄人在那里前仆后继、再接再厉的运动，想法对待那专制政府，也是厉害极了。俄国的社会运动可以分做三期。

第一期 由1855年亚历山大二世即位时起，至1870年共计15个年间。这15个年时候，社会运动的特色，就是根据新科学做的，所有一切旧时代的事物，都在排斥之列，一方面受了达尔文、斯宾塞尔、弥勒各人学说的影响，一方又受了法国社会主义的刺激，后来更崇拜德国拉沙尔马克斯两位先生的著作，这是第一期的情形。

---

* 本文分九篇连载于1919年6月20日至7月3日上海《民国日报》副刊《觉悟》，其中，前三篇全都以"·"断句，后六篇句中也仅有顿号。现根据语意重置了此类标点符号。——编者注

第二期　是社会主义活动的时代。当巴黎里面"柯姆米灾"骚动的时候，德国的社会党也在那里大大的活动。由这两种影响，俄国知识阶级的人，心里头更是蓬蓬勃勃的，由此社会主义的思想，更加了一层明白进步。这一般知识阶级的人，以后都向农民阶级传布社会主义的思想，因为农民被地主苛虐压抑到狼狈得狠，所以向那农民阶级做工夫是最有成效的。不过那时候还是用很平和的主义宣布，政府却仍旧不欢喜，用了种种手段来压抑他。谁知道压力愈大，反抗力愈增。这一面政府愈用手段压抑社会运动的人，那一面愈是帮助社会主义的发达。这是自然的道理。

当时还有一事极有关系的，就是俄国有数百个青年男女学生到瑞士"集利希"大学留学，恰好那时候主张社会主义的人，都被政府逐出国外，多数走到瑞士，以后这一般人时常和那青年男女学生交际联络，就把社会主义传布到学生们头脑里面，此种潜伏的力量，实在是极大的。至1873年俄国皇帝召了这一般学生回国，学生们把他所接触的新思想（社会主义思想）说给一般农民听，社会主义的力量，所以那样澎涨，却得力在这地方。以后社会运动就是由这样的一天激烈过一天，到了运动激烈时候，却被政府看见了，那运动的人差不多全数都被政府拿去，监禁在牢狱内面，或是流到西伯利亚极烟瘴的地方。社会主义中人受了大打击感了大痛苦以后，就觉悟到平素所用的平和手段是不行的。政府是成功的，社会党是失败的。若是再照这样做去，到底是没有效力，一定要想别的方法，总可以抵制政府得住。由是发明了"除用武力不能贯彻目的"的手段，由是到处都有秘密结社的组织。这是由第二期运动的时代到了实行的时代。

第三期　这时代的社会党，觉悟了非用急激手段不能达到目的。从此政府里反对社会党的人，就被社会党实行手段所牺牲，第一个就是1878年那位警察总监卓列波夫，其次警察总监麦仙奢夫和知事屈罗保托庆将军卓连智伦等，也是送在社会党手里的。政府压抑社会党不算得不厉害，但是反对社会党的官吏，越是常常被社会党要了命去。直到了1881年3月13日亚历山大二世死去以后，俄国社会党的情形大变了。以前的社会党员多是平民农夫文人学生们，到了1881年以后的党员，大多数是贵族阶级出身的人，或是有权僧侣的子弟，或是做官吏的人，这一般人多属血气方刚的青年，年纪总在 25 岁以下的,他们鼓吹运动很有力量,又是很尽力的。那政府就大忌起来,不特不准这一般人有集会言论出版种种的自由,并且令警察非常的严重取缔,稍有嫌疑,都被拿去禁在牢里,更有不由分说的送到西伯利亚极边的地方去受苦受罪。社会党人到这地步,是可怜得很。但是社会党人并没有因为痛苦,就变了节,变了宗旨,越干得厉害。主张社会主义的人并不是一心一意主张破坏的。何以见得呢? 因为社会党中的委员,有一部分当亚历山大三世即皇帝位时候,送一张公函给他,说道:"人民十分希望政府速行设立国会给人民自由选举,若是能够从顺人民的意思,我们的事情使全然中止"。由此看起社会党并没有一定要破坏的。谁知社会党愈让步,政府的压制愈愈厉害。社会党到了忍无可忍的时候,只有再用积极的手段,激烈的运动。先是运动的主体,原在农民阶级做工夫,以后因为了产业发达,那做工的人越多了,社会党人又能到工厂内面传布他的主义,社会主义就由这样从乡村内面农民头脑里,蔓延到都会里面工人的头脑里。此种在工人方面新运动第一次的成功,就在那 1896 年彼得格勒的大同盟罢工。这时候社会民主党大团结起来,拼命的进行,并且加入了国际社会主义运动,派遣代表者到了万国社会党大会,联络一致进行。

俄国社会党有二派,一是社会民主党,一是社会革命党。社会民主党的党员,算到 1907 年止,约有 16800 人,社会革命党的党员,约有 3 万人,内中三分之一是妇女。到了日俄战争后,俄国政府,因打得败仗,就觉悟起来,设了国会,1906 年第一次开国会。但是社会民主党和社会革命党都不满意当时的选举法,所以两派都没有去运动那选举,然也选出农夫和劳动代表者 107 名的议员来。第一次国会只有 70 日就解散了。到了 1907 年第二次选举,社会民主党和社会革命党联合运动选举,结果全体 542 名议员中竟占了 132 名。第二次国会又是那一年(1907)6 月解散。那时政府蔑视宪法,还没有经过国会的协赞,竟把新选举法定出来。政府发布新选举法的目的,把选举权限定地主和富豪专有的,劳动者阶级没有选举权。议员的员数本来是 524 人,减了只定442 人。1907 年 11 月第三次国会,就是根据新选举法成立的,社会民主党只得 14 名的议员。社会革命党根本上反对新选举法,打抱不平,一切选举都不运动,专门在那里拼命反对政府。政府被他反对得没有方法对待,就拿出万钧的力量,把几百个的新闻记者,统送去西伯利亚方面去,受苦受罪,多数的党人多锁在铁槛里面做了罪人。第二年(1908 年)政府压迫得更见厉害,社会党人被逐出国外者统计 7 万人,为了社会主义上断头台的共 782 名,受流刑押去西伯利亚的总共 18 万人。政府的威力既是这样凶狠,社会革命党只有拿他最后的手段来实行。1911 年 9 月,总理大臣斯托利品嘎基叶夫在戏团听戏时候,被暗杀党要了命去。自此以后俄国不稳的形势一天危险一天。

俄国里面所有传布社会主义思想的报纸和杂志书籍,要想在国内印刷出版,很见困难,不得已移在外国发行,暗地里秘密输入到俄国里面,因此社会党的机关杂志多数在外国出版的,内中有 18 种在巴黎发行。18 种中,有 5 种是社会革命党传布主义的机关。

还有一种最奇怪的事,彼得格勒京都城内,竟然有一种日刊新闻,名叫《真理》。此日刊乃是社会民主党的言论机关,每日发行额差不多达到 3 万份,主张非常激烈,攻击政府很厉害。仅仅 1912 年一年间,被政府禁止发行 8 次,罚金共计 2300 元,5 名新闻记者捉了官里去做囚犯。政府虽然这样的严重压制,那社会主义的书籍也总有方法传布他的。1909 年一年中,社会革命党由外国秘密输入此等书籍,只算印费一项,已达 8 万元。所有小册子的杂志书籍每年颁布的部数至少总有 200 万部左右。以上所说却是欧洲大战以前种种运动的状态。大战发生时候俄国社会党的态度是怎么样呢?

社会民主党首领布列哈诺夫和律巴诺威集二人,时常在国际社会主义运动里尽力。当开战前他二人确信俄国若投入战争旋涡中,一定可以推倒俄国专制主义的政府。到开战后,谁知俄国社会党和德国社会党同是怕战争和洪水猛兽一样的。开战时政府提出军费案到了国会,有 5 名社会党的议员不但是极力反对此案,并且参加非战运动中大大的活动。果然于 1915 年 11 月 11 日 5 名议员均被政府捕去,加以叛逆的罪名处了终身流刑,剥夺了所有公权。政府平时对待社会党的手段已经是极端严厉,到了战时那更不言而喻了。总而言之,俄国社会党连手带足差不多被政府压得动也不能动,彼此对立,好像有不共戴天之仇的样子,所以开战后社会党也唯有拼命运动推翻政府。果然前年大革命告了成功,扑灭了罗马诺夫家,锁毙了皇帝尼古拉斯二世,社会党人竟握政治上大势力。不过各派到现在还是那里争夺胡闹咳?

二、英　国

英国社会党势力比较的不大，人都说此乃英国是采自由主义实行社会主义政策的缘故。实在可以证明英国人民乃保守的非进取的人民，比不得俄国德国社会党那样发达。俄国农民阶级最多，社会党势力所以日大。德国是行官僚政治的国，因此反对它的社会党也是很厉害。

人又有说英国虽是君主立宪政治，比那法美两国的民主更为进步。所以人民不要用社会主义的手段，也可以达到目的。据我看来，这是不然的话。历来英国政府的政策，非常圆活，更加现在握政权的那位路德乔治，他所主张的社会政策，便是一个极好的参考。闲话休提，且说英国社会党的大概。

英国主张社会主义，标明拿政治做直接目的的团体，本来有二个。一是"独立劳动党"，一是"英国社会党"，学者所组织的团体，叫作"夫叶比安会"，此外还有"社会主义日曜同盟"、"大学社会主义协会"、"基督教会社会主义同盟"，还有各地方公吏医师学校教师等组织的社会主义团体，还有"劳动党"，算是比较的新组织的团体，还有社会主义和劳动组合组织的合同团体。今就各种团体的情形，分述如下：

"独立劳动党"社会主义团体中最大的结合，系1893年创立的。主张有三大纲：一生产机关公有；二分配机关公有；三交换机关公有。本党在政治上直接的目的，拼命要向行政部和立法部里面多站住党员代表者的位置，好发挥它的主义。据1912年统计，支部有764处，党员有6万人左右。不过党员中缴纳会费的只有一半。在支部的党员每月应纳6辨士会费。每年支部党员一名应纳1先令的会费给本部。本部岁入约有5万圆。支部的岁入各处统共有50万圆。本党在曼奢斯达市设了中央印刷局，专以印刷党中新闻杂志和一切主张意见书的小册子。1912年一年中印刷费用了235000圆。就在国会里的势力讲来，劳动党在国会中有40名的代表者，内中7名乃代表"独立劳动党"的议员，此外由劳动组合选出"独立劳动党"的代表者有15名。1910年12月总选举"独立劳动党"得有12名候补者，所得的票数,计69884票,结举当选了8名议员。更就地方自治体方面言之,"独立劳动党"在地方自治会的立法部有1070人的代表者,内中328人做了市会议员,机关杂志最重要的有一种周刊,每期发行5万份。还有月刊一种,各地支部共有机关的杂志新闻10种。

"英国社会党"系1911年创立的,先是英国有一种根据马克斯学说的"社会民主党"。以后因意见不同,党中分裂起来。近年又想联合各派社会主义的团体揉成一大团,他本来的劳力,在议会里面很占多数,因为很不喜欢有一派社会主义者和劳动组合提□组个"劳动党"用总同盟罢工做达目的的手段。所以要想联合社会主义组织一个大合同的团体,召集各派开会。谁知被"独立劳动党"和"夫叶比安会"不派代表与会。"社会民主党"因此目的不能达。是想出许多方法,结果还是以他本党为中心集合许多地方的社会主义团体组织"英国社会党"出来,宣言以"革命的"为宗旨,不特对于"劳动党"以外的社会主义者屡起论断,即对于"独立劳动党"有时亦用了极温和态度来攻击。本党最大的主张有二点:一点是希望劳动者和资本家之间发起阶级的战争;一点是提唱避去国际的战争,力主缩少军备。全国支部有370处,党员每年应纳本部会费五角。本部全年平均可得会费6500元左右,党员只有13000人,即不纳会费亦无紧要。"英国社会党"成立后在议会中并无一个代表的议员。自治会里面占了150名的代表者,其中40名是市会议员。机关杂志计有周刊一种月刊二种。

"夫叶比安会"系学者组织的团体,1884年创立,西卓尼乌叶布博士夫妇,在中间主持。英国标榜社会主义的团体,这个会算得最老。他的目的,在反对一切激烈的手段,主张以社会主义的思想,用缓和方法,传布到有力指导者的头脑里面,常以"自由党"员尽力宣布社会主义的思想,外间因此也有误认他和"自由党"一致行动。但这个会的会员,虽不能改造"自由党"员的头脑,却也得有意外成功的好结果。怎么好结果呢? 即联合从来最亲密的"独立劳动党"能够把"劳动组合",感化到很有思想的地步。现在英国里面有大势力的劳动组合,"会员约380万人",他们脑袋里面,装满社会主义思想,实在是"夫叶比安会"苦心传布的好成绩。这会的本身不是政党,单纯做传布社会主义思想的机关。所有会员,没有一个不注全力来鼓吹的。

但自身虽不是政党,在 1900 年"劳动党"成立时候,"却出全力"去帮助他,把"劳动党"做得很有规模。以后这个会的会员,有一个人被"劳动党"推举做候补议员。结果选在国会出席。自此以后,各方面很□□这个会。到了势力发达,在国会里□□有 13 名议员,内中 9 名属于"劳动党"4 名挂"自由党"党籍。这会对于地方自治,亦非常留心,会员常常在伦敦市会,鼓吹"市有主义"。本部设在伦敦,本部会员有 2687 人,各地有 40 个支部,由大学关系设立的支部,共有 10 处。会员总数,若把全体算起,约有 3200 人左右。1912 年,又在会内设立调查部,专门研究地方问题,和将来都市独占事怎样监督的方法。近年还拼命做"扑灭贫困运动"的工夫。这会所用的鼓吹方法,以出版事业为主要,发行的小册子,已达 164 种。

"社会主义日曜学校同盟"这同盟的目的,是要将社会主义的思想深深印入儿童头脑里。他们所用的方法,是将小学校所用教科书中,反对社会主义的材料删去,概以现社会的事实来训练儿童。因为儿童的心理,往往属于保守的,有时又犯了褊狭的的弊病,所以把社会主义和平等主义鼓吹儿童,实在是开拓儿童心胸的良药。主张社会主义的一伙人,设立日曜学校的缘起,便在这点。最先提倡的即马利屈列女士,1892 年,在伦敦的巴达西地方开的"社会主义日曜学校"。现今全国有此种学校 120 所,生徒人数儿童有 8000 人,少壮的有 16000 人,到 1909 年开了全国"社会主义日曜学校同盟"大会。□来日曜学校中所用的赞美歌,即在开会时订定出来的。并又发行生徒佩用的徽章,幼年的生徒,不受童子军的训练,在主张社会主义的人,本来反对军队主义,因不喜黄子军的教育,乃亦集合幼年社会主义者组织市民队,极力鼓吹世界平和主义。"日曜学校"的机关印刷物,叫作《幼年社会主义者》,1901 年创刊,每月发行约四千部左右。

"大学社会主义协会"这会不是由大学本身组织,是大学毕业生和在学学生组织的。会内的重要事业,为聘请有名望的人演说社会主义,有时更开会员讨论会,讨论社会主义旗帜下进行的法。最初各大学的社会主义协会,没有怎么联络,直到 1912 年,在曼赤叶斯达市开大会时,总有一致的运动,参加此大会的大学,为牛津、剑桥、伯明罕、爱丁堡、格拉斯哥、伦敦柏利布尔、曼赤斯达各校。从此以后,其他各大学,亦有组织同样的协会,加入同盟,一同来研究社

会主义的了。（未完①）

（原载 1919 年 6 月 20、21、22、23、26、30 日及 7 月 1、2、3 日上海《民国日报》副刊《觉悟》，署名鹤）

---

① 此后未见有续篇。——编者注

陈独秀与新思想

（1919.6）

陈独秀先生是什么人？大家都晓得是一个"鼓吹新思想"的书生。

北京政府捕他是怎么缘故？因为他是"鼓吹新思想"的缘故。

"鼓吹新思想"的书生，北京政府何以要捕他呢？因为现在的北京政府，是顽固守旧思想的政府、卖国的政府。陈先生是一个极端反对顽固守旧思想的急先锋，并且还用文字反对政府卖国的行为。他的文字，很有价值，很能够把一般青年由朦胧里提醒觉悟起来。北京政府为了这样，卖国的举动不大方便。所以忌到这位"鼓吹新思想"的陈先生，想把"莫须有"的事随便戴在陈先生的头上，说是在他家里发见过激派的书籍印刷物。这事并不是真的。要把陈先生做个标本，来恐吓许多鼓吹新思想的一般人。不然实在陈先生乃是一个赤手空拳的书生，不是拥兵来反对政府，又不是拿炸弹手枪要暗杀政府里面那个的大老官，何以政府恨他到这样极点，要得他而后甘心？顽固守旧思想的政府，要想对"新思想"杀个下马威，一定要在这位鼓吹新思想最力的陈先生下手。我这句话不是凭空虚拟的，实在是此次北京政府捕陈先生用意的索隐。

政府一定要捕陈先生，既捕以后，还是时时刻刻在那里想法子的。何以见得呢？当陈先生初被捕时候，很有许多人代他营救，政府恐怕这样又是干得不好。一时又没有什么罪名加他身上，乃假手一人（王克敏），说："陈已经释放，政府且派人安慰陈的家属。"这话的意思，就是拿来缓和那一般代陈先生营救的人。现在陈先生还是没有释放，并且防卫加严，也不许家属省视。正在慢慢"锻炼周纳"陈先生的罪名。似政府这等苦心孤诣的对待一个书生，也算是很难为了他。

陈先生捕了去，我们对他应该要表两种的敬意。

其一,敬他是一个拼命"鼓吹新思想"的人。

其二,敬他是一个很"为了主义肯吃苦"的人。

陈先生拼命"鼓吹新思想",人人都晓得的,不消我再说。我把他很"为了主义肯吃苦"的理由说出。

当蔡鹤卿先生出京时,许多朋友也来劝陈离开,陈不但不肯走,还说道:"我脑筋惨痛已极,极盼政府早日捉我下狱处死,不欲生在此恶浊的社会"。又在第二十四号《每周评论》上说,"研究室和监狱是文化的发祥地"。据此看来,陈先生已将他"宁为了主义情愿牺牲的决心"全盘托出。因为他受了种种刺激,遂下了"牺牲的决心",以为用"文字"来"鼓吹新思想",还不够觉悟多人,率性把自己的"肉体"来作"鼓吹新思想"的资料。

陈先生捕去已经多日,听说要交法庭,我们大家且看政府怎样吩咐检察官起诉、审判官定罪就是了。

要而言之,捕去的陈先生,是一个"肉体的"陈先生,并不是"精神的"陈先生,"肉体的"陈先生可以捕得的,"精神的"陈先生是不可以捕得的。

顽固守旧思想的政府能捕得有"新思想"、"鼓吹新思想"的陈先生一个人,不能捕得许多有"新思想"、"鼓吹新思想"的人。纵使许多人都给政府捕去,那许多人的"精神"还是无恙的。

今日世界里面的国家,若是没有把"新思想"来建设改造了"新国家",恐怕不能够立足在 20 世纪! 北京政府若能觉悟这个意思,快回复"无罪的"、"有新思想的"、"鼓吹新思想的"陈先生的自由来,给他自由"鼓吹新思想",帮助中国文明的进步。咳! 我说到这里,又是"对牛弹琴"咧!

（原载 1919 年 6 月 24 日上海《民国日报》副刊《觉悟》,署名鹤）

女子解放论

（1919.10）

一、绪　论

世界女子过去一大部分的历史,是被男子征服的历史。在这时期,道德上风俗上习惯上法律上政治上经济上一切种种,凡是女子所处的地位,无一不在男子的下层。男子好像天神,是主人。女子好比是奴隶、囚犯。好像这世界是男子独占的世界,不是男女共有的世界。女子地位的惨痛,真是不可以言语形容的了! 这也不单是中国,就是往时欧美各国,也是一样的,不过中国是个礼仪之邦,男子管理女子的手段,比较的厉害得一点罢了。

近代"天赋人权"四字出世以后,世界的男子,先先后后,都拿着这四字作根据,热心的运动恢复民权,后来都渐渐地奏了些效果。于是多数的人都说现在是"民权世界"了。我说:你们说的也对,但是你们说的"人"字"民"字都应改为"男"字,简直地说"天赋男权"、"男权世界",不要撒谎的好。若不然侵夺了他人的"人权",还能说拥护"人权"么? 所以我草此论之先,要把人类的社会真意义说说。社会是个人的系统,个人是社会系统的一员。有个人而有社会,有社会而有个人。所谓个人的,是含有社会意味的个人,不是绝对的个人。离个人没有社会,离社会没有个人。社会与个人,是相对的、实在的。不营社会生活的个人,是抽象的意味,并非实在的。个人含有男女两性。男性与女性结合,成为个人。个人的分裂,必成为男女两性。所以社会是由男女两性结合生出新个人。新陈代谢,然后有进化,有创造,有发展。所以社会称为个人的有机体的集合体,即可称为男女两性结合的大系统。有男女始有社会,有社会始有男女。离男女两性无社会,离社会无男女两性。所谓纯粹男子的社会和纯粹女子的社会，不过是抽象的说法，不是实在的。男性与女性的性的结合是社会。个人是组织社会的单位，男女两性是组织个人的基本单位。所以凡是社会上的道德风俗习惯法律政治经济，必以男女两性为中心，方可算得真道德真风俗真习惯真法律真政治真经济。否则是假的，是半身不遂的。若把这样的道德风俗习惯法律政治经济来支配社会，简直是根本的谬误，失掉了社会的真价值。

原始时代的社会组织，依现代科学的系统研究起来，是以男女两性为中心的。——有的人说原始社会以女性为中心，这话很不差的。因男女共同生活，是共同应付环境。女子虽因哺育生儿的关系，暂时不能操作，却是她为"人"的责任，未曾放弃过的。往后由蒙昧时代进为野蛮时代，由野蛮时代进为文明时代，中经若干年，若干世，社会的组织，几经变迁，几经革命。于是男女的生活手段，也渐渐变了。男子专以农耕畜牧为主，女子专以哺育生儿兼营他事为主。这不过是男女最初的自然分业，并未含有丝毫的差别意味。因为女子生儿是件专门事业，男子绝对办不到的。女子分娩的前后，不能求食，男子替她代觅食物，本是自然的情理，算不得什么稀罕。——就是鸟类兽类也有是这样做的。人类在这个时期中，不知又经历了几多年，这种自然的分业，变成了社会的习惯，于是有些圣贤大盗出来，他们的见识，与众不同。他们瞧出了社会上一个破绽。说女子本领薄弱，是全靠男子过活的，忘了女子生儿是件神圣职业，便把女子当作育儿的机械。以为人类只男子有能力，把男子作了本位，这社会遂成了男子的社会了。支配社会的一切道德风俗习惯法律政治经济，都以男子为中心，女子的人格，堕落在万丈深坑的底下去了！于是人类的进化也迟滞了！人生的幸福也减少了！社会的真价值也没了，恶习传了数千年，世界惨无人道的事，比男子压迫女子再厉害的恐怕没有了！

近世以来，世界的大人道家，推究这人类的社会的真理，晓得男子压迫女子，是件无人道的事，就大声疾呼的提倡女子解放。因为女子被锁闭得如囚犯一般，所以这囚犯是应该解放的。因为女子被压迫得如奴隶一般，所以这奴隶是应该解放的，所谓解放女子的话，也可叫作解放奴隶囚犯。——莫怪我说得太不恭敬，却是实在的话。

百余年前，欧美的女子，早就有了觉悟，开始热心行女权运动，向自己的人格上去求精神的物质的解放。努力奋斗了好几十年,到了如今,欧美的男子,知道了女子的本领,承认女子有独立的资格。现在虽不敢说,欧美的女子如何比男子高超,但是一般人,都了解这欧美新社会的组织,必定以男女两性为本位。这社会真正的价值,立刻就会实现了。

四方门户洞开,潮流所激,汹涌澎湃,无论何种机会,只有顺应的,决不可以抵抗的。况且我中国的国情,比欧美更加有解放女子的必要。所以为女子的应该知道自己是个"人",赶紧由物质精神两方面,预备做自己解放的事。为男子的既然晓得世界大势,标榜人道,就应该晓得"平民福利"、"最大多数的最大幸福"、"各尽所能各取所需"的道理,赶快帮助女子解放才算得拥护人权。这就是我作这篇女子解放论的本意了。

二、女权不竞之由来

古代女权虽然发达,今世女权却极为衰落,其中变化隐伏的由来,据我看来,却有下列诸条:

(一) 男阀跋扈与女子之征服

由渔猎时代转入畜牧农工时代,发生了一个大大的社会革命。生产的方法大进了步。从前大宗生活资料由渔猎而得的,今则由畜牧农工摄取而来。于是男子的劳力,用于渔猎者少,用于农耕畜牧者多,事实上将女子驱逐出来,单变成男子的独占事业了。后来人人想得些大土地,免不得彼此的厉害冲突起来,发生了战斗。于是那最倔强的人,得了多大的土地,和无数的奴隶,他便作威作福,君临人上,自为最有权力的支配人。定出了奴隶制度、家长制度。从前所传的血族女系制度,被这些新制度根本推翻了。女子征服的起源,与奴隶一样。所以女权衰落的地方,奴隶制度盛行,奴隶制度不发达的地方,女权必占优势,就是这个道理了。既有了父系的私有财产制度,男子劳力所得的东西,当然归之男子,家族财产继承权,也归于男子了。又因女子乱交,恐怕父系不能明了,所以限制女子性欲。久为久之,成为习惯,想出种种防范的方法来。此时的女子,一无财,二无势,为了饥饿的缘故,不得已抛弃过去的独立光荣历史,到了这堕落与屈从的道路。女子的人格,至此完全丧失,是为女子征服的原因。

（二）男子中心社会之确定

生产方法进步以后,又发生了有无交易的方法。人人于自己使用目的以外,另因交易的目的,从事生产。但是此项交易,多由男子主持。女子渐渐变为男子的附属物,失其为社会一员的价值了。男子有了金钱势力,便想挑选绝对服从的女子为妻。但向来习惯,女子和男子一般大的,如何会绝对服从呢?所以想出用奴隶充下陈的妙法,从他处掠夺女子为妻。此时的女子,所以变成男子的所有品,自然绝对服从男子起来。人类的社会,就以男子为中心,一切思想行为,适于此种社会,都被采用,不适的都被排斥了。男子有权有势有实力,俨然变成了个独裁君主。女子什么权利自由,被剥夺得干干净净。这男子中心社会的基础,等于泰山之安,磐石之固,神圣不可侵犯了。

（三）女子之商品化

女子失了经济独立以后,全靠着嫁男子作生活的手段。若嫁得靠得住的男人,一生的衣食有赖,这算是幸福的。若是那些家穷未婚的、守寡的,与那自己男人靠不住的妇女,就当要怎样才能谋生活呢? 卖力么? 卖淫么? 总不外乎这两条路。但是卖力劳多而得少,卖淫劳少而得多。处到这种境遇的时候,饿死的好还是保全贞洁的好? 也只有这两条路。但是人情贪生畏死,好逸恶劳,只得选了卖淫这条路走。况且我国有管子置女闾三百的老例可缘,所以这些生活艰难的妇女,或谋一时的或谋永久的生活安全起见,甘心做了这卖淫的勾当。这是女子化为商品的第一个原因。其次,男子是强要女子守贞洁的,女子就希望一夫一妇制作交换条件。男子追加的附带条件,就是满足兽欲,于自己妻子以外,再希望与异性相交。直接间接助成这卖淫事业的发达,这是女子化为商品的第二个原因。娼妓制公行以后,入勾栏变成了女子谋生活的第二手段。谬种流传,变本加厉。那娼妓中的黑幕重重,简直我是不忍说了!

（四）女子沦于悲惨的境遇

社会既以男子为中心,所以凡有男女间的道德,偏责重女子一方面。男子放纵荒淫,不算奇事,女子是必要守贞洁的。男子应守贞洁与否,是别一个问题。女子既经变了男子的奴隶,所以除了自己夫君以外的男子,连会面都是不许的。外出的时候,或以巾蒙首,或以纱遮面,连面孔都不给人看见的,对于男子所下的命令唯唯诺诺细声应承。至于说到未婚女子的话,当结婚的时候,任凭别人挑剔,惟恐不中那人的意。若是被人选上了,命运好的,还可得个好男子。命运不好的,就嫁了癫狂、痴懒、废疾、酗酒、乱暴的男子,却也不敢埋怨别人,只恨自己的命运不好,生前注定了的,是月老系了足的。若遇的姑婆好的还有点生机可望。倘若再不幸遇着了阎王般的阿姑,那可死得成了。更甚者当着生产的时候,无情的阿姑阿夫冷冷淡淡的,当作没有那件事。只当他受了一个月监禁似的。处这种境遇生出来的孩子,十有九死,连这产妇都有性命之忧。若是嫁的男子死了的时候,他便替男子顶门立户,支撑局面。守着贞洁二字,死而无悔,与那殉教的一般了。

贞洁二字,原来对于有妇之夫设的,后来应用推广,连累那未字的女子,也强使他遵守。许嫁之夫死了的时候,许嫁之女就要尽那为妻的道理。服丧的虚文都算罢了,还要他替那人守节。女子是受人压制惯了的,怎敢违拗,不依也都依了。起初女子还自信有志气,可以守的,后来经历了万般不幸的事情,却怕了社会笑,她不敢说改嫁的话。

上述种种女权衰落的原因,本非一朝一夕之故,到了今日,女权已蹂躏到这步田地,恐怕再也不能退让的了。物极必反,女子岂能长此终古的么?

三、近代女子之女权运动

近代妇人解放得最早的,莫如欧美各国。然自开始提倡解放以致于今,不过百年的光景。未解放以前的女子,与我国今日的女子,是一样的,所以我国提倡女子解放,不可不学欧美各国的样子。

(一)欧美女子解放之动机

欧洲文艺复兴以后,科学发明,制出轮船火车,水陆交通,一天比一天便利。且自美洲大陆与印度航路发现以后,商业更加繁盛,有资本的组织发生。

生产方法与前大不相同。建设工场，从事生产。从前属于地主的权利，一概收归商工业者之手，造出新支配的阶级。况且机械发达，制造迅速。妇人专管的手工业，都被大工场夺去了。妇人的职业减少，一生的生活安全，失其保障。其结果遂起而谋教育的改善，并求活动范围的扩张。那资本主义，是专要扩张生产范围的，所以失业的人，都向工场求工做。但是工场用人有限，求做工的人多，所以竞争起来。那万恶的资本家，贪雇廉价的工人，所以情愿采用女子。——因为女子的工价，要得少些。女子既然从事劳动，一则得免家庭的拘束，二则由劳力所得，有独立的收入，可以自营生活。所以渐渐地不为男子所左右，并且与男子立于相对的地位了。又此时的劳动家做工的条件，是由资本家指定，最不公平的。劳动者所受的牺牲弊害不少。劳动者有了自觉，是不肯服从这种苛刻条件的。所以全劳动界，有合组团体的必要，所以男男女女互相结合起来，对抗那资本家。所以到了这资本主义的社会，直接利用女子劳动的自由，间接即以促进女子的解放。

（二）欧美女子女权运动之概况

英国女子教育，在 19 世纪中叶尚幼稚，自梅莉女士作女权拥护论，提倡女权以后，继起创办学校者颇多，教育大有起色。女子可学法律可充律师。参政运动，起于 1819 年。1869 年，英兰苏兰妇人纳税者有选举权。1917 年春间，国会认妇人有选举权，去年夏，认妇人有被选举权。德国妇人自 1848 革命后，始从事女权运动。谋教育的普及，行参政的运动。1918 年革命政府实行普通选举，国民议会有妇人议员 36 名，社会党员占 20 名。奥国女子女权运动，起于 1866 年，去年革命政府认女子有参政权。法国女子在 1789 年大革命当时，阿林布女士发表女权宣言，主张男女同权。1909 年，女士周摩尔等行参政运动，但至今未得参政权。女子教育颇发达，有充大学教授者，有得博士者。女子可充律师与下级官吏。瑞典民族教育程度颇高。1700 年，有财产的妇人，得行使选举权。1843 年，妇人从事参政运动，因而扩张选举权范围，凡纳税者均有选举权。1909 年，得有被选举权。芬兰妇人自 1865 年，凡未婚及纳税者，均得有选举权。1909 年，与男子同得普通选举权。哪威女子参政运动，起于 1884 年。1901 年，妇人纳税者有地方选举权与被选举权。1907 年，得有参政权。丹麦女子于 1871 年从事女权运动。1912 年,得有国会参政权。葡萄牙女子于先年革命时已得参政权。俄国女子自 1917 年革命后,与男子同有普通选举权及被选举权。女子有为国务大臣的。美国女子女权运动,发端于 1774 年。女子素有程度,男女间不平等的情事,比较各国的少。1919 年,女子得有参政权。濠洲女子于 1902 年得有参政权。坎拿大女子于 1918 年得有参政权。

以上所述,不过略举大概,详细情形,因为不是本论范围所及,不细说了。

由此看来,欧美的女子女权运动,前后不过奋斗了几十年,就得了那样的好结果。我国女子虽然是程度幼稚,却是那欧美女子数十年前走的老路,总是可以走得的。事在人为,世间哪有办不到的事?

四、我国女子解放之条件

解放的条件,我却拟了七种,说明如下:

(一) 男女共同教育

既然知道女子的能力与男子是一样的,就应该把女子当一个"人"看。权利义务,既然主张平等,所受的训练,不可不平等。所以我主张男女同校,自幼稚院而小学,而中学,而高等,而大学,都是可以同校的。这是他国人已经做了先例,所以是绝对有益无害的。我国此次秩序恢复之后,一定是实行教育普及的。这男女差别的教育方针,是万万不可采用的。如今我且把男女同校的必要和利益说说。其一,男女两性,同有向上的倾向,是自然的径路,不可回避的。其二,教育乃变化人类生活的条件,绝对不可有差别的。其三,男女同校,于创办教育机关,经济上最是合算,并可省却将来改组的手续。——若行差别的教育,将来男女得了智识,必定要求将男校解放,岂不麻烦。其四,共学则机会均等,男女受更普通更真实的训练。其五,共学则男女行共同的操作,为共同的生活,彼此互成真挚的良友,互相助长学问的趣味,将来就是结为夫妇,也可增进家庭的幸福。其六,男女交际日久,可得正当的发展,更可收集思广益之效。若说男女生理上构造不同的话,尽可于特别之点略加注意,参酌待遇法就行了。若说少女在丁年前后，不可行过度之紧张，也只于特殊方面，讲求避去危险的待遇法，也就够了。这样看来男女同校的事情，没有疑问的了。若说男女应该有别，而且操作不同，不宜同校的话，这便是男子阀因噎废食的恶劣根性，不以"人"待女子的。男女同校，不过要求撤去在过去社会中妇人生活之不自然的和人为的障壁，并非要求女性变为男性。这是明明白白的道理，想再也没有疑问了。

（二）婚姻制度之改善

若提到"婚姻"二字，我敢武断说：中国数千年只有买卖婚姻、掠夺婚姻。残忍无人道的东西，若是明买明卖，或是强奸抢掠人家的女子为妻的，表面上还可说他不合圣人之道，加他种种的罪名。其实什么纳采问名，三茶六礼，也是一种彰明较著的买卖结婚。什么送聘礼咧、送铜钱、送洋银、送猪、送鸡、送鸭、送鸟、送布帛绸缎咧，担的抬的，盈箱满篋，美其名曰吉礼，哪一件不是商品不是货币呢？将这些物事送到人家换个女子来做媳妇，这不是买卖结婚是什么？中国人生出男孩，叫作豚犬，生出女孩，叫作千金，子女变为父母的家禽货币了。婚姻的结合，由两造父母主持，一个是买主，一个是卖主。彼此交换条件议好的时候，这桩就算成了。好像买卖牛马似的。不管买卖的是瞎子，是跛子，是废疾、六根不全、癫狂、痴懒、性行乖僻，总要买到手，卖脱手，就算了却心愿。那一对当事的主人喜恶爱憎与否，只当作马耳东风。还勉强的下命道：这是你的夫，那是你的妻，生生死死，是不问的了。若有自鸣不平的，父母便骂他忤逆不孝，紊乱纲常。社会也帮助那老男女说话。家庭间种种悲剧，十有九从此酿成的。最可怪者，譬如这样结成的一对夫妇，自己受了痛苦，后来反忘记了。对于自己生出来的子女，也照样画葫芦，预先为他们结些奴隶牛马的契约，一误再误，千千万万，谬种流传。天下最忍心害礼惨无人道的事，要算这是第一了！此种野蛮婚制，若不根本废除，人生岂有生趣。我对婚姻一事，别有积极主张，若举其最适于中国国情的，莫如恋爱自由。家庭中最大的幸福，在夫妇间有真挚的恋爱。夫妇间所守的道德，也只有恋爱。必定先有恋爱，方可结为夫妇。必定彼此永久恋爱，方可为永久的夫妇。这样的结婚，后来生出子女，聪明灵秀，是改良人种的大利益。而且彼此恋爱，个人相互间的幸福愈益增进,可构成社会的真价值。恋爱是男女结婚的中心要素,夫妇间若无恋爱,便无道德,离婚也可,再婚也可。爱尽交疏,理之当然。若犹勉强敷衍,就变成了一对机械的男女。男子好比嫖客包娼,不过是要满足兽欲。女子好比妓女吃包,永久卖淫于某男子,不过是一种得钱米的手段。彼此看的是荆棘世界,度的是沙漠生活,断乎没有人生的趣味。所以这恋爱自由,是应该尊重的。但是有人说:现在讲自由的青年男女,都是堕落,所以这恋爱自由,绝对不可以提倡的。这是不达事理的话,试问旧式结婚,陷害了青年男女,何止亿兆恒河沙数,何以并不指摘出来? 况且这种堕落,并不是青年男女自己作成的,还是社会陷害了他们的。所以自今以后,男女受了同等的教育,各人都有鉴别的眼光,和选择的能力,决不会发生悲剧的。欧美各国已经做的,就是好例。至于置妾媵的恶习,是妇女解放后自然会淘汰,从现在起就要禁除的。

(三) 女子精神的独立

女子身体自由所以被束缚的,由于精神的自由被束缚了的缘故。重男轻女的社会,百事以男子为先。历史上传纪上,满载的都是男子的事实。女子以不识字为德;还有什么智识? 所以无论什么事体,概以男子的精神做标准。女子视男子为神灵、为圣贤,为智识的宝库。知识感情意志,全都模仿男子的。自己没有知情意,以男子的知情意为知情意,事事都向男子请教。男子把她做蠢物看待,鄙薄她无知识,自己立于教授的地位。女子的人生观宇宙观,都变成男子的糟粕。这样看来,女子天赋的能力,简直没有发挥的机会。所以女子的智识不发达,决不是女子的本性,人格之所以完成,由于知情意三者完备均等。如今女子理性阙欠,感情脆弱,意志柔和,实由男子中心的社会压迫使然。种种苛责女子的道德,将她压住,智识的门被锁闭了。哪里还有理解力,创造力? 所以精神上的压迫,比物质上的压迫更厉害。女子若自己要解放,就应该早知自觉,先求精神上的独立。依自然的冲动,应付环境。本着自己的知情意,作真正"人"的人生观宇宙观。精神上得了自由,种种"人"的事业,都可做得到了。

(四) 女子经济的独立

女子的地位,常随经济的变化为转移。女子也是"人",就当为生产者,这是社会所必需的经济要素,是左右个人的重要问题。若男子成了经济的支配人,女子当然成为支配经济的从属人。若女子为糊口的缘故,忘了结婚是神圣事业,把结婚当作就职的手段,那还有幸福可言?所以女子若想求得一个不卖力不卖淫可谋生活谋真正幸福,惟有发挥自己的经济能力,求经济的独立。女子若能于未嫁之先,从事农工商蚕桑畜牧等工作,求得独立之收入,则结婚以后夫妇间经济关系,有真意义的协同组织。对于所得之物,各自支给,对于生产事业,各自劳动,对于他人给与之物,亦必以同样的给与他人。果能如此有经济独立的能力,则婚姻的结合,以爱而不以利,男子自然承认女子的价值,真正改变态度,抛弃特权。男女间一切不平等的道德与条件,也可以无形消灭了。

(五) 男女普通选举之实行

我国人现在选举权和被选举权,完全归第三阶级的男子独有。世界潮流激动,进步日增一日。我国人普通选举运动,即当实现。所以现在的女子,当从速觉悟,预备与男子共同运动,求得普通选举权;男子亦宜先自觉悟,与女子互相提携;谋平民的福利。能够如此,女子参政运动的牺牲,也可以免除了。所以女子要想得参政权,须即速开始行复权运动。

(六) 家庭恶习之废止

"家庭"二字,在西洋人听着,有种很愉快的感想。在我国则不然。家庭简直是牢狱,是桎梏。家庭的悲剧,罄竹难书。我对新家庭组织,有点主张。但是不应在这里说的,暂为从简罢。本条是因为女子结婚前为自己父母所束缚,结婚后为自己翁姑压迫而设的。所以父母对于女子,翁姑对于儿媳的一切腐败苛虐的恶习,非从速废止不可,即是希望女子由父母与翁姑手解放的。

(七) 娼妓之禁绝

娼妓流行的缘故,第一,因为生活艰难,社会不肯给他衣食。第二,因为妄逞兽欲,社会不肯给他教育。第三,因为结婚难离婚难,社会不肯给他宽假。所以女子为娼,并非生来注定的。娼妓所受的苛虐,比普通女子所受的更厉害。女权发达的地方,绝对不容有娼妓的。所以对于娼妓,是应该行二重解放的。先解放他使他变普通女子,再解放他使他变"人"。

以上所述各条,不过略举大概。还有女子劳动问题,是现在过渡时代的妇人问题之最要点,也应该提出研究的——异日再论罢。

我所拟的条件,恐怕有人说,是放言高论,在今日的中国,只可作为理论,难以见诸实行的。其实不然,世界人类近年来的进步,非常迅速。多数学者说现在一年间的进步可比得一世纪间的进步。理论就是实行的准备,没准备怎能实行呢?况且以上的各条,有很多国的女子,或是已经做到的,或是正在实行的,并不是什么空想。所以我考察欧美,参酌国情,将这些条件定下来,希望大家照此实行准备。

五、结 论

我想我这篇论文出世以后必定有人来问难的,所以我预先把他们怀疑之点,拟了出来,解答于下:

(问)中国现在的女子,程度幼稚,配说解放么?

(答)程度二字,是很难说的。所谓女子无程度的话,无非是说女子无智识。但是社会从前并未给女子教育,也无怪乎他们没智识。在清朝末年,志士讲革命讲共和。当时的人,哪个不说中国人无程度?如今说女子解放的话,与往时讲革命讲共和的事差不多。所以我们实行援助女子解放,使他们与男子受共同的教育,只要十来年的工夫,女子程度就变高了。

(问)女子解放以后,变成社会上的人,并不是家庭的人了。女子是要加入共同生活,家庭制度不是破坏么?

(答)社会制度,是应时代的要求改变的。无论何种制度,有创造的必要,不妨创造,有废除的必要,不妨废除。是活的,并不是死的,并不是不可改变的。家庭制度,是社会制度的一种。若无可以破坏的理由,谁也不能破坏。否则人虽不破坏它,它自己也会消灭的。共同生活,是人类的社会发达的枢纽,是文明的一个恩人。凡是社会的文化如何,总视共同生活的发达如何为定。解放女子,并不是破坏家庭,不过使妇人加入共同生活,要它变为共同生产者的一员,完成社会的真价值。

解放是对屈从说的,因为女子屈从男子,所以说女子要解放的。解放与自由成正比例的,有几分的解放,即有几分的自由。自由有两种意义,一为精神的自由,一为物质的自由。女子所以屈从男子的,因为精神上的自由被束缚的缘故。精神上的自由所以被束缚的,因为物质上的自由,先被束缚的缘故。如今要将女子解放,须先使他恢复物质上的自由。女子物质的自由的欲望,到达了最高点的时候,那精神上的自由的欲望,自然而然地勃发起来。那时真正的自由,方可完全实现。这样的,才可算作真正的女子解放。

（原载 1919 年 10 月《解放与改造》第 1 卷第 3 号,署名李鹤鸣）

《共产党》第一号短言[*]

（1920.11）

经济的改造自然占人类改造之主要地位。吾人生产方法除资本主义及社会主义外，别无他途。资本主义在欧美已经由发达而倾于崩坏了，在中国才开始发达，而它的性质必然的罪恶也照例扮演出来了。代它而起的自然是社会主义的生产方法，俄罗斯正是这种方法最大的最新的试验场。意大利的社会党及英美共产党，也都想继俄而起开辟一个新的生产方法底试验场。

中国劳动者布满了全地球，一日夜24小时中太阳都照着我们工作。但是我们无论在本土或他国都没一个是独立生产者，都是向资本家卖力。我们在外国的劳动者固然是他们资本家底奴隶，在本土的劳动者也都是本国资本家底奴隶或是外国资本家底直接的间接的奴隶。要想把我们的同胞从奴隶境遇中完全救出，非由生产劳动者全体结合起来，用革命的手段打倒本国外国一切资本阶级，跟着俄国的共产党一同试验新的生产方法不可。什么民主政治，什么代议政治，都是些资本家为自己阶级设立的，与劳动阶级无关。什么劳动者选议员到国会里去提出保护劳动底法案，这种话本是为资本家当走狗的议会派替资本家做说客来欺骗劳动者的。因为向老虎讨肉吃，向强盗商量发还赃物，这都是不可能的事。我们要逃出奴隶的境遇，我们不可听议会派底欺骗，我们只有用阶级斗争的手段，打倒一起资本阶级从他们手抢夺来政权；并且用劳动专政的制度，拥护劳动者底政权，建设劳动者的国家以至于无国家，是资本阶级永远不至发生。无政府主义者诸君呀！你们本来也是反对资本主义反

---

[*] 本文原标题为"短言"。中国共产党上海发起组于1920年11月7日创办秘密机关刊物《共产党》，李达任主编。该刊现存共6期，每期卷首均载有一篇社评性的"短言"。据考证，这些"短言"均系李达所撰。——编者注

对私有财产制的,请你们不要将可宝贵的自由滥给资本阶级。一切生产工具都归生产劳动者所有,一切权都归劳动者执掌,这是我们的信条;你们若非甘心纵容那不肯从事生产劳动的资本家作恶,也应该是你们的信条。

（原载 1920 年 11 月 7 日《共产党》第 1 号,未署名）

第三国际党（即国际共产党）大会的缘起

（1920.11）

国际共产党联盟是世界各国的共产党和激进的社会党所组织的，是世界大革命的总机关，我们大家都要知道的，所以我把它的成立的缘起记了出来，作为大家的参考资料。

我们要晓得国际共产党的缘起，不可不知第二国际工人协会堕落的历史。第二国际工人协会是1889年各国社会党的温和派代表在巴黎组织的。他们本来也是标榜社会革命，可是往后就变为改良主义了，他们采用议会主义，专心谋劳动者生活改善的问题，竟和资本家妥协起来了。所以在实际上并不是社会主义。他们的假面具，就是在这一回欧洲大战的时候揭破的。他们表面上很主张非战主义，看他们在1907年、1910年、1912年几次开会所表决的议案，就会知道的，就是当着1914年欧洲大战争正要开始的时候，他们还在不律塞尔地方开会讨论对于战争的问题，他们的态度最是强硬的。当时哈瑟佐勒斯并且发表了很激烈的演说，好像各国资本家的政府一旦开战，他们立刻要革命的一样。哪晓得隔了几天的光景，就不对了。佐勒斯因为反对战争被人暗杀了，姑且不提，哈瑟竟变了公然主战的人了。法国的喀特入内阁做官去了，德国的柯茨基俄国的蒲列哈诺夫一流人，也加入了资本主义战争了。他们讲什么社会主义呢！他们已经变成了讲国民自由主义的人了。他们这种堕落，没有丝毫价值可言，哪能配代表各国的社会党呢！所以国际共产党，就产生出来了。

1915年9月，各国真正社会党的代表，在丁麦华尔特开会，首先表明他们对于战争的态度，发表了非战主义的宣言，国际社会主义的真面目，到这时候才表现出来。参加这个会议的代表，由德国来的是列德布尔和荷富曼，由意国

29

来的是拉查里和莫得克里亚,由法国来的是麦尔海姆和普登伦,由俄国来的是列宁、亚基塞尔洛特和波布诺夫等人,都是很有彻底主张有实行能力的人物。他们所决定的议案,不仅是关于战争与和平的问题,并且议定了怎样实行世界大革命的重大案件。这时候列宁曾经指摘第二国际工人协会的堕落,提议组织国际共产党联盟,虽然当时因为机会未熟,未能即刻成就,而国际共产党组织的动机,已在这时候发端了。丁麦华尔特会议之后,有些什么举动呢? 大家都知道的,就是俄国大革命。列宁派在俄国成功以后,共产党的势力一天一天的膨胀,第二国际工人协会中那些无主张无能力的分子,就没有立足的余地了。国际共产党组织的新计划也渐渐的实现了。果然到了 1919 年 3 月,这轰轰烈烈的世界共产党所组织的国际共产党大会就在莫斯科正式成立了。

第一次会议出席的,有 19 国的共产党,就是亚尔麦利亚、奥大利、爱梭亚尼亚、芬兰、德国、匈牙利、列得兰、里斯亚尼亚、俄罗斯、波兰、乌克兰等国的共产党,以及挪威社会民主劳动党,瑞典社会党左派,瑞士社会民主党,美国社会主义劳动党,巴尔干革命的社会主义联盟。此外,加入团体还有 39 个。其中最有力量的,自俄国共产党(即多数派,中国人译为波尔塞维克,去年改为共产党)为始,其次为德国斯巴达他卡司团,意大利社会党,美国的 IWW 及社会主义劳动党,英国社会主义劳动党及英国社会党。此次会议之后,英国方面马喀迈纳司包尔等非妥协的马克思主义者以及麦洛亚那样同业公会社会主义者,都联合起来,组织共产党加入国际共产党了。其余的如德国独立社会党,法国社会党,爱尔兰劳动党,葡萄牙社会党,美国社会党,英国独立劳动党,虽然还没有加入,可是都脱离了第二国际工人协会了。

国际共产党联盟的主旨,就是实行马克思的共产主义,即革命的社会主义,由公然的群众运动,断行革命,至于实现的手段,就是采用无产阶级专政。现在代表国际社会主义的权威,就是这个国际共产党。世界的共产主义者呵! 我们望着这个目标前进呀!

(原载 1920 年 11 月 7 日《共产党》第 1 号,署名胡炎)

世界消息[*]

（1920.11）

一、德国社会民主党之暗潮　急(激)进派与保守派斗争

德国社会民主党(多数派社会党)本年 6 月在华衣迈尔开会，党中激进分子，反对干部派的保守最烈，虽然大会通过一个决议，承认了本党的干部以及入了内阁的党员，可是党内的暗潮也渐渐地激烈起来了。

据大会的报告，大战以后，党员虽然增加，可是基本金已减少至 50 万马克的光景了。现在不满足本党的宗旨宣告脱党的人颇多，单是布勒斯罗地方 5 月份脱党的人颇多，达至四百之多，而尤以党员以外有选举权的人，也渐渐地不表同情于多数派社会党，而倾向于独立社会党了(因为独立党宗旨较为彻底些)。反对干部一部分的领袖是卡里斯克，凡是反对谢致孟(他人，都倾向他了)。他们的目的在使社会主义的各派一致，但排斥领袖一流人。他们最怕诺斯克复兴军国主义，华衣迈尔地方社会主义团代表，提出了劝诺斯克退职的劝告，孟斯塔地方的代表提出了把诺斯克除名的决议，我们单看这一点就晓得德国社会民主党中的暗潮了。

二、匈牙利社会共产劳动党

匈牙利从来除社会民主党以外从新成立了共产党，本年 6 月 17 日两党合

---

* 1920 年 11 月至 1921 年 7 月，现存的 6 期《共产党》上载有四篇报道世界各国共产党和工人运动近况的"世界消息"和一篇报道国内工人运动近况的"国内消息"，除一篇署名"江春"外，其余三篇均未署名。据考证，它们均系李达所撰。——编者注

同，在布答伯斯脱地方开大会，为无产阶级大张气焰。两派之间，意见虽然不免有多少相异的地方，而于一致进行上尚无妨害。克恩菲特代表旧民主党在大会演说，说老传统的社会民主主义，已是死物了。

两派意见不同的地方，并不在无产阶级专政的原则上，只不过实现的手段不同罢了。新党命名为匈牙利社会共产劳动党。柏拉克恩所提出的党纲已改正案，经全体一致通过了。

三、美国社会党大会

美国社会党最左派，去年由母党分离为共产党与劳动共产党。母党的社会党，于本年 5 月 9 日在纽约的芬兰人社会主义会馆开全国大会。现在纳会费的党员约 4 万人，此次大会是由 30 州所派的 150 名代表组织而成的。

此次大会满场一致举定现在监狱中的德布施为候补美国大总统，并推定斯德曼为候补副总统。

希尔克特代表干部演说后，开始议事，重要之议案为宣言及纲领与国际共产党三大问题。开会时多数干部派与少数左派争论颇为猛烈。少数派对于干部所提出之宣言（希尔克特起草）提出了修正案。其内容大概主张加多一条，插入第八项，原文为"为便于撤废资本制度起见，当劳动者获取政权的争斗中要保障革命之成功，于过渡时期内使一切权力都归劳动者掌握"。又对于第十项主张变革现社会，由一般从事有益事业的人与职业的团体所选出的代表支配。这就是他们赞成无产阶级专政的一种宣言了。

该会对国际共产党的态度，内分三种意见。当去年 9 月开大会的时候，该党多数派曾有一种决定，攻击第二国际党的腐败，说他们早已不能代表劳动阶级，所以主张另组国际党，然却不主张加入在莫斯科成立的国际共产党，这也算是一件奇事了。本年的大会三派中第一的是柏尔瑟等少数派，反对无产阶级专政，不主张加入国际共产党。第二是恩格达等少数派，主张无条件加入国际共产党，这两派的主张都是少数，遂被否决。第三是希尔克特等多数派，他们所主张的颇为奇怪，一方面既然赞成俄国劳农政府是无产阶级的政府，而他方面则反对国际共产党厉行无产阶级专政的宣言而不赞成无产阶级专政。于是希尔克特所提出不加入国际共产党的议案居然通过了。多数派的冥顽,实属可恶,美国社会党的前途,没有多大的希望啦!

四、葡萄牙共产党

本年 3 月 27 日议员选举的结果党首入阁的多数派社会党失败,选举所得的票数减为 5500,仅有 9 名的议员当选。至于共产党则大得胜利选举所得的票数多至 181500 票选出议员 50 名。

葡萄牙共产党猛然发达,5 月 31 日在索菲亚地方举一大会,开大会的报告,该党党员已有 3500 人,有 83 个联合 1083 个支部。1919 年中公开的集会计 4880 次,参加集会的人员通记 2429352 人,党中收入有 2217424 法,支出有 1647480 法。凡执行委员会的机关报杂志等项共有 10 余种,发出之宣传用的书籍小册子共有 35 种。

葡萄牙是个农业国,小地主最多,工业不甚发达,和中国的情形差不多是一样,而葡萄牙的共产党那样发达,我们中国的共产党却还在萌芽时代,这真是可耻的事情呀!

五、俄罗斯的共产党

俄国的共产党,不是一个十分发达的党会。现在还不够 50 万人,但他们的会员,不必要签名的。他们不独是言论家,并且是实行家。共产党只由于有联合的组织,便可以维持秩序。

在大城市间,有高等教育机关来训练共产党,学校的教育,专注重于革命历史、社会经济和社会政治。没有某种教育和经过一种试验,不得认为共产党。共产党在学校中自由演讲,俄国各处都发生了。少年的候补者由国家教育三月,执行各种事务。经过试验,才能够认可为党员。他们分派党员到俄国各都城,像是管理各处的委员一般。凡学校、医院、车站等处,都有共产党。

共产党对于各务都有优先的权利。但他们的义务要终身为共产党员。他们也要到最危险的前敌,如果苏维埃共和国有被敌人危害的时候。当着锐丹尼 Gudenich 和丹尼金 Denikin 联盟攻击的时候，有 2 万共产党派到前敌。各机关中当职，内有 300 少年军官，只在于训练的时期。

在莫斯科军事学校中有很多革命的思潮。他们阻挡锐丹尼的卫军、断绝彼得格拉和莫斯科的路线。共产党绝对不自私和有毅力，这是他们所必要的。有一点错处，便贻累终身。自私自利的罪状，共产党难免处以死刑。

（原载 1920 年 11 月 7 日《共产党》第 1 号，未署名）

张东荪现原形

（1920.11）

张东荪本来是一个无主义无定见的人，这几年来，他所以能够在文坛上沽名钓誉的，就是因为他有一种特长，会学时髦，会说几句言不由中的滑头话。

他作文章，有一种人所不能的特长，就是前言不顾后语，自己反对自己。这是因为他善变，所以前一瞬间的东荪，与后一瞬间的东荪是完全相反的。总之，张东荪是文坛中一个"迎新送旧者"，我们必先了解这一点，才能批评他。

我是一个由内地初到上海的人，去年有一位朋友给我写信，说中国人的思想非常进步，王揖唐也讲社会主义了，张东荪也讲社会主义了。我听了这话，并不觉得奇怪。欧洲各国的贵族王公，放弃爵位参加社会革命的人，也不知有多少。可是王揖唐讲社会主义这句话，还没有什么考证，因为他没有发表什么文字，他所讲的大概只是走狗社会主义罢了。张东荪讲社会主义却是真的，他并且在《解放与改造》杂志上，发表了一篇《我们为什么要讲社会主义？》的文章。他这文章前半极力说中国无产阶级如何受了资本主义的苦痛的话，并且引用各国贵族学者联翩加入社会党的事情，证明他自己所以讲社会主义的理由。可是我留心着那文章的后面，究竟怎样主张的，待看到"浑朴的倾向"五字，我便掉头说了这个"不对"。他前半不是明明白白说了要干社会革命的话么？为什么又不敢主张呢？我就晓得他那种前言不顾后语自己反对自己的特长，又在这文字上发露了。

昨今两天，他在《时事新报》上，接连发表两个时评。昨天的是《由内地旅行而得之教训》，说他这次到湖南去，看见乱后的湖南贫民的苦痛，但归咎到制造延长内乱的伟人、政客，我是和伟人政客无关系的人，可以不来说话；只是他说老百姓吃亏，是因为谋内乱的伟人、政客，全与政府无关，我就不得不疑他这话未免有点偏了。

今晨起来，看见《时事新报》又登着他的《由内地旅行而得之又一教训》的时评，说了一派滑头话，令人莫名其妙。他引了罗素"中国除了开发实业以外无以自立"的一句话，说救中国的贫乏在开发实业。这句话，三尺童子都能讲的，也不必引罗素的话来坚壁垒。中间又引筑山由美国来信，断定"中国人大多数都未经历过人的生活之滋味"；接着说："我们苟不把大多数人使他得着人的生活，而空谈主义，必定是无结果：或则我们也可以说有一个主义，就是使中国人从来未过过人的生活都得着人的生活，而不是欧美现行的什么社会主义、什么国家社会主义、什么无政府主义、什么多数派主义等等。所以我们的努力，当在另一个地方。"这些话不知他怎样能够讲得通！既不主张空谈主义，何以自己又主张"使中国人从来未过过人的生活的都得着人的生活"的主义呢？依他所说，必要把大多数人使他得着人的生活，然后方能谈主义，然后方能谈他所主张的"使中国人从来未过过人的生活的都得着人的生活"的主义。这句话怎么讲！读者诸君想一想，究竟通不通？

还有一层，他所说"人的生活"，究竟是怎样的生活呢？那样的生活又究竟要怎样才能得到呢？依他的时评上所说一定要开发实业才能得到"人的生活"，那么，英、美、法、日等国底实业总算发达，那些国的人民，也应该过了人的生活了。但据我们晓得，他们大多数人民辛辛苦苦替别人做工，替别人赚钱图安乐，自己也还难得温饱，这算不算人的生活呢？东荪所说的"人的生活"，与这种又相同不相同呢？末了，他所说"我们的努力当在另一个地方"的"另一个地方"，究竟是什么地方？依那时评看起来，无非是不讲社会主义去开发实业罢了！所以我又奉劝东荪，还是赶快从文坛中退伍，赶快去办实业，不然，又犯了"空谈"的毛病了。

东荪自己把假面具揭破了！现出"迎新送旧"的故态来了，所以我说张东荪现原形！

（原载 1920 年 11 月 7 日上海《民国日报》副刊《觉悟》，署名江春）

劳动者与社会主义

（1920.11）

社会主义是作什么用的？社会主义是解决社会问题的。社会问题是什么？社会问题有两种解释：一种是广义的解释，就是关系于社会制度全体的问题，叫作社会问题；一种是狭义的解释，就是由产业制度发生出来的劳动问题。劳动问题是什么？劳动问题就是资本制度发达的结果产生出来的东西。自从新机器发明以来，一切物品差不多都用机器制造，从前做手工的人，到了新机器发明的时候，就变成无用的人了。这种机器价值非常高，我们无产业的人，是不能买的。资本家，有几个孳钱，能够办工厂，买机器，收原料，百般齐备，只少一样，就是使用机器的劳动者，所以不得已每天要出些少的工钱，来雇用工人，替他们制造商品，他们拿去卖了好价钱。资本家晓得劳动者除了进工厂做工以外，不是冻死，就是饿死，所以逞威作势把劳动者百方压迫，每日只给工人些少的工钱，却要工人做几十倍几百倍的工作。劳动者每天自早到晚，千辛万苦，才能得到那些少的工钱，只能够一天的用度，虽说是可以吃饭穿衣，也不过是未冻死未饿死罢了。倘若有一天被资本家斥逐了没有工作的时候，或者是害了病不能做工的时候，就得不到工钱，非冻死非饿死不可了。劳动者做工得工钱过活的境遇，真是残酷悲惨已极了。

劳动者要怎样才能得不饿死不冻死呢？要怎样才能够不受资本家的压迫呢？这就是现时代最大的劳动问题，也就是有志争经济的自由和平等的人所研究的社会大问题了。这种社会问题即劳动问题，要怎样才能解决呢？这里有一个最大的根本解决方法，就是社会主义。

社会主义主张推倒资本主义，废止财产私有，把一切工厂一切机器一切原料都归劳动者手中管理，由劳动者自由组织联合会，共同制造货物，制造出来的货物,一部分作为下次再行制造的资料,一部分作为社会的财产,一部分作为自己的生活资料大家享用。这时候大家都要做工都能得饭吃得衣穿,资本家也变为劳动者了,大家都享自由,都得平等。这是劳动问题的根本解决方法,所以劳动者非信奉社会主义,实行社会革命把资本家完全铲除不可。

劳动问题,是劳动者自身死活的问题,劳动者自己非有觉悟不可。所以劳动者若看清了资本的专横跋扈掠夺无人道,就应该组织劳动者的团体(如工会之类)去和资本家对抗。团体越巩固,势力越大。团体组织好了,首先就干同盟罢工的事情,要求减少做工的时间(每天只做四五点钟就够了),增加工钱(更多更好)。等到团体的势力加大了,然后就和资本家阶级开战,一哄把资本家铲除了,然后方能达到最后的目的。

劳动者与社会主义的关系如此,劳动者诸君的感想何如?

(原载 1920 年 11 月 28 日《劳动界》第 16 号,署名立达)

劳工神圣颂

（1920.12）

一

有剥地皮的人就是资本家。他枯灭中国的山，伐倒南洋诸岛的森林，热带的风土，为了这个缘故，变成了赤土的沙漠。埃及为此亡了国，巴比伦西利亚为此亡了国。资本家为着金子，把地球卖了。他还获了人类当奴隶卖了。但是地球不肖的儿子。生产的劳动者，或耕或种，把地球装饰了。所以劳动者是地球的宠儿。他到了野外的时候，空中的鸟唱歌，兽类嬉笑来赞美他。劳动者是地球的姒续，礼拜一切东西之先，不可不礼拜劳动者。他与神灵一样，在地面上走动，随在什么地方为人类祝福，不贪，不吝，忍耐，克己，勤勉，勇敢，为人制面包。他与神是一样的宽容。劳动者不夸口，不在街上说功劳。新闻纸上虽不揭载他的相片，可是他有和太阳一般大的原动力，投热于地面上，没有他的时候，人类一天都不能生存。他是幸福的渊泉。

劳动者和神一样，彻夜走动的。人虽瞧不着他的姿体，可是工场中高壁的那一边，生产的神的儿子们，正在那里为我们终宵纺织。

他是普照世界的神，无论在什么地方，都可以看得他见的。地之下有凿坑道的矿夫；天之上有空中劳动者；海底有潜水夫。毒气中有背负着酸素吸入器劳动的；烈火中有飞走的消防夫。这样看来，劳动者实有与神灵一样的热心。

二

单单一个人是神的时代已过去了。现在是劳工神圣的时代了。古时的人尊敬消费的人,今日是崇拜生产者的时候了。

他是一个平常的人,然而他是圣人。他是一个平常的人,然而无论何人,不能学他的样儿。他处在困苦的境中,一个人在那里这努力。他有他的使命,虽是做帝王的人,也不能代他行使职务。

劳动者是平常的人,是不想做那无用的帝王总统的平常人,是一个可以对人夸口的平常人。他的胆子和神一样大。他是平常的人,他是崇拜他人的。他解放众人,他把王者的权能付给众人。他是众人夸口,他崇拜众人,喜好众人,侍奉众人。他自己独是与神一样守沉默的至圣。

做了牺牲的劳动者,他常常在爱和义务和责任上粉碎他自己的身子。他的坟墓,人是不肯睬的,可是他也不悲切,与神是一样的他,一切都守沉默。平常的人的天下,是这样的平静支配的,一切都是神的支配的时代。

三

劳动者什么东西都没有,可是无论什么他都有的。他造房子织布制面包。无论什么有不是劳动者造出来的么? 土地是劳动者耕种的,利息是劳动者生出来的。劳动者是生金蛋的母鸡,然而他自己没有见过他此生的金蛋。资本家藉口给了他黄金的饵,什么东西都被他抢去了。

劳动者是创造利息的人,他创造了他被人买了。劳动者对于100元钱的东西,他只用50元就造成了。100元的东西在市场中卖得500元。一切贵东西便宜卖,便宜东西用高价买的都是劳动者。资本家把劳动可当作是生乳的牛,天天榨取他的牛乳。都市的人乡村的人,大部分都是劳动者,所以卖劳力的是这个阶级,买商品的也是这些人。总之,劳动者为着买高价的东西,把自己的劳力便宜的卖了。所以劳动者是利息的创造主。

四

劳动者是万物的创造主。地面上所有的东西,没有不由劳动者手创造出来的。土地、资本、银行、军队、纸币等等,都是劳动者造的。无论哪一件,不借劳动者的手造的东西是没有的。然而他的态度和神一样宽容,所以从来没有主张过这一切东西的所有权的。他一切都没有的,就是他一切都有的确实证据。他为资本家生产,他比主人更富于同情和怜惜。主人用钱计算他的爱情和勤勉,然而他忘却金钱,为主人尽力。他不主张万物所有权,就是他与神一样宽容的缘故。一切资本家不可不知他自己是由劳动者的同情和慈悲才能够生存的事情。

五

依这样看来,万物的所有权,属于劳动者。劳动者好像什么东西都没有的一样,可是无论什么他都有的。资本家的头,资本家的命,资本家的妆奁,资本家的恋爱,都是徒在穷屋子里的那些卑贱的劳动者生产出来的。所以劳动者对于那个头、那条命、那种妆奁、那样恋爱,都可以主张所有权的。资本家对于这些事,不可不有觉悟。

劳动者是万物的创造主,资本利息土地货币,都是劳动者创造的。劳动者对于这些东西,都可以主张所有权的。只是他以前太宽容了,所以没有主张过的。他爱秩序重平和。资本家那样掠夺虚伪秘密外交战争的事情,他是不知道的。他是割股饲狮的圣人,神造狮子和羊,所以劳动者造出资本家和食饵。劳动者是万物的创造主。他有万物,他是资本家的创造主。资本家自身的所有权,劳动者都可以主张的。他有宇宙万物的所有权,资本、土地、银行、货币、面包都归他所有。无论什么,不经他生产出来的东西没有。这其中神也是劳动者的第一人。

只是神和劳动者,现在都休息着的。次回生产和整理的时代来了的时候,资本家绝不能那样傲慢,他会知道他是劳动者的寄生虫。

神和劳动者正在睡觉,万物的所有权也正在睡觉,所以资本家得以为所欲为。总之,所有权是不生产的人所主张的。

（原载 1920 年 12 月 1 日《新青年》第 8 卷第 4 号,署名 H.M.）

《共产党》第二号短言*

（1920.12）

日本《改造》杂志 12 月号上说道："近今渐渐听见到北京游学的声音了。"又说："诸君之文明驰逐策（指日本政府禁止所谓危险思想的书报输入）。使我民族十年二十年后在世界上是何等孤立？而且使光辉灿烂的国家成为何等由个人自由之悲剧重复演出岂不可悲"。

又日本《批评》杂志 11 月号上说："罗素未来日本以前，我们不能不从支那文翻译罗素的思想。西洋思想经由日本再输出支那最近的现象虽是如此，照此时日本这样思想的大逆行，我们以为不得不由支那输入文化之时代渐渐又到了"。

我们对于日本同志诸君这些话有两种感想：（一）我们明明知道他们是一种刺激青年的话，而我们中国人听了都万分惭愧！罗素来中国全是由于政客利用他出风头扩张党势，和中国思想界关系很少。日本政府虽然有驱逐文明底脾气，但是中国关于自由思想的书报及社会主义的宣传与劳动运动比日本简直的等于 Zero。日本青年诸君呵！你们到北京为什么？（二）国际主义是社会主义必然的属性，我们如在本国做社会主义的运动，自然所做的多关于本地的事，并且我们固然不相信国家主义是好的东西，却承认国家这个机关可以做我们改造底一种工具；但同时我们万万不可忘记了国际主义，因为少了它，社会主义便很难实行而且减了很重要的一个原素，使世界的和平不能实现。在这一点我很希望日本同志诸君勿将社会主义放在光辉灿烂的国家及民族的本位上。

（原载 1920 年 12 月 7 日《共产党》第 2 号，未署名）

---

* 本文原标题为"短言"。——编者注

社会革命底商榷

（1920.12）

一、时机的问题

社会革命！社会革命底呼声，在中国大陆一天一天的高了。有许多走狗学者也讲起社会主义来了。可是他们只是口头讲，心里未必赞成，也只是胡乱地讲，却未必十分懂，恐怕这班不久便会连口头赞成都要取消。他们不说中国人要准备知识，学会了社会主义，好行社会革命；便说要助长资本主义的发达好谈社会主义；这类的话，在最近的新闻杂志上，登载得非常的多。这种似是而非的论调，最易淆惑人心。他们是社会主义的障碍，是我们的敌人。所以我不得不说几句话纠正他们，然后把我的主张写了出来，同大家讨论。

法兰西的大革命，在现代人心理中看起来，都说是发源于卢梭的天赋人权学说。可是我试问当时巴黎数十百万参加革命的人民，都已学会了卢梭的学说吗？俄罗斯的大革命，人都说是受了马克思主义的影响，可是我又问圣彼得堡、莫斯科那无数万参加革命的劳动者和兵卒，都已学会了马克思主义吗？他们不过是受了当时绝大的经济上政治上的压迫，他们求生不能求死不得，总想打破现社会的压迫，脱离现政府的铁锁，就是他们想求生存求自由方行革命的。所以卢梭、马克思的思想，人人头脑中都有的，不过首先被他们两人道破罢了。

社会构成的基础，成立在支持人类生活的物资生产和生产交换之上的。一切革命的原因，皆由生产交换的方法手段而生，不是人的智力发明出来的，也不是抽象的真理产生出来。简单说，社会革命不是在哲学中探求而得的，乃是发生于现社会的经济状态之变动。

"一切过去社会的历史,都是阶级斗争的历史"。不懂社会主义的人,只说中国无地主无资本家,没有阶级的区别,不能倡社会革命。其实他们不过闭着两只眼说说罢了,中国的社会中何以没有阶级呢?

"富者田连阡陌,贫者土无立锥",这两句话不是说明中国贫富两阶级的悬隔吗?中国的田主佃户两阶级,自古以来就有的了。田主每日毫不劳力,专门掠取佃户劳力所得的结果,度最奢侈的生活。佃户无论如何含辛茹苦的劳动,他们的命运总是铸(注)定的。他们每年劳苦所得的收获,要缴纳一半多给田主,年岁好的时候,他们还可以穿点仅仅冻不死的衣,吃点仅仅饿不死的饭,住点过风漏雨的屋。倘若年岁不好,他们不是冻死,就是饿死。每届凶荒,他们之中冻死的饿死的何止数千百万。所以中国大多数做佃户的农民,从古以来,都在这种朝不保夕生活不安的状态之中,并没有得到丝毫幸福的。他们的苦痛,有眼的人都会看见的,用不着我来描写。可是一般人看惯了,觉得他们之中也还有饿不死冻不死的,殊不知离远一点看起来,就晓得佃户阶级的贫困了。

现在再就工业一方面说:中国现在已是产业革命的时期了。中国的工业虽不如欧美、日本那样发达,却是在这产业革命的时期内,中国无产阶级所受的悲惨,比欧美、日本的无产阶级所受的还要大。中国劳动资本两阶级的对峙,在表面似乎与欧美日本不同,在实际上却无有不同的。

中国的资本阶级,是国际的。资本家差不多都是欧洲人美洲人日本人,也有最少数的中国人在内。那些资本家所办的大工厂,都在欧美和日本,中国各大都市中也有几处。在那些工厂中做工的,都是欧美日本人,中国人得不到工作。那些大工厂中造出的商品,输入到中国来,中国的手工制造品,受了打击,不能和他们竞争,于是手工业的人,把自己的手工废了不做,到工厂中去做工,充机械的奴隶去了。还有更甚的,就是想充一个机器的奴隶犹不可得。所以多数的家庭工业手工业和农业的生产人,现在受了资本主义生产的商品的压迫,都变为失业的人,非饿死非冻死不可的了。这种缺陷在最开通的都市中,尤其容易看得出来的。所以中国是劳动过剩,并不是没有劳动阶级。在这一方面说起来,是国际资本阶级和中国劳动阶级的对峙。

中国田主佃户两阶级的分立,是固有的;现在受了产业革命的影响,又形成了资本劳动两阶级。无产阶级和有产阶级的对抗越发显明,无产阶级的贫困增大,有产阶级的财富增加,社会革命的机会到了。

最近数年以来,中国的武人强盗,争权夺利,连年打仗,骚扰不已;川粤的高山踏成了平地;湘鄂的地皮产出了赤土;直鲁豫晋陕甘的平原,变成了沙漠;无产阶级冻死饿死的何止数千百万;农业的工业的小生产机关,毁破了的何止数千百万;武人强盗助国际资本阶级,驱逐中国旧有的生产机关,武人强盗掠夺搜括我们的手段,一天一天的恶辣,国际资本阶级的侵夺和压迫,也跟着一步一步地厉害。

中国的无产阶级呵!我们受了武人强盗经济上政治上的掠夺和压迫犹不算数,还要受国际资本阶级经济上政治上掠夺和压迫,我们果能得了丝毫平等和自由没有?民主主义破产了!我们的希望成了一个空,我们求生存求自由吗?我们应该怎样做?

二、生产和分配

现社会推倒之后,新社会中怎样生产怎样分配呢?这是一件最紧要的事情,首先要研究的。

社会主义的派别很多,主张复杂。我趁先提出两个主潮,就是马克思派的共产主义和无政府主义,这两个主潮,就是在生产和分配的法则上分别的。

先就生产组织说:共产主义的生产组织是集中的,无政府主义的生产组织是分散的。共产主义的原则主张把一切农业工业的生产机关,都移归中央管理,有时因生产机关的种类不同,或移归地方管理。无政府主义的原则却不然,主张破坏中央的权力,要将一切生产机关,委诸自由人的自由联合管理。在这种地方看起来,无政府主义的生产组织,有一种最大的缺点,即是不能使生产力保持均平。要使各地方各职业的生产力保持均平,无论如何,非倚赖中央的权力不可。我们可以拿现时的资本制度作比,资本主义的生产组织,是无政府的状态,讲自由竞争,对于生产力绝对不保持平均,供给与需要不能相应,资本家专顾投机,增加生产力,谋生产多量的商品;一时需要减少,生产过剩,其结果资本家别谋妙法填补,而劳动者却因此受了恐慌的影响,招来失业的苦痛。这就是资本主义产业组织不受政治力支配的恶结果。所以无政府主义派主张的生产组织与资本主义的生产组织差不多,若一地方或一职业的生产力供过于求,他地方或他职业的生产求过于供,就不能使他保持平均了,供给与需要不能相应,岂不是生产组织的混乱状态么?

生产的目的在供给社会全体的消费,并不是生了产就完了的。所以由这种意味说起来,新社会的生产组织,非有中央权力去干涉不可,各地方的各职业的单位非绝对服从中央权力不可。无政府派不主张有集中的权力,那么生产力怎能调剂呢? 社会各员的消费生活不是有受侵害的危险吗? 所以我是主张共产主义派的生产组织的。

其次研究分配制度。社会主义的分配制度,以自由平等为根据。可是共产主义和无政府主义的分配制度对于自由平等很有不同的地方。分配制度分收入和消费两项,共产主义主张用一种方法调剂各个人的收入,用货币经济,借助货币的形式,分配生产物。各人消费的物资有一定的限制,不得超过自己收入所得的价值。消费的时候,各人必须支出自己收入所得的一部分,所以各种物资都须依一定的价值单位定一个价格。无政府主义的分配制度则以各尽所能各取所需为原则,全不调剂各人的收入,并且也没有收入不收入那种观念,只是调剂各人的消费,甚至连消费都不调节的。共产主义和无政府主义都是在分配上主张平等的,不过共产主义的平等关于收入,无政府主义的平等关于直接消费,可是两者之中,更有一个区别。

先就无政府主义说,卞倍巴布福等一派人主张分配底客观的平等,说各个人在年龄男女的限界内,应当分受同质同量的物资。福里耶克鲁泡特金一派人主张分配底主观的平等,即说各尽所能各取所需。这两种主张,在我看起来都有些不妥。客观的消费平等的主张,未免蔑视各人的个性,阻碍各人的自由。又使消费的自由都得平等的主张,由正义自由平等的见地说起来似乎可行,可是非待世界的产业发达到极境的时候,不能办到。譬如今日行了社会革命,明日组织新社会,而新社会都是继承旧社会的生产力,继续发展的,这生产力是有一定的限制的,生产力既有限制,生产物当然也有限制了,以这有限制的生产,听各人消费的自由得其平等,是绝对办不到的。若果社会的生产力发达到无限制的程度,生产物十分丰富,取之不尽,用之不竭,这"各取所需"的分配原则是很可实行的。只是在生产力未发达的地方与生产力未发达的时期内,若用这种分配制度,社会的经济的秩序就要弄糟了。

再就共产主义的分配制度说,生产力既有制限,生产出来的物质当然也有制限,我们分配这有限的物质要求其平等,就不可不行使货币经济,对于各人所收入的货币额加以制限。还有一事,物质的价格不可不用一个标准来测定他,生产物对于需要的关系,若其分量比较的多,则定价从廉,否则定价从高。照这样办起来,那么在人类的道德程度没有达到至圣至神的地位时,对于有限的生产物要行公平的分配,再没有比这种制度还好的了。所以我是主张采用共产主义的分配制度的。

三、革命的手段

马克思和恩格斯两人说:劳动阶级的革命,第一步在使无产阶级跑上支配阶级的地位。无产阶级就用政治的优越权,从资本阶级夺取一切资本,把一切生产工具集中到国家手里,即是集中在组成支配阶级的无产阶级手里,于是全部生产力就可用大速度增加起来了,……若照这样的发达起来,阶级的差别自然消灭,全部的生产,必然集在全国民众大联合的手中,公的权力自然失掉政治的性质。政治力本来是一阶级压服他阶级的一种组织力。无产阶级若和资本阶级战斗,迫不得已,自己不得不组织一个阶级,用革命的手段,把自己造成一个支配阶级,并且用权力扫除旧生产条件,于是阶级对抗的存在和一切阶级的自身都要扫除的,于是无产阶级的优越权也是要废除的。

社会革命底目的,在推倒有阶级有特权的旧社会,组织无阶级无特权的新社会。旧社会中有拥着生产机关的资本阶级,有特权阶级,有缺乏衣食住的资料而为他资本阶级所利用的劳动阶级。新社会中,没有资本阶级也没有劳动阶级,也没有特权阶级,生产机关为真正的生活机关,为社会全体的所共有,个人和全体都能够自由发达。我们要达到这个目的,概括地说起来,就是厉行非妥协的阶级斗争,以下专就具体的手段讨论一个大概。

社会革命底具体的手段大约可分数种:一是议会政策;二是工会运动;三是直接行动。议会政策的手段,是主张劳动者组织团体为参政的运动,劳动者要选议员,送到国会或地方议会去,参加立法的机关。这些代表劳动者的议员,可以在国会或地方议会提出改善劳动状态或抑制资本阶级的法案,务期循序渐进,解决一切社会问题。德、英、美等国社会党,多采取这种议会政策作为社会革命的手段。可是理想与事实相反,难以达到社会革命的目的。在现社会组织之下,资本阶级的势力最大,议员中的议员属于资本阶级的必然占绝对大多数,议会中通过法案是用多数表决的;劳动阶级没有金钱运动,得几名议员已不容易了,而今有几名劳动阶级的议员提出来的法案,当然要陷于否决的命运。所以无产阶级的议员要想在议会中成立一种除去自己阶级痛苦的法案,是断然办不到的。这时候就是不唱高调只求贯彻自己阶级的几分之一的主张,非与资本阶级妥协不可,非得资本阶级的同意不可。照这样成立出来的法案,无非哀求资本阶级政府行非驴非马的社会政策。社会革命的目的,简直成了一种空想。现在有一般承袭德国社会民主党旧计的人,主张无产阶级要求普通选举,这件事本可以网罗大多数无产阶级的人,加入这种运动,可是这也是难得好效果的。依照各国的先例看起来,大凡最初运动普通选举的时候,资本阶级的现政府,是决不许可的,不说人民"程度未齐"便说"时机尚早",平民只管请愿,资本阶级的政府是不睬的。这时候若果无产阶级能够真正有觉悟,一致结合起来,举行示威运动,使政府晓得他们的力量,政府若依然顽迷不悟,无产阶级就可借口争自由争平等,或者可以革起命来。可是有一层,假若资本家政府能够见机行事,于革命未爆发以前,实行普通选举,那么,到这时候,无产阶级就没有口实可借了。结果又怎样呢? 不过无产阶级能够选出几名议员送到国会中和资本阶级妥协,立几条使政府行社会政策的法案就完事了。要求政府行使社会政策,与要求资本家倡办慈善事业,究有何种区别呢? 德国的社会民主党就是一个先例。

其次研究工会运动的得失,工会运动是劳动者想借团体的力量谋劳动阶级的解放的一种手段。其内容大概可分两种:第一种是改良的,是社会政策的,采用阶级调和主义的手段,承认现制度,谋劳动阶级地位的向上。第二种是革命的,是社会主义的,采用阶级斗争的手段,改造现制度,创立劳动者本位的社会的。工会运动的武器就是同盟罢工。可是同盟罢工之中也有许多区别:第一种所行的同盟罢工,在要求改善劳动的条件。第二种所行的同盟罢工,其目的不在改善劳动条件,而在真实的解放劳动阶级绝灭劳动阶级对资本阶级的关系。

同盟罢工底性质,有经济的,有政治的,有社会的。政治的总同盟罢工底目的,是劳动者利用产业上的地位,在政治上的贯彻一定的目的,如扩张选举权,要求立法部通过一定的法律之类。可是这种罢工在原则上是承认现社会制度的经济组织的,只可当作劳动阶级一种示威运动的手段,若想利用他行社会革命是办不到的。

经济的总同盟罢工,其目的一般在减少劳动时间增加劳动工资,与现在社会的经济组织,并无何关系,决不能当作社会革命的手段。

社会的总同盟罢工,其性质与前二者大不相同,其目的在推倒资本本位的现社会制度,创设新社会的。这种是很彻底的,这种罢工的动机,有主张借用一种特别的事故使全劳动阶级突然罢工,使资本阶级手足无措,乘机扑灭资本阶级,从新建设无阶级的新社会,这种主张是很对的。又有主张使一般劳动者受适当的教育和训练,准备待时而发,这种主张是难于实现的。一般劳动者既有这种教育和训练,其结果当然新社会要实现的,不过百年河清难待罢了。此外还有一种理想,最初由各地方全体劳动阶级举行总同盟罢工,推而至于全国劳动阶级举行总同盟罢工,再推而至于全世界的劳动阶级举行总同盟罢工,到这时候全世界的资本阶级都要铲除了。这种理想,固然是好,恐怕非同时所能办到的,所以也只能作为一种理想罢了。

由以上的研究,归结到中国的劳动界来。中国是劳动过剩的国家,大多数都是失业者,所以中国的工会运动,是不易行的。工会运动要依哪一国家哪一地方的经济状态为转移,假如某一地方的经济发达,工厂办得多,劳动者都有工作,这时候劳动者很可以行工会运动和资本阶级奋斗的。可是经济界不发达的地方,劳动者失业的多,要求一个卖劳力换饭吃的地方都不能得,哪能够举行罢工惹起失业的危险呢? 不说远了,就把日本作比,去年日本经济兴旺的时候,罢工的运动,非常流行,到今年经济恐慌的时候,工厂倒闭的非常之多,劳动者失业的不下数十百万,罢工的运动,差不多断了影子。中国的工厂本是少,而劳动者无工作,与日本劳动者失了业的是一样。所以中国多数无产阶级都是失了业的劳动者,所以工会运动在现在的中国,是不容易发达的。可是也有一种事要注意的,我们虽不能全靠工会运动行社会革命,而为增加阶级斗争的速度起见,劳动界却不能不结合一种团体和资本阶级对抗,所以工会还是要从速组织积极进行的。工会组织之后,然后开始和工会以外的无产阶级极力结合,等候时机到来,好和资本阶级开战。

直接行动是什么呢? 这是一种最有效力的手段,要仔细讨论的。阶级斗争的手段,以最普遍最猛烈最有力量的为好。无产阶级,包括最广,所以革命运动,非网罗大多数的无产阶级在内不可。参加运动的人越多,力量越大,运动越猛烈,奏效越迅速。我很主张无产阶级为突发的群众运动。譬如 1871 年法国地方自治团在巴黎干的猛烈运动,1904 年意大利工人干的突然发生的大运动,1917年俄国无产阶级在圣彼得堡干的大示威运动,1918 年 8 月,日本无产阶级干的米荒骚乱,都是很有效力的。中国"五四"、"六三"两大运动在形式上也是有力量的,可惜他们走错了方面。又今年北方八省无数千万的饥民,若果自己不甘冻死不甘饿死,一致起来把经济上政治上的压迫打破了,也是很好的。中国政治上经济上的混乱恐慌,达到极点,社会上的大缺陷,随时暴露出来,可乘的机会很多。所以我主张我们要在各大都会,结合工人农民士及他种属于无产阶级的人,组织一个大团体,利用机会,猛然地干起大规模的运动来,把那地方的政治力,夺在我们手中,凭着政治上的势力,实行我们社会主义的建设完全管理社会中经济的事业。所以这种直接行动,可以称为社会革命的唯一手段。

此外还有相辅而行的手段,就是宣传。宣传的办法,无论是公开的或秘密的,总要普遍,要能激动无产阶级对于有产阶级的敌忾心,亦能发生效力。

现在我简单地说几句,作为这篇文章的结论:照社会主义的原则说,社会革命在资本制度发达到一定的程度的时候,自然要实现的;然而也可以用他种人为势力——非妥协的阶级斗争——促进他的速度。英美两国的资本制度比俄国的要发达得十数倍;英美两国的工会,比俄国的也要发达得十数倍,何以社会革命不在英美两国发生,反在俄国实现呢? 这就是因为俄国社会革命党实行的力量比英美两国的大的缘故。所以我国在中国运动社会革命的人,不必专受理论上的拘束,要努力在实行上去做。

(原载 1920 年 12 月 7 日《共产党》第 2 号,署名江春)

世界消息

（1920.12）

一、近东无产阶级大会

近东的劳动者和农民的代表，因为在莫斯科开会的第三国际党的召集，在巴古地方开了一个大会。到会的人，多为白尔西亚、亚尔麦里亚、土耳其等处的无产阶级的代表。这大会的目的在坚固各国无产阶级的结合，排除外国人的统治和掠夺。从前欧美各强国，在近东各小国的地方争夺势力范围，要达到他们资本主义的帝国主义的野望，所以这些小国的无产阶级，近来渐渐觉悟，要想打破各强国侵略的势力，于是和劳农俄国携手了。

至于这次大会的结果，虽然未能明白看出，可是近东各国一带，赤色业已渐渐浓厚了。白尔西亚最堪注目。

勒西特地方，闻已组织了革命的地方政府。在这一国之中，如克丑克加恩那样反对英国的革命家，博得民众的信望，劳农俄国的军队，入了燕则利和他们革命派协调以后，这国内赤色化的运动，更加得势了。白尔西亚赤色化的形势，必然要使阿富汗和伯尔基斯坦各方面受影响的。若是阿富汗赤色化了的时间，北印度也要受影响，英国就会要分裂了。

二、法国社会党之激进

在勒白尔的劳农俄国的代表，记录了很重大的报告。

这个记录，是寄给第三国际党执行委员会的，由这记录看起来，就可表明法国社会党与在莫斯科开会的第三国际党基本的宣言是共鸣的了。法国社会党认定无产阶级专政是革命思想的基础,劳农代表会议的构成,是实现无产阶级势力的主要的途径。那记录上最后的一节说:"君等(指第三国际党的执行委员会)业已正确的告诉我们,依俄国革命这种实例不能认神圣的理论的话就算满足。我们对于言论与实行并进的话,很表赞同。我们过去所取的政策是不充分的而且缺乏决心的,这种事实,我们并不想否定。诸君看了俄国劳动者农民受了长期间的苦难,毋怪乎要怒骂我们的。援助诸君本是我们的义务,可是我们从前没有勇气履行为友人的义务的,所以诸君当然有权利要求我们果取的革命的方策,干社会的运动。总而言之,我们要做照得了胜利的俄国无产阶级的样子。我们若是到莫斯科去的时候,国际的聚会的意义如何,姑且不问,我们从前专事想象的真理,必定要与直接的事实相接触了。"

据以上的记录看起来,我们就可以知道法国社会党已经改变了从前稳和的态度,而倾向于劳农俄国了。法国社会党加入第三国际党与否的问题,要由第三国际党的会议决定的。

三、奥大利共产党之活动

据送达国际共产党第二次会议的报告,最近奥大利共产党,已经在劳动组合之中设置了特别宣传委员会。此委员会的活动,大收效果,刻下各劳动组合之中,都产出了共产主义的团体。委员会虽然受了旧式样的指导者的反对,可是在一般民众之间,已算是成功了。劳动组合方面,共产党的活动,虽被旧式样的干部所攻击,可是共产党有"赤旗"的日刊新闻来和他们对垒。又共产党想在社会民主党政府所组织的官立劳农会之中实现自己的主张,正在开始活动。各劳农会之中虽有共产党的团体,可是现在平均计算只不过占 10% 的光景。

四、意大利劳工运动之激进

意国金工劳动者此次干的大同盟已正是轰轰烈烈震动了全世界。他们大罢工的目的,人人都知道的,就是要使意国的工业都仿照劳农俄国的制度办理。

他们罢工以前提出的条件,表面上在要求增加工银,哪晓得那些工场主冥顽,只是不睬,工人方面就干起同盟怠工来了。他们怠工的格言,就是少生产;多消耗;不引起雇主停工。果然不久,工场主忍不住,就把工场锁闭了。这些资本家对付劳动者的唯一办法,就是停工,以为把工场锁闭了,劳动者无工可做,得不到工钱,就没有饭吃,自然会屈服了。哪晓得这些资本家想的太左了,工场锁闭不久就被那些劳动者占领,竖起红旗来了。资本家将工场锁闭,劳动者只是占领,真是唯一无二的方法,我希望中国的劳动者都也要照这样干才对呀!

五、日本社会党之奋起

日本社会党人的活动,发端在 40 年前,也算是很早的。到了明治末年,气势非常旺盛,各方面宣传的效果也大,幸德秋水一般人革命的运动,颇为猛烈,可是正在图谋革命的时候,却因为不谨慎的缘故,偶然爆发了一个炸弹,就被那日本资本家的政府的走狗探得了。幸德一派人被拿,连他们所制的红旗及名册都搜去了,可怜幸德秋水和两三个别的同志被日政府杀害了。于是那日本政府便暴逞淫威,处处妨害党人的活动,甚至剥夺他们的言论自由,如无政府党大杉荣、共产党堺利彦这一类的人,无论何时何地都有日政府所派的警狗跟着他们,他们若想做事,都先被那警狗发觉的,所以什么事都干不出来。所以自幸德被害以来,日本的社会党受了走狗的妨害就不能活动了。直待至前年欧战平息的时候,世界改造人类解放的声浪,波动到了日本,于是什么民主主义的叫声发出来了。多年沉寂的社会党人也抬起头来了。从去年起到现在,他们的奋斗宣传,很有可佩服的地方,可惜他们没有组织精密的团体,所以不能干大事。今年五六月间他们就觉得有组织同盟的必要。可是这个风声露了出来,日本政府大惊小怪,就秘密的戒起严来。社会党人也是不容易惹的,他们既然下大决心要组织大团体,岂肯因为日政府的压迫就不干么?日政府只是压迫,他们却是努力地干,日政府到底怕事,就让他们组织了一个社会主义同盟。这是本年十月的事情,他们这个团体规模很大,会员很多,所以组织了以后,他们就努力的奋斗,宣传一方面最有效,日政府防范越严,他们的宣传越历害。听说他们不久要开一个最大的会议,决定革命的方针,日本政府听了这个消息,更是害怕,想要用暴力解散他们,他们的气势也大,将来不免与日政府有一场大冲突的。我们很希望他们努力奋斗,正义一定能够战胜强权的。

六、共产党主张统一

海参崴16日电,崴埠共产党在各处大贴广告,声称近有不逞之徒,散布流言,谓共产党在崴埠与他党挑党造祸,此等谣传尽属子虚,本党深望国人稍安勿躁,静候远东统一之佳音云云。

七、丹麦社会党加第三国际

莫斯科18日电,丹麦社会党左翼之大会,已容纳各种条件,决意加入第三国际,该党不久即更名为丹麦共产党云。

八、红色化后之布哈拉国

莫斯科20日电,国民外交委员翟趣林氏近接到布哈拉国(Bokhara)苏维埃政府宣言一纸,该宣言书由布国国民委员自治会会长郭嘉仪(Khodjaied)氏签字,内容略谓布国国民所选出之政府,此后将与世界各民族同处于和平友爱之中,并深愿与世界各民族开始永久的外交关系云。

九、俄国共产党对全体国民之慷慨陈词
远东绝无苏维埃制之建立

海参崴25日电,俄国沿海省共产党委员会于本月15日发表该党对于俄国人民通告一篇,其原文如下:

"诸位同志,诸位同胞!最近不多日子中,有一群不逞之徒,利用海参崴人民激发的心理状态,为他们自私自利的阴谋起见,大造谣言,说远东共产党党员刻在沿海省竭力设法打算设立苏维埃制。本党为使各界人士明了真象起

见，认为有再作一度声明之必要；第一，在现在的一种环境里头，本党决不以为建立苏维埃制为可能为合适；第二，本党遵从全体工人的兴趣，唯一的政策便是根据民治主义的原则，循照赤塔分政府宣言过的话头，联合俄罗斯远东，愈速愈妙。俄罗斯共产党临时委员会谨此奉劝海参崴国民静候远东统一之实现，以民治主义为归宿由远东共和国中央政府直接管辖。"

十、德国共产党实行采取苏维埃制
俄国势力已普及于德国

莫斯科 11 月 28 日电，德国共产党已将组织苏维埃方法之草案疑就，据该草案所载，德国苏维埃将以议员 300 人组成，议员即以各种工业所选之代表充之，然后再由苏维埃议员选举赋有全权之行政委员会云。

十一、奥国社会党加入第三国际大会

莫斯科 11 月 19 日电，奥国社会民主党之左翼党员，于最近大会席间。组织一独立社会党，且完全采取第三国际社会党之党纲云。

十二、德国工人之近况　加入第三国际大会
失业问题之繁杂

莫斯科 1 日电，德国各工人团体于数日前在柏林开会，到会者 172 人，代表各团体会员 13 万众决议加入莫斯科第三国际共产党大会，又同日电，德国工人失业问题，目下日趋繁杂，据共产党首领卜兰林（Brandler）氏宣称，仅就各工业中心大城而论，工人失业者已有五六十万人云。

十三、俄国复古军大败而逃

莫斯科 1 日电，莫锐（mozir）地方之红军将巴来贺威（Balahovich）复古军

大将现在西俄军队之残余击走,红军奋勇追敌人,白军向北方而逃,安然逃往印哥威奇车站者仅有 500 人云。

十四、赤色土耳其之分区大会　推戴劳农首领

莫斯科 1 日电,赤色土耳其之分区大会已在顿河流域若托夫(Rootoff)地方开会,该会致电庆祝南方前敌军队并举列宁、托落次基、金诺威夫(Zinoviev)、师大林(Stalin)诸人为名誉会长云。

十五、新俄之儿童教育

莫斯科 1 日电,上月 28 日为"儿童之日"(Childrensday)各剧院皆以特别戏剧享待儿童,并有各种音乐大会,儿童列会者概不取资云。

十六、德俄两国青年社会党携手

莫斯科 1 日电,德国青年社会党评议部,经过极剧烈之辩论后,以大多数表决与俄国青年社会共产党携手云。

十七、蒙人组织革命机关报并筹备选举

赤塔 1 日电,西蒙(西伯利亚与蒙古)土人革命委员会,不久即成立一机关报,名曰西蒙之声(voice of mongolo Buriat),现已从事组织编辑部云。又同日电,西伯利亚土人各乡区革命委员会不久即开联合大会,前西伯利亚土人自治会之款项报告及选举宪法的议会之手续皆在讨论之列云。

十八、罗马尼亚国称赞苏维埃

莫斯科 4 日电,罗马尼亚国舆论界感谓红军最近连战皆捷,苏维埃政府为

西俄唯一坚固政府。

十九、全俄共产党改组

莫斯科 4 日电,全俄共产党第三届例会刻已闭会,该党已改组云。

(原载 1920 年 12 月 7 日《共产党》第 2 号,未署名)

马克思还原

（1921.1）

马克思的社会主义,已经在俄国完全实现了。可是还有许多人正在那里怀疑,实在有替他们解释的必要,所以特意的写点出来看看。

这篇文字的大意,首先要说明马克思主义的本体,其次要说明马克思主义堕落的原因和历史,末了要说明马克思主义复活的事实,使世人了解真正的马克思。

马克思社会主义是什么？这个问题最难于简单的答复,可是这里也为省篇幅起见,特就马克思所述社会革命的原理、手段、方法及其理想中的社会,列举大概如下:

第一,一切生产关系财产关系,是社会制度的基础;一切社会宗教哲学法律政治等组织,均依这经济的基础而定。

第二,社会的物质的生产力,发展至于一定程度时,就与现社会中活动而来的生产关系财产关系发生冲突。资本家利用收集生产物的剩余价值,坐致巨富,劳动者仅赖工钱以谋生。富者愈富,贫者愈贫,遂划分社会为有产者无产者两大阶级。

第三,人类的历史是阶级争斗的历史。资本制度发展到了一定阶级,大多数的无产阶级就与少数的有产阶级互相对峙起来。劳动者发生阶级的心理与阶级的自觉,互相联合组成一大阶级,与有产阶级为猛烈的争斗。

第四,资本主义跋扈,渐带国际的倾向,而无产阶级的作战,亦趋于国际的团结。于是全世界一切掠夺、压迫、阶级制度、阶级斗争,若不完全歼灭,全世界被压迫被掠夺的无产阶级,不能从施压迫施掠夺的有产阶级完全解放。

第五，无产阶级的革命，在颠覆有产阶级的权势，建立劳动者的国家，实行无产阶级的专政。

第六，无产阶级藉政治的优越权，施强迫手段夺取资本阶级一切资本，将一切生产工具，集中到劳动者的国家手里，用最大的加速度，发展全生产力。

第七，国家是一阶级压迫他一阶级的机关，若无产阶级专政，完全管理社会经济事业，把生产工具变为国家公产以后，则劳动阶级的利益，成为社会全体的利益，就没有奴隶制度，没有阶级差别，生产力完全发达，人人皆得自由发展。国家这种东西自然消灭，自由的社会自然实现了。

以上是马克思社会主义的概观。综合起来说，马克思社会主义的性质，是革命的，是非妥协的，是国际的，是主张劳动专政的，这就可以明白了。

马克思社会主义是科学的，其重要原则有五：1. 唯物史观；2. 资本集中说；3. 资本主义崩坏说；4. 剩余价值说；5. 阶级斗争说。马克思的政治学说和经济学说，均详备于此五原则之中。

马克思是理论家又是实行家，实具有二重资格。学者的马克思与实际运动家的马克思或不免略有出入的地方，马克思的门徒就因为这种关系，发生了许多误会出来。固守师说的人则拘泥不化，自作聪明的人就妄加修改，把一个马克思的真面目弄湮没了。什么正统派修正派也就发生了。

马克思社会主义的堕落，可以从两方面说明：一是从实际的方面的说明；一是从理论的方面的说明。

马克思社会主义在德国本不甚流行，可是现在一般的论者，却多指德国社会民主党为马克思社会主义的代表。所以要说明马克思主义堕落的原因，无论如何，非说明德国社会民主党的本体及变态不可。

德国社会民主党，是马克思派的国际劳动协会和拉塞尔派的德国劳动协会并合而成的。当时马克思派以威廉里布克勒为代表，他们最初标榜纯马克思主义。对于拉塞尔派的国家主义，带有国际主义的色彩。所以社会主义的政策，从理论上说，马克思派较为彻底，可是从当时的实际问题上说，拉塞尔派反占有力的地位。再严格地说，拉塞尔派并不能称为社会党，只可称为自由党，他们承认国家承认战争承认国家的活动。而当时马克思派的主张却与此完全相反对的。可是德国民族有崇拜国家万能的根性,所以为时不久,马克思派所信奉的主义就渐呈变态了。拉塞尔派主张经济改善,须俟政治改善,以为一切社会改革非行普通选举使全体人民参政不可,所以要纠合全国无产阶级组织一个大政党。马克思派本来标榜彻底的主义,可是到了 1869 年,马克思派的国际劳动协会,组织了民主劳动党,以实现所谓自由民国为标帜。而实现这自由民国的手段,则以获得政治的自由为政纲,说政治的自由是经济的自由的基础,所以也主张行直接的普通选举。到这时候,民主劳动党所标举的政纲,已极其保守,与拉塞尔派极相接近,马克思派国际主义,鉴于周围的形势已经放弃了。两派既无根本不同之处,而合同之机运已到。所以两派于 1875 年在哥达合并,而社会民主劳动党于是产生了。当时该党在哥达所订的政纲,在理论上虽采用马克思的经济学说,而在实际政策上则采用拉塞尔派的劳动资本两阶级的协和主义了。国际主义派与国家主义派互相提携结为一党,实是一种变态。这是马克思主义堕落的第一步。

社会民主劳动党自经俾士麦施镇压令以后,该党颇受挫折,且因受当时社会状态的影响,于是理论上与政策上的见地,于有形无形中发生变化,把该党1891 年爱尔弗尔特政纲一看,就可知道的。该党在理论上原来反对议会政策的,从前党员被选为议员出席国会的时候,常有一种标语说:“我们到议会非参与立法事宜,乃是妨害议场并宣传主义的”。又说:“我们不是赞成资本阶级的立法,不是卖同志。”所以他们虽然做国会议员,口头上还有几分强硬态度。可是自 1890 年以后,该党不称“社会民主劳动党”,改称“社会民主党”,表明社会主义与民主主义相结合,简直要与权力阶级妥协了。威廉里布克勒简直承认了议会政策。他说:“主义与战术有别,我在 1869 年本反对过议会政策的,可是在今日则事实与前大变了。”于是从前反对预算、关税、立法、军备、殖民政策的,此时却不惜加以协赞了,帝国议会书记八名中也有一名的社会党员加入了,社会党自己也提出法案了。兵士增饷的法案,施行社会政策的法案、责任内阁的法案、保险官办的法案等等,或迳由该党提出,或加以协赞了。从前主张阶级斗争,此时主张阶级调和,从前反对议会政策,现在反赞成议会政策了。这是马克思主义堕落的第二步。

关于社会民主党的变态及堕落更堪注意的,就是该党对于战争的态度。

社会民主党本来极力反对战争的。因为国际战争是资本阶级国家与国家间的战争,是资本阶级利益的冲突,劳动者是没有祖国的,国家虽亡,而劳动者除失掉铁锁以外并无他种损失的。劳动者若承认资本阶级国际的战争,就是承认资本主义,所以社会党是根本的绝对的反对战争的。可是由国际主义变而为国家主义的德国社会民主党,后来对于战争的态度也改变了。1907年贝贝尔在帝国议会的演说,说明对于战争应取的态度,他说:"本国侵略他国的战争,本可反对,若本国受他国的侵略则须应战",是已明白承认了战争了。这种主张,支配了社会民主党大多数人的心理,直至此次欧洲大战发生的时候,该党党员因此大中其毒。在欧战将开始的时候,该党犹装腔作势,极力非战,言论鼓吹,不遗余力,可是战端开始以后,该党的态度就大变了。战费案也协赞了,党员也从军了,并且人人都努力为国牺牲,好像殉教者一般。昨日的社会党,今日已成了国民党自由党了。欧战五年间,德国除加尔里布克勒连休修达哈艮三人及卢森布尔克、泽特金二女士外,差不多没有社会主义者了。马克思社会主义至此时已完全消失了。这是马克思主义堕落的第三步。

由以上所述考察起来,马克思社会主义,经过德国社会民主党的蹂躏,精彩完全消失,由国际主义堕落到国家主义,由社会主义堕落到自由主义,由革命主义堕落到改良主义,由阶级斗争堕落到阶级调和,由直接行动堕落到议会主义,马克思的真面目被威廉里布克勒、贝贝尔、柏伦斯泰因、柯兹基一流人湮灭殆尽了。①

这是从实际上说明马克思主义堕落的原因,而在理论上又是如何变迁附会的呢? 也有详细叙述的必要,再说明于下。

依唯物史观所说,新社会的组织,是旧社会组织中各种固有势力发展的结果。资本制度发达至于一定程度的时候,必然发生一种"自身解体的物质上的动因",资本制度自己掘自己的坟坑。可是某种社会形式中固有的生产力,若在可以充分利用发达的期限以内,决不会倒灭的。这种社会形式发展的结果,内中新生产力的利用和发达,当然要与这社会形式发生冲突。资本的独占

---

① 威廉·李卜克内西和倍倍儿在一些策略问题上犯过错误,此文把他们与伯恩斯坦、考茨基的第二国际修正主义路线并提,与事实不符。李达于次年写的《李卜克内西传》中已予纠正,称威廉·李卜克内西为"革命的实行家"。——编者注

成为生产关系的桎梏。于是生产机关的集中与劳动的社会化,遂与资本主义不能两立,而新社会组织于是起来代替了。可是这里所述的"新生产力"和"资本制度自身解体的物质上的动因",究应如何解释呢?若说资本制度的解体是资本集中的结果,则由旧社会推移到新社会的途径,完全可以离却人的精神的要素和意识的行动,马克思的唯物史观就变为机械的史观了。若是这样解释,社会党无须干社会革命,只听资本主义自然发展好了。社会主义者也无需鼓吹革命,只努力去开发实业好了,国家当然可以利用,阶级当然可以调和了。因为资本集中的结果,自然要发生革命的。所以照这样说,马克思一面运动革命,一面唱这种机械史观的宿命论,不是自相矛盾吗?这是使人易生疑窦的地方,马克思派主义者的变态,未始不从这种怀疑点出发的。他们这种误入歧路的地方,早已有许多学者出来纠正了的,可是这种错误,一般普通人都可以看得出的。就是上面所说的,资本制度发达到了一定程度,资本阶级收集掠夺劳动者的血汗的剩余生产,增加自己的私有财产,劳动者仅依工钱谋生。于是社会截然分为有产者、无产者两大阶级。无产阶级受了资本阶级的掠夺和压迫,久而久之,就会发生一种阶级的觉悟。有了这种阶级的觉悟,就发生一种阶级的心理。有了这种阶级的心理,就会有一种阶级的组织和阶级的运动,就自然有一种团体的结合,成为阶级斗争的行动。阶级斗争的结果,无产阶级得最后的胜利,自然要废止私有财产,推倒资本制度。所以唯物史观一方面说明资本制度发展的过程,一方面注重现社会中新兴的无产阶级的力量。若忽视这种阶级的心理和阶级的自觉,不去助长阶级斗争的运动,社会革命是不可期待的。

过信资本集中论的人,对于马克思的学说,便生出一种根本的怀疑点,因为马克思的先见,是说明资本集中的结果,一资本家压倒多数的资本家,收夺者复遭收夺。且此时应受收夺的人已非为自己作工的劳动者,反是利用多数劳动者的资本家。照这样说,马克思的革命观,当然要跟着资本制度发达的程序益增显著。可是自 19 世纪中叶以后至于 19 世纪末叶,数十年间,资本集中的步骤,并未证实马克思预言的确实。而且在他一方面看来,资本制度的范围扩大,公司会社日见增加,中产阶级的人数因亦增多,小资本家依然存在。资本并未集中,反形分散之象。而收夺者的收夺亦未成就。

马克思的预言至此竟成空想。于是马克思派主义者,对于资本集中和社会自然革命的先见,怀起疑来,以为资本集中的学说,资本制度倒坏的学说,都是不可靠的了。于是不相信革命的必然主义,以为从旧社会到新社会的过程,只有进化而无革命,只有运动而无目的,而所谓修正派的运动,于是盛行了。加以当时思想界的倾向,在文艺方面已由自然主义转入新罗曼主义,在哲学方面已由实证主义转入新理想主义,所以社会主义也不能超过这范围独立存在。所以新理想主义,渐至代替唯物史观的位置。同时修正派运动发生"新马克思派的康德化,新康德派的马克思化"的现象,愈增显著了。于是柏伦斯泰因的修正主义,遂支配了社会民主党员大多数的心理,都放弃革命主义流而为进化主义改良主义了。

其须最堪注目的,就是马克思派的政治运动。一部《共产党宣言》,差不多纯粹讲革命的,可是把那十大政纲看起来,却很平易而且是利用国家的。这种地方就含有所谓"二元的性质"。这种"二元的性质",就被他们附会到议会主义去了。从实际上说起来,一切社会问题,不尽是一阶级的问题,也有阶级与阶级间的共通问题。这种阶级间共通的问题,关系阶级间共通的厉害。无产阶级对于这种问题的解决方法,有时也无定要推倒有产阶级的必要,而且有时也可以和有产阶级携手的。所以无产阶级对于革命运动以外,凡有可以与有产阶级协同行动的,只有阶级共通的问题。这种协同的行动,就是政治运动。政治运动当然要利用国家,这也是必然的趋势。马克思派误会了这种地方,重视了这类阶级间共通的问题。专行政治运动,而且把阶级对抗的运动也附属于政治运动的范围以内了。于是社会党议会主义的大旗帜,在世界上招展起来了。马克思主义一入议会主义的范围,立刻就由革命主义堕落到改良主义,失却了本来的面目。

要推倒资本主义,必须厉行阶级争斗。所以劳动团体阶级的运动,最关紧要。劳动团体阶级的运动,决不可附属于政治的团体。马克思也会说:"劳动组合要达到本来的面目,决不可附属于政党。劳动组合若失其独立,劳动组合立即死亡"。劳动组合是社会主义的学校,劳动者在这学校里和资本阶级争斗,其结果要达到社会主义。一切政党无论其倾向如何,只不过唤起劳动阶级的热狂,而劳动组合,则在劳动阶级之间造成有力而且永久的团结。所以只有劳动组合能够造成真的劳动阶级的党派,能使劳动者的势力抵抗资本家的势力。所以由这一点看起来,劳工运动是不能把来附属政党的。社会民主党也把政治运动和阶级运动并为一事,公然要藉议会政策达到社会革命的目的,不过是一种梦想罢了。

以上是从理论上说明马克思主义堕落的原因的。我们从上述实际上理论上观察马克思派社会主义的变迁,就可以知道标榜马克思主义的德国社会民主党,是牵强附会的,是堕落的了。

马克思社会主义在理论上是完成了的,在事实上也可以完成。只有一事与马克思的预言略有不符,就是19世纪后半期四五十年间,各国的资本主义虽日见扩张,劳动阶级的人虽日见增加,而劳动者阶级的心理与阶级的自觉,十分幼稚,所以劳动组织和运动,都不甚发达。当时的德国固不待言,即如英国劳动组合虽日见发达,然仍不能离去地位改善运动的范围,很带保守的倾向。这种地方是与马克思的预期相反的。一般马克思派主义者,窥见当时的形势,以为与其求速成而无效,不如取渐进主义,愈改变而愈离奇,竟弄出非驴非马的马克思社会主义来了。

可是最近20年来,各国劳动运动的发达,一一与马克思的预言相符合了。劳动组合已由职业的组合变为阶级的组合了。劳动运动已由同业运动变而为阶级的运动了。更有一种新劳动组织,已经创造了新生产组织了。阶级的觉悟与阶级的心理,愈益增大,而阶级斗争的运动,亦日增剧烈了。"一切工业社会化"的声浪,几乎无处不闻,所以说到这里来,我们就不能不佩服马克思的先见了。

更举实例说明,就是劳农俄国的缔造。世间以耳代目的人,都说劳农俄国所行的主义是一种什么过激主义,看作蛇蝎一般。其实劳农俄国的施设,在我的眼光看起来,并无新奇的地方。就是俄国所行的,各国最怕的"劳动专政",都是数十年前马克思所倡导、所主张的,用不着大惊小怪。列宁并不是创造家,只可称为实行家,不过能将马克思主义的真相阐明表彰出来,善于应用,这便是列宁的伟大,世人都要拜服的。

被威廉里布克勒、贝贝尔、柏伦斯泰因、柯兹基等弄堕落了的马克思社会主义,到今日却能因列宁等的发扬光大,恢复了马克思的真面目了,这是一件很重要的事实。

所以我要大声疾呼地说:"马克思还原!"

1920 年 12 月 26 日于上海。

(原载 1921 年 1 月 1 日《新青年》第 8 卷第 5 号,署名李达)

社会问题总览[*]

（1921.4）

---

    * 《社会问题总览》由日本高畠素之著,李达译,1921 年 4 月由中华书局列入《新文化丛书》分三册出版,至 1932 年 8 月共印行 11 版。现收入其 1921 年 4 月版,并在注释中对其后续各版中的少量修订作了说明。——编者注

原　序

　　闲却社会问题，不肯研究解决底国家，是危险底国家。社会问题，不单是研究便算能事，并且非将研究所得底结果，实行设法解决不可。至于解决底方法，若非积极的彻底的实行，则不如不着手为善。

　　本书底目的，在希望根本的解决社会问题，供给最好底研究资料。

　　本年以来，当局施政方针改变，取缔颇为宽大，广泛的社会问题中所包含的一切事实与思想底研究，非常便利。近来劳动问题社会运动等书，刊行颇多。其中关于社会问题底研究，也有最好底资料。可是多系专门著述，能够普遍完全，将社会问题详细叙述，使研究者满足底书籍，实不多见，所以我依"公文书院"主人底希望，特编著《社会问题总览》一书。本书原期着手网罗一切材料，可是超过预定底篇幅不少，依然不能完全搜集。而且本书又怕受当局无谓底干涉，所以对于无政府主义工团主义未能详述，这也是不得已割爱底地方，并非本书底初意如此，后日若有机会，当行补述，望购阅诸君原谅。

　　　　　　　　　　　　　　　　1920 年 1 月　高畠素之　识

总说　社会问题底意义及其由来

一、社会问题底两种意义

社会问题有广狭两个意义。广义的社会问题是关系社会全体底问题；狭义的社会问题，是产业制度下底劳动问题。世人有将社会问题与劳动问题，别为两事者。可是将社会问题用狭义解释起来，就是劳动问题，劳动问题以外，再加入妇人问题，就是广义的社会问题。狭义社会问题与广义社会问题均有解决方法，而解决方法，不外社会政策与社会主义，所以本书底大纲，就网罗劳动问题妇人问题社会政策社会主义四种。至于编次底顺序，原因的劳动问题妇人问题应置于前，结果的社会政策社会主义应置于后，可是本书因为搜集材料底便利，所以前后颠倒，定为社会政策，社会主义，劳动组合，妇人问题底顺序。我们兹当说明社会问题底意义底时候，先从狭义的劳动问题入手。劳动问题占社会问题底大部分，而且可说是社会问题底中枢。所以劳动问题若经解决，其他问题亦容易处理，社会问题底全部，都能解决了。本书特根据这种意思，先说劳动问题，彻底阐明社会问题底意义。

在生产组织上，资本家与劳动者若有区别，则劳动问题，必然要发生的。征诸欧洲历史，远溯太古时代，希腊罗马，已有这种阶级斗争底痕迹。中古时代，欧洲各国，种种贫富冲突勃发，可是当时社会问题，不如今日这样猛烈，而且实质亦异。因为往时社会问题，是农业上阶级的冲突，近时社会问题，是工业上阶级的冲突，所以各有不同。

资本家与劳动者地位的悬隔，工业时代比农业时代为甚，在农业时代，地主中有大地主小地主底区别，而小地主多兼为农民，所以地主与劳动者底区别多不明了（现时资本家由地主借入土地，雇人耕种，这种形式，不是农业底特征,乃是反射工业底特征)。至于工业时代,工场主与劳动者底区别,非常明了,如农业界佃户兼为地主的那种事实,绝对没有。在农业界,地主佃户虽有阶级的区别,可是佃户若能勤俭积蓄,得些土地,就可渐次变成纯粹底地主,工业界则不然,资本劳动两阶级间,与地主佃户关系不同,劳动者常为劳动者,终身不能与资本家为伍。所以社会问题在工业时代比农业时代易于发展。

其次在农业界,地主佃户,对于土地同有密切关系,均是土著的,工业界则无土著的关系,资本家只论利益,无论何种远方,均能投资经营,劳动者只论劳银,亦无论何种远方,都可移住,售卖劳力。因为有这种土著关系,资本家与劳动者间情谊底厚薄,农界与工界,大不相同。在农业界,地主佃户间有主从关系,所以地主对于佃户,扶助灾厄,救济穷苦,佃户对于地主,用敬爱与报恩底情念,酬答地主,这是各国底实例,都可以证明的。然在工业界,资本家与劳动者间,只有对等底关系,资本家购买劳力,劳动者售卖劳力,双方只有劳力买卖底事业,并无何种情谊可言。

此种劳力底买卖,资本劳动两阶级间,发生许多冲突,生出许多弊害。所以社会问题,在工业界比在农业界,稍为危险,这也是自然底趋势。

二、工业与劳动问题

由上述底事实,可知近世社会问题底中心,不在农业而在工业。现时欧美各国中,与社会平和国家进步大有关系而且使经世家日夜忧虑底问题,就是以工业为中心底劳动问题。

以工业为中心底社会问题,如何发生,原因如何,这是应当考究底事情。工业发展底时期,可分三段:一为家内工业时代;二为包办工业时代;三为商品工业时代。社会问题,实发生于商品工业时代。而尤以工业组织由家内制造移到工场制造,即是产业革命以后,这问题愈加激烈了。征诸欧洲实例,至18世纪末叶为止,各种工业,概由家内制造,可是蒸汽机关发明以后,各种机械,次第发明,都供工业应用,工业底组织,由家内制造进为工场制造,从前小规模底工业遂变为近世大规模底工业了。

再详细的说起来,1764年,英国瓦特发明蒸汽机关,把人间底经济生活,根本改革了。哥伦布发见美洲大陆,瓦士噶德卡玛回航好望角以后,欧洲各国,都努力向海外搜寻领土,弃却从前内部宗教思想底争斗,在外部来作政治上厉害底争斗。在16世纪时,西班牙向西,葡萄牙向东,这两国都非常努力于拓殖事业。到17世纪,西班牙底势力,渐渐失坠,荷兰继起,与英法大起竞争。由印度而南洋,由南洋而中国而日本,他们都倾注全国底力量,来争东洋贸易上底利权。到十七八世纪之交,荷兰势力又渐渐失坠,英法在印度,各设政治的商业会社,争夺印度底利权。到1764年,英国驱逐法国势力,在印度垄断独登了。当此贸易争夺时期,欧洲各国在东洋贸易大为发达,欧洲旧式的生产方法,到底不能适用,于是穷思殚虑,考求改良生产机关底方法,各种机械陆续发明,而尤以瓦特蒸汽机关出世以后,立刻惹起了产业底大革命,划成了人类生活上底新纪元。

蒸汽机关,一旦用到产业上,从前妪媪底纺车,一变而为纺绩机械,铁匠底小店子,一变而为大铁工场。先前纺一尺丝所费底时间,现在纺一英里长都还有余。先前一人所用底铁槌,现在变为几百种底蒸汽铁槌,可以抵得数千人底力量。此种产业革命起来以后,大多数手工业者不得不失业了。

手中有新机械底人,不消说在当时是特权阶级。从前手工业者,到现在不得不满足少许底工资,跑到大工场去做机械底看守人了。有了新机械,小工艺家所夸口的特殊技艺,归于无用。新机械不要劳动者多年底练习,又不一定要男子做工,从前藏在家内底妇人和少年,都可以去做工,劳动者底供给,因此骤增,工资因此跌落。又新机械生产既多,国内购买力不足,不得不向海外觅市场,于是惹起国际竞争,生出产业恐慌。贫富底悬隔日甚一日,资本劳动两阶级底反感日深,阶级斗争底色彩,一天比一天浓厚。这就是19世纪以后,使各国政治家日夜筹谋底社会问题的由来。

三、日本底劳动问题

日本输入欧美产业组织以后,由农业国进为工业国,社会问题,也是工业中心底劳动问题占大部分,所以现时重要问题,不在改良农村救济农村,而在除去因机械工业所生贫富阶级底冲突,处理资本劳动两阶级底争斗。这个问题是各种社会问题底根基,此问题若能解决,其余各问题都可迎刃而解。不然,别的问题无论如何都不能完全解决的。

　　由明治四十一年至大正三年,日本自耕农夫,一天比一天少,这是地方底中等农人,受时势压迫年年破产底证据。他们离了祖先传来底土地,或向都会工场去做工,或完全做大地主底佃户,这两条路,非拣一条走不可。一方中等农人破产,一方 8.05 亩至 805 亩以上底大地主,年年增加。此处所谓大地主,并非农业时代底大地主可比,乃是对于土地全无兴味底资本家、大股东、大工场主。由此事实,可知并不是大农与中农底问题,又据耕地面积与农民比较底结果,欧洲各国,1.61 亩 25 步,不满 1 人,日本则 1.61 亩 25 步,约有农民 5人,可知日本由农业国进为工业国,当较欧美为速。

　　由此看来,可知日本底社会问题,是以工业中心底社会问题为主,若不及早解决,不唯工业上发生冲突,连农村底荒废,也要较欧美各国为甚,农村问题与劳动问题不能分别解决,这是明白底事实了。本书所以于叙述社会问题解决方法以前,特预先说明社会问题底意义及由来,使读者不致发生误会。

第 一 篇

社会政策

第一章　社会政策之意义及其由来

一、现社会组织底两个原则

社会政策，以解决现社会中社会问题为目的。因为现社会底组织，以"自由竞争"和"私有财产"为两大原则，而这两大原则，是近世社会中经济发达底前提，是社会组织底根底。所以撤废这两大原则底新社会制度，若不能实现，那么要解决社会问题，不得不使这两大原则继续存在，再于现社会制度范围以内格外设法，于是社会政策发生了。总之，社会政策是解决一切社会问题的方法，而不撤废自由竞争和财产私有两大原则的。

可是社会政策，并不像自由放任主义那样极端奖励自由竞争，无制限扩张私有财产的。只不过不撤废自由竞争和私有财产而已，这也算是特色了。换句话说，社会政策底理想，想要用一种方法，对于自由竞争和私有财产，加以某种程度底制限。依社会政策学者所主张，社会问题，不是自由竞争和私有财产底结果，即不是资本主义制度直接底结果，实因为组织制度底扩张没有制限底原故。所以依此种见地说起来，要想解决社会问题，不一定要绝灭资本主义底组织制度，只加一点相当制限就够了。

二、两大原则与社会政策

劳动者与资本家底关系，在绝对承认自由竞争底社会中，劳动者常立于弱者底地位，资本家常立于强者底地位，所以劳动者多无力抵抗资本家，终不免为资本家所掣肘。而尤以劳动契约一层，劳动者常蒙不利，这是必然底道理。

然而政府立于劳动者与资本家之间，以为若行使权力，抑强扶弱，使两者保持圆满关系,则由劳动契约所生底弊害可以除去,所以首先把工场法制定出来。工场法是实行社会政策底第一步,为抑制资本家伸张劳动者才产生的。

三、社会政策与社会主义

再考究私有财产底利弊,凡对于一切产业或生产机关,若承认个人有私有权,又必定要发生社会问题。一切产业,若既许各人私有,那么无论何人没有拘束他的权能。那么,一切事业,概任私人经营,资本家愈富,劳动者益贫,乃是当然的结果。所以要讲求调和底方法,须对于私有财产加相当底制限,不然,产业须归政府或公共团体经营,使资本主义底暴力减少为好。譬如铁路国有就是由这种论点发生的。

要之,自由放任底资本主义学者,不单是对于社会问题态度冷淡,并且助成社会问题发生底原因。所以社会主义者要把此种资本主义撤废,主张将一切生产机关作为公有,使劳动不至化为商品,以为社会全员,若不以公平消费为目的从事生产,决无解决社会问题底希望。至于社会政策学者则不然,以为社会主义底社会制度,是一种空想,不能实行,所以立于劳动者与资本家底中间,毫不探索社会问题底根蒂,以求解决社会问题。这即是社会政策与社会主义底差别。

四、社会政策与德国

社会政策,在理论底方面,历史的发生最早而且最发达底地方,是德国。德国经济学者底全部,差不多可说都是主张社会政策底人。所以德国有名底"社会改良协会"(Gesellschaft für soziale Reform)和"国际劳动者保护同盟"(Internationale Vereinigung für Gesetzlichen Arbeiterschutz)等等,皆由经济学者组成。德国社会政策底研究,日益旺盛,遂至普及于文明各国,使先进底德国,一方面减缩社会政策学会底活动,他方面越发使他们专心为学理底基础研究。

欲知社会政策思想发生底原因,势不得不从发源地底德国开始研究。而德国社会政策思想底构成,实际上系根据1870年前后欧洲经济生活底变动而起,理论上系因反抗曼彻斯特学派(Manchester School)并受社会民主党及社会主义学说底影响而生。

五、普法战争以后底德国

德国实际生活上底变动,以普法战争为直接间接底原因,以前1847年年底变乱,也有影响。1847年政治的解放运动变为经济的解放运动,民主的倾向增高,劳动者阶级的自觉和经济的实力,渐渐增进。恰好普法战争勃发,这一期德国底工业界,得到了最大底发展。于是资本主义旺盛起来,企业底热度,好像发瘟一般,其势甚猛,各种事业,接踵而起。

于是经济界底情形大变,劳动阶级感受不安,大生觉悟。然当时支配经济学底思想,是自由放任主义万能底曼彻斯特学说,专鼓吹企业本位底自由竞争主义,全不顾及劳动阶级底苦痛,单以讴歌现实为能。所以惹起反动,而社会主义于是发生,为劳动阶级吐气如虹,渐次行社会民主的运动,攻击现社会制度起来。潮流所激,而国家社会主义与社会政策主义,于是勃兴了。

六、社会政策思想史底三时期

德国社会政策底思想,一方反对曼彻斯特学说而采用其健全部分,一方否定社会主义底主张,又容纳其正当底部分。至于这思想发达底历史,约可分为三时期:第一期是和曼彻斯特学派争战底时代;第二期是和国家社会主义角逐底时代;第三期是积极的建设时代。

在第一期,社会政策殆与国家社会主义提携;在第二期,社会政策渐与国家社会主义分离,而倾向于自由主义;在第三期,则介于前两期之间公平研究客观的学理。社会政策底思想也和别底思想一样,最初没有整顿底内容,也是由混沌进为圆熟,由支离渐成统系。"国际劳动者保护同盟"底设立,可说是这思想大圆熟底表现,所以在今日虽能将社会政策思想,彻底说明,可是原原本本要就以上三期详细论述,却非容易。要而言之,社会政策思想,是社会进化史上底产物,昔时随进化发展漂流而来,将来亦必漂流而去,这个思想是胚胎于自由主义——又个人主义或资本主义——社会之中底东西,简直没有可疑了。

七、德国"社会政策学会"

德国"社会政策学会"是1873年10月13日在亚舍纳西创成的。此会自成立至今,其变迁亦可分为三期:第一期自1873年创立之日起至1881年为止;第二期自1882年至1890年为止;第三期自1891年至最近为止。"社会政策学会",果系何物,欲知其事业之如何,不可不就此三期底变迁而研究其史实。

第一期　会中分自由主义与国家社会主义两派,自由主义派代表为格乃斯,国家主义派代表为瓦克纳(Wagner)。两派各走极端,最初本不能混在一起,因为创立之初,两派均承认社会有改良底必要,所以由这种共通意见结合起来,可是到了成立以后,两派主张不能相容,于是发生冲突。后来格乃斯辞去委员长之职,由纳瑟(Nasse)继任。

两派冲突以后,除去了杂驳不纯底分子,此会始得统一。纳瑟做委员长做到他死底那一年,即1890年为止,纳瑟死后,西孟勒为委员长,当年俾士麦想将此会供政略之用,曾派瓦克纳和迈尔两人加入此会,主张国家社会主义,遂为多数所不容,俾士麦大失所望。

次年迈尔又加入会议,与洛得比司连名,由"社会政策学会"提出社会改良实行案,请愿于德帝国宰相。这种建议,在表面上似不关紧要,可是在实际上却是"社会政策学会"底大危机。因为这个议案若经可决,则社会政策思想底发达,必生一种障碍。幸赖布伦达诺(Prentano)底炯眼和热心,把此案否决了,他的功劳实在不少。当时社会政策学者孔拉得女史有一段叙事说:

"此项提案若经采用,则'社会政策学会'必归瓦克纳垄断,所以布伦达诺反对之功,实在不少。假使当时此项提案一经可决,则'社会政策学会',自然与自由主义断绝关系,就是不屈服瓦克纳底干部,各员势必脱会,否则亦必加入国民经济会议去了,所以此议案否决之后,'社会政策学会'遂与国民经济会议相接近了。"

由此可知社会政策思想，在第一期中是混沌状态，自此种事件终结之后，遂入于第二期底自觉时代。换句话说，社会政策思想和自由主义奋斗之后，又与国家社会主义分离起来了。

1874 年德国社会政策学会，决议与英国"社会科学协会"（Social Science Association）联络，委布伦达诺专理其事。同时又决定扩张范围，征集会员，委西孟拉劝诱高等官吏、城乡长及农会商会等公务人员入会。1876 年，国民经济会议在布勒棉地方开会，"社会政策学会"会员，全体赞成自由贸易，瓦克纳不以为然，宣告脱会。

1878 年暗杀德皇事件发生，政府严禁国民为社会的集会，"社会政策学会"也未举行常会。此后该会为回避与政府冲突起见，遂专门研究经济问题，暂将劳动问题搁置。至 1881 年，政府镇压社会党底法令满期，于是"社会政策学会"遂入于第二期时代。

第二期　自 1881 年至 1890 年之间，该会底事业，已由讨论时代入于调查报告出版底时代。该会干部以为反抗俾士麦社会党镇压令无效，不如缄口不言切实研究为上，于是专门干那研究学理底事情。换句话说，"社会政策学会"饱经艰苦，已脱去年少气锐底时代而入于壮年时代，所以也不似往年那样热心，总觉得有不足底地方，不得不专心研究社会政策底学理，尽力贡献，于是遂得成了有系统底学问。所以从反面说起来，俾士麦底压迫手段，实在玉成"社会政策学会"不少。

第三期　社会党镇压法令废止以后，铁血宰相底压迫已去，十年间隐忍待时底"社会政策学会"，到了这时期，又开始受"晚年底烦闷"了。换句话说，社会政策底本义，渐渐令人怀疑起来，社会改良万能底学说，已不得人信用了。讴歌劳动组合劳动局底呼声渐渐高了，此时孔拉得女史又说道："现时德国社会政策，踏到哪一条路呢？守旧呢？怀新呢？这实在是一个问题。这种不安定底状态，容易发生冲突的。……迄今虽无人反对政府底社会改良计划，可是会员间对于'做何事'、'某事要如何做'、'某事应做到何种程度为止'等问题，却无一定底意见。此时'社会政策学会'底重要，虽不减于昔日，而困难程度较前更甚。因为此时已不是提倡底时候，乃是实行底时候，何种方法手段能够实行，何者于国家有利，均应详细考虑的。"

此时期内是研究劳动问题底时候，与前期内谨守沉默底时代大不相同，所以当时适逢爱司德法里亚矿夫同盟罢工，该会借这个机会遂于 1900 年年底总会上，提出劳动问题来讨论了。该会会员以前每年纳会费 10 马克，到 1906 年增为 16 马克，出版物日见增加。每年总会在佛兰克夫特接连开了 7 次，到 1894 年始超过国境在维也纳开起大会来了。至 1900 年在敏亨开总会，由赫尔克纳提议，决定专研究学理问题，于是该会性质大变，越发脱去实行政策底色彩，专取思索研究底方针，至于实行方面，概让"社会改良协会"办理了。至于该会会员数，在欧战时约为 600 名，欧战以后，似有逐渐增加底趋势。

八、社会政策应用底方面

社会政策思想已于前面述其大概，如今再就其应用方面说明。所谓社会政策底应用，即是由理论见诸实行，可分三方面观察：其一为国家的方面；其二为都市的方面；其三为自助的方面。

（一）国家的方面

社会政策，在国家的方面，对于社会问题，用国家底权力解决，依立法行政底方法，达到改良社会底目的。如前所述，德国是社会政策思想底先进国，所以在应用方面，也推德国为第一。德国从前皇室家训，注重民间疾苦，而近世经济学者又提倡国家应当尽力解决社会问题底学说，所以德国社会政策，较他国实行最早。若就东方说，这种思想发达甚早，所谓"仁政"、"王政"、"文武周孔之政"都是这类底东西。

解决社会问题，是国家当然底职务，这种思想，以斯泰因学说为最有兴趣。据他所说：社会底原则不平等，国家底原则平等。所以就不属于国家底社会看起来，个人的关系极不平等，优胜劣败，事实昭然。然在国家所成立底社会则不然，政府依据权力，抑强扶弱，使各人保持平等关系。是即国家底理想，所以说国家底原则是平等的。

然而这个单是国家底理想。所谓各人平等也不过是国家底原则。在原则上理想上虽为平等，若在现实上变则上，不一定见得平等。换句话说，社会问题本来存在。由国家底理想或原则说起来,社会问题本不应有。所以我们底疑问,平等或者是国家底理想,却不是原则。在理想上有一定底过程,所以是时间空间底问题。至于原则上却不然,并无过程,与时间空间分离的。如斯泰因所说:国家底原则若是平等,那么无论何时何地,平等底事实,都应存在了。然而竟有有时平等有时不平等底这种事实,可知平等或者是国家底理想,决不能说是国家底原则了。

若把平等看作国家底理想,那么社会政策当然有由国家彻底实行底性质。假如国家若以平等为理想,则对于以劳动问题为主底社会问题,国家为自卫上起见,非设法解决不可。所以就实际上说起来,社会政策在国家的方面,世界各国,多着手实行。在立法和行政上,试用特殊政策,排除现实底不平等,以期理想底平等。是即国家底社会政策。

（二）都市的方面

都市方面底社会政策,叫作都市社会政策。都市政策,或依国家底方针或由都市单独解决社会问题,施行一种特别政策。今就其事实而论,如工场法或劳动法、劳动保险、养老保险、儿童养育、食粮日用品管理、产业管理或国营,以及调和贫富底根本设施等等,都是国家底社会政策。至于都市政策,与此少异,而且是枝节底施设。如交通、水道、公园、卫生、教育及其他都市行政,皆由地方自治团体独立经营的。

可是地方自治团体底施设,必赖国家援助,方能有效。假使地方自治团体,虽欲如何施行社会政策,若国家置之不理,则一方制造病菌,一方制造杀菌药,不特社会问题不能解决,而且没有缓和底希望。只有一层,国家虽不欲实行社会政策,倘若地方能独立彻底实行,也自有相当的效果,不过效果较少罢了。

（三）自助的方面

社会政策在自助的方面,是民间专谋个人自卫底方策。例如信用协会、消费协会、产业协会等类皆是。自助的社会政策虽说是个人的自卫方策,可是此地所谓"个人"底意思,是 Private,不是 Individual,是对于国家或都市而说底个人,不是说个个人底意思。自助的社会政策见诸于事实底事情,有由资本家团体计划的,有由劳动者团体经营的,又有由国家或都市举办继续指挥监督的。要之,这种政策也不是国家社会政策,也不是都市社会政策,是资本家对劳动者,劳动者对资本家,互以缓和社会问题为目的才试办的。

九、理论上底社会政策

(一) 保护政策与社会政策

若把资本和劳动当作生产底要素,那么政府底产业方针,一面要保护资本家,一面要救济劳动者,这是正当底事情。所以由这种见地说起来,保护政策必与社会政策相并而行,这可不待言了。而且保护政策实行底结果,必然要唤起社会政策的。保护政策本不仅于资本家有利,而且可以使劳动者获得新生业,并能增加工银的,可是这种政策底方针,若在征收保护关税,则物价必然腾贵,劳动者底生计艰难,而且劳银腾贵率若不与物价腾贵率相适应底时候,那么劳动者得不偿失,必陷于不利地位。

又保护方针,若直接补助少数大资本家底时候,这种财源,势必苛取于农民,不然,则必从社会多数人民征收消费税。劳动者底负担更重,这种保护政策,表面虽说使劳动者沾利益,而实际却增加劳动者底苦痛。俾士麦辩护社会政策,说资本家是母鸡,劳动者是鸡子,保护母鸡即系保护鸡子,这种比喻似乎有点真理,而全体底事实却有不然的。所以由这种见地说起来,劳动者要求行保护政策底政府,再实行社会政策这种主张,不可谓非不正。保护政策与社会政策底关系如此。

(二) 劳动非商品主义

附属国际联盟底《国际劳动法规》第一条,宣言不把劳动当作商品看待,说"劳动不可单认为货物或商品"。要认定这个大原则,则具体的施设,究应如何才好,这是大问题了。在今日的世界,劳银制度和资本组织依然存在,反说要承认那种大原则,真是矛盾。这一条所说,正与世界永久平和军备全废等条相同,都是妄想。所以世人把这种话当作是威尔逊式底修饰辞,付之一笑,也非无故。然而各人底看法不同,譬如说"不可单认为货物或商品"底一句话中,特别插入一个"单"字,就有大意思在内。即不是想根本推翻的。所希望底地方,并不单止是货物或商品,是说除了货物或商品以外,劳动是人底苦力操作,所以提供底报酬,实与那出苦力底人有关系,这是不可轻视的。所以若是这样解释起来,那种原则决不是空想,也不单是一个修饰辞。

所谓劳动是苦痛底话,并不是因为苦力操作底缘故。苦力操作是人类生存上底根本要求,人人心理,必皆如此。苦力操作过度,当然生出苦痛,可是今日劳动者最苦痛底地方,劳动并不由自己底意识决定。劳动者唯唯诺诺服从资本家命令,并不许他自己思索,只和机械一样,苦力操作,这真是苦痛底事情。所以劳动时间虽然略见短缩,劳力操作虽不过度,可是苦痛依然不变。所以若是多给他一些工银,或者使他生活无缺,这本是一件好事,可是劳动者底苦痛,并不能因此减少。

所以使劳动者底苦力操作化为"人"底事业,实是劳动非商品主义底根本。所以事业底经营非使劳动者参加不可,一工场底创办,非依代议政治经营不可。其次工场监督官,非使其与职工接近不可,监督官依女工底申告发见工场主不法底实例很多的。最后要极力说底事情,须设置人事管理人或人事技师长。器械原料犹是小事,人底待遇法,非完全研究不可。要之《国际劳动法规》第一条,若善于利用,也可成为经济生活改造底一大福音,对于解决劳动问题,贡献当亦不少。

(三)劳动时间缩短

劳动时间缩短底理由,在劳动者方面说起来,第一,是保健问题。劳动时间越长,劳动者底健康状态越坏,因而全体底劳动能率,不免受非常底影响。第二,是劳动者地位向上底要求,劳动者为拥护自己底权利,为谋自己底地位向上,决非缩短劳动时间不可。第三,是劳动者精神生活底要求,既励行分业制度,因而劳动者有修养自身底必要,所以非要求缩短劳动时间不可。第四,是资本家底利益,因为时间缩短,能率增进,所以由资本家方面看起来,不仅于劳动者有益,实于资本家也有益。第五,是根据贸易上底见地,因为国内若不制定最低劳银率,实行8时间劳动制以与他国竞争,则工业不大发达底国家,对外贸易,决难制胜。第六,是依据实验心理学底见地,因为要保持生产力使他增进,不可不缩短劳动时间,使劳动者于劳动之中得休养精神底机会。要之,我们底劳动,是人类所以发达底手段,劳动这种东西,并不是人生底目的,所以劳动者为资本家生活所牺牲底那种灭绝人类价值底行为,非从速改良不可。从前8时间劳动制,常由劳动者方面提出要求,总难见诸实行,可是前回美国某裁缝公会早已实行,而且每逢礼拜六只做工4时间,合计每礼拜只劳动44时间,已是一个实例。今日所谓分业这件事情,本是生产上必要底制度,不能排斥,可是"人的价值",却因分业制度底发达,渐次减少。于是为讲求调和分业制度与劳动生活方法,非短缩劳动时间,补足分业制度所生底缺陷不可。据我底理想,8时间劳动,还嫌多了,将来还可减为四五时间。劳动时间底制限,不是纯粹生产上底厉害问题,就是把人类生活广义的解释起来,关系也非常重大,8时间劳动那样比较容易做到底制度,非从速实行不可。

第二章　国家方面的社会政策

一、国家的施设

国家方面的社会政策,约分八种:1. 产业国营或国家管理。2. 课税底分配。3. 工场取缔。4. 劳银公定。5. 劳动时间制限。6. 救贫事业。7. 劳动保险。8. 承认劳动团体底行动。各种施设,可作一概括,其性质约分两种:一是制裁社会问题底原因;一是处理社会问题底结果。再把他区别起来,又可分为两种。即:一是抑制资本家或特权阶级,与现时社会制度经济组织底根本相接触;一是扶助劳动者或被虐待底庶民阶级,使他们底生活向上。

(一) 解决社会问题原因底社会政策

首先,社会政策,普通以解决社会问题为其任务,可是这种解决并不是根本底解决。因为社会政策,与社会主义不同,其原则在现时制度下谋种种底施设。即是社会政策,并不是排除社会问题底原因,乃是处分社会问题底结果。所以若说社会政策是解决社会问题底方法,这种话不是误解,便是曲论。既不排除原因,怎能叫作解决呢? 可知社会政策是以处分社会问题底结果为事,确实说起来,社会政策是处理社会问题的。可是又退一步严密考察起来,虽是社会政策,也决不仅处分结果底社会问题,在他方面虽不能排除社会问题底原因,然至少总加了一些制裁。即社会政策,也有制限现时经济组织和社会制度底地方,这是不可不知道的。

例如"产业国营"一事,在社会政策中最占重要,决不是把他当作结果底社会问题看待的,其根本使命,在制限资本主义,以期缓和社会问题底原因。生产事业若委诸民间私人经营,则资本主义必要大逞淫威漫无际限,所以若要减杀资本主义底气焰，只有将生产事业委诸国家办理。

其次，社会政策与社会问题底原因相接触底事情，是"工场取缔"和"劳银限制"两事。若用严厉底工场取缔法，抑制资本家底专横，制裁资本主义，自然可以缓和社会问题底原因。最低劳银法，若经公定，效果亦同。至于劳动时间缩短一事，似乎也是解决社会问题底原因，可是劳动者底耐久力，也有程度，劳银若多，于劳动者也不成问题，总之劳动时间缩短，不过对于资本主义略略加点制裁，到底还是一种处理社会问题底结果的政策。

产业国营政策，固可以解决社会问题底原因，可是产业纵不归国家经营，若归国家管理，也可以制裁资本主义。所谓产业管理底话，是说一切生产和消费概归国家管理底意思。譬如制造数目，贩卖价格，使用数目，买卖方法等事，若果由国家严加管理，则所生底效果，与国家经营底效果差不多。所以国家若果能彻底管理产业，制定工场取缔法和最低劳银法，那么这样底社会政策必能得大半底功效。

（二）处理社会问题结果底社会政策

与社会问题原因相接触底社会政策，如产业国营或国家管理、工场取缔、最低劳银法三项皆是，已如上述，其余底政策，皆与社会问题底原因无关，是处理社会问题底结果的，如劳动时间缩短以及各种救济事业、课税底分配、劳工运动承认、劳动保险等五项皆是。

唯有一事应当注意，前面所说工场取缔政策，虽可以解决社会问题底原因，可是有许多部分，也是处理社会问题底结果的。劳银公定、劳动制限两事，虽可包括于工场取缔之中，而在欧美各国，实际上劳银公定法 8 时间劳动制与工场法独立的，所以若分离起来研究，或者比较有价值。总之，工场取缔法中，也有制裁资本主义底部分，也有防止资本主义有弊底部分。譬如劳银公定、时间缩短，都是制裁资本主义的，又如规定劳动年龄、赔偿伤害、工场完全设备等项，都是防止资本主义底弊害的。

至于各种救济事业，专为处理社会问题底结果，可不待言。课税分配、劳动保险，均与社会问题底原因无关系。只是承认劳工运动，许可劳动者有同盟罢工权和排货运动权，或者有几分与社会问题底原因有关。因为国家若承认劳工有同盟罢工权,则劳动者若能推行甚善,彻底应用,也可以撤废资本主义,推翻现时制度。然而国家虽说承认劳动者有同盟罢工底权利,可是施设底根本计划,依然维持现时制度,所以对于有总同盟罢工危险底时候,绝对要禁止的。所以国家纵承认同盟罢工底权利,却依然是处理社会问题结果底政策。

以下再就各种施设,详细考察出来。

二、产业国营(或国家管理)

产业革命以后,资本主义勃兴,土地兼并,资本集中,非常猛进。一切生产机关,归社会中最少数人所掌握,最大多数底劳动阶级,不得已把劳力当作商品卖给资本家,才能过活,其中苦况愈趋愈多,于是社会问题发生出来了。

要根本的解决社会问题,本非推翻现时社会制度和经济组织不可。可是社会政策学者底解决方法不同,一方面想维持现在底社会制度和经济组织,一方面又想解决社会问题,所以由理论方面,发明一种产业国营底政策出来。因为生产事业若归私人经营,劳动争议,社会问题,将层出不穷,若归国家经营,把他当作公共事业办理,则其目的不在个人的利益,而在公众的利益,社会问题劳动争议,均可防止于未发之前,这是发明这政策底人所想望底事情了。

此种思想,似乎很像社会主义,可是也有不同底地方。社会主义产业国营底主张,以一切生产机关归国有为根本条件,以一切产业归国营为原则。社会政策则不然,也没有那种根本条件和原则,单是维持财产私有制度,只把主要底产业归国营。所以世人往往对于区区数种生产归国营底事实,便称为社会主义,这是错了。至于把数种产业归国家管理底事情,更不能算作社会主义。

然而解决社会问题底方法,要用产业国营或国家管理那种社会政策,也可说是根据能率最多底现时制度以行施设的。因为这种政策,可以缓和现时制度所以发生弊害底原因。现时制度虽以生产为主,消费为从,可是生产事业若归国营,则从前生产为主底性质可以减少,消费为从底性质可以增加。所以这种事实多少总可以制裁资本主义底横暴,缓和社会问题底原因。这是平和改革法底长处,又是有力有望底施设,所以近年几多学者和经世家,极力倡导,社会问题发生最多底国家,实行这种政策的颇多。

三、救济事业(或救贫事业)

社会政策底国家的施设,如所谓救济事业、救贫事业,都与现时制度底根柢毫无关系,然却是很重要底事业。改革制度底根本,固属非常重要,然而由现制度底弊害生出来底贫民,非先讲求救济之法不可。所以在根本底处分未行以前,非处理这种枝叶底问题不可。现时各国中已施设底事情,如所谓温情主义底政策即救济事业,专不过处理社会问题底结果,与社会问题底原因毫无关系,可是因为要救焦头烂额之急,这种温情政策,也是不能闲却的。至于救济事业底种类颇多,兹就各国已实行者列举如下:

1. 施药医治。2. 养老年金。3. 寡妇年金。4. 孤儿津贴。5. 贫民给食。6. 失业保护。7. 无职业者救济。

1884 年德相俾士麦提出劳动保险法案要求通过时,曾为大有名之演说,一言一句,皆能表明国家行救济事业底精神。他说:"劳动者无劳动而身体强壮者,须与以劳动。使他们得由劳动谋生存底权利。对于病弱之人宜施药医治,老衰之人宜加保护。"他又厉声说:"穷民应受救济底权利,乃我《普鲁士宪法》所规定。普国州法中,定有明文,诸君以为何如!"观此可知俾士麦提倡救济事业底热心了。

救济事业,是国家对于国民权利应行底义务,不止《普国宪法》所公认,恐各国亦莫不一致。有些国家和执政底人,不知此种救济事业乃国家对于国民正当权利应行底施设,反说是国家给与国民底恩典,知识程度,真是太幼稚了。

施药医治一事,在英、美、德、法四国,均有伟大底沿革,已得了相当底成效。这种事业均在公设救贫所实行,如德国中,救贫事业最为发达,德国国民无论何人,凡遇生活艰难底时候,均得仰赖小救贫区或大救贫区救助。大救贫区,如养老院、贫民院、授产场、孤儿院、白痴院、废疾院、癫痫院、精神病院、结核医院、盲哑院、酒疗院等皆是。德政府对于此类救贫事业,每年支出国费 1.5 亿马克以上。

养老年金,寡妇年金,孤儿津贴等施设,以英国为最发达。英国国民到 70 岁底时候,每年收入若是在 30 磅 10 先令以下,有由国库受休养年金底权利。

因伤因病而死底劳动者,其寡妇孤儿,得受年金及津贴。贫民给食一项,在英国亦甚进步,而尤以对于小学儿童底施设方法,较各国为先进。预防失业及使无职工人就职两种事业,在欧洲各国,均非常发达,除营办公设职业介绍所以外,如德国则更举办官营事业,收纳失业工人,或调节官公业,防止失业。至于美国,这类施设亦进行不怠,各州均努力实行。

美国此种社会政策,见诸国家的施设颇少,而个人慈善事业最盛,把都市底救济事业看起来,单是纽约一处,每年救贫公费,约达 1000 万圆,公私慈善医院费,约七八百万圆。再就各国救济事业比较,如德国每年约费 1.5 亿马克,柏林一市约计 2300 万马克,市民每人平均负担 10 马克内外。又如英国每年经费约 1.4 亿圆,被救助底人数,约八九十万圆,苏格兰、爱尔兰两处合计每年须用 2 亿万圆之谱。单就伦敦一市而论救贫公费年约 3000 万圆,私费约 7000 万圆,市民每人平均负担 8 圆,较柏林市民底负担为多。

四、课税之分配

社会政策的税制,如战时利得税一项,在某类意义说起来,也可说是社会政策的税制中之一种。战时利得税一项,在国家底立场,虽置社会政策于度外,也是可以征收的,可是征收底结果,劳动者底负担可以缓和,资本家底利益,也可削去小部分,所以仍是一种社会政策。社会政策的课税,在战时固然,在平时亦然,尽可能底范围,要使下层阶级底负担减少,使特权阶级底负担增大,一方面新课富豪税,或将多数国民底纳税,移归少数富豪负担。可恨编书底人,对于各国此类施设底事实,没有相当底材料。可是欧战期内英、德、法战时利得税率,较各国为高,又 1891 年德国一联邦普鲁森制定法律,把地租和营业税移作地方自治团体底财源,由那种成效看起来,确多有社会政策的意义。

日本是世界底穷国,多数国民,负担颇重。若是各国——比日本国民负担轻底国家——出于有意识的行为,照日本那样制定税法,则此种国家,可说是在税制上实行社会政策底国家。譬如把日本现在底税制一看,征收富豪税的法制有相续税、营业税、所得税、地租四种,依 1915 年财政部底发表,总额有 118119965 圆。至于赋课一般国民底贫民税,除以上四种外,更有九种,即酒税、通行税、砂糖消费税、织造物消费税、酱油税、药税、关税、吨税、石油消费税等类,总计 177334679 圆。两种之差,为 59214714 圆。所以日本底平民阶级所负担底国费,较富豪阶级底只多纳如许之数。若日本能够于税制上行社会政策,把那些消费税全废,把相续税和所得税增加,再另立新法专课富豪税,或者也可算是真正社会政策。

五、工场取缔

工场取缔底性质,已如前述,别为两种,可是处理资本主义弊害底部分,较制裁资本主义底部分为多。制裁资本主义底部分,如缩短劳动时间、制定最低赁银两项皆是。然在今日劳动时间劳动工银底规定,亦有独立底法律,兹特为区别,就处理弊害底工场法,将其内容说明如下。

工场取缔,大致可分为次列各项。

1.关于劳动者一身各项文件底规定,禁令及诸命令。

2.关于材料器具及工场设备诸禁令及命令。

更详细地分类起来,又分数种。如基于劳动者职业底伤害及疾病之通知,女子少年底年龄工作时间之制限,男子体力及技术上之标准制定。其次如危险性材料之使用制限,传播病毒底器具之使用禁止。又如工场及工作场中对于器械之防备,对于火灾之防备,光热及通风之装置。至于在矿山或隧道,则为保护劳动者之安全,规定严重设备之法律。

工场取缔要即为工业取缔,所以不单以工场为对象,凡工业举办底地方皆可适用,现如美国对于家内工业亦有规定,所谓后巷联屋底家内操作,均适用此类底规定。这种地方,较有组织的工场取缔性质复杂,若过于严重,则为保护劳动者底健康,反惹起破坏经济底结果,所以事实上多有难行。欧美各国家内工业即联屋工业,人数麋集,周围污秽,儿童劳动制限颇难,劳动时间多不规则,劳动不能完全发挥,这类事情,不仅损害劳动者底健康,惹起生命底危险,而且制造出来底商品,也易使购买人感受危险。因为联屋工业一项,就是害传染病底人,也常常制造服物食品,所以欧美各国为预防危险起见,均制定适当底取缔法律。

1885 年,美国纽约州,关于家内工业,想禁止纸卷烟底工作,可是因为与宪法有抵触,未及见诸实行。后来马萨抽瑟州于 1891 年,制定法律,凡是有不健康底人的家庭,不许贩卖或制造衣服等物,所以次年纽约州也于劳动法中加入了"联屋工业特许"及取缔底条项。以后更有十余州制定同样底法律。可是纽约州联屋工业底特许和取缔等法律,因为监督困难终归失败,至 1913 年,遂又采禁止主义。

对于家庭工业,附加制限,实与社会政策底目的有相矛盾。联屋内居住底劳动者所以要营家庭工业的,实因有特别事情底缘故。所以他们底场所,虽然受有卫生上底危险,但若是能够把这种危险除去,他们就可以不营家庭工业而处于较能忍受底境遇了。这种地方就是矛盾,又实是社会政策底矛盾。假如不许贫民在联屋内劳动,则非先设法送穷不可,若能送穷,也没有行社会政策底必要了。所以社会政策若以解决社会问题为目的,至少要先将人间底穷困放逐出去,可是社会政策,原是在现制度上施行底方策,其所以不能根本的改造社会,也是当然底道理。

六、《最低劳银法》之制定

工场法完备,危险虽可防止,卫生设备虽然完全,劳动时间虽然制限,又如劳银支给方法虽如何迅速,然劳银最低限度,若太过于低廉,则以上诸设备底结果,终究于劳动者无益,这是不可不知道的。因为工场虽如何行理想的设备,劳动时间虽如何缩短,若其所谓劳银太少,则适与经济学者所谓劳银奴隶相同,这种奴隶比真奴隶更加悲惨。

《最低劳银法》底沿革,其发祥地在澳洲。1894 年,纽几兰制定劳动争议强制仲裁法以后,至 1896 年,维克多利亚洲卒能制服资本阶级激烈底反对,使《低限劳银法》得通过于议会。这即是世界劳银法底嚆矢。后来英国仿行这类制度,于 1909 年遂设《劳动法》,制定有限度底劳银率。1910 年美国亦提倡这种制度,1912 年马萨抽瑟州,率先制定这种法律。

回顾现世界各国,劳动争议,十有八九非短缩劳动时间问题,即要求增加劳银问题。若是没有劳动争议底国家,必定是这一国对于这两件事没有法律能使劳动者满足。劳银问题比时间问题还难解决,果至何种程度方能使劳动者满足,这是难事了。劳银问题方面底劳动争议,恐怕比时间方面底争议还容易发生。

七、劳动时间缩短

劳动时间缩短一事,比增加劳银底程度,容易分晓。欧美劳动者底理想,在实行 8 时间劳动制,说人宜把 24 时间分为三份,8 时间睡眠,8 时间任意使用,8 时间劳动。可是实现了这种理想底国家,在今日很少。

劳动时间缩短底问题,犹有 8 时间劳动底那种理想,可是劳银增加问题并无何种理想,所以很难解决。人底睡眠时间定为 8 时,于生理学上底原则略相一致,下余 16 时间,把一半作娱乐休憩修养等事之用,其余一半即从事劳动,这本是自然底想法,所以也可说是理想,至于劳银一项,若非究明资本对劳动底经济学理,那最低限度,却最难决定的。

然就正当底劳动时间而论,8 时间劳动,决不是最高底理想,在社会政策学者间,说 8 时间可以改为 10 时间,主张劳动时间底规定,应以体力为标准。社会主义者主张则不然,说每天只劳动 5 时间就很够了。所以劳动时间,结局能够达到 8 时间底理想,也可谓告一段落。实际说起来,现世界劳动界虽然要求实行 8 时间劳动制,而能够满足这种要求底国家差不多没有。

现今各国在劳动时间上表现出来底社会政策,首先即是将每日最长劳动时间,尽可能底范围,力谋缩短。男女及儿童间固有区别,又设有官业与私业之差,而私业之中,又有差异。其次规定休息时间,如每日休憩时间,食事时间,夜工时间,星期日与纪念日,每周休息一日,每年休息时间等项,均经规定。人因营养不良或过度劳动,易于疲倦,补偿之法,唯有休息——以睡为主,这是生理学上底原则如此。所以休息一事若为贫人唯一底好方法,则休息时日底规定,最关紧要。今日欧美底劳动界,大体上好像都归向于 8 时间劳动,可是美国劳动者在 20 年前曾要求每周实行 60 时间制,即每日 10 时间,星期日休息,星期六做半天,合算每周 55 时间,但这种要求,到现在差不多都还未经承认。

八、劳动保险

社会政策的劳动保险制,有强制的、任意的两方面。可是劳动者底劳银生活,常告经济的穷乏,多不愿加入任意保险,所以各国在实际上都行强制保险。劳动保险底保险种类,有下列五种:

1.伤害保险。2.健康保险。3.养老及废疾保险。4.寡妇孤儿保险。5.失业保险。

劳动者是被保险者,所以叫作劳动保险。现时这些保险种类不仅包括于劳动保险之内,又各国中在实际上有将各种保险,均制定独立底法律,有指一两种保险称为劳动保险制的,可是依多数学者底意见,把这些统括起来,称为社会的保险,编书底人,也是这样主张,把它叫作劳动保险。

劳动保险底目的,在使劳动者不受慈善的救恤,以致伤损他们底德性,却能减少他们底贫困,增加劳动底能率。世界首先实行劳动保险制底国家,是德国,在1881年早就实行了,那一年11月17日,德皇威廉一世,关于劳动保险制,对议会下了一个诏敕,说这是为国家自卫上不可缺底政策,使议会立即制定宪法,于是遂成为世界各国劳动立法底原动力了。

最初底劳动保险,委诸私人经营,后来产业愈益发达,劳动者底危险,其质与量,均皆增加,所以私人用营利底目的经营,到底难于举办,于是由社会政策底见地,移归国家经营,遂变为强制保险制度了。现时欧美各国中,不实行劳动保险底国家,差不多没有,只不过略有多少底区别。这些施设,都是国家自卫上必要底政策,所以实行社会政策,都是国家受益处的。

九、劳动者团体行动之承认

国家承认劳动者团体的行动一件事,是否解决社会问题底原因或处理社会问题底结果,这是问题了。依我所见,这件事可说是社会政策所生底结果。社会政策,若承认劳动者团体底行动,便出于轨道之外。

劳动者团体的行动,有同盟罢工、同盟怠业、抵货运动各种。同盟怠业,抵货运动,不过使资本家略受损失,至于同盟罢工,却可以成为劳动团体根本的破坏现时制度底武器。无政府主义工团主义所采底革命手段,如总同盟罢工或一般的同盟罢工,都是各种小同盟罢工由工会彼此联络同时并发的。所以各国以后承认劳动者团体的行动果至何种程度为止,这是疑问。若绝对承认底时候,那么这已不是社会政策,乃是社会政策底出轨,是国家对于劳动者底大让步,变成了广义底社会主义了。

然而国家既然承认资本家团体的行动,若不承认劳动者团体的行动,则于理论上说不去,于国家自卫政策上也说不去。往时国家与都市以团结底权利,与工商阶级以组合底权利,这即是承认团体的行动,自由市民依那种权利而生,到了今日他们变了资本家阶级,对于劳动者行团体的交易。劳动者既然被资本家行了团体的交易,他们劳动者,亦非以团体的交易底态度对抗资本家不可。所以现今欧美各国不把劳动者团体的行动看作是犯罪行为,已经承认到一种程度了。

现今欧美各国,对于劳动者团体的行动所施设底社会政策,有次列各种。

1.关于同盟罢工的。如劳动工银率增加,劳动时间缩短等事,此外劳动者为拥护自己利益才行底同盟罢工,是出于正当底目的,认为合法,反之若加害他人才行底同盟罢工,则认为非法,这是大概底趋势。

2.关于抵货运动的。各国立法中,多规定损害赔偿,所以近年来劳动者行抵货运动者少,而且不能行。这也是各国认抵货运动为不法行为底解释了。

3.关于黑表的。黑表(Blacklist)底办法,是资本阶级为对抗劳动者团体底行动,想出来底法子。资本家对于倡首同盟罢工底劳动者,把他们底名字列在黑表上,传观于各处资本家,相约不雇这种劳动者,使他们出了一个工场之后,再不能进别的工场。这种黑表底办法,非常恶辣,国家非加以取缔不可。各国中创设黑表取缔法最早的是美国,可是在现时还是有名无实,效力最少。在现时底电信电话及通信机关非常完备,即使资本家不配布黑表,也可以达到他们要报复劳动者底目的。所以各国虽承认劳工罢工权利至于某种程度,而对于资本家锁闭工场,威压劳动者底行动,尚未实行取缔,若既然制定黑表底取缔法,就应彻底发展这类底施设,方为有效。

4.关于劳动争议底强制仲裁。劳动阶级同盟罢工,资本阶级闭锁工场,双方相持不下底时候,非由国家施行强制仲裁制度,使劳动者屈服使资本家让步不可。坎拿大所特设底劳动争议法,即为此种目的而定。依坎拿大底劳动争议法看起来,官宪对于不预告而起底同盟罢工,虽加禁止,而关于劳银底同盟罢工,则无强制底权能。然在澳洲则设有劳银局,制定最低限度底劳动赁银率,而无禁止同盟罢工底权能,这适与坎拿大相反。北美大陆中,坎拿大设有劳动争议法,合众国中亦有数州规定与此类相似底法律,可是并没有设定强制仲裁法。至于欧洲各国如英国则有取法澳洲立法精神底制度,此外德、法、比、意、西班牙、瑞士等国,均特别设有产业裁判所。产业裁判所,以法国里昂绢织物业者所设立者为嚆矢,本据劳动者和使用人之间所订底劳动契约,以解决争议为目的,均是国家对于劳动争议底施设。

第三章　都市方面的社会政策

一、都市政策底意义

此次世界大战,招来一个改革旧组织底大转机。政治上专制主义失其权威,产业上资本主义次第破坏,思想上人类互助精神和人道主义非常盛行。而尤以产业上自由社会观实现底曙光,举全世界人类,无不努力运动。当此世界大行改造底时候,社会问题中都市方面底改造,又是世界大改造底第一步了。

近世产业革命勃发,欧洲各国,尽弃从来底生产方法,移于新时代底生产关系,商工业发达底范围,在最短底年月间,比诸从古代到近世数百年间底发展更大。同时各国中央集权制度确立,各处大都市次第出现,商工业均集中于都会,都会于是大发达起来了。都市之中商工业者家族麇集,人口繁多,户数增加,近郊地带,均与都市连续,交通机关复杂,正如蜘蛛张网一样,真是有史以来一大壮观。商工业既集中于都市,都市面积不得不膨胀起来,因而社会的事变,也按照这个比例,一天一天的增加,自治团体,天天设法解决,几有应接不暇之势。大凡都市底建设,在当初由人民自由集合,原无先见底计划,所以交通系统街道系统非常繁杂,到底不能满足现代底要求,又建筑物多不完备,市民居住,狭隘拥挤,卫生上种种弊害,层出不穷。劳动问题多从此类不完全地方发端出来,越发使最近底政治家,增加苦闷起来。

此外还有教育事业不完备、救济事业不充足等事,均系现时都市底缺陷,此类地方,不遑枚举。

这些缺陷,如何矫正,如何补充,这即是关于社会政策底事情,又是本篇所述都市政策底根本问题。

都市政策底意义,就是要矫正要改造各种由都市发达所生底缺陷,并且要依理想底计划实行的。所谓改造,所谓计划,并不是糊涂的弥缝一时,实是百年的大计。糊涂的弥缝政策不特不能为市民造福,而且不久又要发生恶结果出来,近代各大都市中,这种事实很多,实是大多数都市中烦闷事情。所以要谋都市底完全,必须本据实际底经验和深长底学理计划才好。这就是都市政策底意义了。

二、都市底独占事业

现代世界富豪,依独占事业收得利益不少,因为独占事业可以垄断利权,并且非常安稳底缘故。独占事业底性质,不许他人竞争,所以独占事业底生产物,比他种生产物底价值高。世人多称自由竞争是一切发达底大动力,以为世界若无自由竞争,将来底经济界难望进步,可是有须注意底地方,若把自由竞争当作经济学底通则,则独占事业这种事情,完全由治外法权,不能适用这通则了。竞争与独占,完全是反对语。吾人于此对于自由竞争这种事情,不得不怀起疑来。在经济界人人互相竞争,原是不得已底事实,并非是各人愿意要竞争的。他们所以要争得独占事业,其目的在防止竞争底事实,就可以证明他们厌恶竞争了。这即是表示自由竞争底不利,不如独占事业反为有益。所以最近大规模底事业,都带独占的性质,资本集中底趋向越发增大。以上即是现世界底潮流经济界底趋势了。以下再就独占事业在都市政策上底厉害关系简单说明。

独占事业所以不许竞争底理由很多。第一,原料供给有制限,所以不许自由竞争,如金银煤油坑等类。第二,由事业上底性质而生的,例如两项事项,与其分办不如合办反为有利之类。即如两个铁路公司均欲与同一路线并行敷设铁路,这种地方不如由一个铁路公司敷设,利益较大。又譬如今有两个邮政局分送邮件,其结果当如何,这种地方,在同一投递区域内用一人可以分送的邮件,此时非用两人不可,这明明是不便不利了。所以邮电、电话、水道、煤气、电气、铁路等项事业,虽不能说是绝对的不许他人竞争,可是这类事业,都是不由竞争可以办理,人人都能知道的。以上是自然的独占事业,此外还有人为的独占事业。人为的独占事业,在官有的方面,如食盐、烟叶专卖等事,可是这些在现代都市政策上不能多见,所以本书只就自然的独占事业中关系都市政策最多底部分——如铁路、电气、煤气、水道等事业——详细说明。

都市事业所以常为独占的理由,已如上述,兹再说明其所以成为官有的或私有的理由。事业家底目的,不顾一般国民底利益,专谋一己底利益,所以独占事业虽说是如何排除竞争,节省费用,倘若带有私人的性质,则所谓营业家,仍不免有垄断大部分利益底弊病。所以收归国有收归公有底问题发生了。如现时各国中底电车、煤气、水道、电气等事业,渐渐底要收归国有或公有,就是实例了。今就市街铁路归公有或私有底厉害比较说明,此中消息当可推测而知。

都市底信用比个人为优,所以都市所借底资本,其利息亦较为轻微。这件事就可以从根本的方面,证明市街铁路归公有底利益了。

市街铁路公有事业若与私有底结果相同,则公有必比私有为好,这可以毋须多说了。刚才所说的,私立会社底目的在于谋利,都市底目的,在谋全体市民底福利,所以电车费各种设备,以及对于雇工底待遇,公有常比私有为优,这就是一种实证了。今就1905年至1906年英国一年间公有私有事业底优劣,比较如下:

	公有	私有
市街路数(所有)	175	137
线路哩数	1491 哩	748 哩
资本金	37165460 磅	21021317 磅
每英里资本金	24916 磅	28072 磅
市街铁路数(强营)	123	127
资本金	31147306 磅	26305028 磅
线路	1273 哩	936 哩
总收入	6853486 磅	3789692 磅
营业费	4323734 磅	2512029 磅
收入营业费比例率	6.(成)308	6.(成)628
纯收入	2529792 磅	1277663 磅
利息比例率	8.0	4.5
运行哩数	154965781 哩	89183685 哩

	公有	私有
一车一哩纯益	3.91 辨士	3.43 辨士
一哩纯益	1660 磅	1365 磅
乘客数	1529596380 人	706416339 人
乘车费平均	1.05 辨士	1.10 辨士

据这统计表看来，公有私有底优劣，非常明了。先就市街铁路底敷设及其他设备底资本金比较起来一看，公有铁路每哩需费 24916 磅，私有铁路每哩需费 28072 磅，可知公有铁路比较的省费，而且没有故意使资本膨胀底事情。其次有可注意底地方，如营业费对于总收入底比例率，在公有方面对于总收入底营业费只需 6 成 3 分 8 毫，而私有方面则需 6 成 6 分 2 厘 8 毫。这种地方全与世人所预期的相反，确能证明都市方面较会社方面尤有经营铁路底能力。再次又有可注意底地方，公有铁路运行底哩数，较私有铁道运行底哩数特别多。即以线路底哩数和运行底哩数相比，公有市街铁路这种交通机关，利用底地方很多。又如乘车底人数，公有铁路占多数，可知这是乘车费低廉底缘故。——因为公有铁路底目的，为市民谋便利，所以取费颇廉，多数市民当然要利用公有铁路。

由以上底事实看来，可知官有底独占事业，长处很多，而对于一般贫困市民，尤其有利。现代劳动阶级所以感受生活底艰难，无非也是这个道理了。

此外由都市政策上底见地说起来，更有应归公有底事业，即是土地一项，如近来都市人口增加，生产发达，地方劳动者多愿迁居都市，都市面积越发膨胀，于是有土地底人，贪得暴利，多利用这个机会，将地价抬高，房租一天一天腾贵，使一般贫人，越发穷困起来。所以土地归公底事情，在都市政策上，最关紧要。

三、都市底交通问题

都市发达所生底现象，千差万别，最难区分，可是由各方面考察起来，其流弊多由交通政策和街路系统办理不善所致。近代都市人民倡都市计划,社会上一般所苦心焦虑底最大问题,其难关多在这种地方,所以为都市底将来图谋利便,不得不改良交通路线和街市计划。可是都市底发达是无数市民数百年经营创造而来底结果,费尽几多底努力,耗消巨大底金钱,若骤然把都市底现状完全破弃,这是人情所不忍为的,而且事业艰难工费浩大,所以要建立百年大计,彻底实行改造,决非容易。假使都市若是有机的生物,当然要与年龄并进,脊椎、骨胪、顶骨也随身体底比例发达,交通系统街路组织当与都市底扩张成正比例。无奈都市不是有机的生物,不能望其自然实现,所以不得已要立定一个都市计划,实行改造,这也是对于市民所应尽底义务了。

世界各国都市,各异其趣,所以都市计划,亦自不同。都市立于自治制度之上,所以最近都市改造底大计划,多委诸自治团体办理,而各自治团体,又各按各地情形经营。所以无论距离远近,彼此都市计划,各有不同。

近代都市受产业改革底支配,有愈益膨胀底倾向,而他方面民众底自由思想勃兴,各都市底市民皆思获得市民权,自治制度日益发达,越发助长都市膨胀底倾向。至于这种自治的趋势底结果所生底都市计划各种难问题,究应如何处理,对于这层,各国尚未留心考究。

以下再就交通及街路两部详细说明。

(一) 交通

近代都市发达底根源,可说是由交通底便利而起,都市内部底交通与由外部至内部底交通,均能促进都市底发展,这种倾向尤以工业底都市为最显著。所以都市计划第一要考究底事情,是交通系统。都市底交通,由地形及地理上底关系,不能一概论述,可是一切都市若水陆两面交通便利,其发达最速,又如都市内外底交通最迅速而又便利,若又不受他种事情支配,则此都市必最殷富而且繁荣。所以都市积极的发展方法,以改筑海陆两面交通图谋利便为最重要底条件。然而旧都市底经营,对于这类计划,并无考虑,而且于现代交通政策有不利底时候,究应如何改造,这个问题,在各国都市中最注意研究的。

大都市中铁路最终车站底地点,于都市底发展,很有重大底意义。面积较小底都市,最终车站设在都市底一端,由大道路将都市纵直贯通,并无障碍,若都市底面积太大,四方交通线猬集底地方,那种简单底组织,很不适当。由理想说起来,最终车站,尽可设于大都市底中心点,干线铁道均可汇集,可是实际上多有障碍,只能安置于特定底地方。近来都市交通机关发达,多主张铁路底终点,不一定要设在都市底中心,可是在实际上都市面积广大,为图谋各种迅速便利起见,不得不设置横断都市底交通机关,所以高架铁路地下铁路若不敷设,决难达到目的。近代都市底倾向,劳动阶级为讲求卫生起见,多愿住在郊外,欧美各国,多奖励劳动者为郊外生活,利用都市内交通机关,向市内各工场劳动。可是这里有时间和车费底两个难问题,都应设法解决,总要使劳动者不生苦痛才好,这是应当注意底事情。

此外交通政策,又有所谓无轨道底交通。据某研究交通底学者所说,大都市底街路交通机关,以用汽车为便,因为早晚交通繁多而且遇有纪念日或星期日或特别祝贺日,出游底人过多,平日有定限的有轨道的交通机关,到底不能足用,所以不如用有多数车辆底汽车补助,反为便利。即如伦敦现已适用此法,可是也有多少都市不能仿照办理的。

交通系统底问题,是都市计划底根本,这种计划,于将来都市发展底前途有望,所以研究现在交通系统底线路,计划改良底方法,实是最切要底事情。

(二) 市区街路

古代都市底建设,多本据封建时代防预底计划而来,自产业革命以后,都市成为商工业底中心地,已离开古时政治的及防御根据地的意味,所以现时都市组织底计划不得不变了。

现时都市底组织,可分为行政区、商业区、工业区及住宅区四部。这些区分本因各都市地形底便利,有主要不主要底差别,可是大都市中,这四者非完备不可。然而世界各国底都市因为历史变迁底关系,能够设立大计划实行改造的很少,依然任其自然发展的。大概多少总是设法弥缝以至于今日,而其最近的新计划,确照以上底分区方法规定的。

街路系统与街路筑造计划,近来非常发达,地上清洁法与地下利用法,均极进步。街路表面敷用沥青,其他新规筑造与古法绝不相同,又为防止尘埃,采用植树方法,又地下装置水管地上敷设高架铁道等事均已大加改良,每隔

10 年,街路一新,真可令人惊异,我国街路之污秽狭隘,实令人不可思议。

四、建筑物与公园娱乐场

本章对于建筑物,只述其灾害防备与卫生设备底大概,至于与社会政策最有关系底部分,如职工住宅慈善联屋,亦详细说明,最后再述公园底设备。

（一）构造设备

构成都市的,是建筑物,除了建筑物,都市不能存在。所以都市和建筑物,可说是一样东西。都市底本体是建筑物,人底生命财产受建筑物底保护,并且能够安全活动,这一层若就都市略加研究,就能知道的。都市底价值,视建筑物能够保护人底生命财产与否为定,所以都市底建筑,第一要件对于火灾地震,须有相当底防备,不单如此,就是人类底目的,对于都市建筑除了那要件以外,还有许多必要底性质。都市日益膨胀,当然有许多要求与时同增,而且科学底进步,越发使都市建筑日趋复杂,这是容易知道的。

都市建筑底完备与否,视卫生设备底发达如何为定。欧美各国,卫生学进步,卫生设备逐渐完全,各大都市中,全部消水底工作完备,水量供给充足,厉行街路清洁法,自公园底设备以至于污秽物弃置,皆有一贯底组织。而尤以家屋底卫生设备,最用苦心研究。因为家屋底卫生设备和公共卫生机关,两相期待,而后都市住民底健康状态方能向上,所以要设法规定一个程度,对于家屋构造,附加一种制裁,这是一般都市底现状。

欲使都市建筑,适于市民底健康,要具备两个条件。第一,家屋内污秽之水,宜设法排除。第二,要供给清洁水,准备使用。采取光线,通入空气,排除污水等事,若详细分类起来,如粪便底处置、厨房底污水、浴场底消水等项,都宜用公共水道,共同联络,并宜用水清洁,务使不碍卫生,方能完美。

采光与通气,在生理上,与人体大有关系,也和采取他种营养物相同,乡间农夫健康状态,所以比都市人民良好底重要原因,就是光线与通风比都市好的关系。

（二）职工联屋及职工住宅

现代都市最明了底倾向，是都市计划和家屋政策。把现代都市家屋政策根本考察起来一看，最初底运动，由贫民住宅底舆论而起，到了现时成了职工底住宅问题，更进一步又要成为一般民众底家屋问题了。家屋问题底根源，由最近卫生思想发达而来，都市中非卫生的家屋，不仅住民部落受其毒害，就是职工阶级也大受影响，其结果遂使都市全体底健康状态，受其威胁，这种事实到最近数十年前，就有卫生家观察出来了。

慈善联屋，在英国最为发达。英国慈善联屋以"丕波德信托会场"所经营的为最大，最初丕波德捐遗产 500 万为贫民职工阶级，建设较好底住宅，所以后来愈加发达增大起来了。贫民阶级多数的人，因此获得卫生而且愉快便利底住宅，据 1903 年年底调查，受这种恩惠的人，已达 2 万人以上。而且资本也渐次增加，到 1904 年增至 1500 万圆，每年收入除杂费以外，可得 35 万圆，所以这种计划，遂得成为数千万底大规模组织了。

英国职工住宅底法律案未通过于议会以前，家屋问题，大底不过是个人底经营。如今就那 1890 年所通过底法律案把他的大要摘录几条出来，以供参考。

1. 为谋建设职工阶级底住宅计划起见，地方官吏得收买相当之地面与家屋。

2. 一旦买收之地面，只能以供职工阶级住宅计划使用之目的，得以售卖或交换。

3. 公营事业债务委员会，以计划职工住宅或改良住宅底目的，有贷出资金于企业家之权限。

4. 住宅计划，若不能由商人或私立会社实行底时候，地方官吏得举办以下数事。（1）建设职工阶级住宅。（2）改造或增筑现在家屋，以期达到预定目的。（3）有必要时得将住宅完全设备。

若办理 7 年，成绩不佳，此时或认定此项住宅无设定之必要，或于经济上有不利益底时候，可将此项住宅变卖。

这种法律是救济贫民最切要最善美底手段，所以一经议会通过之后，自伦敦为始以至巴布尔、曼彻斯特等都市,因为前此住民过多,卫生行政,感受困难,到这时候都依照新法律开始实行了。果然,英国职工住宅依新法律改造以后,成绩优良,几出预料之外,健康上底成绩,经济上底收支,并无些少障碍,更有发展底希望。

又 1875 年发布底公众保健法,改良都市卫生状态底功绩不少。这保健法底内容,规定住宅适当底构造法,以及住宅周围底秽物排除法,并家宅内外底消毒法,此外并规定取缔旅馆及新筑家屋等类。

(三)公园

都市之中,商工业隆盛,人口增加,住宅拥挤非常,欲讲求救济方法,除上述各种施设改革以外,尤有设立公园及游园地底必要。都会中新鲜空气缺乏,住民几无与青绿草木相接触底机会,所以要想设法融合,使市民得以呼吸新鲜空气,不可不于适当的场所设置公园。

近来唱公园论底人说,每人须占公园地几平方英尺,又说都市底面积当与公园之大为比例,其实这种话不过是一个无根据的理想论,并没有何种价值可言。只是世界底大都市,要用何种方针,设置公园及游园地,方能合法,这个问题,多有人主张在都市近郊,寻觅广大的天然林野作为公园,这是最近的现象。都市中央设置小公园固属紧要,而市内各处底游园地尤以多设为佳。

1914 年美国纽约州开市长会议,席上有技师查勒斯多林克列氏讲演公园及游园问题,说每人口 10 万应当设备的公园及游园地,当依下列各项办理。

天然林野	700 英亩
野外公园	400 英亩
10 个小公园	250 英亩
50 个小游园地	100 英亩
花园	50 英亩
合计	1500 英亩

据他所说,都市面积一成二分五哩,当作为公园底面积,所以人口 10 万底都市面积,为 12000 英亩,每英亩住人口 $8\frac{1}{3}$ 人,又对于公园每 1 英亩为 $66\frac{2}{3}$

人。世界都市照这样有余裕底公园系统的,只有美国华盛顿市和德玖瑟特夫市两处。

中国大都市中,山林古木甚多,有数百年历史,颇有价值。都市人民,若善于利用,设置大小公园与花园及运动场,于都市卫生大有裨益。此外供娱乐及教育研究之用,更须设立动物园、植物园及博物馆等,方称完备。

五、都市底卫生问题

近代都市,为谋发展起见,遂涉及都市计划底根本问题,研究愈益进步,交通、建筑、卫生、教育、救济各项事业底施设,日益繁盛。都市底繁荣本在交通施设底完备,而卫生设备亦为紧要。卫生设备若不完全,不特不能改良,而且愈趋愈坏。近代底社会卫生运动,实是改良事业中最重大底事情。

由生理学上底常识考察起来,都市人烟稠密,卫生上各种危险,层出不穷,如各种传染病,最易使都市人民,大受恐慌。试回顾卫生设备不完全底都市中,人民死亡率多,卫生设备较完全者,人民死亡率亦因而减少,可知卫生设备于人民健康状态,最有密切关系。由科学的观察论卫生设备底成绩,欧美各国都市人民底健康状态,实较日本为优,兹就日本都市人民死亡率,表示于此。

时间	东京	大阪	名古屋	横滨
明治四十一年	17.6 每千人中	20.3 每千人中	18.1 每千人中	17.9 每千人中
四十二年	22.4	20.7	17.6	17.9
四十三年	22.3	18.2	16.9	18.3
四十四年	20.6	16.2	16.4	15.2
四十五年	18.7	15.6	16.3	13.5

据上表看来,可知日本卫生设备,也有进步了。

所谓改良都市卫生状态底方法——即卫生设备——究竟内容如何呢?这种复杂问题,恐怕无论何人,都不能明白答复。一言以蔽之,设备底根本,就是都市人民各个人卫生思想底进步。可是卫生设备,各个人虽当努力,而自治团体底共同设备也非常紧要。公众卫生底设备机关,第一是水道与消水工作,对于家屋构造底取缔,对于公众娱乐机关底警备,均非常紧要,而都市计划根本底系统,间接的影响亦大,道路底幅员,游园地及公园底设备,秽污物底处理,亦均与卫生改良,大有关系。此外如病人底待遇,及强制各种初患传染病人就医底设备,均系焦眉底急务。本节只就上水消水及传染病等项,分节详述。

(一) 消水工作

消水工作与上水工作两者若得完备,于卫生上可得两大利益:第一可以减少肠窒扶斯与虎列拉等传染病;第二可以间接的减少呼吸器病与寄生虫病。这种设备在欧洲古代都市多已举行,如罗马大水道阿西里亚消水工作,均是历史上底遗迹。可是都市底卫生设备,至最近才得发达,卫生生理学底学说发明以来,卫生事业,日益进步。兹就米勇恩市一处,举其消水工作未发达与已完成两时期内所有患肠窒扶斯而死的死亡率,表列如下:

1854—1859 年	24.2	此时期内卫生设备皆无
1860—1864 年	16.8	此时期内已修筑沟渠扫除污水
1865—1873 年	13.3	此时期内消水工作将近完成
1876—1880 年	8.7	此时期内消水工作业已完成

其他欧美各都市,在上水与消水工作完成以后,传染病与死亡率均经减少,依其统计表观察,即能明了,兹不赘述。

消水方法,不外三种,或使其放流于附近之河海,或使污秽物沉淀而放流其水分,或取以灌溉田园。将污水使其放流于河海底方法,事实上却有种种不洁底弊害,欧美各国大概业已设法改良了。

英国对于污秽水处理一事,曾于1876年发布污水污秽物预防条令,规定工场及制造所排出有毒液体底处置办法。对于一般污水,则使其放流于河海中,因其易生危险,故利用一种沉淀法,使其沉淀,然后再将滤过之水消毒。现在伦敦市消水计划,分污水和雨水两种区别,雨水最多量,每日定为一时,污水则就人口计算,约计每人每日排除底污水定为31.25加仑,约计每6时间排出一半底水量。

至于消水计划,须从种种方面考究。其一,为财政问题底关系;其二,为都市分区计划底联络;其三,为筑造底方法。筑造方法,全然属于卫生工学,都市分区计划底联络,又属于土木学,暂不赘述。只有财政问题,是根本的问题,消水工作,关系都市财政问题甚大,第一应须研究的。

（二）水的供给

都市人民每日所用之水,若能清洁而且不混入有机的无机的害毒,则受幸福不少,而尤以对于传染病底预防,用水一事,绝对以清洁为第一要件。最近东洋各都市中,虎列拉赤痢等传染病所以剧烈底原因,大概多因用水不清洁所致。所以水道底装置,都市人民享受幸福不少,不特可以防止火灾,使工业界得自由使用,而且于卫生状态,关系最大。

所谓都市中底水道,即是由都市以外底河流,引用清水,设法滤过,施行消毒,然后配用水管,供都市中各家户利用,这个就叫作水道,又有所谓自来水底称呼,即指此而言。这种水道办法,是欧洲各都市近代发明出来的。17 世纪时,英国伦敦市从纽里巴河引用河水,开始设置近代滤过式底水道,这即是水道办法底滥觞。日本于明治二十七年颁布水道条例,由国库支出工费,作为补助,至今设有水道之都市,已达 26 处之多,其他尚有人口两万上下之小都市 31 处,正在设置筹备之中,颇有发达气象。

都市之中,水道设备完全,住民皆能饮用清洁水,较之从前汲用不清洁的井水及河水,不禁大有天渊之别。

都市水道,有由都市经营,而在欧美则多由私人经营,却有渐归都市经营底倾向。在社会卫生思想进步底地方,或在社会的制裁严重底地方,与其由都市经营,不如归私人经营,反为便利,不然,不如归都市经营为好。利弊底关系,最宜注意研究的。

（三）都会病

都会之中,有一种都会病,即如结核一项,在近代中,其势非常猖獗,都市人民受害不少。这种危险底扑灭方法,应由都市全体注意研究,若单单委托少数病理学者或专门医生担任,实不合理。现代文化底效果,确能使人类底生命渐渐延长,由统计上看起来,这种事实非常明了。就是由世界的方面观察起来,在文化程度低底国家,其人民死亡率大,文化程度比较高底国家,其人民健康状态亦较为良好。又在文化程度低底国家,其人民死亡率若大,则农民底健康状态必较都市人民不如,因为农民底文化程度不如都市人民底缘故。然而在事实上确有不然。近代产业发达,都市多成为商工业底中心地,人烟稠密,家屋拥挤,住民杂处,一般市民底健康状态,日趋危险,最可畏者,结核病蔓延,都市人民因人烟稠密底关系,不知不觉之间,受其传染,结核病以破竹之势,侵袭市民,这类事实由统计上及学理上考察起来,愈益明确。所以结核病底防御方法,实是都市人民健康上最可注意底事情。欧美各国,早经着手预防,30 年来锐意经营,讲求扑灭之法,近已次第奏效,所谓都会病或劳动阶级病,非常减少,而尤以英国成绩最佳。

各国对于结核病预防方法,有种种底运动,最重要者在都会设立治疗所,强制的收纳病人,施以医治;同时又使病人与他人隔离,以防传染。近来美国,盛行此种办法,据 1910 年年底统计,州立及乡立底结核预防协会,计有 431 处,鼓吹预防事业,又有 286 处施医院,有 339 处特别治疗所,收容患结核病底贫民。又据那报告看来,1910 年 5 月底当时,统全国计算,贫民患结核病者,至少有 30 万人,其施医费用,至少须 1 亿万元。

六、都市底教育事业

都市政策上,在卫生问题之次,应当叙述底事情,是教育和救济事业。教育是一切事业底根本,若要充分的达到卫生底目的,非注力教育不可。无论如何想谋都市改良,若都市人民,不学无德,到底不能达到目的。都市教育若能普及,各人皆知注意卫生,热心谋都市全体底利益,都市事业,自能得良好底效果。反之,若市民全体,不知讲求教育,则贫民愈益增加,市民负担,势必加重无疑。

社会政策上应须注意的,是初等教育,而尤以贫民教育为最要。故于此叙述学校应注重初等教育和贫民底特殊教育等问题。

泰西各都市于初等教育之外,多设补习教育,可是办中等教育和高等教育的很少。日本教育令,凡小学校底经营,归市町村负担,中学校底经营,归府县负担。可是由都市设立的实业补习学校商业学校亦不少。因为都市是生存竞争最激烈底地方,所以使儿童受相当职业教育底事情,是都市应尽的义务。

都市膨胀,就学儿童增加,乃自然底趋势,无论何国,皆觉教育问题,非常困难。即如日本东京,现因校舍不足之故,多将一学级或二学级,分为午前午后两组教授,儿童中约有三分之一,受不完全的两部教育。此事应谋早图改善,而都市财政不足,对于此类缺乏校舍底学校,到底难期完善。

不完备底小学,应谋改善,固不待言,而校舍设备底改善,教员薪资底增加,尤为紧要。譬如近年生活程度增高,些少薪资,不敷衣食之用,物质方面底缺乏,精神上亦大蒙影响。至于校舍一项,在欧洲各国中以柏灵小学校底设备,最合卫生。校舍皆为四层底建筑,规定每一教室,必设三个窗户,因为光线不足,于儿童视力,大生影响,所以窗户不应过少。教室容积,生徒每人必占十分之九立方米突。椅子底制作法,亦有研究,其他如黑板的安置,亦有一定。校舍下层,安置暖炉,调和温度。其他有浴场底运动场,每生徒 2000 人,必有3000 米突底比例。

都市不单是对于儿童,施以教育,便算满足。世间也有身体虚弱脑力不足到底不能与普通儿童受同一教育底人,也有虽有普通资质而因家贫不能就学的人。这便是都市教育底大问题。

柏灵市为脑力不足底小儿,设特别底学级。学级以 12 名为限,每日教授2 时间,这就叫作低能儿底教育。今日底教育法,虽不论能力底程度如何,凡一学级都收容 50 人以上底儿童,授同一底教育,可是这种教育法,也不能叫作理想的教育法。若是经济充足,尽可依才能底程度,编定学级,因人施教。可是这都与都市经济,极有关系,也只能由渐而入,非一朝一夕所能办到的。

都市政策上最宜注意的,是贫民教育。普通救济事业,虽以贫民教育为主,可是多半属于物质的补助,精神上底救恤,还在其次。所以在救济事业底项目之下,应当叙述的,仍是关于教育底事情。

贫民之中虽乐于将其儿童送读,可是多有不能供给食物,仍不免有踌躇不定底事情。况且近时机械工业发达,多招用少年职工,与其使小儿在家闲游,不如把他送到工场,多少可以得些工钱,所以送小儿求学的人,不免有减少底倾向。至于近年,工场法制定底效果,取缔较严,儿童求学之数,本也增加许多,可是成绩仍然不好。泰西各国底都市,有用公费供给贫儿早午两饭底制度,若果施行强制教育,强制小儿就学,则对于有特别事故底儿童,当然非设这种制度不可。只有一事,若单是供给贫儿底食物,则小儿之间生出贫富底差别,得公费补助底小儿,不免要被自费底小儿奚落,这是应当熟虑底事情。巴黎市中,对于这层,有个最好的模范。巴黎市小学校中,设有食堂,儿童中无论是谁,但付4森的姆的价钱可吃中饭,若有贫儿,连这些小的钱都不能付底时候,可由学务委员发给无代价的中饭票,所以照这样办法,在食堂之中,谁受公费扶助,小儿不能辨别出来。这本是私立团体底事业,都市也可照办的。柏灵市小学校亦设同样底食堂,贫儿底中饭,由慈善会给予。日本各都市中,亦设有贫民学校,这是特种底学校,不能到处设立,多设立在贫民窟底附近,因为要救上述底缺陷的。又在英国,有一种大学殖民事业,应当记述的。所谓大学殖民事业,即是一般受大学教育的人,混居贫民队里,和他们往来交际,慰抚他们,保护他们,教育他们。这也可算是一种苦心经营。以上即是贫民教育论底大概。

在都市政策底教育方面,图书馆底设备,也是重要底事情。各国各都市,多设置大图书馆,各学校均设置小图书馆。这都是都市应当完全设备的。

七、都市底救济事业

都市政策上底救济事业,是政治家时常苦心研究底问题,无论何种救济方法都不能叫作彻底。因为救济事业,对于现代国家底私有制度,相续法及劳动的生产分配不平等事,完全不加考虑,只立于不完全的社会组织之上,要救济不完全的社会所产生的各种不幸底事情,或者使他融合,这种温情手段,最初第一步,就不彻底了。人生所生社会的惨害,非改革现社会组织,是决不能除去的。然而社会组织,要从根本改革,亦非容易,在目下底状态,对于现社会组织中由各种不完全制度所产生底祸害,也有设法除去或行调节底必要。救济事业,就是这样发生的。不完全底社会中所产生底祸害,都市方面较田园方面为多而且杂。所以都市方面,更宜行大规模底设备。

以上所述底救济事业，本来底意义是一种应急的处置，原无永久的性质，可是社会中悲惨底事变，若是发生不绝底时候，救护生命也是一件要紧底事情。

现时救济事业，多假用宗教名义实行，所以救济事业，又可称是宗教心底发现。可是他方面还有主要原因，救济事业虽多由宗教心慈悲心发现，而大部分却由保全社会安宁与卫生而来。救济事业底成绩，能使社会比较的保持安全，由欧美各国底现状观察起来，救济事业非常发达，动辄说社会政策，恍惚可以解决一切社会问题似的。可是救济事业有有利亦有弊，那暗黑的半面，也是应当留意的。如今将那类弊端条举如下：

1. 产生职业的乞丐；

2. 消灭贫人底独立心；

3. 奖励懒惰心；

4. 毁损廉耻心；

5. 毁伤自助的精神。

救济事业可分为个人的与公共的两种。而在都市政策上最主要的，是公共事业，不是个人的事业。可是在奥地利、西班牙、葡萄牙、希腊、瑞士、荷兰、丹麦、挪威、瑞典、俄罗斯等国，一般救济事业多由个人经营的。如在日本，一般有设备底事业，多由公共办理，可是私立的也很多。

现时各国都市所施行的各种救济事业，把他分类起来，可别为下列数种：

1. 关于育儿的，如孤儿院育婴院；

2. 关于教育的，如特别学校；

3. 关于保护老年的，如养老院；

4. 关于矫正不良儿童的，如感化院；

5. 关于收容病人的，如施医医院；

6. 关于寓宿劳工的，如无费寄宿所；

7. 关于救济病伤兵的，废兵院。

以下再就欧美各国较为新奇的救济事业，略为说明。

避暑事业　将住在人口稠密的大都市底贫儿，送到海边或清凉底地方，使他暂住一两个礼拜，轮流交替，把那些贫儿送到避暑底地方，使他呼吸新鲜空气，过一阵愉快底生活，所以这种事业，又叫作新鲜空气事业（Fresh air work）。

旅人救助法 如在美国，各国移住底人民，陆续输入，往往因旅费不足之故，只能到岸，不能进内地去，所以他们不得已投入都市竞争底场中，流落于下层社会，终至不可补救。于是有一种救济会，贷给旅费于这种缺乏旅费底人。

小儿虐待禁止会 这种会底目的，所以补警察权底不及，以期法律彻底实行的。小儿底保护权，经法律让渡之后，这禁止会可依小儿的境况把他送到孤儿院，或送至职业学校，以谋小儿底安全。所以这种会底目的是一时底性质，专为安插小儿而设，并非永久要将小儿保护的。

娼妓救济 这项事业在日本由救世军办理，在中国又有所谓济良会底设立，或依宗教底力量，使她们改心归正的。

两大救济事业 现代有名底两大慈善事业，一为巴那特博士底救儿事业，一为布施将军底救世军。两事业底根据，都设在伦敦市，而其感化底效力却已普遍于全世界了。前者底目的，在救护贫儿，后者底目的，在救护贫民，两者运动区域各不相同，而两者相待，遂使英国底救济事业日趋隆盛。兹先述救儿事业，次述救世军。

救儿事业，创立于 1865 年，其目的在救助孤儿及为贫困所迫底贫儿，本部之外，有支部五十余处，各支部各行异种底活动。本部底事业种类，约分为下列两种：

1. 书信底往返，杂志及年报底印刷，及其他关于全体底事务。

2. 职业学校，内容分面包制造、锻工、刷子工、木工、马具工、席工、印刷工、靴工、裁缝工、洋铁细工、车工等类。凡年龄 13 岁至 16 岁底贫儿，皆能入校学习。

支部事业又可分为五种。

1. 孤儿院。2. 夜宿馆（如逃走小儿及孤儿，无家可归，则令其自由寄宿，再由夜宿馆护送于各地支部）。3. 妇人授产所。4. 街市小使及少年拭靴工人底管理与寄宿。5. 医院。

救世军的名字，公表于世界底时候，是 1879 年。布施将军自为救世军底大将，决心率领部下，要与世界底罪恶宣战，每日每夜，组织队伍，打鼓吹笛，游行市中传道。布施大将，救助英国贫民底方策，虽有种种实行手段，可是大概

可分三段,即都会底事业、田舍底殖民与海外殖民。三者之中,第二种田舍底
殖民手段,在伦敦东方德奈姆河口哈德勒地方,大奏成功,可是海外殖民事业
尚未实现。至于都会底事业,则可分为下列七种:

1. 授产部。2. 劳动介绍部。3. 出狱人救济部。4. 育儿部。5. 妇人救济
部。6. 妊娠安置部。7. 酒狂感化部。

第四章　自助方面的社会政策

一、产业公会

（一）产业公会底意义

商业公会,关于工业经营,可以制限工业集中底理法。换句话说,产业公会,是维持小工业底地位,而且图谋发展底公会组织,又是使劳动者对抗资本家权力底团体。

产业公会一句话,在字义上很有不同底解释,此处只依照普通底标准,采用产业公会底文字。

产业公会,不仅限于工业界,切实的分类起来,其起源实在农业方面。现时产业公会,在农业方面,依然流行,而其主要底部分,还是小工业对抗大工业底组织。

又在工业方面,利用产业公会的,不仅限于办小工业底人,即是劳动者,也可受产业公会底利益。例如消费公会、生产公会等类皆是。今就其沿革调查起来,欧洲底产业公会,在 19 世纪后半期方开始发达,其目的在使经济的弱者对于经济的强者图谋自卫的。

（二）产业公会底分类

现在我们所称的产业公会,是说依产业公会法所规定的产业公会制度。

产业公会底分类,千态万状,今举其二三例如下。

德国菲里波易氏底产业公会分类法如下:

第一种产业公会,以经济的技术改良为主,于生产者与消费者及贩卖人与消费者之间,设直接底联络,废除从来底经纪人,代以产业公会,而消费公会,尤为主要,其目的在供给各会员以廉价底日用品。

第二种产业公会,在产业的竞争之上,使小经营者对于大经营者获得产业的独立,如信用公会贩卖公会、原料购买公会等类皆是。这些会员,虽是小经营者,却可借团结底力量,排去种种不利益底事情,也和大经营一样,可以获得同种底生产条件。

第三种产业公会,在借劳动者团结底力量,脱离资本主义底压迫,使劳动者协力经营,自成为经济上独立的营业人。

更依富尔底分类法,则分为下列各种:

1. 生产公会。如信用贷借公会、农业公会之类。而农业公会之中,又分为供给公会、生产公会、贩卖公会、劳动者生产公会各种。2. 消费公会。

二、消费公会

(一)消费公会底意义及沿革

消费公会是一种公会,主要的事务,是由会员共同购入消费底生活必要品,共同贩卖于会员。

消费公会,与职工公会相同,均发源于英国。1844 年洛几得市毛布职工所创立底公会,可以称为创始。洛几得是曼彻斯特附近一小都市,自 19 世纪中叶以来,此地毛布工业非常凋落,工银十分低减,劳动者失业的,不知其数,生计艰难,不堪名状。于是激烈底同盟罢工,接踵而起,政府往往有不得已用兵力镇定底时候。为谋讲求救济方法,劳动者屡经集会,想出种种计划来。

洛几得市有 Chartist 一派的人,时常集会,集会之时,有名叫霍瓦斯的劳动者,登场演说,提出消费公会案。然而他所提的案,在当时仅能得众人底赞成,并未成为重要问题。可是霍瓦斯并不失望,便约集二三同志,历次往访各地方底劳动者,劝其参加,结果得了 28 名底赞成人,于是各出金一镑,组织了消费公会。这即是今日消费公会底起源。

数年之后,这公会底会员遂达 600 名之多,各地方也仿照这种办法设立公会,于是这类公会之数渐渐增加起来了。据 1862 年议员底报告,公会总数已有 450,会员总数已达 9 万人以上。

1864 年英格兰各地方底公会,次第联络,在曼彻斯特市设立中央消费公会;1868 年苏格兰各地方底公会,也仿照英格兰底办法,在格拉司克市设立中央消费公会。

这些中央消费公会底目的,在使各地方底公会,共同购入必要品,平均分配。这种联合机关底组织,更能促进消费公会底发达,可不待言。

(二) 消费公会底组织及事业

1. 消费公会,由同一地域内底各种劳动者组织而成,与职工公会不同,因为职工公会是以同业底关系做标准组织的。如大工厂内,往往有单由一工厂底劳动者组织而成。

2. 消费公会本以贩卖物品于会员为目的,可是公会有时也可以贩卖物品于会员以外的人。此时所得的小卖底利益,不归购买人而归公会所有,往往再行分配于会员以为常。

3. 凡消费公会所贩卖的物品,如饮食物、服物、家具杂货等类,皆为生活必需品。

4. 物品贩卖底原则,求现不赊。这是因为要巩固公会财政底基础。可是近时公会底贩卖,也有赊账,这是可注意底事情。

公会底资本由各会员平均出资凑集而成。这实是产业公会共通的性质,其根据在使各会员享受同等底权利。

5. 计算利益,先按出资多少,支付一定底利率,又提出若干底准备金,下余的作为纯利益,分配于各会员。

依公会底情形,提出几成纯利益,作为公积金,充会中救济教育娱乐等设备之用,下余的作为纯利益,再行处分。

6. 纯利益处分底原则,按照各会员购买额底多少分配。例如购买物品 100 元者比购买 50 圆者须分受加倍利益。此种分配额,不直接分配于各会员,而作为各会员底贮蓄金,归公会保管,附加相当底利息。公会于是利用这种存款,作营业底资本,谋全体底利益。

7. 消费公会由劳动者底公会而成,以委诸劳动者自身经营为原则,可是在某种大工场中,作为资本家慈惠的施设办理的也不少,在这种办理底方法,资本家赠给若干款项作公会底资本,又使工场内底事务官,当执行事务之任,并负担几分底费用,使劳动者分得纯粹底利益。

8.中央消费公会底组织,在消费公会沿革史上,是最重要底事实。因为中央消费公会底目的,为谋各地方公会底便利,才购入物品,又为适应一般底要求,才制造物品的。其资金由各地方底公会集资而成,由中央消费公会管理全体底事务。

以下依英国劳动局底年报,将英国消费公会底统计,表示于下:

时间	公会数	会员数	出资额	贩卖额
1883 年	151	627625	6398744	18540004
1884 年	1128	696282	6652390	19569940
1885 年	1148	746772	7508900	19872343
1886 年	1148	774408	7916650	20406433
1887 年	1153	828073	8561098	21358207
1888 年	1204	867223	8906662	23987206
1889 年	1297	932000	9521108	25887240
1890 年	1240	961616	10310743	26887638
1891 年	1307	1044657	11312806	30599401
1892 年	1420	1126880	12208677	32344534
1893 年	1421	1169094	12529359	31925896
1894 年	1421	1212943	13183868	32242394
1895 年	1423	1276655	14124104	33905962
1896 年	1462	1359865	15359865	35388499
1897 年	1483	1468680	16320951	40175774
1898 年	1513	1544725	17430069	43644704
1899 年	1531	11623111	18937595	45116797
1900 年	1439	1707011	20566287	50053567
1901 年	1438	1793167	21965994	52761171
1902 年	1454	1892987	23167244	55319262
1903 年	1455	1987423	24216105	57512887
1904 年	1454	2078178	25139504	59311885
1905 年	1452	2153015	26076862	61086991

时间	公会数	会员数	出资额	贩卖额
1906 年	1441	2222256	27350525	63353772
1907 年	1432	2323376	29038449	68109376
1908 年	1418	2404454	30037126	63785798
1909 年	1430	2469397	30814878	70423359
1910 年	1421	2541734	31609004	71864383

大陆各国消费公会底发达,较英国尤不如的也多。如在法国依 1907 年政府底调查,公会总数 2009 个,会员总数 641049 人。

又在德国,其公会数及会员数底统计如下。

时间	公会数	会员数
1865 年	354	45761
1870 年	618	98056
1875 年	645	94366
1880 年	682	120150
1885 年	984	215420
1890 年	1118	570880
1901 年	1246	652456
1902 年	1606	800052
1903 年	1741	818915
1904 年	1833	897032

（三）消费公会底效果

大凡要想改良劳动者底地位,必先奖励贮蓄底美风。而贮金由节省消费而生。消费要如何方能节省,这是很不容易底事情,而尤以劳动者节费更为困难。唯有消费公会底方法,不一定要会员节省消费,并且能够维持他底生活现状,使他贮金。而且消费若是增加,贮金也随而增加。贮金方法底种类很多,却没有比这种方法更巧妙。近来英国劳动者底生活,次第改善,更有余力要求权利,实在得力于消费公会不少。

依据拉萨尔派社会主义者底说明,多数社会主义者批难消费公会底前提,说"生活底费用是决定劳银多少底标准"。据他们底意见,消费公会底效果可以减少生活底费用,所以劳银当然从此种地方开始低落。所以受消费公会底利益的人,不是劳动者仍是资本家。至于受牺牲底人,仍是商人。拉萨尔这种关于劳银底前提,也不能说是完全无缺,只不过有一部分底真理罢了。因为生活底费用,本是决定最低劳银限度底一个原因,这决没有错的,可是要把他当作是关系劳银高低底唯一标准,却明明白是错了。

三、生产公会

（一）生产公会底意义与目的及其沿革

生产公会底目的,在使劳动者设立公会,经营生产事业。依这种组织,劳动者不至贱卖劳力为资本家生产,凡是会员底劳动者,皆可提出资本自为资本家,分得全部底利益。简单说,生产公会底目的,是使劳动者兼充资本家的。

欧洲最初提倡生产公会而且实行的人,多是社会主义者,因为他们底目的,是想用生产公会作为共产新社会底阶梯。可是法国普瑟、德国周尔杰等信奉社会改良主义的人,却把这种计划,当作一种社会政策奖励实行的。到了现在,欧洲工业国多数生产公会,却把这种计划,看作是社会改良底策划了。

我想社会主义者最初所以把生产公会当作实行社会主义底理由,正和马克思一派奖励职工公会一样,而实际上职工公会那种东西,并未实行社会主义,反以社会改良主义为基础,生产公会与此相同,一时虽为实行社会主义底机关,而实际上底生产公会,并未实行社会主义,反变为社会改良底方策了。

（二）生产公会底社会政策的价值

生产公会与社会主义,可谓全无交涉。现代资本主义的经济组织与共产的社会这两者间底区别,因自由竞争及私有财产两大原则底存在与否为定。而生产公会,有能够从根本上救治这两大原则底力量与否,便是问题了。

组织生产公会底劳动者,本具有资本家和劳动者两重资格,可是公会底资本,不归公会所公有而归各会员所私有的。若是公会解散底时候,公会底资本,当然要归各会员分配。又公会营业所得底纯利益均按照劳银分配于公会员以为常。这个明明是承认私有财产了。不单如此,而且生产公会,一到了发达底时候,资本与劳力之间,关于分配底自由竞争,不能绝灭,亦未可知,各公会间关于生产底自由竞争,依然存在,竞争底结果,而贫富底悬隔,再由一种新形式发生出来,这固不待言了。

生产公会底性质如此,则其成为社会改良政策底效果,亦不难想象而知。资本主义生产底原则,依据雇佣关系为资本家谋利益底劳动,其由生产而得底纯利益,自然归资本家,劳动者不过略受些少底劳银。然在生产公会则不然,身为会员而从事劳动底人,既受普通底劳银,又得受纯利益底分配。而这种纯利益底分配方法,其全部皆由劳动者自行分配,与资本及劳动者间所行底分配不同。又有身为会员虽不从事劳动,但有股份底人,亦可得分受纯利益的。至于原非会员而临时被雇入于公会底劳动者,比在资本家底工场劳动,其地位虽相同而劳动底条件则比资本家所规定底条件大有差别,这是应当留意底事情。

(三) 生产公会底困难

欧洲各国生产公会底运动,不甚流行,其历史与现状业于前节说明。

至于生产公会不甚流行底理由,因为凡是生产公会,如关于工场及机械等设备,须用巨额资本底事业,决难望其发达。

巨额底资本,不是劳动者底力量所能凑集,所以不能经营大工业,其财力所能举办的,仍不外是特种小工业底范围。不单如此,而且生产公会所能办底工业,若逢制造品底价格激变,销路底竞争太猛烈底时候,也是不能发达的。所以应用生产公会底工业,可说是限定在特种范围以内底事情。而且关于生产公会底经营,最紧要的在管理得人。而欲在本会内求得适任底管理人,非常困难,所以有由外部雇人充任底方法,可是这种管理人,与劳动者底意志感情不对底地方,明明是有的,所以不免阻害事业的进步。

又如公会虽有适当的管理人,而依生产公会底性质,关于营业底事情,非与会员协议而尊重多数底意志处决不可,所以不能临机应变,专心办理,这也是一种弊病。更有一层可虑底地方,若生产公会底事业,一旦失败,则损失必多,此时要想设法填补实很困难的。因为会员都是劳动者,当然不能多出资本底缘故。

如上所述,生产公会,在各种社会改良政策之中最为难行,这也是不得已的事实了。

四、购买公会

(一)购买公会底意义及沿革

购买公会发端于德国。周尔杰于信用公会之先,提倡这种购买公会。这会最初由农民组织,迄今农民之间,犹然盛行。因为农民当着购用农器肥料底时候,若由各个人单独购买,比较的非支出高价不可,若用公会名义共同买入,然后再行分配,则费用低廉,大家便利。所以购买公会,以共同购入生产所必要底物品为目的。若这种公会将来能够普遍应用到小工业上,则关于购办原料及其他物品,小工业者比大工业者所受底不利益底事情,也可减少许多。

购买公会,有两种区别:一为德国式底购买公会;一为法国式底购买公会。德国式底公会,由公会底计算,为会员购入物品。法国式底公会,由会员底委托,随时购入物品。这是两种公会底原则。依德国式底办法,公会也有得利益受损失底时候。依德国式,公会要有一定底出资,依法国式则无这种底必要。

第五章　各国底社会政策

一、绪　言

当叙述国家方面社会政策底时候，应当说明一句的，社会政策彻底的意义，就是在吾人所谓国家底方面。如福田博士，在吾人所谓自助的方面之中，对于资本家专门底施设，特用工场封建主义底名称，可是编者重在实际，不尚理论，依预定底计划分为国家的、都市的、自助的三方面，于是最后就最有意义底国家方面，详细说明。欧美各国三方面的社会政策，均同等发达。可是就各国一一观察起来，各国各有特征。譬如德国，在国家的方面，劳动保险制度发达最早；如英国，在都市的方面，有救贫儿给食法，最为出色；如美国，在自助的方面，有信用消费公会，最占优长。所以本书当记述社会政策底时候，要想就这些特征说明。可是因为篇幅有限，不能详说，只就特别地方，介绍一个大概。

此处所说的各国，也不是包罗全世界各国而言，所以本书只就各重要底国家——如德、俄、英、法、美五国——说明。又实际上，这些国家，是资本主义最发达底国家，一面又可说是社会主义底仇敌，所以这些国为自卫计，把社会政策看得非常重大。可是这五国之中，如德如俄，为了此次革命，施设上起了多大底变化，所以本书单就革命以前底事实记述。唯有德国，革命底前后，并无多大底差别，若说有变化底话，只不过社会政策能够彻底实行罢了。现在底俄国却不然，已经脱了社会政策底境界，成了社会主义底国家，根本上已完全变了。读书的人可以抱定这种见解去读。

二、德　国

（一）总论

德国底社会政策，在理论的方面，由"社会政策学会"代表，冠绝世界各国，本书前已说明了。可是在应用的方面，德国本不甚见长，可是也有些事实可述的。

德国底社会政策，在思想的方面，由许多经济学者发达而来，可是在实际的方面，这社会政策底历史，却由一些社会主义者造成的。所以要想了解德国社会政策底实际情形，不可不知社会党底大概。德国社会党，由学说上分类，可以别为硬软两派。硬派由马克思主义者所代表，软派由柏伦斯泰因所代表。

把马克思底学说，严格地解释起来，社会党以阶级斗争为目的，所以反对社会政策。产业集中以后，其必然的结果，现社会底运命，既经决定，劳动者渐次陷于悲惨底境遇，这乃是自然的径路。所以要设法补救这种缺陷，不过是暂时的敷衍方法。对于要死的病人，施用一种手术，或者用药水行皮下注射，或者使他吸入酸素，也只能减少他的痛苦，终究不能延长他的生命。此时不如设法使他早死为好，即是使劳动者，从速废止奴隶劳动底生活，要使他晓得将来底幸福生活才好。所以社会主义者本据这种理由，对于社会政策，态度非常冷淡。德国社会党，从来就依这种方针行动，对于各种社会政策，如职工公会那种可以激成阶级斗争底势力，社会党极力援助，若与阶级斗争无关系底事情，他们一概不睬。譬如对于由俾士麦底创意产生底劳动保险制，他们社会党就明明表示这种方针的。

可是到了近年，社会党对于社会政策底态度，渐渐变了，每年开总会时，关于社会政策底决议，已不如从前那样放漫无所表示，却为时势底要求，标榜适切底社会政策了。就是在议会中，社会党底议员，也讲种种手段实行社会政策了。就1910年劳动保险法底改正案和1913年军备底财源扩张案看起来，即可了解社会党底主张，已由抽象的理论移到具体的政策上去了。

社会党对于社会政策底态度，由一方面说起来，社会党为扩张党势，不得不然放弃了旧有底方针。近时社会政策，已成了德国底国是，各派底政党，都热心行社会政策底计划。保守党各派,态度虽稍为冷淡,而如国民自由党、中央党、进步庶民党各派,都把社会政策作政纲,专收买劳动者底欢心为事。所以此时专以劳动者为地盘底社会党,若固守着未来底空想,闲却了现实底问题,多数底劳动者,都会要离开社会党加入别种政党去了,这是社会党最感困难底问题。于是社会党有识之士,早看破这种形势,赶紧谋劳动者底团结,把实现理想社会底计划,留作他日底问题,专心努力干起社会政策来了。

可是由他一方面观察起来,社会党对于社会政策态度底变化,又是党内一般软派意志薄弱底结果所致。若是党内硬派底势力强大,对于马克思底学说,确实遵守,则无论如何逼迫要想扩张党势,也决不至于因为牺牲社会主义底根本观念,而且这也是大政党底社会党所不应有底事情。可是把他们常年总会的决议,及各议员在议会中底行动考校起来,未来底理想和现实底问题,两者地位倒置,政纲底中心,渐次由社会主义移到社会政策,这是显然底事实。要之,德国社会党对于社会政策态度底变化,半由于扩张党势,半由于党中软派发展底结果而来,因为有了这种事实,所以德国底社会政策,能比世界各国较为先进,而又能彻底实行的,实因为这种关系。

最初德国政府恐一般社会主义者将危险思想弥漫于国内,所以想用权力压迫他们。可是因为压迫底缘故,反挑起他们底反抗心,压力愈强,反抗愈大,于是政府晓得思想上底问题,决不是压力所能征服,所以翻然改变高压手段,实行种种社会政策,努力缓和人心,而对于劳动不安底事实尤其注意,率先实行伤害、疾病、养老、保险等政策,以谋挫拆社会主义者底锐锋,使劳动者不至因不安底念头陷于自暴自弃底地位。所以现时各国所行的劳动保险制度,多取法于德国。德国原为军国主义的国家,凡事最重规律,所以产业上也与军事上相同,秩序颇为严整,而产业政策并未专用武断的高压手段,善于施行种种社会政策,力图匡正英、法一流以利己及放任为基础底经济政策所产生的种种弊害。事业家也了解此中大意,以经营种种事业,所以德国产业近年来十分发达,就是这个原因。

德国所以有上述各种事实底原因,总因社会主义底发达所助成的。而德国社会主义所以能得健全发达底原因,一方面固是马克思、恩格斯学说底结果,在他方面德国人底素质和修养,也是最大底原因。产生了马克思那样大人物底德国，就是德国国民性优秀底实证。既有创造深渊的学说底马克思，又有祖述马克思学说那种有程度的德国国民，所以德国社会政策底施设能够卓越的，也不为无因了。1848 年，马克思所草底《共产党宣言》中，有一节称述德国国民底优秀，并且预说将来底成就。他说："共产党首向德国集中，因为德国现时绅士阀的革命底机会业已成熟了。而且这种革命可保有欧洲文明最进步底状态，参加革命底人员，比 17 世纪英国底革命和 18 世纪法国底革命还要多。加以德国底绅士的革命，实可称是将来平民的革命底先锋。"

（二）实际的施设

1. 法律相谈所。1911 年法律相谈所之数达 1016 处，所处理底事件，共计 156971 种。

2. 产业裁判所。世界产业裁判所之设，以 1806 年法国所设立者为嚆矢，1815 年来因（莱茵）河左岸变为德国领土，其次 1871 年爱尔萨斯罗伦两州亦归德有，于是从前法国所设置底产业裁判所继续存在，至 1890 年，德国政府遂采用这种制度，定为国家底法律。产业裁判所底组织法，有法国式、德国式、瑞士式三种，德国式底组织法，裁判长不属于资本阶级，也不属于劳动阶级，裁判官则由两阶级间各选出同数任用。这种裁判所底特征，以和解为主。其所处理底事件以关系于劳动契约者为限。凡由劳银授受底关系产生出来的一切事件，均属这种产业裁判所管辖。

3. 劳动法。劳动法案，非产生于现代工业发祥地底英国，而产生于欧洲偏僻地方底瑞士。17 世纪末叶即 1674 年所制定《家内工业劳动保护法》，即是劳动法底滥觞。可是没有工场法案，工场法案创设于奥地利，1787 年 2 月 18 日底敕令，禁止 9 岁未满底小儿做工，其次为保护他种工场劳动者起见，又发布一种规定，这就是劳动法案底嚆矢。然在当时这种法案，不过是一种具文，到了 1802 年英国也仿照这种办法，发布这样底法律了。德国比各国较迟，1891 年 7 月 1 日底工业补助和法规，而尤以 1903 年 3 月底《幼年者保护法》，比之各国毫无逊色。德国劳动者保护法底主体，在特别保护幼年青年妇人劳动者和家内工业者。今举其大要如下：

"在工场及与此相类底施设与矿山中，不得使用 13 岁以下底幼年及 14 岁以下有修学义务的人。无修学义务的人,每日劳动不得超过6时间,14岁至16岁的人,每日劳动不得超过10时间。夜工(从晚间8点半起至翌晨5时为止)及星期日纪念日底劳动对于这类底劳动者不得使用。每6时间劳动,休息一次,每次休息一时间,6时间劳动以上休息三次,三次共休息2时间。对于16岁以下底妇人劳动者,凡夜工、地下工作,及11时间以上底劳动,一概不许,纪念庆祝日底前一天,劳动时间当减缩为10时间。休息1时间,一家主妇底劳动者,休息一时间半,妊妇不得为4周间至6周间底劳动。禁止地下劳动有修学义务者不得在工场内劳动,但对照劳动时间底久暂,于特定底狭隘范围以内,也有一部分可以认定的。多种企业中,妇人及幼年劳动者底特别制限,则由联合会议规定。"至于1903年所发布底幼年者保护法,其保护底范围,越发扩大。那法律上所规定的说:"凡事不能使用他人底儿童时,对于自己的儿童,亦不可使用。不禁止幼年劳动底工场,12岁以下的他人底儿童,与10岁以下的自己底儿童,不得使用。自晚间8时至翌晨8时以内,无论何种工作,对于12岁以下底他家儿童与10岁以下底自家儿童,均不能使用。他家儿童,每日不得使用至3时间以上,遇学校底休息日,则可延长为四时间。"

4. 职业介绍所。在1910年存有的德国公设职业介绍所,计440处,其中有325所归都市设立,其余119所,依政府底补助任意组织。而日尔曼联合职业介绍所制度,创设于1898年,所属各职业介绍所的组织,均不一律,大概由资本劳动两阶级合办,多由市议会所指名的人,充任会长,原来要使劳动底交易圆滑,不可不具有不偏不党和中央统一两种要件。然在德国,劳动资本两方面,各个组织职业介绍所,其间偏颇与不统一之处,在所不免。要想免除这种弊害,立即发挥职业介绍所底机能,不可不付与联合团体以法律上底权限,使其监督各地底职业介绍所,若有认为必要时,更须从新设立职业介绍所,方为妥善。1914年大战勃发以后,德国政府新设帝国职业介绍局与市设职业介绍所,与工会及其他有厉害关系者协力办理,确立劳动交易底中央集权制度。对于劳动交易机关底德国国库补助金,在现时由都市联邦及各本国三方面支给,1908年支给予联合职业介绍所底补助金,计达35万马克,此外更有不纳费底电话及其他物品以为补助。

5. 劳动需要供给底调节。首先,为谋劳动底供给与需要底平衡起见,各国政府多举办官营事业,准备于民间事业不振以及一般闲散底季节,吸收劳动者使用,使不至流离失业。在德国中虽未见有如英、美那样应急工作底施设,可是对于无宿所底失业人,则兼办授职所与寄宿所,于国内各处私设劳工寄宿所,兼设公设救济所。而尤以普鲁士为特出,规定法律,于各地方行政区域,设置公立劳工止宿所,使无宿所底劳动者得有寄宿底地方,更为之介绍职业。至于经费则由联邦或地方行政区域负担,又为统率各地方寄宿所起见,别设置中央机关。

其次,各国政府并不以救济恐慌设定应急工作那种制度即为满足,就是在平时,也设置适当底官营事业,以便安排。德国行此政策者,始于1894年以普鲁士行政命令设定官业运营方法。尔后各联邦继续采用此法,过半数底重大都市,均因民业底繁否,定官营底兴废,以调节劳动市场供给需要底均平。如奴伦伯克市,特别选定冬季,兴办公共事业,每年所使用底劳动者,达八九百人之多,尤以近年底铁路事业,多实行这种政策。

6. 劳动保险制。德国现时底劳动保险法,依据1911年7月19日所发布底《帝国劳动保险法》,分为疾病保险伤害保险废疾及遗族保险三部分。可是此法令未颁布以前,德国也实行了劳动保险的。但这新法令底价值,并无融合疾病、伤害、废疾三种保险法底地方,而扩张被保险者底范围,又设遗族保险制度,变更有关系各官厅及手续规定。

在疾病保险之部,被保险者底资格,如下所述,共分数种。1. 劳动者、助手、职工、徒弟、仆婢。2. 企业从事员、职工长及同等地位底使用人,但一切均限于专营本业者。3. 商业使用人、商业见习、药剂师底助手及其见习。4. 戏场及技艺场底从业员。5. 教师及教员。6. 家内工业者。7. 德国海船船员(但以不属于《船员法》第五十九条至第六十二条,及《商法》第五百五十三条者为限),及内河航路之船员。以上1、5、7各条除见习外一切以得报酬服务者为限。2及5两条所列举者以及船员正规底年收不得有2500马克。依新法令发布以前即1909年年底统计考察起来,疾病保险底金库,有23063,被保险者有13404298人,所支付底疾病费用,由帝国法底疾病金库支出304710249马克,由同业公会底疾病金库支出35128955马克,总计达337644500马克之多。

在伤害保险之部,被保险者底范围如下:1. 矿业,制盐业,石工。2. 制造工场、造船所、溶矿业、制药所、营业的酿造业、制革业。3. 建筑工场、建筑、装饰、石工、制锁、锻冶、凿井等营业，其他碎石业，非营业底建筑业。4. 烟筒扫除、拭窗、卖肉、浴场等营业。5. 铁路、邮信、电话底行政及陆海军务行政上底事业。6. 内河交通业、筏业、平低船业、渡船业、曳船业、内河渔业、沿池利用天然冰采取业、浚泄业、内河船操纵业。7. 货车业、旅客及货物运送业、乘用动物及厩业（但以营业者为限）、乘用动物操纵业、船舶以外底运搬员操纵业（但以依天然力或兽力运转者为限）。8. 仓库营业、贮藏营业。9. 货物包捆、货物堆积、货物分类、计量、检查等营业的工作。10. 旅客及货物运送处理营业、伐木业（与超过小企业范围底商人工作相结合而行底时候）。11. 在与前项同等底条件之下所行的商品处理事件。又帝国保险院，规定不归属于伤害保险底商行为底种类。

关于这类的被保险者底种类如下：1. 劳动者、助手职工、徒弟。2. 企业从事员（但年收不逾五千马克者）。其次更可依规约认定下记保险义务者：1. 年收不逾 2000 马克，又普通保险义务者如不使用他人或即使用他人而不逾两人以上底企业家，皆有受保险底义务。2. 家内工业者（但为经营上述底企业者）。3. 年收 5000 马克底企业从事员。属于此部保险底 1909 年年底赔偿总额达 161332900 马克，其中治疗费 44700 马克，救济费 10600 马克，医院费 67200 马克，家族年金 18300 马克，被害者年金 1304200 马克，对于内国人底一时支出金 12400 马克，死亡年金 10400 马克，遗族年金 324400 马克，寡妇一时支付金 12200 马克，对于外国人底一时支付金 3900 马克。

废疾及遗族保险之部中，被保险者底范围，在废疾及衰老底时候，规定下列 6 种底保险：1. 劳动者、助手、职工、见习、仆婢。2. 企业从事员、职工长及有同等地位底使用人（但以其所操作底事务为专门职业者）。3. 商业使用人及见习、药剂师底助手及见习。4. 戏场及技艺场底从事员（但不问其所操底艺术的价值如何）。5. 教师及教员。6. 德国内河外海各航路底船员。各种均以得报酬才劳动一事为条件。2、5 两条底所列举的，与船员，更规定正规年收不越 2000 马克者。又联邦议会对于一般的或地域的特种职业，有扩张保险义务范围底权能。1. 凡工业企业家与其他事业家，其所经营底业务，不得使用有普通保险义务底人，即令使用亦以一人为止。2. 家内工业者（对于所使用的人无制限)。又依 1891 年联邦法规,烟卷制造底家内工业者,依 1894 年年底法规,连纺织物家内工业者,均有保险底义务。

此部底保险权利,凡满 40 岁而有下列各项资格者得任意加入。1. 前记第一、第五两项所列举的人以及船员(但正规年收 2000 马克以上以至 3000 马克者为止)。2. 工业家所营业务,不使用有保险义务底人,或即使用亦不逾两人以上者,其他企业家内工业者。3. 具有下列两条件而无保险义务者,即(1)得有一定报酬而不从事劳动者,(2)现时所营事业,得认为无保险义务者。

这部保险实施以来,计保险所 31 处,由被保险者底基金所得收入,据 1891 年至 1909 年年底统计由 88886971 马克达到 171862705 马克,每年有逐渐增加之势。又在此时期内所支付底赔偿金额,其内容治疗费占 1360006601 马克,废疾年金占 118890000000 马克,疾病年金占 259000000 马克,养老年金占 4235000000 马克,基金还付占 957000000 万马克。

此外又别有各部保险给付底规定,兹举其大要如下:

疾病保险底给付,可分为疾病救济、生产救济、死亡津贴三种。详细说起来,第一,由发病以后 26 周间给付医药概不收费。第二,被保险者因病不能劳动底时候,每日给付基本劳银额之半,作为疾病津贴金。可是这种津贴金,由发病后第四日起给付,其后不能劳动底时候,即由不能劳动之日起给付。若不给治疗及疾病津贴金,也可使病人入医院诊治的。第三,妊妇底生产津贴金与疾病津贴金同额,支付 8 周间底费用,但其中至少要把 6 周间分配在分娩以后。对于不适用工业条例底地方金库底加入人,依据规约,生产津贴费底给付期间,最少为 4 周间,最多为 8 周间。又金库若得妊妇底同意,可不支生产津贴费,把他送到妊妇安置所,给伊疗养看护。第四,被保险者若是死亡了,须给付基本劳银额底 20 倍,作为死亡抚恤金。但依规约,可增至 40 倍,又最少额可定为 50 马克。

伤害保险底给付 劳动者受业务上底伤害,而其伤害若非故意发生或因重大底过失发生底时候,得有请求赔偿底权利。从伤害发生后第十四周间为始,须按次列各条给付。1. 医药,医用物品,及保全治疗结果底补助材料。2. 不能谋生活底期内,得受年金,完全不能谋生底时候,须给付其所得底年收 $\frac{2}{3}$,又如有一部分不能谋生底时候,则支给一部分底津贴费,两者皆依其所得能力丧失底程度为定。此处所说底年收，即是被害者伤害发生前满一年，从事业务底时候，则按其每日平均收入，给付 300 倍，这即是年收。以上只是伤害底给付，若是死亡底时候，更须受死亡费。即（1）死亡津贴费为年收底 $\frac{1}{15}$，但最低定为 50 马克。（2）自死亡之日起，给遗族以年金。其金额均给年收 $\frac{1}{15}$，对其寡妇如再嫁者则给付至再嫁之日止，否则终生给付，对于遗儿则给付至满 15 岁之日为止，对于私生儿，则以死亡者本据法律义务扶养者为限，亦给付至 15 岁为止。关于给付遗儿年金底规定，非自妻之子，亦得适用。

废疾及遗族保险底给付　被保险者因疾病及其他伤害永成废疾的人，不问年龄概支给废疾年金。（1）此处所说底废疾者，亦有分寸，譬如甲乙两人，力量和能力相称，而且所受底教育所营底职业亦相称，可是甲因受伤害身体损坏虽与乙为同类职业，而其成绩不及乙之 $\frac{1}{3}$，这即是废疾者。又有非继续底废疾者而有 26 周间继续废疾状态，或者在废疾津贴金领受之后复成废疾的人，均得领受废疾年金。时期底规定，被保险者如付出百次以上底保险基金底时候，则定为 200 周间，在他种情形，则定为 500 周间。（2）被保险者满 70 岁，若尚未成废疾底时候，则支给养老年金。（3）继续的成为废疾底寡妇，当其被保险者的夫君死后，得支给寡妇年金。15 岁未满底嫡子，当其被保险者的父亲死后，及 15 岁未满而无父之子，若其有扶养义务底被保险者死亡之后，均得支给孤儿年金。私生儿与无父之子同。若有妇人，嫁给不能营生而为被保险底人，倘其家族生计底全部分或大部分专恃劳动底所得以支持底时候，如此妇人死后，须于必要期间内，对其未满 15 岁底嫡子，支给孤儿年金，对其夫君支给鳏夫年金。被保险者若其子先死而遗其孙，而此孙子底生计若恃被保险者支持底时候，如此被保险者身死，则对其所遗之孙须支给孤儿年金。寡妇而为被保险者，若其夫亦为被保险者而先死底时候，则对此寡妇得支给寡妇津贴金，对其遗儿得支给孤儿年金至满 15 岁之后为止。

三、英　国

（一）总论

19 世纪末叶，几斯勒里始倡导关于社会政策底国家的方针，实可称空谷蜚音,使世人耳目耸动,而英国人气质本重自由,排斥国家干涉,或者因为社会政策不能适合亦未可知,所以实际的应用,迟迟不振。

然自德国俾士麦底社会政策成立以后,大奏效果,于是大陆各国社会政策底方针一变,到现世纪底初期,社会政策底实行,专待国家施设,已成为各国一般的趋势。于是守旧例,重历史底英国政治家,也不能把时势底风潮,视为度外,渐渐地把社会政策采做国家的方针了。而尤以保守党领袖张伯伦是这新倾向底代表。

英国政府实行最早底社会政策,是 1896 年所发布底取缔雇主横课被雇人罚金底法令。1906 年自由党内阁成立,从前渐次得势底劳动党,得掌握一部底政权,自由党内阁,内则有鲁意乔治其人,热心改良社会,外则有劳动党底压迫,无法应付,终不得不诉诸国家底权力采用彻底实行社会政策的方针,于是英国底社会政策,别开新面了。

（二）实际的施设

甲　食事公给　《食事公给条例》,于 1906 年 3 月 2 日提出于下议院,于同年 12 月 21 日定为法律。全文共八条,兹列举如下。

第一条　1902 年《教育条例》第三部所规定底地方教育官厅,就给食于该管内公立小学通学儿童事,认为必要时,得取相当底处置。为达此项目的,地方教育官厅得派委员于授食儿童底执行委员会(在此条例内称为学校食堂委员 School Boarding Committee),协同办理。又为援助此项委员起见,凡关于此事业底组织,准备经营所必需底土地建筑物家具及使用人,均得由地方教育官厅发给。但除特别规定外,地方教育官厅,关于购买此类食事所应用底食物,不得支出费用。

第二条　依据此条例给食于儿童时,每食须向儿童底父母征收一定之金额,其金额由地方教育官厅规定。若儿童底父母无故不缴费时,地方教育官厅有向该儿童父母请求缴费之义务。

第三条　地方教育官厅,于该管小学校通学生中,若认为因食物不足,不能十分受教育底利益,而且除公共财源以外底财源,不能采办给食底食料,或者用款若确有不敷底时候,得将此种趣旨通知于教育院。教育院得命地方教育官厅,由地方税中支出必要底费用作为办理购用给食底食料之用。但地方教育官厅于每会计年度内,因此目的所能支出底总额,每磅不能超过半片底定率。

第四、第五两条从略。

第六条　向公立小学校求职底教师或现时正在求职底教师,关于给食事宜,关于支出费用事宜,不得要求行监督或补助之事,又不得要求不可关与监督或补助之事。

第七条　此条例在苏格兰不能适用。

第八条　此条例名为1906年年底教育食事公给条例。

乙　养老年金　1908年制定底养老年金法,在以国费救济衰老底贫民为主。

1.年龄70岁以上每年所得在31磅10先令以下者,给与终身年金。

2.受此项给与者,不得具有下列各条件。

(1)为英国住民而未经过20年者。

(2)自己故意不利用劳动力者。

(3)现依穷民救济法受国家底救济,或依法律入精神医院者。

(4)现处禁锢之刑或放免后尚未满2年者。

3.养老年金没有等级,按所得底多少规定。每年所得在21磅以下者,每周发给5先令,每年所得为20磅至23磅12先令6辨士者,每周发给4先令,每年所得为23磅12先令6辨士至26磅5先令者,每周发给3先令,每年所得为26磅5先令至28磅17先令6辨士者每周发给2先令,每年所得为28磅17先令6辨士至31磅10先令者每周发给1先令。

4.养老年金发给,与穷民救济法同,无伤害法律上权利之事。

5.养老年金,不得供让与或担保底目的。债权者亦不得抵押。

6.养老年金由国库负担。

7.本法令施行机关,在地方设养老年金委员会,在政府则归地方局管理。地方委员于人口满2万以上底自治区特为设置,其他自治区,则以州会等充任。

丙　劳动介绍　1909年养老年金法发布后,又制定劳动介绍所法律。这法令底主旨,在创办劳动介绍所,作为政府事业,对于各国劳动介绍底制度,别辟新面。

1.商务局于认为有必要底场所设置劳动介绍所,或与公私劳动介绍所联络,共同经营。

2.商务局对于公私劳动介绍所,依同意使其继续,或加以适当底保护。

3.商务局调查关于劳动者底需要供给,随时发表。

4.商务局依劳动介绍底结果,贷给劳动者以必要底旅费。

5.对于劳动介绍所行底介绍,劳动者底劳银额,不得比地方普通底劳银少,且即令以关系劳动争议底理由拒绝,亦不蒙何种损失。

6.政府为防止劳动介绍所有偏颇底处置,得择定必要底场所,设附属咨问会于劳动介绍所内,由劳动者资本家两方面选出同数代表组织。

此法案提出于议会时,政府所发表底实施计划,定于人口 10 万以上底都市设置一等劳动介绍所,于人口 5 万至 10 万底都市,设置二等介绍所,于人口 5 万以下底都市,设置三等劳动介绍所。分全国为 10 区,每区设地方劳动介绍所,以为各区内介绍所底统一机关。又在伦敦设中央劳动介绍所,以为各地方介绍所底统一机关。一等介绍所之数定为 30 处至 40 处,二等介绍所之数定为 45 处,三等介绍所之数定为 150 处。其经费每年额为 17 万磅,所加入底新设费,在施行后 10 年间约达 20 万磅。

丁　劳银公定　1909 年所制定底《劳银公定法》,是对于所谓 Sweating 所行的特种工场才公定的。Sweating 者,介于资本家与劳动者之间,由资本家领办业务分配于劳动者,支给低廉底劳银,贪图不当底利益,这种办法在裁缝业之间非常流行。1888 年,政府设调查委员会于上议院,1890 年发表报告书,揭破 Sweating 底弊害,其后社会改良论者研究匡正方法,屡屡成为议会问题。20世纪初期,有知尔克热心此项运动,终至仿澳洲底成例,设立排挤 Sweating 底协会,开第一次总会于伦敦,为最可怜悯的劳动者,大呼保护。于是运动成功,至 1909 年,政府遂提出议案,经议会修改通过了。

1.本法令适用底范围,定为裁缝业结纽业纸箱制造业锁钥制造业四种。

但商务局认为必要时,得经议会协议,适用于他种业务。

2.商务局就上述各种工业,于特定地域内,设劳银公定局,许可其制定最低限度底劳银。

3.劳银公定局以资本家与劳动者底同数代表者和政府所任命底委员组织而成。此种劳银公定局得分割其管辖地域,更设委员会。此种委员会,又由劳银公定局底委员一部,以及这项委员以外的地方资本家劳动者底代表者组织而成。

4.最低限劳银,或按时间给与,或按成绩给与,或就特定事业为一般的规定,或于其中由业务底分类规定。

5.凡雇佣契约,其所定工银若在最低劳银限度以下者,作为无效。此时劳动者得依据最低劳银法,要求相当低工银。

6.违反此法律者,处20磅以下底罚金,如处罚后仍继续有违反行为者,一日处5磅以下底罚金。

戊　劳动保险　1911年所制定底《劳动保险法》,是英国最近底重要社会政策。首先是德国劳动保险思想,次第输入于英国有识者之间,其结果于是有效法德国设立劳动保险法底议论。1890年时,张伯伦哥尔斯特等保守政治家,先就老废保险,发表意见。其次养老年金法成为议会问题底时候,统一党有力者主张与其把这个当作穷民救济法底态度,不如取劳动保险底形式,于是到了1911年,由鲁意乔治代表底自由党内阁,与劳动党联合提出《劳动保险法》。此法案底主旨,采用德国制度,国家干涉一事,虽为英国立法所稀有,而大体却得各党派底赞成。唯有统一党由党略上底必要,多少表示反对底意向,可是并不是对于法案底根本有异议,只要求慎重审议,从缓决定。由此一事,可知大战数年前英国对于社会政策底舆论了。

《英国劳动保险法》,分为疾病、废疾、失业三部分,疾病与废疾底保险统括为一,对于失业底保险有特别底组织。在英国因为别有保险法,所以自德国为始,均不以废疾与养老两项统括为一,而专以疾病与废疾作为一项,这是系统上当然如此的。

疾病废疾保险　保险适用底范围,限于年龄16岁至70岁底劳动者,而且每年所得在所得税课税最低限度160磅以下,方能合格。其次设任意加入底制度,凡是劳动者以外底社会阶级而具备上列条件者,均得加入。保险底组织,是从来所有底共济公会,产业公会,职工公会等团体,会员达50名以上,会员相互组织,参加于公会机关,有选举职员底权利,且无营利目的须得政府底认可。至于不加入于此类公会底被保险者,邮政局与公会均得经营保险事业。

保险费每周支付,男子9辨士,女子8辨士,由劳动者、资本家与政府三方面分担。而此种分担底比例,如下表依劳银底多少设定阶级,此种特色为德国及其他各国所未有。

每周劳银		劳动者	资本家	政府	合计
15 先令以上……………	男………四		三	二	九
	女………三		三	二	八
12 先令至 15 先令……	男………三		四	二	九
	女………三		三	二	八
9 先令至 12 先令……	男………一		五	三	九
	女………一		四	三	八
9 先令以下…………	男………〇		六	三	九
	女………〇		五	三	八

据上表看来,即可知劳银愈低下,劳动者负担越减少,资本家与政府底负担越发增加。9 先令以下底劳动者保险费完全免除,其负担概归资本家与政府代办,这尤其可注意底事情。

其次再论继续底标准,疾病继续期间在 26 周以下时,作为疾病看待,达 26 周间以上者作为废疾看待。对于有疾病者给与医药费及津贴金。津贴金之数,男子每周 10 先令,女子 7 先令半,对于孕妇格外有四周间受特别津贴,每周付给 1 磅 10 先令。对于废疾之人,年龄以 70 岁为限,满 70 岁时则依养老年金法救济。

失业保险　此项保险适用底范围,限于器械职工、造船职工、建筑职工三种,而年龄则必满 16 岁以上。唯此处所说的建筑职工,铁路、运河等工人亦包含在内。只是职工公会所经营底失业保险,若能超越此项范围以外,政府则依特种条件,加以补助。此项组织以官业保险为主,职工公会亦得依特定条件经营。官营保险由国立劳动介绍所经营。保险费由劳动者与资本家双方分担,按雇佣日数长短,规定每周保险费及其分担底等差。表列如下:

	劳动者	资本家	政府	合计
每周二日以上底雇佣	2 辨士 1/2	2 辨士 1/2	1 辨士 2/3	6 辨士 2/3
每周二日底雇佣	2 辨士	2 辨士	1 辨士 1/3	5 辨士 1/2
每周一日以上底雇佣	1 辨士	1 辨士	2/3 辨士	2 辨士 2/3

保险费底缴纳,以一周间为单位,不拘一周间雇佣继续日数底长短,均须缴纳一周间底费用。这即是使双方订雇佣契约必须在一周以上底动机。资本家所负担底保险费,合全年计算,若果能够继续一年雇用工人,则可一次缴足全年份底保险费,但此时可以减纳几成。又资本家能够继续雇佣契约在一年以上,则可领受次年度已纳保险费 $\frac{1}{3}$。至于救济底方法,当失业底时候,对于器械工人及造船工人,每周发给 7 先令,对于造船工人每周发给 6 先令。救济底期间,1 年间限于 15 周以内。救济底条件,约分数种。其一,失业底原因,非因同盟罢工同盟解雇者;其二,非因自己底过失而失业者;其三,理由正当而且曾于过去 26 周间以上,从事于某种工作者。

职工公会为救济会员经营保险时,为会员底劳动者若依保险法负加入底义务,则与劳动介绍所无关系,政府对于公会,交付与会员所受救济金额四分之三底相当补助金。但此种救济金额每周不得超过 7 先令。其次对于不负加入义务底劳动者而设失业保险底时候,则政府交付与公会所支付被保险人底救济金六分之一相当底补助金。但此项救济金每周不得超过 12 先令。

要之,英国底社会政策,由那法律底内容和原委看起来,其方针已由个人的方面移于国家底方面。而就其中最关重要的这种劳动保险而论,本书愧未能得精确底统计,所以此处只能把当时政府立法时所公表底被保险人预定数和政府底补助预定额,列举如次。就疾病废疾保险而言,当时强制的被保险人数为 1300 万人,任意被保险人数 80 万人,政府底补助金在 1912 年份为 1742000 磅,在 1913 年度为 3359000 磅。失业保险底预定人数,计器械职工与造船职工为 111 万人,建筑职工 1321000 人,合计 2431000 人。政府补助金底预算,计最初 3 年间每年约支出 2000 万磅。

四、法 国

（一）总论

法国近年来资本主义虽愈见发展，而劳工运动迟迟不进步，所以法国底社会政策，不甚发达，这也是主要底原因了。法国劳工运动底中坚"劳动总同盟"（Confédération générale du travail）也只有五六十万底会员，把他和法国现有的劳动者总数比起来，较英德各国太少。依法国劳动局底报告，属于有组织的团体底劳动者数约 200 万，而其中尚包含许多慈善家底团体和破坏同盟罢工底资本家的团体在内，所以真正底劳动者只有百余万人，"劳动总同盟"底会员只占半数。由此一事，可知法国有组织的团体底势力，较各国大不如，这是明白底事实。

法国劳动者之间，对于社会问题有趣味而且有阶级的自觉底人不少。他们自己图谋自己阶级的向上，决不倚赖外界底援助，譬如此类底人，无论如何少数，然却相信能够自己开拓运命而有救济无力的劳动者底天职。所以加入劳动团体的人，与他国劳动团体底会员，性质不同，差不多都可称为最有进步底工人。

把法国劳动总同盟底历史叙述起来，自 1887 年"巴黎劳动交易所"设立以后，全国工团同盟渐渐要使他归属自己一派，在 1889 年使交易所联盟底领袖阿尔马特一派赞同总同盟罢工主义，1893 年交易所内部，发生纷扰，致遭政府封禁，于是劳动者感情激昂，至 1894 年工团总同盟和交易所联盟合并，更至 1895 年全国 700 个工团，遂共同团结组织"劳动总同盟"。这即是劳动总同盟底略史。

如上所述，法国劳动团体，其思想虽大进步，而其单位的工团之间，则有两种思想对立，互相反目。其一是改良主义；其二是革命主义。革命主义底分子，在劳动总同盟中占 $\frac{2}{3}$，其势力比改良主义者大。这两种思潮到近年来互相排斥，甚至冲突频发，而尤以关于劳动争议仲裁发生之时，两者争斗愈为激烈。可是统辖这两者底劳动总同盟，其性质是纯然的咨询机关，并无命令底权力，所以不能抑制各工团间底争斗。一方面工团也是自治团体，所以一切组织方针,依多数表决而定,不许他人干涉。因为如此,所以各工团底组织和方针,各不免有相异底地方。譬如在革命主义底团体,以阶级斗争为唯一底目的和手段,所以征收会员底会费,专供此项目的和手段之用,对于别项事务,则力图节减会员底负担,如他种普通工会所注重底事业,差不多不甚留意的。反之,改良主义底工团,专注重共济事业,尽可能底范围,多征会费,以谋增加团体底基金。而法国一般劳动者不问目的如何,多喜欢加入少征会费底团体,投合革命主义底一派,所以工会存有共济基金极少。近年欧美各国资本主义非常发达,劳动者为谋对抗资本家威力起见,组织巩固底团体。然在法国,各地产业犹多用旧式底小规模经营,所以劳动者方面底结合,还不如英、德等国那样巩固,劳工运动,概属地方问题。这是法国工会所以不发达,社会政策所以不振底原因。

（二）　实际的施设

甲　**最高劳动调查会**　此会设立于 1891 年,以商务工务及殖民大臣为会长作为补助机关,由辅助大臣底人 50 名而成,由商务大臣呈请大总统任命。会员由以下各项会员中选任。1. 代议士会底会员。2. 工业家。3. 劳动者。4. 企业家合同会议所底会员。5. 工会底会员。6. 工业裁判所底所员。7. 此外关于经济及社会问题有特别智识底人。又,有阶位勋位底人,若具有上列资格者皆得为会员。其次,这调查会经大臣底同意,实行调查,认为有必要时,无论何人,皆得质问。

乙　**劳动局**　劳动局底职务,在将关于劳动底各种研究事项搜集编纂,公表于世。此局恰与英国劳动局底施设相类,依 1891 年 7 月 21 日底法律和同年 8 月 19 日底命令设置的。作为商务部底一局。

丙　**工业裁判所**　这种裁判所,在欧洲设立最早,最初底工业裁判所,已于 1808 年 3 月 18 日在里昂开庭,其职分在和解资本劳动两阶级间底小争议,用裁判底宣告解决。

丁　**劳动会议所**　此会议所底职务,在做成地方底社会统计,依 1900 年 9 月 17 日底命令设立的,由资本家及劳动底组织中,选任同数底会员。此会议所对于国家指示失业底防止方法,又对于地方各种社会政策的机关,供给发出国库补助金底提案。其次就劳动者保护法底实行,每年提出报告。又有仲裁裁判所底权能。

戊　劳动交易所　是工会运动底中心,以介绍劳动为目的,有一部由都市给与补助金。巴黎劳动交易所最为主要。

五、俄　国

(一) 总论

今日底俄国是多数主义底国家,已由社会政策时代移为社会主义时代。所以此处所说社会政策底俄国,是革命以前底俄国,不是革命以后底俄国。革命以前底俄国,与德国相等,同为专制的君主政治,官僚万能底国家。"民可使由之,不可使知之"一句话,是俄国官僚底理想。所以他们所采底社会政策,是从这种理想而出。非由下所要求而行,乃由上而兴。又俄国社会政策,在自助的方面,差不多连议论和实行都没有,在都市的方面,较之西欧,虽无逊色,然尤不如国家的方面所行的较为发展。

俄国政府所以注重社会政策的,实有种种动机。俄国智识阶级,差不多可说是由一些官僚代表,他们渴想西欧底文明,热心输入。他们实地观察西欧诸国底社会问题,采取其社会政策在本国实行,他们晓得政府底方针,专以裨益地主资本家为事,所以热心主张社会政策。

这种事实属于 19 世纪底初期,恰与英国政界中代表农民底保守党热心主张社会政策相同。当时首相威特,抱商工立国底空想,对于大资本家加以特别保护,他们由农民底立场,痛骂政府底秕政,反对保护政策,绝对主张实行社会政策。

其次在近世史上,可说是俄国特产物底革命运动,乃官僚所忧惧无措,政府也苦心焦虑,讲求预防手段。譬如农奴解放,地方自治底扩张,司法制度底改良,最近立宪政治底建设,都是这种结果。官僚智识阶级,因为处在这种境遇之下,所以越发激励政府实行社会政策。他们虽然主张社会政策,却不是真正理解社会政策底真谛,也不是对于劳动阶级底境遇表同情,他们实在为谋国家底安全和社会底平和,才主张社会政策的。他们一旦主张社会政策,政府也不能轻轻看过,所以到了 1897 年,竟将工场法改正了。

可是,俄国底社会政策,迄今虽有 30 年底历史,却仍是杂然不纯底状态,这是可注意底事情。如在英国,自 19 世纪以来,社会政策,永成政党底政纲,而在立宪政治尚未形成底俄国,政党亦未发达,所以社会政策,不能采作政党底政纲,完全变了官僚底恩惠物。这种经过,完全与德国不同,德国自俾士麦在德法战争后,标榜保护政策与社会政策两大政纲,呼号天下,遂使德国成为社会政策底开山祖,较之俄国不禁大有径庭了。

俄国社会政策实行底经过已如前述,至于实际的施设,纯然与官僚底恩惠相同。即较之英、德、法各国,不完备底地方很多。俄国此次的大革命,也可说是社会政策不完备底结果招致而来的。

(二) 国家底施设

甲 工场法 1883 年所制定底《工场法》,是俄国社会政策施设底嚆矢。先是 1835 年,制定雇佣契约底法律,政府对于劳动者,不许转换工场并要求增加劳银。其次一八四五年所定底法律,将职工最低底年龄,定为 12 岁,12 岁以下底幼年,严禁劳动。1860 年,政府认为有从新制定工场法底必要,由财政大臣组织委员会,从事调查,草定法案。该法案底要旨,将职工最低年龄定为 12 岁,自 12 岁至 18 岁底幼年工人,其劳动时间定为十时,禁止夜工,特设工场监督官,监督工场,更由劳动者和资本家两方面选出代表组织工业调停局,调和劳动争议。可是这个法案,在当时遭了内外底反对,终未能成为法律。至 1870 年再组织调查委员会,特别草定保护幼年工人底法律,可是也没有成立。

1882 年财政大臣布恩兀决心制定法律,规定职工最低年龄为 12 岁,规定幼年工人劳动时间为 8 时间,禁止夜工。其次则任命工场监督官。监督官最初归财政部所管,后来移归工务部管辖,而隶属于商工部工务局长。

此法律制定以后,工场底弊害暴露,同时舆论亦要求改正工场法,各地方人民,努力运动,于是政府更设调查委员会,以警保局长布勒而夫——曾为内务大臣——为委员长,草定法案公布。这即是 1885 年及 1886 年年底《工场法》。1885 年年底《工场法》,以列举于法令底各主要工业为限,严禁 15 岁至 17 岁底少年,和成年女子做夜工。1886 年年底法律,系监督雇佣契约,从前法律,关于契约解除事宜,期限若无一定,则双方必须于 2 星期以前预为通告,又在契约期间以内,劳动者不得要求增加劳银,资本家亦不得妄行低减。此法案改正以后,关于解约底规定,虽与前无异,而对于劳银底变更,则从新规定。即工场主在定期契约期间以内不得减少工银,又在不定期契约以内,若非于两周以前预先通告,亦不得减少劳银。劳动者要求增加劳银时亦同。

其后此法案又经改正,至革命时犹然适用,此项《工场法》,系于 1897 年制定,此时对于已成年底男工,始有劳动时间底制限。即对于 15 岁以上底全体劳工,规定 11 时间底劳动——休憩半时间。

乙　劳动保险　1912 年所制定底保险制度,是《工场法》颁布以后所施行底社会政策,分灾难保险与疾病救护两部。

第一,灾难保险。1. 此《保险法》适用底范围,与疾病救护法同,经营与工场相似底业务,用原动力底工场,职工须在 20 人以上,不用原动力底工场,职工须在 30 人以上。2. 行强制主义,加入强制与组织强制,二者兼行。即规定工场主有依本法律新设保险公会加入保险公会底义务。3. 保险公会,依相互《保险法》,使工场主经营。此种公会有法人资格公会底基础,以地域为标准,于各郡设置公会,网罗多数工场主加入。4. 保险费归为会员底工场主负担,各会员按自己所雇用底职工人数,依一定标准,每年做一次交纳于公会。5. 关于救济方法,将受害底劳动者,分为两类,属于疾病保险公会的人与不属疾病保险公会的人,救济手续各不相同。即对于此类会员,以受害后 14 周间,算入疾病保险底部分,此外底部分则由灾难保险公会负担。对于非会员,则自受害之日起由灾难保险公会救济。6. 救济底金额,作为工银 $\frac{2}{3}$,以恢复劳动能力,为最终期限。对于永久不能劳动底人,则发给终身年金。此年金底定额,对于完全不能劳动底人,给与劳银 $\frac{2}{3}$,对于部分不能劳动之人,则于 $\frac{2}{3}$ 以内,依劳银减少底比例而定。有死亡时,则发给劳银 2000 倍至 3000 倍底费用,对于所遗留底寡妇终身不嫁者,则给与劳银 $\frac{2}{3}$,再嫁者则发给至再嫁之日为止,对于孤儿若仅有父或仅有母者则发给劳银 $\frac{1}{6}$,若父母均无者,则发给劳银 $\frac{1}{4}$。对于尊族亲类,各给与 $\frac{1}{6}$,死亡者底兄弟姊妹而在 15 岁以下者则发给 $\frac{1}{6}$。合计此类年金以不超过劳银 $\frac{2}{3}$ 为标准。

第二,疾病保护。《疾病保护法》,是劳动保险制度底半身,与《灾难保法》同时制定,疾病救济底方法,分为医药费与补助金两项,医药费由工场主担负,补助金由依据本法律特别设立底保险公会担负,所以这法律叫作《保护法》,不称《保险法》。即关于治疗底规定,单规定工场主底义务,并不具有何种保险底性质。1. 本法律底适用范围,是经营与工场相类似底业务,大概与灾难保险相同。2. 救济分为医药费与补助金两种,前者由工场主单独担负,后者由依据本法律特别设立底保险公会担负。3. 工场主当所使用底劳动者有疾病不能劳动时,必须发给四个月底医药费。职工而为产妇时,工场主于一定期间内,负有发给医药费底义务。4. 关于疾病救济,发给补助金,特依强制主义,兼用强制加入与强制组织底方针,从新组织疾病保险公会。此保险公会由资本家与劳动者组织,被保险人皆为劳动者,资本家担负保险费,管理事务。公会底组织,分单独与联合两种。使用职工达 200 人以上底工场主,单独组织一公会,200 人以下者,与他处工场主共同组织公会。但遇有特别情形,前者得为联合组织,后者得为单独组织。无论何时何地,公会皆为法人。5. 为会员底劳动者有疾病时,对于有扶养义务底家族,则以其劳银之半,或 $\frac{2}{3}$ 为范围,依公会底规约,酌量给与,不然,则以劳银 $\frac{1}{4}$ 或 $\frac{1}{2}$ 为范围,依公会底规约,酌量给与。给费时间,以 26 周与限。关于灾难救济,受害后 14 周间以内,归疾病保险公会负担,已如前述。对于产妇,以产前 2 周间产后 4 周间为限,发给劳银 $\frac{1}{2}$。死亡时,其给费则于劳银 20 倍至 30 倍底范围,由公会规定。6. 保险费归劳动者与资本家分担,劳动者出六成,资本家出四成。劳动者所担负底保险费,为劳银 1%—2%,会员底人数若在百人以下,保险费底最高限度得定为 3%。又公会无论属何种类,得政府底认可,可以增加保险费用。劳动者所支付底保险费,工场主得于劳银项下扣除,交纳于公会。7. 公会机关为总会理事会监察会,总会由劳动者与工场主底代表者组织而成(劳动者底代表数定为百人以下)。工场主有 $\frac{2}{3}$ 底议决权。总会底议长为工场主或其代理人。理事会在总会内,由劳动者所选举底代表,及工场主或劳动者等所指名底人组织而成。监察会会员,在总会中选举。

俄国为实行上述两种法律,特设劳动保险委员会。此会分为中央委员会与地方委员会两种,前者由商工大臣主裁,其委员由有关系各部局长若干名,彼得格勒县会及市会各 1 名,疾病保险公会底代表 10 名,农业团体底代表 1

名组织而成。后者设于各县,由县知事充委员长,委员由郡县官吏工场监督官若干名,县会选出 2 名,市会选出 1 名,疾病保险公会代表 4 名组织而成。

（三）都市底施设

俄国都市底社会政策,多取法于德国,各大都市底发展,较之西欧各国,决无逊色。据 1910 年年底调查,人口满 1 万以上底都市,有 231 处。关于这种都市事业,直接间接与社会政策有关系底事业,及其经营底都市之数,兹为列举于下:

电灯	162	市街铁路	54
煤气	128	印刷所	511▲
电话	314	屠场	1047
水道	219	书籍馆	662▲
消水	65	病院	1005
市场	未详	医局	1130

▲印之处,系表示在欧洲俄境所行之事。

除以上各项以外,直接底社会政策,有典当局,劳动介绍局,无费寄宿所,共同屠场,廉价饮食所,面包制造所等项,由都市经营者少,关于此类底统计所以也没有的。

甲　彼得格勒市底施设

质业局　此局创立于 1899 年,资金 200 万卢布,由市债募集,若更有必要时,可再行集募。抵借利率,最初为 4 厘,最近为 6 厘。典当物件之数,每年约为 50 万件内外,其金额为 400 万至 500 万卢布,每件金额,平均为 8 卢布至 10 卢布之谱。

医治所　1915 年时都市经营病院计 11 处,病床之数 15165,常置医士 40 人,诊察无费。药局设有 12 处,药价较普通药店减少二成五,对于都市医者所开单方,施药救济,概不取费。此类卫生设备经费,在此年度达 9884496 卢布。1908 年创设劳动介绍局,1915 年介绍局之数计有 8 处,志愿者每年计有 10 万之数。

面包制造所　设立于 1915 年,是俄国最先创办底事业,固定资本约 60 万卢布,最近使用职工达 200 人。

此外彼得格勒救济事业,据 1915 年年底调查,有孤儿院 11 处,收容孤儿达 11000 人。劳动所有 14 处,专为救济失业劳动者而设。都市经营底租赁家屋,共有两处。廉价饮食所设有 12 处。不收费底饮食所 20 处,不收费底寄宿所 14 处。此类经费在本年预算有 2454583 卢布。此外更有贫民救助费,即所谓救助院外贫民,所支出底经费,约 280 万卢布。

乙　莫斯科市底施设

劳动介绍所　莫斯科五劳动介绍所之中,以 1914 年摩洛佐夫家所设立者为最大,其建设费为 1 万卢布,后来移归市有。此介绍所事务室之侧,有公开的大会场,其中央高悬大箱一个。箱中有记载各种事业底贴纸,就劳动需求底顺序,由电气反射而出。劳动者见贴纸至事务室,要求介绍。若有需要多数劳动者底工场主,则为特设一室,使其顺次与劳动者面谈。介绍所附有图书馆和茶店,以备劳动者休憩之用。

出租家屋　有二栋,一为 1906 年所建设底家族的住宅,一为 1907 年所竣工底独身者的住宅。前者约可收容 200 家族,每一家族贷给一室,屋租每月为 8 卢布至 11 卢布。附有幼稚院及小学校,设备非常齐整,可称模范的施设。后者定员约 1000 名,建筑费为 200 万卢布。

孤儿院有数处,加斯博士所经营者,在大公园之侧,附有幼稚院与小学校,小学校中,于普通教育以外,更设有手工音乐各班,各班均奖励耕作,培养农业趣味。此孤儿院后来移归市有。

劳动所　在大公园孤儿院近侧底劳动所,有印刷工场、制靴工场、木具工场,均用动力运转机械,宛然与大工场相同,规模颇大,在欧美各国不多见。此劳动所收容底劳动者有两种:其一为失业劳动者;其二为出狱之人。劳动者中女工占多数,支给一定工银,然比世间普通底劳银少。

六、美　国

（一）总论

佐姆巴特教授著有一书,名曰《美国何以无社会主义》。实际上说起来,在美国并无所谓社会主义,这话很对的。美国只有资本主义,无社会主义,学者间底意见,都相一致。美国是资本主义底国家,其资本主义底发展,业已超越世界。佐姆巴特教授那部书,霹头几句说得很中肯,他说:"美国是资本主义底中心。助长资本主义完全发育底一切条件,在美国无所不备,此国土与此国民,甚适合于资本主义,到底非他国所可比伦。"

日本某学者底议论,说社会主义成为资本主义底反映发达而来,可是把北美底实例证明起来,却与这种议论相反对了。美国资本主义虽日益发达,而社会主义势力绝少,差不多与无相等。由此可知社会主义底发达,不必是资本主义底反映,仍依资本主义底影响如何为定,所以有发达的有不发达的。据现在说起来,美国资本主义是世界第一,可是美国这种资本主义底反映,并不助长社会主义发达的。

欧洲大战勃发以来,美国产业界,生出思想以外底活气,极其繁盛,同时劳动界时起不安现象,骤增一种激烈性,自前岁以来底争议,实能使美国人寒心,即1916年全国货车运驶工人,如火夫、车长、机关手、运转手等所组织的四个工会,一致团结,对于各铁路公司,要求实行每日8时间劳动制度。此种8时间劳动底要求,本是从来未解决底悬案,到了欧战以后,资本家利益,骤然增大,劳动者也想利益均沾,于是乘机将8时间劳动底悬案要求解决了。其要求底内容,在改正现行10时间百英里底劳银支给方法,把劳动时间底标准定为8时间,而工银则与前同,不得减少,对于8时间以上底劳动,须以一时间增加五成底比例,发给工银。可是各铁路公司,对于此种要求却一致拒绝了。

于是劳动者与资本家之间,惹起稀有的大斗争,一方代表有100底股东,他方代表30余万底劳动者,一方有100亿元底资本,一方有绝大底势力,停止全国底交通机关,能左右社会底生命。各有所恃互不相下,资本家方面,想把此项争议付诸各州联合实业委员或仲裁裁判所审议,劳动者方面恐因此制限自己底主张,反对仲裁裁判,各用得意底手段,努力贯彻自己底主张,喧嚣数月不决,至8月中旬犹无缓和希望,而且事态愈益纷纠。

大总统威尔逊见此形势不佳,急将双方代表招致于华盛顿,为之和解,可是劳动者方面固执自己底要求,资本家方面,坚欲付诸仲裁裁判,均不肯稍为让步。威尔逊总想设法和解,屡经协议,而劳动者方面底代表,断然于8月28

日退出华府,宣言于9月4日举行总同盟罢工。于是大总统底调停终归泡影,可是毕竟没有强制解决底权能,所以没有是非可言。8月29日怂恿议会依立法权作用,讲求方法,防止现在及将来底劳动争议,然据所见,8时间劳动底要求,有相当底理由,所以影响于铁路公司底收支,任命特别委员调查实情,为预防将来同盟罢工起见,制定法律,予政府以调查底权力。

美国上下两院依大总统底要求,付托于委员会,制定法律,可是结局采用了下院底法案,于9月一二两日急速通过两院,由大总统署名发布,这即是《亚丹姆森法律》。

此法律承认劳动者方面底主张,拥护劳动者底利益,所以工会底代表,表示满足底意思,立刻通电各处,将同盟罢工中止了。于是美国始得免去铁路工人总同盟罢工底惨祸,得了和平解决底效果。《亚丹姆森法律》要旨如下:

1.1917年1月1日以后,铁路工人每日只做工8时间,并将此8时间劳动作为支给劳银底标准时间。

2.大总统任命调查委员3名,调查本法案实行底成绩。但调查期间以委员会组织后6个月或9个月为定,期限终了后30日以内,调查员须将调查底结果提出于大总统。

3.劳银率依前条所规定,每日超过8时间以上底劳动,依正规劳动时间底劳动率,按比例增加。

这样的《亚丹姆森法律》,不特是完全证明劳动阶级底胜利,而且对于从来劳动者底武器即同盟罢工底自由,并未加以何种底制限。可是后来《亚丹姆森法律》抵触宪法底问题发生了,11月20日美国中部底铁路公司,竟向康萨斯市联合裁判所提起诉讼,诉称本法律与合众国宪法有抵触底地方,于是该裁判所,公然不认议会有制定此类法律底权能,竟断定《亚丹姆森法律》在宪法上不能有效。于是宪法上议论沸腾,结局受了合众国高等法院最终底裁判。

各方面争论之点均不相同,公司方面说此法律是劳动法,故与宪法相违反,政府方面说此法律是劳动时间法,国会方面说国会得依宪法上所赋予底商工业取缔权,制定关于劳动时间与劳银底法律,三方面各有理由,互不相让。高等法院受理此项诉讼之后,宣告于次年3月19日发表最终底判决。劳动者方面,不等到3月19日,就要求即时实行《亚丹姆森法律》,并且要求自1月1

日起发生效力,若不见容,就立刻要宣告同盟罢工。

一般社会,当着这个重大底时期,对于工会底不稳举动,都怀反感,公司方面,主张静待高等法院底解决,拒绝劳动者方面底要求,受《亚丹姆森法律》若经高等法院认为合法,则不论厉害得失诚实遵守,如或不然,则别设调查会讲求适当底解决方法。这种办法本为稳当,可是劳动者方面,不肯干休,形势愈趋险恶。

于是大总统见形势不佳,不可放任,立即任命内务总长、劳动总长、国防会议交通部长及美国劳动同盟会长4名为委员,使其居中调停,委员立即开始调停交涉,至3月19日恰逢高等法院判决《亚丹姆森法律》为合法,判决前数时,委员劝公司方面让步,承认劳动者方面底要求。同时劳动者方面,命各地工会支部,停止同盟罢工。

此事件解决后不久,美国对德宣战,一切内政以军事为主,对于劳动争议采用高压手段。可是美国劳动者大半属于美国劳动同盟,而劳动同盟由孔巴司——有人说他是资本家底走狗——领率,世界到处同盟罢工同盟怠业底时候,他独发挥爱国心使美国劳动界安谧如常,这也是可以注意底事情。

本书所以列举此类事实,实因为要证明美国也有社会主义底原由,同时又证明无社会主义底地方,社会政策也是不能发达的。

（二）　实际的施设

甲　**《最低劳银法》**　政府所使用底劳动者已于数年前预定标准,若无法律规定之时,只得依据现行惯例底劳银率办理。所谓现行惯例底劳银率者,若当地有工会,则以工会所规定者为标准。但有两三州已没有最低劳银制度。例如加州除官公署内底使役人以外,他种官公业所使用底劳动者,每日最低劳银定为2元,马萨抽瑟州武阿克斯地方,洒扫妇人及俱乐部底女役,每周最低劳银定为8元。又1913年华盛顿州斯奔克恩市,公营事业底劳银,每日定为2元75先令以上。

马萨抽瑟州制定《最低劳银法》甚早,1912年即已成立。1913年又有二州制定同一法律,1914年又有二州仿照办理。阿伦公州对于此项法律尚在审议之中,其他加内芝加特、印底安纳、纽约诸州关于此项制度,正在调查,尚未决定。加州为图制定《最低劳银法》使对于妇女儿童发生效力，特于1914年将宪法修正了。阿海阿州虽曾于1912年准备制定此项法律，要将宪法修正，可是以后对于妇女儿童底劳动状态，只设一调查委员会，并未着手实行。要之《美国最低劳银法》，颇受局部限制，只不过保护妇女与儿童为止。宪法上明白认定此项法律者只有两州，宪法上虽有疑义而犹承认此种制度者，有11州。此项法律在美国能发达与否，须依已实行此法底各州底成绩为定，然而宪法上障碍颇多，而且工会反对亦烈，行政机关又无能力，所以此种制度，在美国难于发达的。

乙　劳动时间制限　美国中从事主要事业底劳动者，约700万人，其中能达到8时间劳动底理想的，不过7分5厘，其他占 $\frac{3}{4}$ 底劳动者，每周犹须劳动54时间至60时间，而其他6分底劳动者每周须劳动60时间至72时间，而且还有更甚的。据州立商业委员底报告，1913年中，法定最长时间每日劳动16时间以上，此项劳动者达26万余人，其中有33000人每日劳动至21时间以上，由此可知劳动者底苦痛了。

印刷工会、石工工会、烟业工会、建筑工会等劳动者，因工会底努力已达到8时间劳动底理想，其中有专恃工会之力不能达到目的的劳动者，实居多数，现时依然受过度劳动底悲痛。

丙　失业救济　美国称为世界第一劳动市场，据1915年春间关于各主要都市4000万户劳动者底调查，失业者占1成1分5厘，半就业者当全就业者底1成8分，即444000余人。据1900年年底国势调查，南合众国内全体劳动者有2成5分失业，其数实达647万人。至于失业底期间，每年失业在3个月以内者占过半数，失业半年或1年者亦不少。排版印刷业者底书间工作与金属制造业者底资本家公会，于主要都市设有18处职业介绍所，最有名声，而尤以后者所设立的，不征费用，并宣誓词，说不藉此供破坏同盟罢工之用，亦不制造黑表，使劳动者感受不便，然而缺乏公平底性质，其效用亦未免有不充分底地方。

美国各州为防止私设雇佣介绍所底诈伪行为起见，设有《取缔法》。据取缔法所规定，凡雇佣介绍所非经州市特别许可不得营业，希望特别许可者须缴纳一定保证金，其金额依都鄙情形而有差别，故定为100元以上至5000元为限,营业费每年缴纳 10 元以上至 100 元为止。其次更指定手续费底最高限度,对于营业底场所有所干涉,凡有对于妇女儿童为不正当介绍者,严为禁止,违者得取消其营业,没收其保证金加以种种制裁。

其次关于官公业分配底事情,也有可以记述底地方,即美国当 1914 年至 1915 年间,冬季常起恐慌,劳动者失业颇多,国内百余都市,为安插此项失业劳动者起见,特兴办公共事业,如修理街道、采掘石材、修葺林野、敷设水道、修理建筑等事,在需用工人,遂使失业劳动者获得谋生底途径。此类公共事业长期者数月,短期者 1 月,由失业工人按 2 日至 2 周底顺序,轮流使用。劳动时间与劳银,与平日底标准相同,所以成绩很好。

再次再述劳动者寄宿所,在美国尚未规定此项法律,可是 1914 年查德尔市恐慌发生,劳动者感受不安底时候,特为旅行劳动者图谋便利,公设自由旅馆,举办修路垦荒诸事,使寄宿底劳动者劳动 2 日,并给以 21 次底食券。结果非常良好,经济的方面并无损失,奥勒公州,把这件事当作永久底设备,沿岸诸州,亦陆续仿行。

最后再说官公业底调节,1910 年冬季,密勒索达州答腊斯市,于当时废止湖上运输事业,恐多数劳动者因此失业,特讲求应急方法,举行开辟道路事宜,吸收失业底工人。这种成绩经各州公认,各州也仿照办理,均开设公园,修缮道路,设备水道,于劳动闲散底时期,吸收失业工人。而尤以埃达霍州为特出,埃达霍州于 1915 年年底法律中,对于劳动者认定劳动底权利,凡属美国市民在该州内居住 6 个月以上而资产不满 1000 元者,最少每年有 60 日以上底权利,得从事于州办或市办底公共事业,并且设置特别委员,从有资格劳动者底希望,使其从事工作并评定劳银。

丁　劳动保险　美国劳动保险制度,较欧洲各国稍劣。

伤害保险　《伤害保险法》,在美国因为受宪法上底障害,到如今尚未十分见诸实行。也有几州,规定了伤害保险,可是遵守与否全属当事人底自由。纽约及阿海阿两州,报酬额最丰,劳动者完全不能劳动底期内,每周发给劳银底六成六分,若永久不能劳动底人,发给生产底分量。纽约州对于此类劳动者每周发给 20 元以下 5 元以上底补助金,若负伤者底劳银每周在 5 元以下,则照劳银额给予。其他各州对于受伤者底报酬,多发给劳银底半额,至对于寡妇底救恤金,寡妇终身者则发给其良人底劳银额底 3 成,再嫁者则发给至再嫁之日为止,有儿女 1 人者则增发 1 成,达至 6 成 6 分为止。由各州所发给底报偿金,有每日发给 35 元或 50 元者,或取一次发给底制度,发给 6000 元以至 2000元者,方针各有不同。

养老废疾保险 美国底养老及废疾保险制度,在各州中有禁止友爱会经营此类保险事业,友爱会 182 组之中,有养老保险组织者,只有 42,普通以满70 岁者方有受保险金底权利。此为不受国库补助底任意组织,其有受国库补助任意组织者。只有马萨抽瑟州及威斯康辛州。

戊 无费法律所 美国为图谋下层阶级底便利,特设私立法律协会 40处,为贫民充法律顾问,全不收费,与以适当底援助,并随时忠告他们。可是此项私立协会,不能十分活动,所以近年来把它当作公共事业办理,使一般公众都能受这种便利,已有二三都市见诸实行。孟达纳州康查斯市自 1912 年 8 月以来,设立无费法律事务所,在美国中以此举为最早。加州洛斯安塞斯市,设公众保护局,凡劳银及个人的债权不满百元底请求而仰赖律师底人,保护局与以法律上底援助,又就一般民事认为太受损害底时候,则与以诉讼上底便宜,其一切经费,概归地方负担。

七、结 论

本篇绪论上,业已说明,关于各国社会政策实际的施设,本书差不多只论及国家的方面为止,其理由,一方面系因篇幅有限,不能尽述,他方面因为国家的方面,关系重要,可以窥知各国的消长得失。又在自助的方面如消费公会之类则详见后本书第三编,兹不赘述。只是有遗漏底地方,就是以上所述底以外各国,及其以外底施设。

以上所述之外,社会政策的施设,如在日本,《治安警察法》撤废,普通选举实行,均可视为一种社会政策的施设。其次关于产业国有或国家特别管理,如战时德国底工业动员,英国底煤粮管理,均可称为重大底社会政策。产业国有一事,若能普遍的彻底的实行,即不是社会政策,乃是社会主义的施设了。又名虽同称国有,若日本底铁路事业,连社会政策都说不上,因为这不过是国家资本的实行而已。

本章所列举底产业国营国家管理,在本书第二编社会主义中详细叙述的,所以此处单就《警察法》与社会政策底关系说明。

近世商业公司勃兴,掌握商品交易与劳动交易两事。在商品交易,公司务期以最高价值将商品卖出,在劳动交易则期以最低劳银,买得劳动者底劳动。资本底团结不以公司为目的,而以公司为单位,为大规模的组织,近来愈益发展。此种大组织底机能,称为信用公会,或银公司,分为主管制造业底组织,与掌管资本家任务底组织;前者掌管关系于制造品底价格,与消费者相交易,后者专任支给劳银于劳动者等事。

然而世界各国对于资本家团体底交易,业经承认,而对于劳动者团体底交易,却仍未承认的。

18 世纪时,英国劳动者中首先以增加劳银率为目的,曾试为团体的行动,可是当时政府公然把劳动者团体当作共谋犯处罚了。其次英国法庭对于裁缝职工同盟罢工底判例,凡以增加劳银为目的底一切团结的行动,都断为共谋犯。英国自裁缝职工同盟罢工以后,特制定一种法律,严禁此种行为,迨至1825 年时此法撤废以后,劳动者才得团结行动底自由。再次 1871 年更谋缓和旧时制度,不认工会为触犯刑律底不法团体,1875 年对于劳工运动不适用刑事上共谋犯法律,至 1906 年连民事上底共谋律亦不适用,到这时候工会才得合法成立,从来负有损害赔偿底枷锁始得脱离了。

美国对于同盟罢工要求增加劳银底行动,从前亦视为共谋犯,严为处罚。1830 年以后,稍见和缓,劳动团体虽以增加劳银为目的同盟罢工,但使若无暴行胁迫底嫌疑,亦不认为共谋犯了。英国自 1870 年以后,已明白认定劳动者有团体交易底权利,可是在美国并无何种立法的手续,以前早就默认的。英国已有法律规定,并无何种疑义,美国法律尚无明文,至今犹属疑问。

国家举办事业,雇用多数劳动者底时候,则国家为雇主,与劳动者方面为团体底交易。实际上近代各国政府所使用底劳动者比个人所使用底劳动者多。只是个人为雇主底时候,在劳动市场中有多数雇主与之竞争,对于劳动者底交易难于成就,至于国家为雇主底时候,则无第二雇主与之竞争,而且选举权若经扩张,则彼雇用于政府底人,同时又为雇主,在理论上与民间事业底劳动者不同,同盟罢工同盟怠业抵货运动等武器,当然不至于使用了。

征诸各国立法之例,政府对于所使用底劳动者一概禁止同盟罢工,只许组织工会。俄国、土耳其、罗马尼亚各国政府对于所使用底劳动者,不许为团体的运动,违者严罚。法国亦然,连团体组织权利底有无,迄今犹未决定。英国、美国、澳洲,对于劳动团体底组织,理论上认为正当,可是在实际上,劳动者组织团体底自由尚未经承认的。

要之,在《警察法》范围以内底社会政策,在各国有对于公办事业底劳动者,尚未见有何种施设,实在还是未行社会政策的。各国政策底见解,以为官办事业所使用底劳动者,若行同盟罢工即系对于国家谋叛,否则即认为非爱国的行为。此种思想在法国尤为强烈。

最后再就本书未述各国国家的施设,略述梗概于下:

意大利　1901 年,仿法国例设立劳动局、最高劳动调查会、工业裁判所、劳动者集会所。

奥地利　1800 年以来,其施设如下:1. 于商务部内设劳动统计局,发行内容丰富底社会学杂志。2. 设劳动调查会,附属于劳动统计局。3. 依 1869 年 5 月所颁布底法律,设工业裁判所。4. 筹设劳动会议所,现在计划中。

比利时　1. 有劳动局,自 1897 年以来,发行劳动法规年报,并月刊劳动杂志。2. 工业裁判所与法国同一名称,自 1809 年至 1810 年服从于法国统治时,在布里由久及加恩市设立,1842 年以后,多数都市均仿照办理。3. 劳动交易所,自 1902 年以来,始告统一。

瑞士　1. 半官的劳动局,在各州中最有名者,以清里厄市为第一,此市底劳动局,最初是瑞士大工会底私设调查机关后经国家公认,一变而成劳动者底利益代表机关了。2. 巴尔奈巴诺恩布尔克巴塞尔斯达特等州均设有工业裁判所。

荷兰　依 1897 年 5 月底法律,设立广泛底劳动会议所,本据下列各种方法,以谋增进共同事业中所有资本家及劳动者底利益。1. 搜集劳动事情底报告。2. 关于劳动者利益问题底一切意见,得向各省地方官厅及地方自治团体提出。3. 依据有厉害关系人底请求,作成报告,或将契约立案。4. 为防止劳动争议起见,预为调停。5. 又有必要时对于资本劳动两方面,宣告仲裁裁判。

第 二 篇

社会主义

绪　　论

近来"社会主义"这句话，变了一种流行语，好像市井之中也有人说。可是世人对于这句话的理解，有失于浅薄，有失于曲解，与一切社会事实真相的关系，多不一致。这是因为社会主义自身，在学说和运动上也有许多派别的缘故。

有人把社会主义和无政府主义对立，不把无政府主义看作是社会主义的一派。有人把社会主义、无政府主义两种，想作是一样的东西。又有人单把社会主义革命的半面信以为本质，也有人把他当作是民主主义的一派而论。

照这样看来，解决急迫的社会问题，最占有利地位的社会主义本质，是在什么地方呢？这是使世人迷惑莫定的。于是乎我们不得不把"社会主义"，行历史的思想的确实研究，使世人头脑中得一种明确的概念。

大概"社会主义"这句话，是翻译英语 Socialism，原来是拉丁语 Siocus（同辈同僚）的形容词 Socialis（同辈的、同僚的）而来的。那思想颇有长久的历史，可是表示这思想的话句，是到 19 世纪上半期才使用的。1832 年，英国涡文（Robert Owen）一派的人，在《贫民监护人》杂志上才开始用这句话，法国圣西门派的《地球》杂志上有名叫觉恩西阿（Joncières）的人，才开始用这句话，德国有名叫梭几阿（Sozialismus）的人才开始用这句话。

社会主义这句话于是变了 20 世纪流行的标的，成了时代的标语。所以要晓得他的历史之先，当要获得社会主义定义或意义的概念。

第六章 社会主义的意义及其由来

一、社会主义的定义

大凡到了说社会主义,总难得明了的概念。社会主义有长久的历史,而且有现实势力的社会主义中,又有种种复杂的形相。若单说社会主义是发源于经济,所以只主张变革现社会中经济组织,这是错了。因为也有否定现时政治组织的,也有主张把现时政治单位缩小或扩大的。

所以社会主义把国家社会主义以及无政府主义都包含在内。就是由经济上的立场说起来,也有共产主义(Communism)和集产主义(Collectivism)两派。更进一步考察,无政府主义又分两派:一派是共产主义的无政府主义(Communistic Anarchism);一派是个人主义的无政府主义(Individualistic Anarchism)。前派虽可说是社会主义的一部,后派却与社会主义全然相反。个人主义的无政府主义其本质完全与社会主义立于反对地位。这个反与现在的资本主义有共通的地方。所以有某学者把个人主义的无政府主义,叫作政治的无政府主义,把资本主义叫作经济的无政府主义。

这样复杂的社会主义,要下一个定义,实在很难。所以本书特先介绍西洋各学者的学说,然后从新下个简单的定义。

与马克思同称近世社会主义两大鼻祖世人都很知道的恩格斯(Friedrich Engels)说:"生产要件若归社会掌握,商品生产可以全废,生产物压迫生产者的事情,也可废除。社会生产的无政府状态,一经废止,那确然有秩序的组织,就会起来。人与人的生存竞争消灭,从前围绕人类支配人类的一切事情境遇,如今都为人所支配,到这时候,人类方能成为组织社会主义的主人,方才叫作真正'自然'的所有主。这是人类由必然的王国到自由王国的向上。"

名人穆勒（John Stuart Mill）说："社会主义的特质，在于社会全员共握各种生产机关及其要件，至于分配一切生产物，则非依其社会的规则公同处理不可。"克卡朴（Thomas Kirkup）说："现时产业虽依工银劳动，归资本家经营，但在将来共有生产机关的人，非把产业当作协作事业（Cooperative Work）做不可。今日的产业状态虽在互争的资本制度下，依工银劳动经营，但在将来非由有共同资本而又以公平分配为目的的工会经营不可。这就是社会主义的精髓。"

亚里氏（Richard Ely）说："社会主义解剖的结果，大概归着于下述的定义。即社会主义，是关于生产上物质的大机关废止私有制代以共有制的产业社会制度。主张生产由共同经营，社会的收入归社会分配，社会收入的大部分作为私有财产。"

今更进而溯及初期的时代，介绍狝夫尔华勒司柏拉迷格拉克诸人的学说。

狝夫尔（A.E.F.Schäffle）说："社会主义的全部，是把相互竞争的私有资本，移作一团的合作资本。"

华勒司（Graham Wallace）说："社会主义以生产要件作为社会所有，以消费要件作为个人所有。"

柏拉迷（Edward Bellamy）说："把国有主义下一个便利而且严密的定义即是产业自治（Industrial Self-government）。"

格拉克（William Clarke）说："社会主义主张一切生产必要机关不归属于社会内部或外部的个人或团体，而归属于社会所有经营。"

又马克思派社会主义者拉法格（Paul Lafargue）说："社会主义，决不是改良法，是一个学说。即社会主义者相信现在的制度，将来可得一大经济的进步，其结果资本的个人所有可以废止，而归劳动者的大团体（Organizations of workers）所共有。所以社会主义也可称为历史上一大发见。"

基督教社会主义者布里施（W.D.P.Bliss）说："社会主义可以变为种种的形态，又是可以逐渐适用的根本主义，土地资本应并归社会管理，为谋社会全员平等的福利，行协同的经营。"

以下再就欧洲社会主义者团体对于社会主义的发表，略记一二。英国社会主义同盟（Social Democratic Federation）的宣言说："生产分配及交换条件，应行社会化。全社会利益应由民主的国家经营。使劳动脱离资本制度与地主制度的支配。男女之间，树立社会的和经济的平等方法。"

英国社会主义团体联合委员会的宣言说："我们要使现今非社会主义的国家，成为合同的共和国。有人主张改良私有资本制度，或者使他化为道德，以为私有财产没有废止的必要，这是梦幻的空想，我们要从这种空想脱离出来。又形式上社会主义的产业和行政的改革那种事情，若非是国家全体整然结合，也不能奏效。例如市有制度是国有制度的一部，略可看作是社会主义。可是我们要进一步讲世界的社会主义，万国的劳动者各因各国历史的发展，使用一种适合自国的方法，大家都在一种共通根据上联合，关于富的生产和分配，要把大机关和大要件归为共有，通文明各国，谋人类的亲和，除去国民的憎恶。所以社会主义者的目的，在使运输交通机关，物品制造机关，以及矿山土地都归社会全体所有经营。所以我们想绝灭工银制度，扫除阶级差别，要在健全的基础上，建设国民的及万国的共产制度。"

这样看来，社会主义者对于社会主义所下的定义，若一一并列起来，实在没有际限。而且含有种种复杂关系的社会主义定义，愈说愈不明白了。于是本书相信各种社会主义间必有可以共通的定义，所以下一个最完全可信的共通定义，使世人对于社会主义获得根本的概念。

定义　社会主义在使个人不能榨取个人的劳动，以增进社会全体自由幸福的目的，实行将生产机关归为公有，将生活与享乐各种资料公平分配。

二、社会主义理想上的差别

（一）社会主义理想上的差别

社会主义四种理想，本书已经下了一个定义。其次说它理想上的派别，再其次述它的历史，后章再说它的理论。

社会主义，派别很多。或云硬派、软派；或云直接派、议会派；或云可能派、不可能派；数起来实是无限，然而这些派别大概都是由一时政策的差异发生，决不是由理想的社会主义组织直接发生的。理想的差别，有许多地方，一切政策应该与那理想相应，所以理想上的差别，与政策上的分派，难于严为区别，但是社会主义理论的考察,不可不抛去一切政策的差异,而在一直线上立脚,根据社会主义的理想行根本的区别。本书就是本据这种意味,把一切社会主义的思想,大别为以下四种:

第一,民主集产主义(或称集产的民主主义)。

第二,无政府集产主义(或称集产的无政府主义)。

第三,民主共产主义(或称共产的民主主义)。

第四,无政府共产主义(或称共产的无政府主义)。

(二) 共产主义与集产主义

社会主义由经济的方面分类起来,如前节所述,可分为共产主义与集产主义两种,由政治的方面解剖起来,可大别为民主主义与无政府主义两种。然而既经预先想到一定的社会组织,那种社会制度的属性,应当同时考虑政治和经济两方面。故于经济方面采用共产主义集产主义的人,同时于政治方面也当采取民主主义和无政府主义。

由今日一般流行的定义看起来,集产主义主张生产机关共有,消费机关私有;共产主义主张生产消费两种机关都归共有;可是本书对于这种浅薄而又不彻底的定义,到底不能赞同。

何以故呢? 第一就因为把生产机关和消费机关两概念严为区别的事情,实在很难。譬如我现在坐在椅子上眺望庭园,这时的椅子,自然可说是一个消费机关,可是迟一刻我要坐在这椅子上,提笔草一篇文章出卖也未可知。这时的椅子已不是消费机关,是很好的生产机关了。所以一切椅子若说是私有或公有是合理的,若单说是生产机关或消费机关可以私有或共有的话,却不合理了。

(三) 集产社会三种消费机关

说集产主义也好,说共产主义也好,社会主义不必定主张一切生产机关都要共产。

由柏拉迷(Bellamy)的《回顾录》,柯祖基(Kautsky)的《农业问题》,克鲁泡特金(Kropotkin)的《面包略取》各书看起来,各人都可自由享乐自己的家庭生活。家庭生活既可自由,则家庭生活存在的物质基础,譬如家庭经济这样东西,亦非自由不可。所以这种家庭经济的生产机关,如锅、釜、灶等类,又如直接不供娱乐之用的笔、墨、纸、书籍等项,当然要许可私有。

又,集产的理想社会中,一切消费机关,也不定要归私有。譬如公园、音乐堂、图书馆等项,即在现社会中,不是有许多地方,都归属于自治团体公有么?社会主义的社会,是说把这种公有扩张,决不把他缩小。又如住居的消费机关,在集产制度之下,其所有权当然要归社会。可是利用权应该不取报酬委诸各人自由。所以集产社会的消费机关,大概可分为以下三种:

第一,所有权虽归公有,而可以由各人任意利用不取报酬的消费机关。

第二,属于公有,但各人须支付一定费用方能利用的消费机关。

第三,所有权利用权均归私有的消费机关。

照这样考察起来,今日对于集产主义共产主义两概念所流行的定义,很暧昧很不彻底,这是可以知道了。本书相信对于这两个概念,现在还可以下一种较为明确较为彻底的解释。

(四) 社会主义制度的两个主义

本书由多种社会主义中提出两个主潮。第一种经济制度,是依据一些方法调节各个人的收入。就是把各个人自己消费所使用的价值总量,依据社会的力量,行正确的测定。第二种经济制度,绝对不调节各个人的收入,就是一定价值量的收入概念,都一概不问,单是直接调节消费,或者连消费都不调节。

在第一种经济制度中,假如虽不采用现存的形式,但若不借助某种形式的货币,这生产物不能分配。各人于自己所有的价值限度完全消费,所以要想消费的时候,各人非支出自己所收入的一部分不可。所以在这种经济制度下,一切消费要有一定的价格,那价格又必要用一定的价值单位测定。

反之,第二种经济制度,刚才所说的,与收入无关系,单是调节直接消费或者连消费都不调节的,自然不要分配机关货币的媒介。即第一种是货币经济,第二种是自然经济。

(五) 共产制与集产制的两种

本书对于这种根本的区别立刻想适用集产主义与共产主义两种。即认定一定价值量的个人收入那种经济制度,是属于集产主义,反是者属于共产主义。所以本书以前斥为浅薄不彻底的分类法,虽欠明了,却不得不在这种根本的区别上立脚了。因为个人收入的概念,论理上当然预先想到对于由收入得来的消费物品的自由处分权。

反之,在缺乏个人收入概念的制度中,对于消费物品自由处分权的概念,也应当缺乏的。所以在这种制度下,对于经济的物品一切私有权,均被废除。

虽是一样的说平等而共产制的平等关于消费,集产制的平等关于收入。然而同在共产制的平等中,又有两种区别,有单期望消费这种东西平等,有期望消费的平等自由。前者成为分配的主观①的平等表现出来,后者成为分配的客观②的平等表现出来。

卡伯(Cabet)和傅立叶(Fourier)是属于前者,克鲁泡特金属于后者③。又,共产主义,不问各人的收入,所以各人提供于社会的技能力量,与社会提供各人作为报酬的消费物品这两者如何平衡的问题,在共产制中,绝对不问。

共产主义既分两派,集产主义亦分两派。第一派要使各人的收入客观的绝对平等,这才叫作平等的真目的。柏拉迷、普鲁东(Proudhon)以及大多数马克思社会主义者都属于这一派。

这派所主张客观的平等,与卡伯等客观派共产主义,似有相通的地方,然其实却有云泥之差。因为消费的客观的平等,不论年龄男女健康与否的差异,各人对于同一物品须分配得同一的数量,至于收入的客观的平等则不然,用货币单位测定的收入,各人虽是平等,但是各人要把所得的收入如何使用,或者要购买何种物品,这是各人的自由。

集产主义的他一派,主张按各人的技能力量,定收入的多寡。然而各人的技能力量,无论在何时何地,绝对的难得平等,所以在这一派集产社会中,各人的收入,事实上终归不平等。路易柏郎(Louis Blanc)、圣西门(Saint-Simon)以及拉伯尔塔斯(Rodbertus)等都是这派有力的代表。

---

①　自 1927 年第 6 版起,此处的"主观"被改为"客观"。——编者注

②　自 1927 年第 6 版起,此处的"客观"被改为"主观"。——编者注

③　自 1927 年第 6 版起,此句被改为"卡伯(Cabet)和巴比(Babenf)是属于前者;傅立叶(Fourier)克鲁泡特金属于后者"。——编者注

社会主义在经济方面的分派，已说一个大概。由此推测起来，对于社会主义经济组织改革的理想，亦略可知道了。只是与集产主义的关系，古来用的分类法与近时用的分类法之外，还有全相逆反的使用法，所以要得理解他，却很困难。本书于此中关系，能先下一个明确的解释，这是本书可以夸口的地方了。

其次更欲就政治方面，详述社会主义理想的区别，但是在政治方面，不单是有成为政策的倾向，而且此后论述历史，说明各派的理论，调查各国实情的时候，也要详细讨论的。所以本节为回避重复起见，暂为从略。

对于社会主义得了大略的概念的本书，再于次节记述社会主义的历史。

三、社会主义史的前期

（一）社会主义的起源

社会主义名称的起源很新，前篇绪论所说的，社会主义的语源，是1833年以后的事情。然而以前1817年的时候，涡文业已提出社会主义村落的计划于国会，又圣西门的研究，也确实达到了社会主义的方针。又拉密勒（Lamenais）发表关于基督教社会主义的著作的时候，也是这一年。

有许多人就把这个看作是社会主义的起源。实际说起来，有科学根据的近世社会主义，是在这个时代产生的，所以要把社会主义看作是有科学的立脚点的时候，这种见解当然不错。

可是本书要更进一步从古时起研究，古时究竟有无社会主义的思想，本书相信有考究的必要。

古代人口稀薄，是人人都营原始生活的狩猎时代，人类采食树木的果实，猎于山野，渔于河海，继续他的生活，所以土地不是欲望的对象物。后来人口渐渐增加，文明进步，于是耕种土地，各地村落有一区域内的土地，不许他处的部落侵害，此时始有土地所有权。然而当时的土地是团体的东西，不许个人私有，所以各人共同耕种土地，或者把土地均分，各种各人所分得的土地。于是共同耕耘所得的收获，归众人均分，独立耕耘的收获，归各人自己所有。

所以原始时代并无土地私有制度，行使一种共产主义。后来人口渐渐稠密，文明越发进步，土地越分越少，以前粗放的耕耘，变成集约的耕耘，到这时候各人均分得来的土地，遂至于由父传子，子传孙，于是始有土地私有制度。

自经济的征服与被征服的社会事实发生以来，其必然的结果，而社会主义的思想，遂寄生于那时代某学者辈的头脑中。鲁里亚（Loria）说："空想的社会主义起源，消在古代的云雾中。这种诗的形式的社会主义，可说是与那贫人最初被绞取来出的眼泪同时发生的。"由这种意思说起来，印度与中国的古代思想家以及希腊古代思想家柏拉图（Plato）、亚里士多德（Aristotle）等，都可说是有社会主义思想的人，又如基督简直可说是一种社会主义者。

埃彼得（Ibid）说："基督经过他最短的生涯，是一个社会主义者。他的共产思想，简直没有可疑，招来了最后的悲剧。"又，圣书上说："人若披你右颊，你可转左颊向他。人若讼你想取你的裹衣，你可把外服也让他取了。人若强你行一里的公役，你可走两里。人若有求于你的东西你可给他，想向你借贷的人，不可却退他。"

照这样看来，纯然是共产主义的思想。古代的宗教常与共产主义提携。爱生思（Essenes）、德拉比得（Therapeutae）等宗派，散在各地，营共产的生活，就是实例了。

本书以为应该历叙比较有确实学问的形体，所以次节从希腊时代起顺次说明。

（二）希腊时代

希腊时代的希腊，是政治思想最发达的国家，当时哲学家和思想家的议论，经过久远的年代以至于今日，犹成为政治学哲学的中心基础。如大学中的政治史讲义，以希腊时代划为一时期，这个时代在人类文明史上占了几许重大的任务，不是可以说明了么？

当时雅典有个哲学者、先觉者，即是柏拉图。柏拉图的名字，现代求学的人，最初就听得人说的，而且听了要受最深的印象，把他的名字牢牢紧记。他被后人叫作空想的社会主义者第一人。其实不然，他乃是一个国家社会主义者。

"个人应当隶属国家，个人的生活，单由国家的力量，增进他的福利。所以个人对于国家的发展,要大大的努力。国家对于经济的及社会的各方面,有强大的支配权,并且要行干涉的。"当时柏拉图所代表的这种学说,是由这些话发生出来的。他们主张雅典市民的财产和妻子都归公有。柏拉图的名著《共和国》,把这种主张做起点,并且提了种种案件。依柏拉图的提案,市民或皆执行政务,或委身为哲学的思索,关于生产的劳务,大概委诸奴隶,支配阶级的市民,并无何种私有财产。他们都和斯巴达兵士一样,在共宿所起卧,在共同食堂饮食。

反对柏拉图学说的人是亚里士多德,他赞美私有财产制度,然无论如何,柏拉图的学说,不仅及于一世,实是可以永远存留于文明史上的名论。代表希腊时代的社会主义思想,可数的恐怕只有柏拉图一人。

(三) 中世纪

中世纪是僧侣时代。当时政权操在僧侣掌中,或左或右,全是他们的自由。当时他们征服阶级的僧侣,早就怕了商工阶级势力增大,遂依天神的名义,利用他们所握的政权,无论何种人,一概都加压迫。所以当时所称的社会,离了教会不能存在。社会是在教会干涉指导之下,继续社会生活的。

收集这时代中教会的命令训谕,编纂出来的东西,叫作《教会法典》。依那法典看起来,人类应依两种法则支配。第一是自然的法则,第二是习惯的法则。民法与教会法典,属于习惯法则。依据自然法则看起来,没有私有财产这种东西,一切都归众人共有,至于财产私有的事,不过是人造出来的制度。

教会中,唯有僧侣许得私有财产。教会知道金钱的力量,所以为谋自己的政权安定起见,把财权也收在自己掌中。

教会知道不许可私有财产这件事,是有力的根据,所以利用这种理由,防止他种势力增大,再依天神的名义,许僧侣得私有财产。可是教会决没有否定私有财产的道理,他们不过防止财产蓄积罢了。

所以他们许可一般民众得私有财产的时候,要附带一个条件。那条件说:"许得私有财产的人,并不是把财产供自己享乐的消费,是为穷人和教会保管的,有必要的时候,应该救济穷人。"

12 世纪以前的教会,对于财产问题的政策,原是如此。以后到了 13 世纪的时候,商工阶级的势力渐次增大,富的蓄积盛行,阿奎纳(St. Thomas Aquinas)那样的学者,竟著一部《神学总览》的书,主张私有制度,并且与多少共产主义者争斗起来。统观这样宗教时代说起来,鲍尔(John Ball)那样的人,也可叫作基督教社会主义者了。又,德国的再洗礼教徒(Anabaptist)以及俭尼洼地方的放肆派(Libertine)和兰的同居派(Familist)等,都行了相当共产主义的施设,但都是不关紧要的。社会主义史上可成为问题的事,在中世纪时代以前很少。至于有严密意味的社会主义历史,还是18世纪以后的事情。

（四）法国革命以前的时代

1516年,英国大法律家穆尔(Sir Thomas More),用拉丁文著一部《理想国》(*Utopia*)。理想国这个名字,是穆尔所假想的一个岛名,那个岛的住民,非从事生产事业不可的。只有博学的人,可以不做这种事,说起来可以做那非生产的伏案读书的事情。又,各人非互相交代为工为农不可,所以无论是谁,也不能徒衣徒食。可是各人每日不必要做6点钟以上的劳动,所以也没有非过度劳动不可的那样事情。

据那书上看来,国内没有货币,与原始时代一样,物物交换,金银这些东西,单是和外国贸易的时候用的。而且虽是说物物交换,事情却很简单,各地方政府,各把那地方消费所不要的剩余生产品,做成统计,送到中央政府,中央政府把这种统计作基础,计算各地供给需要的均平。

这个就是穆尔的《理想国》。然在当时,这种计划自然不能见用,世人也只付之一笑,不来和他计较,所以不见得有实际上的效果。可是那书是用拉丁文作的,反引起了学者的注意,所谓黑种人能读的很多,后来译成德语、意语、法语、英语,列入世界名著之林。穆尔这种计划,虽然没有直接的影响,但若是知道欧洲人得了大影响所以后来能够达到英、法那种理想社会主义的基调,那就不得不承认穆尔那种计划,也有多大的效果了。原来穆尔这个人,世人叫他做叛逆者,最后因为反对亨利八世重婚,遭了斩罪的。

比穆尔迟生一世纪的人,有个意大利著名共产主义者,叫作康巴拿拉(Campanella)。他是个哲学家。他于1623年,著了一部《太阳的都市》(*Civitas Solis*)。那书的内容,说妇人财产共有及其他二三事件,酷似柏拉图的

《共和国》，只是没有奴隶存在一事，较柏拉图的思想进步。据那书上所说，厨房的琐事以及农人的事务，人人应该做的，没有什么可耻，各人每日只做四点钟事，下余的时间，都供休养精神和运动之用。同时又有哈林东（Harington）在 1656 年，著了一部《大洋洲》（Oceania）。这些都是粗杂的东西，总不过都是主张社会主义罢了。以上所述，就叫作 19 世纪以前社会主义的萌芽，亦无不可。

四、社会主义史的后期

（一）法国革命时代

有人把 18 世纪的社会主义叫作"近世的社会主义"，也有人单把这个叫作"社会主义"，说 18 世纪以前的东西，不能叫作社会主义。所以社会主义各种本质，在以下所述的 18 世纪以后的历史中。大半的社会主义历史，是说这时代以后的事情，所以这时代以前的事实解为广义的共产主义，作为一概括，却不叫它社会主义。因为今日所称的社会主义，是主张反对现时资本家经济组织下所有资本家的财产——资本——归为私有的。简单地说，就是以废止资本家的经济组织作主义的。就非虽私有财产这些地方而论，前时代的共产主义，自然包含在社会主义之中，但欲用狭义解释的社会主义，在封建制度倒坏，社会的经济组织采用资本主义——资本的营利主义——以后，方才发生的。

可是本书虽说要用广义解释社会主义，却也重在 18 世纪以后的历史。

说起 18 世纪的话，已是产业革命以后的事情了。中世纪同业公会（Guild）的主人（Guild-master）所引率的生产关系，变为有大工场的资本家所指挥的生产关系，手工业变为机械工业，资本主义经济组织的私有制度，已是确立的时期了。产业的无政府主义或个人主义，成了那时代最强的力量。于是必然的结果，贫富的悬隔太大，经济的悲惨事实，在人类生活一切方面，延长了"悲惨的运命"，到处都化为"眼泪绞取场"了。

那种事业，非酿成某种事故出来不止的。现代汽车那样文明的利器，民众把他当作是恶魔所有的毒刃一般，慰劳酒的美味，化成了忘怨的唯一毒酒。民众的怨气,早已成了先觉者的呼声,于是卢梭(Rousseau)出世了。所生的结果虽然错了方向,却产生了法国大革命。

一方面,由16世纪到18世纪渐渐发展而来的美洲大陆殖民地,使欧洲大陆得了原料产生地和商品的大市场。欧洲的商工资本主义,愈加发达起来了。这种事情,一方助长产业革命的进步,同时又促速法国革命的时期。若把法国革命,看作是新兴商工阶级对抗封建贵族阶级的革命,则对于这些事实,并无讥诮的意味。若把法国革命单想做是新兴商工资本家的革命,却是不然。单望着那种结果,就断定一切事情,往往不能得事实的真相。

巴比(Babeuf)的活跃,不是明明说述此中的事实么?卢梭的狮子吼,其结果方向错误的事实,失于奇矫,不是可以知道么?然则卢梭的学说是怎样呢?法国启蒙期的哲学是什么呢?

启蒙哲学发源于洛克(John Locke)、孟德斯鸠(Montesquieu)和福禄特尔(Voltaire)就是急先锋。他们都是旧时代的叛逆者,是搬运新时代基础的人夫。可是无论是谁,都不能叫作完全有启蒙倾向的人。因为他们始终论政治,为精神主义所拘束,没有达到唯物论的缘故。

其次拉梅特利(La Mettrie)等人,更加进了一步,似乎是立于唯物论上,他们都是启蒙晚期强有力的大人物。但他们是曾经一次望了卢梭的人,却不得不把这"大人物"的名称让给卢梭了。

卢梭的学说,由现代看起来,自然有许多不妥的东西,掺在其内,可是他的热诚和他的名文,在那时代得"大人物"的地位,资格很够的。

卢梭《民约论》说:"国家由人民契约而成,故主权当归人民所有。人民相约共戴首长,不过委任他行使政权。然而人民既经一次相约组织国家,个人的意思,非服从多数人民所代表的全体的意思不可。而法律所以表示这种全体的意思所在,其目的在使全体人民自由平等,因为各人各从所欲,决不是自由,真正的自由,唯有依从自己所设定的法律方能获得的。"依这说看来,卢梭真是自由平等的鼻祖了。他又说:"人类本来都平等的,但是历史上社会制度发达的结果,变为不平等了。这种不平等,发源于私有财产制度。私有财产制度一经流行,财产与生活状态,惹起不平等的要件,后来愈演愈进愈不安稳,贫者愈陷于无权力的地位。因为保护富人财产的国法,拘束了贫民的缘故。然而财产原来是根据强力而来的东西,换句话说,财产不过是强者排斥弱者独占货物,国家再来批准他的一种权利。故国家可以把这种财产废止的,矫正财产上大不均平的事情,实是国家最大的急务。"

卢梭这种学说,对于后来的社会主义思想,贡献的地方当然是多的。他的学说风靡一世,孔德见了埃米尔(Emile),茫然自失,哈德喜为天来的福音,依这种逸话,就可以推测而知了。

在那种风潮之下产生了卢梭的法兰西,又生了毛勒里(Morelly)、马布利(Mably)、华维尔(Brissot de Warville)三人。

毛勒里于 1755 年,著一部《自然的宪章》(Code de la Nature),主张集产主义的社会主义。他的学说的要领,第一,各人除自家直接消费品外,不可占有社会所存的货物。第二,各人专属于国家,应依国费扶养。第三,各人应其技能体力及年龄,各宜为国家尽相当职务,各人对于所尽的义务,依生产物的特别法律规定。所以各人一般服劳动的义务,应受公共的平等教育。又马布利也有同样的思想,他说:"土地私有制度发生以后,财产上生出差异,由财产上的差异不是发生了种种厉害冲突,贫富的悬隔,道德的腐败,信仰的退步种种事情么?"但是到了晚年,好像他又承认土地私有的。

至于华维尔的议论,就很活泼了。他说:"凡所有权,有自然的私法的两种。自然的所有权,发源于人的欲望,不过是'各人为谋生存才使用物资'的权利。私法的所有权与此相反,并无自然法上的根据,单是由权力得来的东西,所得的分量,若超过直接满足欲望的资料以上,就是一种穷民的盗贼。"

这三人的学说,对于当时民众的心理,投了一种影子。然而他们除了著述以外,并没有做别的事。他们三人不过成为学究而止,可是巴比那个快人,却成了实际的运动家,在 18 世纪的舞台上,显出他的雄姿来了。

巴比于 1764 年,生于法国耳奴州,做官做到索姆州长,后来得罪入狱,逃到巴黎,投身革命运动,发表一部《人民保护者》(Tribun du peuple)的书,非难当时的社会制度,主张平等主义,其宣言中发表一种国民共产社会设立案。他的思想得力于毛勒里居多,华维尔那种盗贼论,他也曾倡导的。他说:"社会之中,苟有人比他人多得财和力,那社会的调和,终要破坏。社会的目的,在于全人民的幸福。全人民的幸福,又在先使那社会中所有的关系一切平等。"他这样的平等主义,必然要主张共产主义的,其实行方法,在并和公有及国有的财产,造成共同的大资产,废止传家制度,人民死亡后,将私有财产归公,50 年以后,一切的财产都归公有了。但为处理监督及生产的方法,所以任命官吏,官吏又依人民票决,调查需要供给,无使过不及。又,行政区域,则分国为县,分县为郡,外国贸易,不使私人经营,书籍出版,唯赞成平等主义者方能许可。

巴比为攻击温和党——杀了恐怖政治主宰者罗伯司比一派人的——太厉害的缘故,被政府拘禁下狱。他出狱之后,立即集和同志组织平等党,想推倒政府,建立共产主义的国家,秘密中恰好他与党徒 17000 人实行他的计划的时候,无端被政府侦知,遂至被捕,别的人都宣告无罪,只有他和达尔特被处了死刑。

巴比等虽然这样活动,可是当时的人心醉战胜,疲于革命,到底不能欢迎新思想,更加机会未熟,所以社会主义的运动,没有多大的发展。

（二）19 世纪的英国

自 18 世纪末叶至 19 世纪初期,英国的社会状态,受勃兴的资本主义所支配,中世纪的遗物家内生产制,不得不把地位,让给工场的生产制了。所以当时劳动问题社会问题,早已唤起了识者的注意。

细说起来,1766 年哈古里布司纺绩器械发明了,其他的发明也继续出现,及至 1790 年,瓦特发明蒸汽机关以来,这一国资本主义的势力,越发旺盛,用科学的文明做试验器,发达得非常可惊。新兴资本阶级,于是确立了地步。然而劳动阶级,原来做手工业从事家内生产的,如今多数男女工和 7—9 岁的孩子,都供新经济组织的驱使,每日甚至做 16 点钟那样久的劳动。在社会政策未出现的当时,颇发生了许多悲惨的事实。

其次在他一方面,工场设备很不完全,风纪道德非常紊乱,若更行社会的观察,手工业的人,其职业为机械所夺,农民的副业也被夺去,所谓产业的革命于是发生了。

加之英国当时的财政政策,对于输入的谷物课税,米价腾贵,自 1793 年以至 1815 年,米价增高 2 倍,一般人民困穷愈甚,同时又因拿破仑战争之后,国债增多。即 1793 年的时候,国债额不过 2.17 亿镑,到了 1815 年,遂增至 8.6

亿磅,因此之故,诛求租税,而贫民之数骤然增加了。

因为如此,所以惹起社会问题,1824 年许劳动者自由结社以后,同盟罢工续出,但彼时劳动者,没有受今日那样和平罢工的训练,破坏工场与机械的那样不稳举动,也是有的。本书对于那种事实的思潮,当时究竟如何,想把他研究出来。

自 18 世纪末叶以至 19 世纪初期所发现出来的见解,形质大都相似。这个大概是风靡 18 世纪的启蒙哲学使然,英国的高德文(Godwin)、涡文,法国的傅立叶、卡伯,德国的惠德林(Weitlings)等一流,得力于此不少。

依据他们的见解,神是善,所以人与人的社会,有不可不是善的形而上学的根据,社会所统一的调和,即是神意。他们这样的究察当时社会的缺陷,指摘私有财产制度不合理而且恶劣,所以大声疾呼的。

然在当时的英国,拥护资本主义的个人主义经济论,则有亚丹斯密(Adam Smith)的《富国论》,很风靡一时,对抗亚丹斯密的,有高德文,他著一部《政治的正义论》(Political Justice)非难私有财产。高德文的立场与无政府主义相近,并且非难国家的干涉。其次到 19 世纪的初期则有荷尔(Charles Hall)、威廉多姆森(William Thompson)两人。他们大呼现代经济组织不合,说今日的制度中无资产的人,不能享受劳动产出额的全部,劳动者不过取得一部分作为工银,其余的都作为地租或利息,概付与有资产的人,所以富者愈富,贫者愈贫。荷尔为谋除去这种弊害计,唱班田制土地定时分配说,多姆森的议论,则主张先造局部共产社会,以谋渐次普及于全社会,而代替个人主义经济组织的现时制度。

多姆森以前有涡文,他生于英国,为社会主义尽了多大的力,使后世史家称他是理想社会主义者第一人。他幼时苦学勤勉,到 19 岁的时候,早已充当一个有 500 职工的纺织公司的管理人。他的技能优秀,名声渐高,遂做了纽罗奈姆纺织公司社长的女婿,渐次注意贫民问题。

他说:"人的性格,原不过是境遇的结果,所以人类幸福和发达,应该改良人的境遇,努力开发德智。"自 1813 年至 1816 年之间,他著了一部《社会新论》(A New View of Society)述劳动者因工业发达生出来的惨状,以促资本家对于职工使用法的反省。

又,1817 年,他作报告书,报告于贫民经济委员的时候,他说:"对于无职业的穷民,应使他们组织每 500 人以至 1500 人公会员团体,置于国家指挥监督之下,使各团体以供给团员必要品为目的,从事农工业,如此,生产能率可以增加,劳动时间可以短缩,市况变动的影响全无,即于德智的开发,亦有莫大的影响。"

其后 1820 年,他著了一部《新道德世界》(*New Moral World*)高唱理想的社会主义组织,然而他的热心毅力,虽然没有得了多大的实效,可是他这样的努力,就在今日也显了一些效果。

成了理想的社会主义实行家与傅立叶同著名的涡文,他于 1825 年,在美国印弟安纳州,买了总面积 3 万英亩的土地,发表所谓"新村"的计划,于同年 10 月,得了 900 人的赞成,翌年 2 月 5 日制定宪法,他遂入了试新的第一步。然而他这种计划,人人都知道的,1828 年 6 月 22 日,他对于新村的众人,做最后的告别,闭了失败的一幕。

19 世纪初叶的英国,如上所述,为了同盟罢工勃发及形势不稳的缘故,涡文等的主张,不见容纳,劳动者处处暴动,他们和激进自由主义者的中产阶级共同行动,努力改良社会。迨至 1832 年选举权扩张,中等阶级达到自己的希望,他们撇开了劳动阶级,组织自由党内阁去了。于是这些被弃了的劳动阶级,有志组织独立政党,1838 年遂在伦敦创立"劳动协会"(Working's Association)。他们的主义上说:"劳动者是货物的生产者,对于货物有最先的利用权。所以劳动者不可不确保这种权利。又为讲求手段,除去双肩上所系的社会的不幸,非努力取得政权不可。"

这是有名的英国改进党(Chartists)。他们具体的政纲,重在普通选举,此外又有关于同盟罢工等事项,但是严密地考究起来,他们的主张,算不得纯粹社会主义运动。可是他们的势力忽然遍布了全国,议会一旦否决他们数百万人联署的普通选举请愿书的时候,四方暴动蜂起,1839 年至 1850 年,十余年间,演出了无趣的阶级斗争的短兵战。

这改进党的首领是沃孔涅(O'Connell),1848 年,他相信除了用革命手段达到目的以外,再无他法,但是不幸当他指挥多数劳动者到议会请愿的途中,被政府军捕去,该党失了这个英雄以后,势力大衰,基督教社会主义,起而占据该党的地位。

1848 年莫利斯(William Maurice)、经斯烈(Charles Kingsley)两人,都是牧师兼文学者,他们与律师鲁伦(Ludlon),共唱基督教社会主义,表示反抗改进党的气势。

他们三人所唱的方法,受了涡文、傅立叶的感化,其实现的方法,想假基督教的力量,虽与涡文对于宗教伦理那种不偏不党的态度相异,可是要扩张生产公会建设共产国家这种地方,却是相同。

他们所主张的地方,以为自由竞争的经济组织,若是继续存在,人生所有的不正不义贪欲种种恶德,没有绝灭的道理。救济劳动者的不幸和穷困的方法,惟有倚赖基督教。可是基督教是用和衷协同相互扶助的结合,作社会的基础,所以结局与社会主义的主旨相同。真正的基督教徒于一般民众努力求沾高等文化的事,都不论贫富认为很正当,并且也躬行实践去做的。

这一派的主义纲领,于 1848 年裁缝职工组织劳动者生产公会的时候,方才发表出来。可是他们基督教社会主义者的实际运动,与别派不同,不倚赖立法或革命等手段,他们诉诸教育的手段,依人心道德的进步,由内的改革以求外的改革。他们的理想,要把农工商各种生产事业,包括在公会的原则之下。

首领的一人,是经斯烈,最初著《人民之经济》、《基督教社会主义者》诸书,又用他种小说及讲演等言论文章的利器,鼓吹自派的主义,痛骂曼彻斯特学派。

基督教社会主义的势力,于是渐渐增加,改进党势力渐衰,到了 1860 年的时代,因为二三件的暴举,连影子都少了。可是近代人的心理中,现实的倾向日益增进,基督教社会主义,要想得近代的人心,未免失于理想。所以他们正在继续教化的工会运动的时候,他方面人心日益变化,劳动阶级为改善自己的地位起见,渐带政治的色彩了。

自此以后,不属于工会而且技艺不娴熟的劳动者,渐至增加,失业工人续出,生活困难,贫富的悬绝愈大,富人的骄奢和利己心,越发表示激昂的趋势了。

到了 1880 年,近代英国社会运动的先驱,有产生的形势,1884 年社会民主同盟在伦敦出现了。同时又有韦布所指挥的有名的费边协会(Fabian Federation）也组成了。

于是英国的社会主义运动，离了感情的空想的社会主义，入于理性的科学的社会主义范围，扬起了 20 世纪社会运动的烽火。19 世纪末叶的英国，除了前记两团体以外，更有劳动独立党出来，政治的社会运动，气焰一天一天高了。

（三）19 世纪的法国

法国大革命，虽说是要求一切意义的正义，在自由平等的呼声中产生出来的，可是也徒然为新兴商工阶级奏了效果，其最终的结局，所谓自由，不过是新兴商工阶级对于封建贵族阶级的自由，所谓平等，不过是新兴商工阶级所要求的平等。只有劳动阶级依然生长于不自由不平等的地位，非死于悲惨之中不可。

流年如矢，到了 19 世纪的上半期，却有两派理想社会主义，在这法国内发生出来，这两派都想要使生产分配成为社会的东西。即是圣西门、傅立叶的两派。

圣西门是生于名门的贵族，长充军人，参加亚美利加战争，其后归国，被任为联队大佐，后来法国革命的时候，他加入人民方面，被禁于监狱之中。

他的著作，始初有《人生科学》、《宇宙重力》等书，又有名著《产业问答》以及他死的前一年——1825 年——始完成的《新基督教论》。由《产业问答》和《新基督教论》两书考察他的思想一看，他说："资产阶级和自由职业者，虽然推倒了封建贵族，增进了自家地位，可是劳动者并未得着益处。劳动阶级，是一切富与进步的最大原动力。宗教的本义，在谋这种劳动阶级精神的物质的幸福，更在增进全人类的福利。故吾人主张废除现今自由主义的经济组织，各按各的能力从事劳动，准据劳动来行分配，产业制度应化为军队的组织。"

他的主张，后来崇拜他的信仰他的人很多。譬如著《革命议会史》的人1830 年议会的议长普瑟（Buchez），有名著作家大学教授罗伦（Lourent），土木技师后来成了著作家或财政家的密瑟尔（Michel），戏剧作家在法国文学史上占一地位的博罗（Barrault），有名的机械师武涅尔（M.Fournel），旧派经济学者著有经济史的人布兰克（Blanqui），并和圣西门的学说与赫克尔的哲学唱一种人道主义的人俾路（Pierre Leroux），这些都是崇拜圣西门的人。又，他的门下或圣西门派的斗将安芬顿(Enfantin)、陈拔撒等人树立学派,组织教会,不单在法国,并且在比利时亚塞里亚等地方,都设传道所大活动,创办机关杂志,行猛烈的宣传运动。到了1831年,他们这派关于恋爱问题,安芬顿和陈拔撒等人,大起纷议,遂至分裂了。以后安芬顿这一流人,避去现实社会,退居米尼孟坦地方营最严酷的禁欲主义宗教生活,最后在不法集会的名义下被捕了。

后来他们继续努力运动,如安芬顿虽然得了铁路公司支配人那样的地位,可是依然未失对于圣西门的信仰。

如上所述,圣西门虽然早世,却有门生的活动,更兼有多数人信仰他,可是社会的实效,仍未多见。这也是因为他们的主张,太带宗教臭味,与英国基督教社会主义,不可谓非同出一辙了。

其次本节应该特书的19世纪理想社会主义者,就是前面说过的傅立叶。他自1808年起自1829年间,著了《四运动论》、《新产业世界》、《国内农业公会论》等书,唱联合的社会主义。据他所说,一切的富,原是各人幸福的根本要件,但今日的社会中,却被贫困与不幸充满了。自由主义也不能把这种贫困和不幸减少,越发使他们增加。又,今日工业上农业上以及一家的经济上,各人谋各的独立经营,阻害货物的生产不少。个人竞争的结果生出轧轹,消耗实力,所以世人不可不避去这种不良的结果,共谋增进生产力,使各人各得自由,发展其实力,设立大规模的大劳动。无论何人都有活动的天性,若是这种联合能够十分扩大,则一切必要的劳动,都可任意做到,劳动的效果越大,各人越喜欢劳动。照这样得来的收获,就不可不依各人所贡献的资本劳动或才能,行相当的分配。又,依据傅立叶的理想,说将来理想社会的单位是"法兰知"(Phalange,Phalanx)的共产团。"法兰知"以每1500人以至2000人的团员所成立的为原则,其中分为若干部,部更分为若干组。同趣味的7人以至9人成为一组,又趣味相似的组与组相集成为部,几多部相集然后组织一个"法兰知"。

照这样的一个共产团之中,统括农业各方面,又包含许多部,各分担各的业务。例如某部担负果树园的业务,部中某组,专担负栽种苹果树之类。照这样属于一个"法兰知"的人,都在"法兰斯德尔"(Le Phalanstère)的大建筑物之下,行共同的生活。各家族虽各住各的房屋,但是炊事与其他的事情,都归共同经营,所以很经济的。以"法兰斯德尔"为中心,取一定面积的正方形土地做附属地,营农工业等事情。

凡团员对于生活必需品,虽得供给的保证,可是全体产物中,除开应行分配于团员的必要品外,下余的东西分配于劳动资本与技能三者,其比例,对于劳动分配 $\frac{5}{12}$,对于资本分配 $\frac{4}{12}$,对于技能分配 $\frac{3}{12}$。新社会中无置军警的必要,没有罪人也没有裁判官。只因管理一般事业之故,设置多少的事务员。一切都是共和制,共产团的团长由众公选。三个或四个共产团共相联合,选举全体之长,这些联合团体更相集合选举首长,依次法次第组织大联合体,合世界全体的共产团,构成一个大联盟,选举联盟长为世界最高的实吏,驻在君士坦丁,把君士坦丁做世界的首府。

1884 年,又有路易柏郎在他所著的《劳动组织论》书上,主张改国家为中央集权的联合。同时又有著名的无政府主义者蒲鲁东,他在他所著的《经济的矛盾论》、《社会问题解释》书上,不仅否定私有财产,连共产主义都否定了。他的立场是集产的无政府主义。

据他所说:"凡财产是由第三者的产业,把劳动的果实,做收得的手段,所以不可谓非不正。共产主义者流所想象的那样社会制度,毕竟也不免是强制的不平等制度。要想根本的铲除这种祸害,维持自由平等的幸福方法,惟有给各人一种机会,使得任意的生产资料,自营生产,并使各人的交易,完全自由。

为达到这种目的,当先于社会设一信用组织,贷借必要资本于欲营生产的人,不取利息。然后各人皆可为资本家,以前资本家的权力消灭,利息与地租也没有了,一切所得,都可成为劳动者的所得了。"

这样的社会主义大家,又有卡伯卢尔(Pierre Leroux)、孔西德兰(Considerant)、布浪葵(Blanqui)等人。

卡伯尔生于 18 世纪的末叶,是法律家,1830 年做过检事长,免官后刊行路布勒新闻,唱温和的共产主义。他的名著有《伊加里亚航海记》,可以留不朽之名。他对于政治组织的见解,主张民主共和制。可是他原来是诗人,所以他的社会观,含有诗人的分量颇多,当然变了空想家。

(四)19 世纪的德国

18 世纪后半期法国哲学思想的影响,到了 19 世纪初期,在欧洲全土生出大变化。这个变化，和法国政治革命的反动同时发生，在新组织之下，构成了新时代的思想。后来渐渐扩大，变成社会全体组织的理论了。

原来德国在 1860 年以前，社会政策上的运动，专在确立经济的自由制度就停止了。英国那样大规模的劳工运动也没有的，所受法国社会主义的影响，也不见得如何浓厚。所以 1840 年时所生的社会主义运动，并不是发源于精密的经济事情，其理论和目的都与自由主义者采同一的论调。因为德国政治的经济的发达，在当时尚属幼稚，社会民众，不信民主组织于下层阶级有利。加以外部方面，当时大工业尚未发达，资本劳动两阶级，没有划然分别，所以社会民主运动，还没有必然要发生的地盘。所以德国的社会主义能够确立理论的基础的，拉伯尔塔斯、马克思、恩格斯诸人的学说，贡献很大。

拉伯尔塔斯（Rodbertus）论国家学的意见，透彻到经济学上。他与祖国的哲人费西特（Fichte）、硕零（Schelling）、赫克尔（Hegel）等相同，他对于国家构成的意见，全然反对契约说，把国家看作是一个社会的组织体，个人是机关的一部，所以关于成就国家的目的，尽人都应献身努力去做的。他从这种立场演绎起来，以为国民经济的组织，不当从属于不劳获利而丰满的资本家，不使一切的个人，做资本阶级的营利资料，要直接平等隶属于国家。这即是主张改变国家经济的秩序，制定以正义为基础的普通法律，而确定各人的权利和义务。这种社会哲学说并经济学说，给拉塞尔（Ferdinand Lassalle）一派以直接的影响，并且对于马克思、恩格斯两人的学说，也给了多大的暗示。由这种意义说起来，拉伯尔塔斯，在德国有先驱者的位置，凡是研究德国社会主义的人，决不可忘记的。即令不顾他一生华丽的历史，但凡欲记述 19 世纪德国社会主义的时候，他的功绩不能埋没的。

然而今日成了德国社会主义的真髓，成了社会民主党的纲领的，也不是直接出于拉伯尔塔斯，还是出于马克思、恩格斯两人。马克思、恩格斯两人所著的书，对于现代社会经济状态，下深刻地批评，说明社会发达的倾向，必然有可以实现社会主义的趋势。他的唯物史观说、剩余价值说，成了近世社会主义运动中心的色彩。一方又有拉塞尔一派的劳工运动和马克思派的运动并行，势力越发增大，两者的联合，成了后来社会民主党的基础。

马克思于 1818 年，生于多勒弗斯古都，是个犹太人，学于柏灵大学，初学法律,后修历史及哲学,得了哲学博士的学位。当时恰逢《来因(莱茵)新闻》创刊,他弃了大学教授的志望入社,发扬自由主义的气焰。后来官僚政府滥用官权,命《来因新闻》停刊,他携带新婚妻爱斯法伦去到巴黎。在巴黎的时候,他的兴味和思索,越发趋向政治的社会的方面,与鲁兀同办《德法年报》,遂与恩格斯相识。

恩格斯是商人之子,生于 1820 年。受高等教育,酷好哲学,曾投书来因新闻,大发挥其主张。后赴英国,帮助父亲的商业,与涡文的徒党和改进党相结,研究经济学,1844 年,和马克思相识。他们协力的结果,发刊《进步》杂志,痛攻普鲁士政府不止,所以被当时法国的大臣基左下命逐出,马克思走到比利时,恩格斯也来相投,他们于是著一部《贫困的哲学》,评论法国社会主义者蒲鲁东。他们在此地,时常草小论文,从事宣传运动,组织德国劳动党,发行周刊新闻,后又加入共产主义同盟。共产主义同盟,是于 1836 年,由德国亡命客在巴黎创立的,各地设置支部,后来开劳动大会于伦敦,阐明劳动运动国际的性质,这同盟贡献实多。到了 1847 年,成了共产主义协会,马克思、恩格斯所草的《共产党宣言》(*Communist Manifesto*)于是公布出来了。

该宣言的内容,大概说:通览古来的历史,是征服阶级和被征服阶级的阶级斗争,并且痛论当时社会征服阶级的资本家如何专横,若想由这种暴力解放出来,各国劳动阶级非一致结合不可。他们主张最进步的社会组织,非依据下列各条项不可。

第一,废止土地私有权。一切地租,概作公益事业之用。

第二,重征累进率的所得税。

第三,废止一切家产继承权。

第四,移民及谋反者的财产,一律没收。

第五,资本国有,设国民银行,作集中的信用机关。

第六,交通及运输机关归为国有。

第七,扩充国有工场和国有生产机关,开垦荒土,划一制度,谋土地的改良。

第八,与一般人民以就职就业的便利,并设置产业的军队。

第九,联络农业和工业,渐次废除都市田园的区别。

第十,设公立学校,不征收儿童学费。

第十一,废止少年职工,使教育和生产联络一致。

以上诸条,宣言之后,末了的结句说:"万国劳动者呵！团结起来呵！"

这宣言是顶有名的著作,对于劳工运动,开辟了一个新生面。

马克思毕生的大著《资本论》第一卷,公刊于 1867 年。他这书使后世史家兰兀,都惊叹他是"经济学者中最能了解财政的人",可是当时除了少数社会主义者外,爱读这书的人很少。后来在数字上,势力渐增,也和达尔文《物种原始》一书支配生物学相同,马克思《资本论》,现在也可以支配社会学政治学了。《资本论》是收藏"精神刺激物"的军械局,平民由这军械局取出武器运用,能够脱离桎梏,凡是有思想的人,都很知道的。

原来德国社会民主党根本的思想,发源于 18 世纪勃兴的自然主义,根柢的观念,是因为人生下来就是自由平等。这即是由天赋人权论的思想行抽象的推论,把民主的激进主义做根据,凡是公权,若非出自国民全体,不能作为正当的公权。若要确实保证人人物质的平等,是应该废止私有制度,把个人的所有,移归社会全体公有,行社会的生产和分配。这即是经济的共同主义。然而生产若依这样行社会的规定,虽似乎束缚个人的行动,可是社会民主党并不认此为束缚个人自由,而且以为可以使个人的自由,在真正的意思伸张。所以由这种意义说起来,社会民主党的哲学,其基础与极端个人主义无异,只不过构成的材料不同。个人的权力,极端承认,自由主义渐次贯彻其政治的主张;于是以前单在理论上论区别的社会主义,遂得了现实的地盘。德国的社会民主党就是这样成立的。

1863 年 3 月 1 日,拉塞尔寄给来卜几劳动团体的"公开状",就是现实上分立的发端,他所主张的有名的"劳银铁则",是在这公开状上发表的。他更且把那铁则扩大,指摘普鲁士人民,有 8 成 9 分至 9 成 6 分被这苛刻的法则支配。他留心要借助国家把生产公会渐渐扩大,使一切劳动者都要加入这种公会。为达这种目的,所以主张劳动者掌握政权。于是同年 5 月,在来卜几设立"劳动义团",这义团创立的缘起有一节说:"我们依平和而且合理的方法,以制定直接普通选举制度为目的。"这趣意书是那些受拉塞尔演说所感动的人做成的。拉塞尔的运动,渐次就绪,于是赴各地游说,大受劳动者所欢迎。

拉塞尔与马克思同是犹太人，是普鲁士洛市巨商之子，生于 1825 年，长时求学于普鲁士洛大学与柏灵大学，专攻哲学，心醉于赫克尔。他的容姿端丽，口若悬河，兼以文笔擅长，真是一代才人。39 岁在俭尼洼的近郊，为争婚的事，和他的情敌决斗不胜死了。他的才气实在可以压倒一世。他明目张胆鼓吹社会主义从事运动的时候，是在 1862 年。1848 年，他曾在马克思等所办的《来因新闻》上投稿，唱社会共和说，触了地方官忌讳，被拘到法庭的时候，他积极吐露实情，演述自身所怀抱的政治上社会上的意见。这事对于后来的运动，划了一个进路，是很有名的事情。当着暴动的时候，他的态度，也是主张普通选举，因为改良社会在先改良劳动者，而欲改良劳动者，又必先将政权公平分配。因为如此，他所以拥护劳动者和中产阶级所组织的自由党派，想徐徐待时而动。可是他的意见，多不为自党所容，所以 1862 年，他演述《劳动者宣言及劳动社会观念与现代特殊关系》的时候，断然宣告主张社会主义。1863 年，又主张"劳银铁则"，得来卜儿劳动会议全体的赞成。又不郎不尔尼等地劳动会议，也多欢迎他这种主张，于是这一年 5 月 23 日，遂在来卜儿组织"全德劳动同盟会"，这实在可称德国社会民主党的胚种。此后他被推为这同盟的首领，得了各联邦劳动者的后援，游历各州，宣传普通选举。这会会员最初有 600 人，尽是 12 个都市的代表。这会存立的期限计 30 年。拉塞尔充当首领，活动 5 年。

其次的团体，是由进步主义的劳动团体所组织，也可叫作新劳动党，这团体遵奉马克思、恩格斯的学说，把《共产党宣言》做政纲。

1875 年新劳动党和拉塞尔派合同，在哥达地方发表政纲，于《共产党宣言》的主旨，更加入拉塞尔的主张。《哥达宣言》以后，社会民主党的主义方针，马克思派和拉塞尔派意见越发一致，第三回爱武德政纲，就可以证明这种事实。

德国社会民主党的发达，也不单是马克思、恩格斯的学理和拉塞尔的实行所能做到的，威廉里布格勒和柏百尔的功绩也不少，这是不可不知道的。

第七章 社会主义理论

一、马克思主义

社会主义思想，从古代来就有的，到 18 世纪圣西门傅立叶出来，明明说社会主义，于是空想社会主义发生了。更降至 19 世纪中叶，马克思出世，主张所谓科学社会主义，于是科学社会主义发生了。所以不知马克思不能说社会主义。

马克思的思想，大概可由三个方面观察，即是哲学方面、社会学方面、经济学方面。马克思学说，在哲学方面是唯物论，在社会学方面是唯物史观，在经济学方面是剩余价值说。

社会主义，到马克思才得脱离空想境界，用科学方法，建设俨然的城塞，社会主义在哲学、社会学、经济学各方面，得科学的发展，学理方面大得进步，实际运动上，也开拓了新机轴。马克思出世，实在不仅在社会主义上，并且在人类生活史上，也划成一个新纪元。

马克思的思想，是科学的，这是最大特征。他并非幻象地描写自己所希望的理想社会，不是漠然说"想要如此"，是确实用科学的说明，表示"应当如此"，希望与否并无关系，总论究必然非社会主义不可的事情。换句话说，马克思社会主义，不是希望论，乃是运命论。所以空想社会主义者，想把他理想中社会，空想的发明出来，马克思是把实现社会主义的要件，现实的发见出来。所以马克思社会主义不是发明、是发见。马克思根据他唯物历史哲学立论，说国家社会组织，是决定这种组织的许多要素的结果，所以现实的社会中各种社会组织，并非错误。不特不是错误，而且在人类永远进化的阶段，成为一种过程，有必然的位置，即主观和客观各要件，要达到必定造出那种状态的趋势，所以说"是如此的"。若把历史看作是过误的累积,便是根本错了,实在要看作是由经济关系发生出来的"有机的发展"。这有机的发展,是私有制度发生以后,由阶级斗争成就而且现时正在成就的。所以社会改造,非一举所能做到,要待既存各条件徐徐变化,方能成就。新条件若不充实,新状态不能产生。

依马克思学说,社会主义胚种,存于现代资本主义经济组织之内。资本主义必然要踏到社会主义的径路。科学文明发达,生产机关,全在资本制度中变化。其当然结果,资本主义倒坏,社会主义发生。马克思用科学做根据,说明一切事实进化,都是必然的命运。

(一)　唯物史观

马克思是哲学家与否,马克思学说可以叫作哲学与否,这个问题,在批评家之间,颇多争论。可是依马克思自己所说,哲学以赫克尔为达极点,以后代替抽象哲学的,是具体科学。所以马克思可以看作是继承一切哲学的人。马克思学说的根柢,大概是结合辩证法的考究法,和唯物论的观察法,发挥他独创的见解。即是将赫克尔进化的思索法和唯物论结合,构成独创的唯物历史哲学。这就是"唯物史观"。

马克思唯物史观,在他自己所著《经济学批评》的序文中,和恩格斯《空想的及科学的社会主义》第二篇中,曾经叙述了。马克思主张把唯物史观,作为普遍纯粹科学的立言,决非在处处地方,特别解释。唯物论者——自然不是马克思一人——把一切现象,归着物质运动,把精神界现象,看作是物质条件反映物。事实生出思想,不是思想生出事实。因为必有一定原因,方现出必然的结果,马克思对于这些地方,加以自然科学的证明。马克思以前有孔多瑟(Condorcet)想由器械论的典型,使历史成为一种科学。他以为一切人为现象,由唯一原因发出,被一定的自然法则束缚。所以一经发见普遍法则,就立刻可由这法则,把过去推知将来。

此外圣西门也把经济要素看得最重,他说法国革命,是由封建阶级和有产阶级间的争斗所酿成。蒲鲁东亦然,他把一切人为现象,看作都是由经济事情发生的。

马克思依据这些思索法,说封建阶级和有产阶级既有阶级斗争,所以大工业勃兴以后，这有产无产两阶级间，当然也有阶级斗争。马克思对于这种根本观念，更用赫克尔一元论，阐明社会哲理，越发证实了。由马克思所说，技术与经济的要素，是政治与精神的原动力，介在"劳动者"和"劳动目的"之间，决定劳动种类的劳动方法和劳动要具，又是决定历史的要件。所以与其说由劳动造出某物，不如说如何劳动而且应用何方法劳动，反有划分全历史时期的力量。换句话说，生产关系，就是使经济阶级行社会分化的唯一根本原因。

详细说起来，马克思决定历史的必然性，是生产关系，严密地说，就是物质的生产力。决定人类的生存，不是意识；反之，生存的条件，决定意识。社会的物质的生产力，进化到一定阶段的时候，于是与既成的生活状态发生冲突。这即是成为社会革命的时期。革命的结果，经济基础，当然摇动，所以法制上政治上及其他社会全体建筑物，非一并覆灭不可。只是这种革命，或是激进，或是缓进，这是一个问题。可是社会制度，非至一切生产力与现存制度绝对不相调和时，不易推倒。所以愈进步的新生产关系，若其物质的生存条件，非在旧社会胎内十分发达，不能代替旧生产关系。这里就存有马克思唯物史观科学的价值。

马克思从物质各要素中，特别选出经济要素，作历史进化的根本动力，也不是他单纯的创意。他种物质要素中，在略或变化的范围内，自然也影响于社会，马克思也曾明白认定的。试举一例，譬如原始社会，使用器具，尚属贫弱，人被自然界压制，些小变化，也受大影响。所以马克思把经济要素以外一切物质要素，也列入思想之中，可是仔细研究起来，这些影响很少，所以确认为不过是经济要素的附属物。而且这些要素的影响，随社会的进步发达，逐渐减少，所以论历史进化的大体，不如把这些放在问题之外，也无妨害。所以他主张把生产力或生产关系，作一切社会的基础。社会的制度形体，是看那社会中何种物件如何生产，又看那生产物如何分配，然后决定。所以社会的变迁，政体的变化，不是真理或正义那种抽象的精神思想的进步，是单由生产力或生产关系如何，方生变化。用一句话概括说，社会变化的原因，不在哲学，单在经济，这是马克思的主张。再用平易的话来说，经济事情，产生一切政治社会精神的现象。马克思《经济学批评》的序文要领上，已说明了这种顺序。

社会生产力的发达程度，虽为构造社会的基础，可是由这种基础构成社会的各个人之间,关于生产和分配的社会过程,于是生出某种关系。依据此种关系,而各个人间生产物的分配额,遂得决定。其次关于生产分配,有某种社会形态发生,渐次变成某种社会制度。至此时而适合于该社会形态的一般心理状态以定,道德习惯等等都发生了。再次社会的哲学文学艺术也产出了。

所以某社会中流行的思想,对于那社会,势力很大。那种思想由那社会中社会事物的环境发生,那环境又由那社会中经济关系而成。因此之故,所以一切思想虽流行于社会,支配人心,可是那基础根源的经济状态,若是变化,那种流行也自然废止,散失支配力。假如在今日这样有阶级的社会中,其流行思想,适合于经济上优胜阶级的要求,所以同时又存有许多矛盾思想。要之,支配阶级,把社会中精神的食物,也放在自己手中管理,所以对于自己阶级占利益的思想,把他当作正义,支配被支配阶级,有许多地方,社会全体的人,不识不知,被支配阶级思想感化了。

然而人类具有发明力。征服自然界的生产器械,继续变化,生产方法,也继续变化。这种变化,依前述的法则,渐次把那不可抗的经济力,在新器具中完成。所以新器具若经发明,新政治力也在那社会中发生。那种新器具在社会经济上占重要位置时,这种新政治力,也跟着一步一步的成长。这种政治力,即是使用新器具的阶级,当然的结果,这种新阶级,不得不与从前握有生产机关的支配阶级冲突起来。于是从前支配阶级和新兴阶级间,发生阶级斗争(Class Struggle)。

马克思根据这种学说,察看当时的社会。当时震撼全欧的法国政治大革命,其结果不过是商工阶级——新兴财力阶级——对于从来封建阶级获了胜利。然而这斗争之后,更有新阶级斗争发生。在英国中,制造业者资本家对于地主的斗争,成了政治的中心现象,同时劳动资本两阶级的斗争,也发生了。马克思把那些阶级差别,归因于社会生产过程中各种职能。因为阶级发生的起源,在生产过程之中,由生产过程,决定人人所属的阶级。生产不过是人类由自然界获得衣食的社会过程。于是生活必要品的生产方法,构成社会组织的根本,又成为决定政治各关系并社会各斗争的顺序。这种斗争继续之中,遂生出不可避的结果。即在经济方面,以获得社会必需品的新方法为急务,在政治方面,运用新生产机关的阶级,占据优势。于是社会事物中,生出新状态。

若是新生产方法与旧方法大相差异,则与旧社会相异的新社会也出现了,政治上各种新制度,宗教上新信仰,道德上新意见,艺术上新目标,哲学上新学说,都出现了。所以历史潮流,时常变换,无所停止。两个对立的经济力,以及代表两经济力的两个阶级,互争社会的优胜,生存竞争起来。但其中新经济力渐次变大,新兴阶级的独立思想渐次构成,那思想渐次透入多数人头脑中,遂成为新势力了。

马克思采用这阶级斗争说,作劳工运动的大武器。阶级斗争说,在现今学界中,成为喧争的目标,可是这个明明不仅是学说,就是在实际运动,效力也很强大。资本劳动两阶级间的斗争,自然是资本主义经济组织的结果。劳动阶级,被资本家压迫、虐待、利用,不堪其苦,所以无论如何,总希望得一种新社会组织,脱出苦境,这是自然的道理。可是劳动者不过存着漠然的空想,所以马克思出来给他们理论的根据,完成劳工运动大武器的体系。依马克思的见解,资本制度不过是一时的形态,所以生产技术一旦进步,必然要使社会由资本制度变为他种社会制度。即资本阶级为维持自己利益,无论何处,总以现状为便于维持旧生产方法,反之,劳动阶级,却想确立新生产组织。所以必然的结果,阶级斗争,即行出现,这也是明白的事情。马克思把这些事理,由理论的阐明出来,所以劳工运动,得马克思学说,形态一变。劳工运动的大武器遂以阶级斗争说作主张,劳动者从前所抱的空想,至是遂获得确实的目的,于是确信自己阶级,必获胜利。同时,马克思学说,又一扫从前的空想社会主义的弊病。社会主义,非由某种特殊智识阶级,所能实现,必由对于新生产组织有利益的阶级,方能实现。社会主义是愈高级的生产组织,由个人的生产方法实现社会的生产方法。

马克思学说,支配劳工运动的精神,支配人类思想感情和一切人生观。马克思把唯物史观作基础,用科学的方法,说明代表旧经济力的资本阶级和代表新经济力的劳动阶级两者之间,阶级斗争决不可避。新经济力强大,劳动阶级的势力也大,劳动阶级终究要得实质的胜利。所以说到这里来,马克思又成了劳工运动的指导人。

又,由经济事情的反映,生出来的思想,是用何种有机关系,唤起阶级斗争的呢? 马克思对于这个问题也说明了。据他所说,新兴阶级思想,若要代替代表旧日阶级利益传说习惯的定说,新经济力非增大不可。新经济力若逐渐增大,新兴阶级的思想也逐渐构成。新经济力变成新势力的时候,其间的变化迟缓。可是时机一到,社会经济改造,这新思想自先成了改革的要素,成了破坏社会旧物的助力。所以新思想虽由新经济状态产出,或者直接发生,而对于人类社会全体,在阶级斗争间却占重要的位置。因为一切新思想,虽是经济改革的反映物,但是到了那时候的人,无论由经济改革能得直接利益与否,必离开经济的厉害问题,要受新主义新思想感动,要把新社会生活的事物,印入脑筋之中,对于破坏旧物的事业,必然要为主义热诚运动。简单说,一切新思想,虽是经济改革的反映物,可是达到成为独立思想的时候,对于阶级斗争,占重要的位置。这其中潜伏一种极微妙的有机关系,是马克思所认定的。可是有不可不记忆的事情,无论何时何地,新思想总是直接间接由新经济状态发出来的射影。

以上是马克思阶级斗争说的一端,与唯物史观有最密切的关系。可是经济事情以外,总还有他种原因,马克思、恩格斯对于这层也未忽视,不过影响很微弱罢了。恩格斯于马克思死后,对于唯物史观说也有让步的主张,可是他所固守的地方,说一切社会或政治变化的最终原因,必在生产或交易方法的变化中方能发见。只是最终的原因,往往又与两三种较小的原因并生,所以这两三种较小的原因,若是影响越大,那最终的原因,不得不受分量的本质的制限。而且有时一切原因错综复杂,一种原因所生的结果被他种原因妨害,结局生出意外的结果。恩格斯又认定经济变革后所生的社会制度,渐次变为社会势力,能为自主的活动。由这种意思看起来,唯物史观决不否定社会和政治的势力,有自主的活动。可是这种自主的活动,也受经济关系根本的影响,这也不可忽视。

经济的动机若大受他种动机的影响,则唯物史观所说自然的必然性那种作用,不得不生变化。加之进化论的理法渐次阐明,经济的动机,也被生理的进化支配。

(二) 剩余价值说

马克思经济学上的创解,是剩余价值说。马克思价值论,大概本诸李嘉图和拉伯尔塔斯的学说，把他开发锻炼造成独创的见解。剩余价值论，不单是不朽的学说，而且实际运动上，也构成强有力的基础。要介绍剩余价值论，不可不将他的价值论和劳动价值论顺次说明。

马克思把劳动作为一切商品所共通的社会本质。即，制造商品的时候不得费若干量的劳动。这劳动，马克思不单叫作劳动，要叫作"社会劳动"。因为供自己使用自己消费而生产物品的人，是创造生产物，并不是创造商品。他是一个自立的生产人，与社会并无何种关系。可是生产商品的人，不仅生产货物，供给社会的需要，而且就是劳动那种东西，也立刻构成劳动总额的一部。这即是劳动从属于社会分业的。

商品是社会劳动的结晶，是社会劳动现实化出的东西。若要把商品当作价值考察，可以单从这种社会劳动一方面下手。商品所以有价值，因为是社会劳动的结晶。价值大小，单由现实化出的劳动分量或劳动额决定。所以商品的价值，或由那生产所要的劳动相对分量决定，或单由劳银决定，这两者之间，有无差异，就是问题了。可是实际上，劳动者的工银，虽被生产物的价值限定，而生产物的价值，却不由工银限定。他们所得的工银，不比他们所生产的商品价值多，总在商品价值以下，这是普通可以证明的事情。决定相对价值，与生产所使用的劳动价值——工银——并无关系。

计算商品的交换价值，须于最后所使用的劳动分量，加入商品原料所使用的劳动分量，再加入那劳动器具、工具、机械建筑物等所使用的劳动分量。若是生产的价值单由生产上所使用的劳动分量决定，则懒人与手艺不娴熟的人所造成的商品，决没有多得价值的理。因为上面所说由劳动分量决定的意思，是说在一定社会状态之下，依社会平均度生产条件生产，而且是这生产所必须使用的分量。当英国动力纺织机械和手工纺织机械相竞争的时候，手工纺织机械比动力纺织机械要两倍的时间，所以若用手工纺织机械和动力纺织机械相竞争，非比从前做加倍时间的劳动不可。此时20时间生产物的价值，与从前10时间生产物的价值相等。

所以成为商品实现出来的社会劳动分量，若支配商品交换价值，则对于商品生产的劳动分量，每逢增加的时候，那商品价值也增加，每逢减少的时候，那商品的价值也非减少不可。各种生产所必须的劳动分量，若是一定不变，这些商品的相对价值,也当一定不变。可是商品生产所必要的劳动分量,随所使用的劳动力继续变化,所以劳动的生产力若愈益增大,则一定劳动时间内所造成的生产物亦因而增大。一个纺织工人,用近世生产机关,每一劳动日所做的事情,若能够把那"往时用丝车在同时间内所纺的"棉花的数千倍纺成棉丝,那么每磅棉花,只吸收往时数 1/1000 的纺织劳动。每磅棉花纺成棉丝后所加的价值,不过往时的数 1/1000,丝价自然低落了。劳动的生产力越大,一定量生产物所要的劳动越少,所以生产物的价值也渐渐小了。劳动的生产力越小,一定量生产物所要的劳动越多,价值也渐渐增大了。马克思对于价值,制定一个法则说:"商品价值与生产所使用的劳动时间为正比例,与劳动生产力为反比例。"这即是马克思价值论的概略。其次再介绍他的劳动价值论和剩余价值论。

劳动者每日所卖的东西是劳动。所以劳动要有价格。然而商品的价格,不过是将那价值用货币表现出来,或者可以叫作劳动价值亦未可知。可是普通说价值的意味,不是成为商品的劳动价值。在商品上结成晶的劳动量,本可以构成价值,可是适用这种价值观念,譬如 10 时间劳动间的价值,就不能决定了。简单地说,劳动价值这句话的真意思,是说劳动者卖的东西,不是劳动,乃是劳动力。劳动者把这劳动力暂时处分权卖给资本家。所以"劳动价值"这句话的意思,是"劳动力的价值"。

然则"劳动力价值"又是如何呢? 劳动力的价值,与一切商品价值相同,也由生产所必要的劳动分量决定。人必活着,方有劳动力,所以要维持他的生命,就不可不给他必要的资料,使他消费。并且除开维持他自身必要资料以外,他还要养家活口,养育子孙,所以又不可不给他必要资料,使他的子孙成长。此后还要发达他子孙的劳动力使他学会手艺,所以再不可不给他一些必要资料,供他消费。生产异种性质劳动力的劳动力,原是相异,所以使用于异种职业的劳动力价值,也是相异。所以要求劳银平等这件事情,实在不对。劳银制度基础上所有劳动力的价值,不可不与他种商品价值同样决定。所以异种的劳动力价值相异,在劳动市场中不得不生出相异的价值。在劳银制度基础上要求劳银平等,正和在奴隶制度上要求自由一样。由以上所述看起来,劳动力的价值,是由一种生产劳动力继续劳动力发达劳动力所必要的价值决定。

大概资本主义生产及其社会组织,在经济上,人与人的关系,完全是买卖关系。劳动者在一定时间一定条件之下,用一定的代价,把劳动卖给资本家,资本家由劳动取得商品在市场发卖。劳动力代价的决定,惹起资本劳动两阶级厉害冲突,在资本主义社会中,成为阶级斗争的根本原因。资本家卖出生产物所得的利益,比支给劳动者的劳银更大。于是有剩余价值发生了。

试举一例说明,假如劳动者每日欲获生存资料,须做6时间劳动,又假设这6时间劳动,现实的与3元银币相当,这3元银币,就是这人劳动的价值在货币上表现出来的东西。若是他每日做6时间劳动,他每日所生产的价值,就能够购买他每日所必要的生存资料,他的劳动,能够维持自己的生活。可是他是一个劳动者,他的劳动力非卖给资本家不可。他若是每天得3元,把劳动力卖了,他是依一定价值卖的。所以他若是纺织工人,他每天做工6时间,可以使棉花增加3元的价值。这种价值,是他劳动力的价值,即是劳银的对等价。此时资本家并未得何种剩余价值,亦未得何种剩余生产物。可是问题就正在这种地方。

资本家买了劳动者的劳动力,支给代价,好像卖了商品一样,他就有任意消费任意使用这劳动力的权利。所以资本家因为从劳动者买了劳动力的价值,他就有终日使用劳动力的权利。所谓劳动力的价值,自然要由一种维持劳动力生产劳动力的劳动分量决定。可是劳动力,由劳动者的活动力和体力所制限。所以制限劳动力价值的劳动分量,决不由那劳动力所能做的劳动分量制限。所以资本家总想要劳动者做12时间的劳动。原来劳动者每日做工6时间,可以得3元的工银,可是因为受了资本家所强制,他每日非多做6时间不可。此种余出的6时间,马克思叫作剩余劳动。这种剩余劳动,必成为剩余价值或剩余生产物,实现出来。即如前例,纺织工人做工6时间,可以使棉花增加与3元相等的价值,他如今做工12时间,自然可以使棉花增加6元的价值,更依这种比例,他还要将剩余的棉丝乱屑,纺成有价值的棉丝。可是劳动者把劳动力卖给了资本家,所以他生产出来的价值和全部生产物,却归那暂出3元买他劳动力的资本家所有。资本家不过暂时垫付劳动者3元,却得了6元的价值。资本家每日照这样给劳动者3元工银,下余3元自己得了。于是构成了剩余价值。资本家并未支出等量的东西,却得了3元剩余价值。资本劳动两阶级间这种交换,遂成了资本主义生产和工银制度的基础。其结果,劳动者永为劳动者,资本家永为资本家。

由以上的说明,剩余价值的率,是由再生产劳动力价值所必要的部分,与资本家所强制的剩余劳动两者的比例决定。即剩余价值率,除劳动者再生产自己的劳动力或偿还工银的范围以外,是由那延长劳动日比例率决定的。

把上面所述的关系简单说起来,剩余价值不过是劳动者被人强制做了的劳动。资本家用原料补助原料及机械等形式投入生产以内的东西,再由商品价格收入所谓不劳利得。劳动价值是投入生产的劳动量,工银不过是使用于生产的劳动代价。可是劳动代价的工银,能够满足劳动者日常生活资料与否,实在难说。这种工银和劳动价值的相差额,便是造成剩余价值的东西。所以在资本主义经济组织之下,就工银制度精密说起来,劳动者每日所做的劳动,只有一部分得了工银,下余的部分,是无偿劳动。这无偿劳动——剩余劳动——不但成为剩余劳动和利润的基本,而且在表面上好像全体劳动都受了工银一样。这是把劳动和劳动力两概念混同了的缘故。马克思对于这种地方说得非常透彻,他说:劳动的价值,事实上是一种劳动力,由维持劳动力所必要的商品价值决定。所以先前所举的例,若把 3 元的工银,当作 12 时间劳动的价格,这便错了。

马克思又由以上的见地,说利润也是由剩余价值分出来的东西。依前例平均 12 时间劳动,现实的价值与 6 元相当,6 时间劳动的生产物,其劳动价值即是 3 元。若是那使用了的原料器械等物之中,费了 24 时间平均劳动,则此价值应该变为 12 元。这时候若是资本家所雇的劳动者,对于这些生产机关又费了 12 时间的劳动,则此 12 时间的价值即为 6 元。此生产物的总价值,实现 36 时间的劳动,与 18 元相当。可是劳动价值或工银,只支给 3 元,对于商品价值中实现了的 6 时间剩余劳动,资本家并未支给代价。这商品若以 18 元卖出,这 3 元当归资本家所得,构成了利润——即剩余价值。所以资本家,就是用实价卖出,也可构成 3 元剩余价值。由这种意味说起来,利润也可断定是剩余价值的一部分了。

据以上所论,可知商品价值,由商品中所包含的社会劳动总量决定。可是劳动中一部分所实现出来的价值,虽然由工银的形式,给了代价,而劳动中他一部分并未支给代价。劳动者辛辛苦苦劳力,略略得点工银,资本家毫不费事,坐收不劳利得。依资本家的见地,商品的费用和实际的费用,种类不同。所以由原则上说起来,商品即不照实价以上的价值发卖,而按照实价发卖,也可造出利润。所以不如把商品依原价发卖,即是把它当作附加于商品上的劳动力总结晶出卖,也一定构成利润的根源。

马克思把这种学说做基础,唱一种"劳动者榨取说",也和阶级斗争说一样,给劳工运动一个科学的根据。

二、马克思主义改造说

近代思想界的倾向,在文艺方面,已由自然主义运动到新浪漫主义;在哲学方面已由实证主义转化到新理想主义。这种倾向,在社会主义各部门内也不能超过这个境界。19 世纪后半期在社会主义思想界风行的马克思主义,其根柢含有唯物史观那种特定形态的唯物主义,把经济事情做根本要素,用机械的方法,说明社会组织与社会进化。因为当时辩证主义势力很大,社会主义的倾向,即用这种背景做根柢发生出来的。可是从 19 世纪末叶转到 20 世纪初期的时候,新理想主义渐渐代替唯物主义的位置。这种思想的推移,对于马克思主义的唯物史观,或者主张修正,或者主张否认,历史上以及将来发展上的理想力或观念力,竟生出重大的影响,连个人的努力,也决不能轻视了。

于是马克思主义成了研究和批评的标的。马克思主义与学理相矛盾的种种地方,也渐渐发见了。原来马克思主义本是社会运动的兴奋剂。正如马克思所说,依社会进化的理法,社会主义组织,必然实现,这种教理,能使劳动者抱一种确实信仰,希望将来的成就。可是唯物史观所说的是一种宿命论,所以历史的必然性尚未成熟的地方,无论何种理想力,不能表现。所以若把唯物史观作为社会的哲学,不免有宿命的消极的弊病。于是社会主义遂用新理想主义做社会运动思想的内容。即马克思主义,固执现实的历史的立场,排斥感情意志,要努力探究因果法则,其结果遂生出许多的矛盾和缺陷来。此时是新康德派运动风靡欧洲的时代,所以社会主义随时与康德接近的运动,占起势力来了。柏伦斯泰因一派社会主义者,公然反对马克思唯物史观说和阶级斗争说。

这是马克思主义改造说中采稳和手段的,叫作修正派或改良派。

马克思主义改造说有两派:一为修正派社会主义,采进化主义和渐进主义的;一为工团主义,主张革命主义的。工团主义,批评现时资本主义组织,承认阶级斗争,这是与马克思主义一致的地方。工团主义所以叫作马克思主义改造说的原因,因为否定议会主义,主张经济的直接行动。总之,工团主义,是用马克思主义创生出来的,所以也可叫作马克思主义革命的改造派。

修正派社会主义与工团主义,同称为马克思主义改造派。于是马克思主义分为左右中三派,中央是纯正马克思主义,左翼是工团主义,右翼是修正派。

（一）修正派社会主义

就修正派社会主义而论,对于这种新倾向贡献很多的人,在法国是"新协同主义"的首领马伦(B.Malon),在德国是受了新康德派影响的社会主义者。

马伦派学说,嫌马克思主义偏重物质方面,所以把精神势力的效果,看得非常重要。他的学徒卢阿奈武尼埃都在这种新协同主义之下,建设这种运动。可是把这种运动用组织的方法说明出来的人,还是奥国法理学者棉卡(Anton Menger)。他把生活权劳动权劳动全收权作为基本的经济三权利,使经济问题化为法律问题。里昂大学勒维教授更进一步,主张把阶级问题也还原于法律问题。这一派普通称为法的社会主义,其特质是"基本的经济权利"及"对于权利的权利运用"的观念两个主要思想的内容。简单说这一派的思想,是主张把生产关系或经济组织,附属于一定的法的关系。这种地方,即是指摘马克思"把经济看作第一义,把法律解作经济的反映"的谬误,而主张对于以法律为内容的社会主义,加以修正的。原来马克思自身的思想中,也曾发生这种萌芽,可是工团主义的人却专注重这种地方,以谋实现社会主义。法国中这派的主张,后来大受修正派饶将柏伦斯泰因所欢迎。以上即是法国马克思修正派即法的社会主义派的概观。

其次再说德国的修正派,这派是受新康德派影响的社会主义者组成的。德国修正派的运动,亦不能轻视新理想主义的影响。经济学政治学与其他自然科学,各门各部,差不多都受了新理想主义的大影响。社会主义者间,也不免受了一半的动摇。1890年时代,马克思主义新思想家中,唱新马克思主义而倾向新理想主义的人,渐渐增多。此时德国新理想主义新康德派中,有马尔布尔厄(Marburg)派的哲学者,创出新社会哲学,而且主张伦理的社会主义,于是新康德派思想家合同起来了。这是社会主义史上应该大书特书的事件,就是"新康德派的马克思化"、"新马克思派的康德化"的现象。更有应当注意的事,德国社会主义中这种理想主义者,在实际运动上抛弃革命主义,遵守进化主义改良主义。要想知道德国修正派社会主义的历史和学说,非把这些事情考究明白不可。马尔布尔厄派社会学的特色,在废止社会的唯物主义,主张社会的理想主义,废止利己主义,主张公共利益。这派的名人如伦兀(Albert Longe)、柯伦(Herman Colen)、斯达晤拉(Rudolf Stammler)、拿多夫(Paul Natorp)、斯坦丁格(Franz Standenger)、武阿兰(Karl Vorlander)等人,均支持新康德派社会主义化运动,收了功效。把他们的主张概说起来,是由新康德哲学,补充马克思主义,使两者为意识的结合。综合他们的说明论起来,他们把康德看作是"德国社会主义创设者"。这个问题本应详细介绍,可是因为篇幅有限,不能多说,总之,康德被那时代经济的与文化的状态所制限。他那伦理的根本思想,把断言的命令行论理的结论,只到那时代自由主义要求的程度为止。至于新康德派,则以为哲学者当适应现代经济的与文化的发达状态,把断言的命令行论理的结论,延长到社会主义要求的程度为止。他们所行的这种运动,也适用于社会运动,成立正当的哲学基础。又,这种倾向也是指摘社会的唯物主义不完全不彻底的原因,来说社会的理想主义。

社会主义间康德化运动,很可注目。新马克思派就是因为要解释社会主义哲学唯物主义不完全不彻底的地方,才发生出来的。即社会的构成和进化中,物质的要素内所有器械主义的必然作用,无论如何重要,总不充分。所以要认定观念论的要素和目的论的作用,是最关重要,而修正唯物史观说的根本思想,也发达起来了。不单如此,就是由马克思主义说起来,资本主义瓦解,社会主义实现,都是器械作用必然要成就的事情,所以依据这种宿命论决定论,到了结局,一切人类的努力主义都要否定了。一切劳工运动社会运动也都要否定了。这不是招来自绳自缚的结果么?而且若想把这种运动,行论理的论证,各人同等平权的观念,效果很多。所以说到这里,觉得康德的人格主义即自己目的的原理,最有势力,那种现实的必要,于是发生了。马克思主义,是这样变化,而且理论的思想,自开始以至实际运动,完全有不同的地方。

社会主义者康德化运动声明最早的人,不在德国而在法国,就是佐勒斯(Jean Joures)。1981 年①,他于学位论文中,说社会主义不是赫克尔极左党的唯物主义,却是路得(Martin Luther)、康德(Immanuel Kant)、费西特(Fichte)等的唯心论。据他的见解,唯物史观和唯心史观,虽是两样东西,可是两者可以互相调和,并且非调和不可。这即是把康德的国家观所有观念与社会主义一致的事情作根据来论证的。

德国中这一派的先锋是西米特(Conrad Schmidt)。他是社会主义者,最初说康德哲学,关系重要,可是能够真正说明的人还是柏伦斯泰因(Edward Bernstein)。他深慨当时社会党员太过于独断因袭,所以要注入康德的批判哲学。比他更进一步的是罔达(Sadi Ganter)。他说新康德主义,主张"社会主义是古今历史过程的结果,同是思想的,又是从新构成将来的一种意志"。比罔达更进一步的是武德曼(Ludwig Woltmann)。他想要调和康德马克思达尔文。达尔文在这里没有直接关系,所以从省。可是他主张要救社会主义拘泥于精神的弊病,当将经济的共产主义,和唯物主义的观念,与批判的论理哲学原理三种结合起来,组织一种伦理的经济学。所以他主张康德的伦理哲学是社会主义伦理学,而社会主义伦理学,又用伦理的法则,填充社会的经济。

德国社会主义者德国化运动,渐渐传到各国,而尤以俄国受影响最多。1880 年时代,俄国拉维诺夫一派主观主义运动最盛,批评马克思主义想把他根本改造的倾向,容易发生。这种运动的先锋,是叫作"俄国新马克思派和修正派的父亲",就是斯鲁勃(Struve)。斯鲁勃最初是纯马克思主义派,后来变为修正派,最后变了自由主义者,把个人的教育做重心。此外也有 Tugan-Baranovsky,Berdyaev 等修正派的思想家,可是他们只做到马克思主义面子上的功夫,实在可以看作是主观主义者。

此外用广义解释起来,抱有社会主义思想,而又不满于纯马克思主义,反对唯物主义,主张修正的人不少。可是一一批评起来,却非容易,暂从省略。更加严密的说起来,讲坛社会主义、劳动联合主义、工团主义等等都可包含在

---

① 原文如此,系排印错误。——编者注

这个部门之中。可是此处所论述的,只限定新马克思主义者康德化运动。然而康德化运动果取何种形式发生变化和影响呢?这是应当记述的事情。这就是上面所述新康德派运动新马克思派运动互生影响发达而来的事情。

如上所述,马克思主义化为理想的结果,表现于实际运动的变化,大概可分为两种:其一是工团主义者革命主义;其二是受了康德的影响变成的进化主义。关于工团主义,在次节另述,本节但就进化主义的修正派说明。此时放弃革命变为进化主义改良主义的理由,第一是由康德批评的精神发生的。第二因为马克思社会进化说用阶级斗争说作原理的地方,也发生许多理论的破绽。换句话说,马克思社会主义说,所谓分量的变化可以附加新性质那种事实,依康德认识论说起来,没有根据。因为有了上述两种影响,所以革命的马克思主义,遂一变而为稳和主义了。所以康德的影响,在理论方面使社会主义化为理论,在实际方面使社会运动变为温和,大体上说起来,可说是对于社会主义给了一种稳健的影响。换句话说,所谓修正派社会主义的主张,不是社会革命主义,乃是社会进化主义。在资本主义社会中所有经济现象和法律规则,若能继续发达,就可以明证这种主义能够实现。有真力量的社会主义,在现实的资本主义社会中发达,而由渐次发达的结果,可使资本主义社会改良进化,变为社会主义的社会,这是修正派的主张。

(二) 工团主义

工团主义(Syndicalism)的语义,本来可以解为职工联合主义,或劳动联合主义。可是今日工团主义这句话的意义,在学问上实际上,全不相同。工团主义,现时正在成长,可说是未来的秘密。工团主义与广义劳动联合主义有相近的地方。依柯尔所说,工团主义的影响,可支配将来劳动联合主义的精神。所以工团主义的研究,可说是世界劳动联合主义的新研究。

工团主义,在法国最为发达,在意大利西班牙等拉丁民族间也很盛行。美国的 IWW 有亚美利加工团主义的荣称,在英国则使劳工运动开一新生面,对于联合社会主义,也给了多少暗示。所以工团主义业已超过法国国境,使世界劳工运动开辟一个新纪元。工团主义是马克思主义革命的改造派,所以必定要由这种意味,行正当的研究和理解。

法国劳动者团体,原分为许多联合。有由保守派打着调和劳动资本两阶级的旗帜组织的,有主义完全相反,主张激进,主张直接行动,把资本家当作仇敌,专讲劳动者利益,对于生活各方面高唱劳动阶级专政(Dictatorship)。由通例解释起来,只有后一派可叫作工团主义。可是工团主义,刻下正在成长,而且输入各国以后,色彩各不相同,所以要用一句话下明确的定义,却是很难。只是把各国的综合起来考察,可以看作是废除资本主义制度造成劳动者经济组织的劳动联合。工团主义的特质,关于实行不借国家和法律的力量,要采用一种"直接行动"。所以工团主义的理想,在新社会组织之下,要废除政治的国家,其唯一的政治形式,就是由劳动阶级实行"产业管理政治"。至于实行的方法全不依赖政治运动,而采用经济运动。所以工团主义实际的色彩,不要求将职业结合,而以阶级结合为主。工团主义以阶级斗争为基础,其特色有五:

第一,持阶级斗争说——社会主义三大原理之一——努力奋斗,彻底实行,要达到所能到达的地点。

第二,反对国家主义,排斥民主主义。

第三,藉全体劳动者的大劳动联合之力,以期达到革命目的。

第四,取直接行动,如同盟罢工,同盟怠业,排货运动,拒绝交易等类。

第五,先用社会的总同盟罢工,达到革命目的,然后用劳动联合为常法,实现经济联合主义制度的社会。

由以上各主要点比较起来,与无政府主义或有类似的地方。只是工团主义,对于资本主义在文化生活物质生活上的位置,积极肯定;而无政府主义则不然,对于资本主义一切地位完全否定的。换句话说,工团主义把科学能力、科学智识、经济考察三件事,看得非常重要,无论如何总想在现实的文明上组织建设;无政府主义却不然,专在理论方面,行哲学的考察,轻视现实的劳动者生活。由这种意味说起来,工团主义反与近世社会主义相近。譬如工团主义把阶级斗争做根本原理,即是一例。所以工团主义,位居社会主义和无政府主义之间,可说是一种混成物,社会主义的部分也有,无政府主义的部分也有。即工团主义在哲学方面采取阶级斗争理论,其目的则采用无政府主义的"直接行动",而造出职工联合主义的武器。工团主义亦有哲学,因为工团主义,原来以资本制度下劳动者生活条件做基础才发生的,有时又可说是反抗社会主义理论才发生的,所以说起哲学来,再没有比这种哲学深。梭勒尔、拉布里、阿拉拉底卡等工团主义者,虽遵奉马克思主义,可是思想也不甚深远。创定这种哲学最有力的使徒,多是马克思主义者,得力于马克思居多。依工团主义的理解,说马克思主义,纯是第四阶级主义,可惜恩格斯及其末流,把他误译,竟堕落为议会主义了。除去这种不纯洁的地方,使马克思复活起来,方可称真马克思主义的工团主义。这原是依附马克思欲谋自己利用的话,可以毋须说了。而且工团主义者,不用社会全体生活作基础,单以劳动者利益为中心,唱劳动者霸权主义,这种阶级斗争观念,却与马克思社会主义不同了。可是虽然不同,而工团主义凭借于社会主义颇多,凭藉于马克思主义尤多,这是不能不承认的。

就政治上说起来,工团主义对于国家制度的解释,已如前述,与无政府主义同一见解。即工团主义社会的理想,除了多数联合和那联合的联合之外,并不承认有何种政治团体存在。所以工团主义与民主主义,全不相容。因为工团主义者结合,是阶级的结合,政党那种东西,不容存在。所以不信赖代议政治而主张"直接行动"。

工团主义的本质和理论,在上面已经说过了。其次对于工团主义的目的及其将来,也不可不说明几句。要说明他的将来,不得不调查他的过去和现在情形。工团主义在拉丁系各国中最为繁荣,前面已经说了。拉丁系各国以外,法兰西意大利是大本营。大概工团主义既经采用上述的理论和手段,所以在小劳动团体占多数的地方,必能得势,这是容易知道的。而且小商人小地主,欢迎这种主义的人也多,所以法意两国,工团主义最为繁盛。所以依这种意味说来,列宁把工团主义和无政府主义叫作小资本家主义这句话,颇为中肯。这种根柢,也不单因为拉丁民族多富血性和热诚的缘故,即如法国,自1884年许劳动者自由结社以来,各地劳动者小团体蜂起,工团主义,已有发生的基础。这些小团体中,都被革命气势充满,所以要想和资本家斗争,除了"直接行动"以外,实无他法。又如意大利,这种的例也不少。因为意国劳动联合很多,而且又是贫弱的团体,散在各地。所以工团主义容易输入。

其次如英国,是近世工业发达最早的国家。17世纪下半期以后,劳动者生活状态,渐渐低下,越发使劳动者感受不安,自1830年以至1840年间,总同盟罢工的法子,早已想出来了。他们错了机会,没有达到目的,反组织了大规模的职工联合(Trade Union),事实上失了工团主义发生的地盘。可是到了近时,规定加入的条件,依柏伦斯(John Burns)、多曼(Tom Mann)诸人的指导,已表示工团主义大运动的趋势。此外工团主义在各国流行的地方,如美国则有IWW。IWW与西欧工团主义理论稍异,可是把他叫作美国工团主义,也没有什么不对。因为他们嘲笑政治运动,否定议会主义,高唱直接行动,这是与工团主义相同的地方。而且IWW声言不是社会主义者,不是无政府主义者,单是革命的劳动团体,所以和工团主义相同。其次可注意的事情,是俄国多数派。多数派本不是工团主义者,可是所采的运动政策,稍带工团主义色彩,这是不能容易看过的事情。工团主义者采经济的直接行动,德国社会民主党采政治的直接行动。可是德国社会民主党,无论如何有训练,却不免有斯巴达团的活跃。斯巴达团与多数派同,也不是工团主义者,只不过带有类似的色彩。此外在西班牙、瑞典、丹麦等国,工团主义,多少也有点势力。而尤以大战后"劳动者不安现象",越发易使劳动者与工团主义接近,这是将来的趋势。

工团主义的现势既已说明,其次再说明他的目的和任务。工团主义,主张产业政治。可是按照现时状况说起来,那种产业政治,要如何方能实现呢? 说起这种具体提案来,就在法国好像也没有一致的意见。只是漠然地预测劳动联合的联合统治,便容易使人想起中世纪的同业公会制度来。关于此点,英国同业公会社会主义者中,也有类似的地方。工团主义实行上的组织,有可注意的事情,联合员都是生产劳动者。工团的机关,第一是劳动绍介,失业防止,及互助救济的设备;第二是劳动者及其子弟一般教育的设备;第三是劳工运动宣传的设备。照工团主义这种理想,将来一切政治特权、经济制度、企业与行政等权威,都不存在。只尊重个人的独立,依自由意志造出经济的联立组织。此时一切权威,惟见有各联合分权的自主权。这即是工团主义的理想。

然则工团主义者要用何种手段方能实现这种理想呢? 刚才说过的,是用"直接行动"。可是"直接行动"的内容和方法又如何呢? 工团主义直接行动的语义,不单是无政府主义者所称"行为的宣传"那种恐怖主义,并且有广义的内容。就是总同盟罢工一事,最明显而且彻底。其次怠业运动(Sabotage),

近来也很流行。此外劳动者要表示消费的实力，也采用排货运动和记号法。只是怠业运动排货运动等手段，是工团主义者实际运动最卑怯而怠惰的方法，不免于工团主义前途有碍。不然，工团主义将一变而为道德的堕落主义感情主义，成为嘲笑的标的了。

把以上所述概括起来说，工团主义在理论方面，位居马克思修正派之左，在实行方面，明明模仿无政府主义。所以工团主义的地位，介在正统派社会主义和无政府共产主义的中央。可是工团主义者不是马克思主义者，也不是无政府主义者。虽然在两方面都含有部分的性质，却是两者都没有的。总之，工团主义正在发育，将来究占据如何位置，这是很有趣的问题，可注意的地方，是对于劳工运动的实行力。工团主义，在今日虽然正在发育，其理论和势力虽然微弱，可是依梭勒尔所说，若把他当作一种神秘——并不是空想——点起劳动者的心大，则实行力就会爆发起来，立刻变成一种大势力，也未可知。

（三）无政府主义

无政府主义，通例分为两种：一为个人的无政府主义，或称哲学的无政府主义；一为社会的无政府主义，或称科学的无政府主义。可是更加严密的说起来，两种无政府主义都有复杂的范畴。例如个人的无政府主义者，斯特拉、埃非德、尼择三人所说的并不相同。一个由非基督教主义主张的，一个由基督教主义主张的，一个由进化主义主张的。三人立场各个相异，可是共通的论点，都主张由个人的进步发达，实现无政府主义。又如社会的无政府主义者蒲鲁东、巴枯宁、克鲁泡特金三人的思想，也有区别。第一个主张集产主义；第二个注重破坏主义；第三个高唱共产主义。只是他们思想的中心，都主张改革社会经济，实现无政府主义，这是共通的地方。无政府主义的特质，此处不能详述，所以只作概括的评论为止。

无政府一语由希腊文 Anna（无之意）、Arche（支配之意）二语结合而成，所以克鲁泡特金称为"无政府的社会"，涡文称为"无支配的人"，托尔斯泰称为"无权力的世界"。这样说来，（Anarchism）本来的语义，与无权力主义相近。

无政府主义的起源，学者间没有定说。巴喀《自然社会的辩护》和高德文

《政治的正义》诸书,结论中明明主张无政府主义,可是具有理论体系的学说,一般人都推斯特拉《唯一者及其所有》一书。可是以前,即 1840 年,蒲鲁东《财产是什么?》一书,明明主张了无政府主义,所以通例都以蒲鲁东、斯特拉二人看作是组织社会的和个人的无政府主义的先锋。

个人的无政府主义,其特质在主张个人的绝对主权和自由,惟有完成个人,方能实行无政府主义。所以个人的无政府主义,始终以自我为主,重在改造内部生活,发展心意性格。譬如斯特拉(Max Stirner)说"国家是一切害恶的根源",尼择下定义,说"国家是不得已的害恶"。可是他们话虽是这样说,却不适用到实行上的运动。于是遂有所谓哲学的无政府主义名辞,单主张改革内部生活精神生活。由此可知个人的无政府主义,决不是社会主义。不特不是社会主义,并且与社会主义没有类似的地方。所以社会主义各部门内,并无个人的无政府主义的位置。

个人的无政府主义者中,有可注意的人,是高唱随意主义的黑巴梯(Herbart)。他的立场,在斯特拉"完全的个人团体"和蒲鲁东"自由团体的联合"的中间,是尊重各人自由平等的一种"自由人结合"。他的理想国,就是无强制无支配无干涉的"随意国"。他那种个人的无政府主义的特色,主张由内部自由心实现,不用实行运动实现。所以黑巴梯的思想,虽带很多社会主义的色彩,却也不能说他与社会主义有关联的地方。

至于社会的无政府主义,其特质重在改革经济组织,把境遇和事情从新更换,以期实现无政府主义。这种要打破社会组织经济组织的地方,很似社会主义。希望均贫富,反对阶级特权,以及对于财产制度的观念,实与社会主义相近。只是排斥一切中央政府的干涉,并且要废除政府这种地方,与社会主义相异。

首唱社会的无政府主义者,是蒲鲁东。他最初于 1840 年发表一部《私有财产是什么?》的书,又在 1846 年,著《经济学的矛盾》与《贫困之哲学》——这是他毕生的大著作——主张废止私有财产权,行自由联合的社会组织。他大声疾呼说:"无论在何种形式,人若支配人,便是压制。"他为了这句话,曾经坐了监禁。他和他的徒党 47 名,在里昂开大会,决议发表了《无政府党宣言》,如今把那宣言看起来,始终一贯发挥他这种精神。蒲鲁东最初是法国空想的社会主义者中有力分子,后来遂变为无政府主义的创造人。可是他对于实行手段,并不主张过激主义,——又如马喀达、卡尔两人,思想虽与他不同,可是也学他采用平和手段。他的主张,不在改革政治而在改革经济。他努力说"正义",他本据这种思想,所以说"财产是赃物"。此种地方他对于财产的观念多与马克思派相同。他在他所著的书上说:"财产是劫盗抢来的赃物。"依他的主张,财产私有权应当废止,并且要保证各人都有平等的职业。又如对于劳银,他也把劳动时间,看作是价值最正的标准。只是把他的主义和近世社会主义比较起来,他虽然在经济上也采取集产主义,可是他的主义是空想的,非科学的,并且排斥中央集权这种地方,全与近世社会主义不同。巴枯宁、德泰卜都是继承蒲鲁东的集产主义的人。

巴枯宁(Michael Bakunin)是俄国名门子弟,青年时代,曾列军籍,1847 年与蒲鲁东相识,遵奉无政府主义。他曾加入 1848 年的革命和 1847 年的暴动,历尽监禁、追放、逃走等悲惨生活。他于是以宣传革命主义为职志,传播过激的实行手段。他被人称为"破坏的使徒",他主张把土地资本均归社会公有,完全作农工事业之用,并主张消灭现在的国家,构成自由团体世界的结合。他又联合同志组织无政府党,1864 年国际劳动同盟设立的时候,他立刻加入了。后来与马克思争论集权主义,意见不合,他遂与同志脱离同盟,实行破坏主义。

蒲鲁东和巴枯宁两人之间,在实行上虽有改良和破坏的区别,可是在思想上,两人都同称社会的无政府主义。换句话说,他们观察人类社会生活;与观察他种有机体相同,都有有机的统系。这就是叫作团体的无政府主义的原因,其精奥的地方,以为人的生活不是孤立存在,是团体集合的存在。1868 年"万国社会民主同盟"在瑞士成立,巴枯宁曾经说明这同盟的大要,由那纲领看起来,可以窥知他们共通的人生哲学。他说:"我们这同盟,宣告主张无神论,希望废止一切宗教。信仰要依据科学,神的正义当被人的正义扑灭。我们主张废止政治的、宗教的、法律的,以及掠夺的结婚制度。我们这同盟对于一切事物,始终一贯要求将阶级废绝,人无论男女都要得政治的社会的经济的平等,废止财产继承权,人人对于自己劳动的结果,受同等的分配。土地资本与一切劳动器具概归社会公有,委诸劳动者及农工业各团体使用。"他们对于经济上的意见,也演绎这种理论,以为一切人既是共同存在(Collective Being)所以一切土地和财产,必须归诸团体公有。这种地方就可察知他们社会的无政府主义者有名实相称的特质。只有一层,他们的社会观,假定虽然不错,至于他们根本上科学的批评,和论理考察的能力,却是缺乏的。因为他们不用人类现实生活做根据,又用不能演绎的东西去演绎一切国家,这种地方实在是思想和实行的烦闷了。

俄国产生了一个巴枯宁,遂渐渐变成无政府主义的发源地。巴枯宁以后又有克鲁泡特金和拉扎罗夫,都是有力的人物。

克鲁泡特金(Peter Kropotkin)是俄国贵族子弟,游历比利时,与巴枯宁订交,把全幅学问和科学智识,都用在共产的无政府主义上。加入祖国革命团体,被拘入狱,后来逃至英国,翌年在俭尼洼出一种无政府党机关志,名曰《革命》,此地又不见容被追放了。后来跑到撒尔的尼亚,又被拘捕,在各地备尝辛苦,1886年替英国无政府党,出一种名叫《自由》的机关报。

克氏是共产的无政府主义者。他对于财产和土地的意见,是根据共产的理由。他反对巴枯宁的集产主义,可是他的社会观颇与巴枯宁相近。他用科学的例证,说社会在人类未创造以前已经存在。他这一说不是从共同的厉害观念而来,乃由同类意识的观念成立。他用这种丰富的证明,说明人类间只有"互助"。依他的理解,社会不是一人或数人所能造成,乃是全人类建设而成的产物,全人类的事业,是自然成长的。所以无论何人,都不可不生产,不可不消费,不可不平等。借克氏的话来说,这即是最合理的"自由共产主义"(Free Communism)。他的历史观社会观,一面主张"互助"是历史的精神,进化的倾向。他一面主张个人的自由,是进化的倾向,是人类生活的要求。证明个人自发力的发达,即是"互助"的精神,又是历史的大精神。这是克氏无政府主义的体系。把他那篇《无政府主义哲学》的文字看起来,民众常常归着于自由共产主义——即无政府主义。他的理想是"无命令,无服从,无制裁,是绝对自由联合的社会"。

至于说克氏的理想如何实现的方法,就不可不用克氏所述的作参考。

他说:"我们的理想,在今日不能即时实现,所以说了出来,也没什么妨害。我们第一的任务在静思达观现社会所潜移的实况,而说明其显著的倾向。我们乘着这种倾向,实现我们的理想,以后当着革命爆发的时候,我们不可不破坏各种妨害这倾向的制度和偏见。世人做事,往往打比喻,说登高必自卑,这是完全错了。人类社会与进行的纵队一样,决不是运转的圆球。时代的大精神,是同时发展同时进化的东西。"

他又说:"我们要希望个人的完全自由,依互助的精神,保护生命的安全,所以我们无政府主义时代,早晚一定要到了。我们的理想,究用何种社会形式方能实现,诸君非与吾人共同研究不可。凡有权力和强力能使诸君忿怒怨恨的东西,诸君非把他们消灭不可。"无政府主义的派别,虽有个人的和社会的两种,可是广义地说起来,也不问个人的与社会的,总是为个人自由和权威说法,耶司所说"无论何处都是在个人主义的地方",这种特色,应当认定。所以罗素(Bertrand Russell)说:无政府主义,要由财产上的观念分类。即如斯特拉所主张的"一切东西皆我所有",所以承认私有制度,蒲鲁东、巴枯宁所主张的,"一切东西皆非人所有",所以采用集产主义,最后克氏说,"一切东西皆人所有",所以高唱共产主义。这三种对于财产的见解,分出个人主义、集产主义、共产主义三种的色彩。

其次的辨别法,依詹姆司(James)的见解,由实行上的手段分类。即是温和与过激的区别,自斯特拉和蒲鲁东为始以至马喀达卡都属于温和派,自巴枯宁和克鲁泡特金为始,以至于德尔时、莫斯多皆属于过激派。此外无政府主义的区别法也有多种,可是通例以改造内部生活为主而辨别的。

此外区别无政府主义的方法约有数种。依伦喀所说,1893年国际社会党大会,分为议会派和非议会派,这也是决定无政府主义的方法。可是把非议会派一事决定无政府主义,并不是本质的条件。若照这样说,俄国的恐怖主义者虚无主义者,又1883年彼芝巴克"国际劳动同盟"的宣言,与其他主张激烈手段的巴枯宁主义使徒等,也没有这种决定权,先前已经说了。詹姆司单把这事看作是对于政府的观念——即是一个理论。不错,无政府主义本是一个理论。这个理论,区划无政府主义的范畴,所以社会主义始终由事实的认识出发。无政府主义不然,追逐幻想,抹煞事实。就是克氏的无政府主义,还算是科学的立论,犹然专重人性的半面,缺乏明确的批评。他对于人性是乐观家。社会主义把无政府主义看作是空想的社会主义,实在不错。马克思派骂无政府主义是"哲学的空想",也不为无故。不单如此,实际无政府主义和马克思主义的实行手段也很不相同。马克思主义为得自由,很想利用国家,无政府主义却要把国家废除。端的说起来,马克思主义想由民主的国家,行产业联合主义,无政府主义却以这些事都可任意办到。马克思派为谋实现主义,要维持法律和政府,无政府党却轻蔑国家,破坏法律,对于政府行种种的阴谋。这即是两派不同的地方。广义地说起来,两派目的相差本不甚远,只是实行的方法手段各走极端。所以马克思和巴枯宁分离,莫斯多被逐于德国社会民主党。

（四）同业公会社会主义

最初提倡同业公会社会主义（Guild Socialism）的人,是霍令其（A. R. Orage）和邠第（A.J.Penty）他们两人,于 1906 年在他们所主干的机关杂志《新时代》上,发表论文,提出这种主张,往后数年间在那杂志上,惹起了许多议论,到现时虽然为时不久,在英国却成了最有力的新产业组织的哲学,对于劳动阶级,最近英国言论界的勇将如柯尔（G.H.Cole）、如霍卜生（S.H.Hobson）、如罗素都是这派的急先锋,非常活跃。

同业公会一语,由中世纪同业公会发生;同业公会社会主义,是以生产者同业公会,作为经济组织基础的社会制度。换句话说,不问肉体劳动者或精神劳动者都一概联合起来,组织全国的联合,一切产业各由各部属的联合,用民主方法管理,实行这种主义,来撤废现行的劳银制度,这即是同业公会社会主义的目的。同业公会社会主义最重大的要件,一方要使生产者自己管理生产,完全实现这种产业的民主主义,一方要使公会与公会共当管理产业之任,以免生产者的利益为消费者的利益所牺牲。最精密地说起来,同业公会社会主义,是主张公会和国家共同经营产业。生产机关归社会公有,但由公会管理,只是生产者没有绝对的管理权。消费者也可经由地方团体或中央团体,发表自己的要求。关于生产的过程和方法,虽归公会管理,至于某物应制造某物应如何制造,他们不能决定。同业公会社会主义所主张的公会,正确的说起来,是一个总括某生产事业全部智识劳动者和肉体劳动者的大公会。便宜上,依产业的各部门,更可分为小公会,可是这种小公会,不过是大公会的一部。其次同业公会社会主义的公会,对于该项产业所使用的土地、家屋、机械等物,并无绝对的所有权。依那种理解看起来,毕竟应当代表社会全体,而隶属于国家。可是同业公会社会主义虽然保存国家,付国家以一定的职务,却并不将政治放在经济的上位,实际主张把经济放在政治前面的。所以此种社会主义实行的时候,政治不特受实际上的变化,而范围比今日还要缩小。

无论在各种形式的社会主义制度下,除了经济事情以外,必还有社会一般公共事务发生,这种公共事务若叫作政治,这种政治比较今日的政治,其实质和分量非一变不可。工团主义主张这种事务不由国家行使,要由生产者的公会行使,方能有效。可是同业公会社会主义所提倡新意义的政治,譬如办理艺术教育与国际关系等事,都要有异种的才能和机关与组织,所以不由生产团体的公会直接干与,只留意把适当的才能用在适当地方。公会第一着手的要务,在互相生产改造产业组织,要求完全撤废劳银制度。即公会一方面代替资本阶级,一方面代替国家,对于会员物质上的生活,担负完全责任。会员有一切平等的权利,有生活保证的权利。劳动时间和一切劳动条件,用公会民主的方法自决。换句话说,某产业部门的劳动条件如何决定的问题,一概委任那些最通晓利益的人办理。又,公会主张继承现时资本家和企业家的产业支配权,更行有效的生产法,为经济的分配。因为如此,所以各公会间,要保持密接的关系。而且直接供给生产物于自己公会的公会,与分配自己公会生产物的公会,两者之间,尤不可不有密接的联络。公会对于所使用的生产机关,没有绝对的所有权,由同理,公会的生产物,也不看作是公会的私有物。所以公会与公会间,也没有今日那样商品交换的利得。在劳银制度之下,直接从事生产的劳动者,和管理生产的事务人,完全分别为二,可是在公会制度之下,体力劳动者和智力劳动者,都非包括于公会内不可。所以新机械发明也好,生产程序的改良法创出也好,都是供全体社会的利用,所以对于生产技术的进步和发明,决没有供特殊资本家利用的事,也没有和劳动者竞争的事。由这种意味说起来,惟有公会能使人人经济上的目的和厉害完全平等。

又,在现时劳银制度之下,熟练工与未熟练工的差别,渐渐减少,劳银渐趋向于同一的标准,这是可以看得出来的事情。可是这种倾向,在今日尚未受管理人报酬的影响。若在公会制度之下,一切种类的劳动报酬,完全平等。此事于管理公会上,也是最有效的方法。公会不但希望报酬平均,并且同时按照当时状况,用一切方法和诱引物,要使得时得地的人物活动。对于发明组织的才能及其他一切能力,必与以适当的报酬。这也不单是金钱上报酬的差别,并且要用许多方法行的。要使劳动者从劳银制度的奴隶状态解放出来,当然要用这种方法。

由以上的理由,公会的会员,绝对没有失业的危险。会员若果忠实尽自己所分担的任务,当然个个都有受公会保证生活的权利。所以各会员的生活,就令一般生产技术照现状继续存在,那现在的劳银额,自然可以获得,就是在资本制度之下损失的部分,与资本家所横取的利息,地租,利润那种剩余价值,以及因改良产业组织而节省的部分,一概都可以获得的。

不特如此,而且同业公会社会主义,对于各会员加以保护。譬如今日由国家经营的养老费,及各种保险和疾病津贴与各种施设,将来都由公会办理。

同业公会社会主义,对于产业组织内所有技术上的等级,不主张废止。只是与今日专谋股东利益的事不同,这是专谋全社会的利益,管理人和支配人均由会员选举。关于事务的分配,则注重经验和算计。此外各种组织非常繁杂。同业公会社会主义,对于那些琐事,在今日并不视为重要。这些地方与近代社会主义诸流派相同,职工联合组织越发达,比较的价值和意义越生变化。以上大概说明公会和公会社会主义的组织和机能。其次再将他的历史和将来与其他社会主义派别,比较起来说说。

同业公会社会主义,在近代社会主义诸流派中,是最近发生的主义。至于公会组织的概念,在前世纪末与现世纪初,已有社会主义者提倡了。那时候产业不安,输进工团主义,遂成为同业公会社会主义发生的直接原因。依柯尔说,20世纪初,工团主义输入以来,马克思派产业联合主义,和同业公会社会主义,或者遗弃或者发生了。所以同业公会社会主义,依柯尔所说,是产业不安所生的结果。同业公会社会主义,不是固定的教理,实是正在成长的东西。而且同业公会社会主义自始至今,决非以研究教理创造教理为目的。加以此派中主张不一,实在并未达到完成的机会。这种主义,若由英国传到各国,究成何种形态,殊难逆料。

同业公会社会主义可以概括说的,就是要想折衷集产主义和工团主义,另造一种特别的东西。所以同业公会社会主义思想,虽与集产主义工团主义相似,却也有差别的地方。此种差别的地方若经阐明,同业公会社会主义的本质就能理解了。

同业公会社会主义的原则,要求产业民主主义,这种地方,与集产主义或国家社会主义不同。在集产主义或国家社会主义,生产由外部管理,所以是官僚的。同业公会社会主义是自己管理生产事务,自己任命总支配人以及使用人,自己与他种公会折冲,又用包括一切事务的单位与国家折冲。同业公会社会主义不反对国家,却反对国家社会主义——即集产主义。其理由有三:第一,国家社会主义,易陷于官僚主义;第二,国家社会主义,不过是国家资本主义;第三,国家社会主义,是消费者本位制度。同业公会社会主义主张把产业统治权给生产者,然后民众的产业民主主义方能存在,国家社会主义,要求国家所有权,便与民主主义相反。这种地方同业公会社会主义与工团主义相近。

同业公会社会主义也有排斥工团主义的地方。因为工团主义不承认国家有干涉权,同业公会社会主义不然,与国家并立,而且与国家行共同管理。只是同业公会社会主义所认定的国家,自然是遵奉产业民主主义的国家,这是不可忘记的事情。又,所谓共同管理,也不是承认公会以外的团体,干涉内部的事情,只是关于重大问题,要依一定的形式和国家协同办理。同业公会社会主义对于重大问题,承认国家的权利。至于与国家行共同管理的理由,因为同业公会社会主义所取政策是公共事务,所以把国家看作是代表公共利益的机关,当然和他协同办理。这种地方,工团主义也把他看作是代表各种生产团体的中央委员会的机能,所以不承认与国家共同管理。同业公会社会主义则不然,除生产团体公会外,就是代表一般社会厉害的国家,也可与他共同管理。工团主义,是生产阶级的专制,同业公会社会主义把这种缺点修正。可是尽人皆为生产者的社会制度下,若欲预为消费者设身处地,则除生产者厉害以外而不容认一般思想的厉害这种事情,不能做到。所以代表各生产团体厉害的中央委员会,渐次代表社会全体,若以对于各生产团体而代表生产者厉害的机关叫作政府,则工团主义制度中也有中央政府。反之,公会制度关于重要政策不惜与行共同管理的国家,是遵奉产业民主主义的国家,决不是代表经济上社会上征服阶级的国家,所以工团主义虽似乎否认政治,可是同业公会社会主义所预想的政治,无论采用何种社会主义经济制度,大概都可继续存在,就是工团主义,实质上也不能不容认。所以同业公会社会主义的差别点,就是这种新意义的政治事务,应当委用何种机关办理的差别。即同业公会社会主义,关于政治事务,应当委任公会或公会以外机关办理的问题。所以同业公会社会主义,在工团主义的基础上与国家社会主义妥协的。同业公会社会主义要使生产者握全部产业统治的地方,是以工团主义为基础,主张产业自治,其得益于工团主义不少。所以这样说来,与其说同业公会社会主义与集产主义相似,不如说与工团主义相似。即同业公会社会主义想从工团主义取得武器攻击国家社会主义的。

同业公会社会主义者,说现在劳动联合,是将来公会的萌芽。现在劳动联合,管理产业,虽不适当,可是到将来没有不适当的理。以前劳动联合的组织,单以减轻营利事业的弊害为目的,并未希望废止营利制度。要想推倒劳银制度,而与国家共同管理产业,劳动者的结合最为紧要。劳动联合,单由劳动独占一事,可以抵抗资本家。现在得法律公许的劳动联合,可以成为将来的公会。所以公会制度,毫不干涉生产者自由,反从官僚专制解放个人拥护个人。全国的公会,专办决定品质、贩卖商品、调查供给需要等事情。至于地方的公会是一定范围内的自治团体。所以全国的公会是中央机关,是生产者方面的最高权威,由各会员的选举构成,与代表消费者最高权威的国家对立。可是产业上积极的权威,属于国家代表与公会总会代表所组成的合同委员会。这委员会,使生产者和消费者接触,拥护全社会,实现生产者和消费者的协同利益。

公会制定国家收入的办法,每年由各生产公会,用单税法的形式,按纯利益的多少出资,充国家的收入。国家用这种收入金,办理教育和公共道德并裁判国际等事务。这样看来,同业公会社会主义的国家,不是中央集权,是地方分权制度。

关于同业公会社会主义权力分配制度,有种种的意见,近代社会中各种复杂的活动,有互助的关系;国际关系的管理,委诸国家;生产管理,委诸公会;这种事情,不能看作是国际政治上的问题。因为国际关系,往往含有经济问题;经济的生产问题,往往又与国际关系相交错。并且有许多问题不能依理想的顺序进行,或者加以区别,所以同业公会社会主义的理论,在实际政策上难行。

总之,世界社会主义各分派中,最近发生的同业公会社会主义,正在要推倒旧派联合主义,作成新联合主义的理想。

（五）多数主义

马克思以前社会主义各派，到了马克思出世以后，都被纳入他的大熔矿炉中熔化了。一说社会主义，好像就是指着马克思主义；一说马克思主义，好像就把德国社会民主党做代表。可是被熔化了的矿物，后来就变为异种金属表现出来。在德国变为修正派主义运动，在法国成为工团主义的主张，在英国成为同业公会社会主义的思想。又在俄国则成为马克思主义分化的多数主义。

多数主义的特色，在实行"劳动阶级独裁政治"，这种新形式，全与工团主义相反，与同业公会社会主义的权力分割，也不相同。可是劳农会的组织，颇与公会相近，纯粹劳动的革命主义，又与工团主义相同，至于确保中央集权一事，又与正统派马克思主义——国家社会主义——相似。所以多数主义，究应列入何种范畴之内，殊难决定。

Bolshevism 一语，日本人故意曲译为过激主义，本来的语义，并非如此。多数派的前身，远发源于 1860 年革命党渥里亚结社，以前对于社会革命党单称社会民主党。1897 年，正式结党，称为社会民主劳动党。第二回大会开在伦敦，不图对于党中政策，发生意见冲突。一派唱中央集权说，全然不与有产阶级妥协，主张劳动阶级专政。一派唱地方分权说，以为劳动阶级革命不甚妥当，所以主张与有产阶级妥协。党员之中赞成前说者多，赞成后派者少。后来前者称为多数派，后者称为少数派。多数派归列宁（Nicholai Lenine）统率，少数派由已故蒲勒哈诺夫（George Prechanof）与脱洛基（Leon Trotsky）统率。后来多数派又叫作俄国社会民主党的多数派——1918 年改为共产党。所以多数派并无何种"过激派"的名称，实在可说是俄国一大政党。多数派若是政党，则由政治的思想看起来，多数派是属于马克思派社会主义。对于多数派没有理解的日本人，竟把他叫作过激派，甚至称为无政府主义，非国家主义，尤其可笑。列宁是马克思派学者。所以多数派可说是马克思派，由某种意义解释起来，他们现在正实行国家社会主义。

多数派以改造社会为基础，第一要件，在建设劳动阶级的国家。至于劳动阶级国家的意义，又在确定劳动阶级独裁政治。其政策中有根本政策和应急政策两方面，首在使绅士阶级不干与政治经济的事情。若在社会改造的过程上有收纳绅士阶级作生产者的必要,他们也可以劳动者资格参与政治。其次由资本主义制度移至社会主义制度,是一个进化过程,非一朝一夕所能做到,所以多数派以劳动阶级国家作基础,经由这个过程的时候,非颠覆绅士阶级的政权不可。此事不特不使产业有解体之忧,反可以增进生产力。至于应急政策上,有时用资本主义的方法,有时用社会主义的方法,临机应变,总期不失社会主义的特色。

多数派的政府,承旧俄帝制时代及克伦斯基临时政府时代大混乱之后,更受联合军的压迫和德国的侵略,四面八方讲求种种应急政策,巧奏成功。绅士阀无选举权与被选举权,不过不参与政治,至于经济的权利,依然享受,所以劳农政府最初照这样组织活动,以确定劳动者和农民的权利,实行产业社会化,并且确立产业和社会生活的自活力。

以上是多数派政治色彩的概观,其次再述其思想的特征。多数主义思想的特征有五:其一,确立劳动阶级专政。其二,政治的直接行动。其三,彻底行中央集权制。其四,国际主义。其五,共产主义。

前面说的,多数派根本的主张而且有鲜明色彩的,在要求劳动阶级独裁政治。这是多数派否认资本主义和资本阶级的结果,是多数派遵奉马克思主义的明证。若想确立社会正义,第一在铲除资本制度。

严密的考校起来,成为社会主义的多数主义,差不多可说是没有特别新发明的地方。劳农政府的一员布恰林说:"我们如今又复变为马克思居首位的革命党党员了。这即是共产党。今日革命的福音,与马克思、恩格斯所设想的地方相同。"他又说:"由第四阶级的独裁主义进到共产主义,这是我们的呼声。独裁即是铁权,是对于敌人不得不使用的权力。劳动阶级的专权,是一种劳动国家的权力,抑压第三阶级和地主的。"

由这种地方看起来,可知多数派现在所以主张劳动独裁政治的理由,不是目的,乃是手段。这不过是用共产主义做理想,达到这种理想的过程。所以多数派所取的直接行动是政治的直接行动,不是经济的直接行动。多数派所以采用中央集权制度的原因,正在这种地方。

依以上所述,这种地方,多数主义与工团主义有多少类似点。但多数派固执中央集权制,采用政治的直接行动,工团主义却不然,无论在何种形式,都反对政治运动。这即是多数主义和工团主义的大差别点。世人把多数主义，看作是无政府主义或非国家主义，这是一种谬信。所以由这种施设的方面看起来，多数主义，实与国家社会主义有类似的地方，而且嫌恶英、美、法资本主义，严禁土地私有，把一切所有权，无赔偿的移归国家，使各种产业行社会化，政治方面，则采用中央集权制度，这些地方，多与国家社会主义同调。

多数主义的特色，是国际主义的，是共产主义的。资本主义既是侵略，则对于资本主义国际势力，无论何种社会，必须讲求国际的对抗方法，这是不待言的。例如资本家在各国蔑视国境，并且要超越国境，营国际的生活，如所谓银行团、信用联合等，均有国际的生活，为国际的行动，驱使劳动阶级如牛马一般。所以在现时资本主义国家的世界，非建立社会主义制度，极力支持国际的方针与资本阶级国际的行动挑战不可。所以多数派的政策，在运动和方法上，国际主义的色彩，越发浓厚了。

其次的特色，是采用共产主义。多数派名称，于1918年经列宁等改为共产党，所以比诸他种社会主义，有共产的色调。把多数派的宪法一看，就可明白。

由以上五个特色看起来，可以理会多数主义的概略。他们由自由、平等、同胞三大理想结合。他们诅咒现代文明的缺陷太多，要废弃现代宗教，因为现代宗教是资本主义国家的奴隶，是支配阶级的魔法。他们为改造社会，要发展革新的抱负，所以多数派于是成立了。他们一面为世界劳动者农民兵卒替祖先复仇，对付资本阶级采用残酷的行为。世间错将多数派解作是强盗团体的人，第一对于这种地方，非了解不可。他们用社会主义作政纲，而且在俄国是有历史的政党。若是单把他们看作是在俄国独有的宗教下结合的团体，这种解释不对。他们是马克思派社会主义的分派，所以单把他们算作俄国的特产，想把他们一笔勾销，这是大错特错了。

第八章　各国社会党

赞成社会主义与否，是别一个问题，凡有批评现代文明，要求将社会生活行经济改造的社会运动，总是现世界潮流趋势，无论谁人，均不忽视。这种事实，与世界战争同时并进，至今日色彩更益浓厚。社会主义运动，其所以成为现实势力活动而来的，是 19 世纪后半期以后的问题，即是在马克思以后发生出来的事实。由这种事实可以推测而知的，就是各国社会运动中心的社会党，遵奉马克思主义，把马克思的数理作基础，最终目的，在根本改革社会组织。

社会党对于政治和政治上经济上究有何种意见，可以由前篇社会主义理论推测出来。可是具体的观察起来，非注意世界社会党所共通的运动与色彩不可。

现代社会中贫富悬绝过甚，这是最大缺陷。富人虽居少数，大多数人民连得日用品都觉困难。贫富之差，非因人类力量技能才智不均所致。试将今日拥有巨万财产的富人和那生活艰难朝不保夕的穷人两相比较，才智技能的差别，并不如贫富悬绝那样厉害，这就自然明白了。就是用常识考察，今日的富，并未比例各人力量以定多少。换句话说，现代社会组织之下，贫富未均，这就可以推测而知了。故现代社会组织，若依旧继续维持，则贫富悬隔，永久不能灭绝，资本劳动阶级斗争也不能救济。

产业革命以后，一切产业均行大规模组织，前篇业已详述。今日经济组织，以资本主义为基础，资本势力，绝对增大。在工业方面，自多数工场行大规模经营以后，劳动全被资本支配。在今日资本劳动两阶级对峙之时，劳动且不免为资本所征服，而陷于不利地位，其理由因为劳动不如资本有持久力，所以不能继续，终归失败。端的说起来，劳动者专靠卖劳动力于资本家方能生活，所以劳动者常以饿死为忧。加以劳动者人数比资本家多，劳动者与劳动者间，竞争亦烈,工价虽如何低廉,势不得不劳动。依现况而论,劳动者既不能取得资本,独立经营事业,所以无论如何,劳动者总不能与资本家脱离关系。

社会党的主张,也是由这类事情发生,社会党相信贫富不均的最大原因,专在这种地方。社会党以挽救解决此种事实为目的。他们为讲求救济方法,主张生产机关公有。他们虽认定土地及其他生产机关非常重要,却不相信地主和资本家那种阶级有存立的必要。生产机关若尽成公有财产,则劳动者不被地主和资本家支配,反得使用生产机关。恩格斯所说"物的支配"一句话,可以实现了。

刚才所说,社会党虽主张生产机关公有,却不一定要废止一切私有财产。试举一例,譬如各人所有书籍、衣服、家具等物,不一定要归公有,就是作为私有财产,也无特别障害,反于各人有利。只有生产机关,一归公有,无论何人都得自由劳动,所谓生计艰难那种事实,当然消灭。而且此时无论何人,都不能借生产机关私有制度,取剩余价值作地租利息,坐食度日,所以无资本家存在的余地。既无富豪,当然没有穷人。社会党即用此种经济意见作基础,实现此种主张,作为政见,要求改革。他们为达目的,采用议会主义和劳动联合主义。一方面,送多数主张社会主义的同志于议会,使他们同志在议会中占大多数,假国家力量,在政治上实行社会主义。他方面,主张组织劳动联合,作为劳动者自主的战斗机关。各国社会党党员中,个人意见,本多相异,可是把社会党政治的目标总说起来,大概如此。

其次各国社会党所共有而且可以注目的事情,是反对战争。他们无论如何总想回避战争。因为战争由资本家的野心而生,譬如资本家为汲汲求得贩卖商品的新市场,其结果国际间不得不生激烈竞争。所以现代战争多因资本家贪得无厌而起,把全体国民供他们牺牲。所以社会党反对战争是为拥护自己为保护劳动阶级利益,真是正当手段。他们平日对于军备扩张计划,敢于攻击政府,就是这个缘故。

此次世界战争开始以来,各国社会党赞成或反对战争的议论,喧争不息。各国社会党多数党员以为此次战争是确保世界永久平和与劳动者的生活,公然赞成了参战。说起来,他们的主张,似不彻底,可是也有注目的事实,他们为了世界同胞主义,终究能够把那枪林弹雨的战争终止了。这也可算是各国社会党的壮举。

要之,各国政治舞台上,社会党势力到战争以后越发增大了。俄德两国固不待言,自英、法、美、意、奥等国,社会党均渐渐得势。在东亚各国虽不成问题,可是说社会主义的人,也一天一天多了。

以下想述各国社会党简单的历史和现状,因为篇幅有限,到底不能详述,原非得已。

一、英国社会党

英国社会党的势力,比他国较为微弱。所以要研究英国社会主义团体,这一层不可不知道。

英国社会主义团体的组织,有直接以政治为目的,有不以政治为目的。直接以政治为目的而组织的团体,有"独立劳动党"、"大英社会党"、"国民社会党"三种。不以政治为目的而组织的团体,有"费边协会",会员都是学者。又有"社会主义星期日学校同盟"、"大学主义协会"、"基督教社会主义同盟"各团体。此外各地方则有公吏、医师、教士等所组织的社会主义团体。至于英国的劳动党,又是社会主义各团体,与劳动联合共同组织的。"独立劳动党",是英国社会主义各团体中最大的团体,创立于 1893 年。主张将生产机关,分配机关,交换机关都归公有,政治上直接的目的,在举出多数代表,参与立法行政。支部之数 760 余,党员在 6 万以上。现在曼彻斯特地方有中央印刷局,印刷本党机关新闻和杂志小册子。1919 年的选举,劳动党选出议员 62 人,但其中代表独立劳动党或代表他种劳动联合的议员约占 $\frac{1}{3}$。有周刊 *Labour Leader* 和隔日刊 *Socialist Review*,以及各地方十余种机关杂志,哈德斯诺德马特那德一般名士,均为主笔。本部岁入在 5 万以内,支部岁入,计 10 万圆。

"大英社会党",是 1911 年所组织,是社会民主同盟,以马克思学说为基础。到开战以后,海德曼一派极端主战,而其他多数党员,倾向于非战派,在 1916 年开大会的时候,海德曼一派主张失败,后来脱党,另组"国民社会党",两党支部共有 370 余,党员确数不得而知,约计 3 万。他们选出的议员不过数名。可是各地方自治团体的代表,却有 1500 余名。周刊 *Justice*,日刊 *British*

Socialist,是他们的重要机关报。

"费边协会",是学者的团体。创立于 1884 年,是标榜社会主义最老的团体。协会的目的,反对激烈手段,主张对有力的指导人,灌输社会主义。原来 Fabian 一语,由罗马名将费边——与汉尼巴决战的——的战略而来,是说隐忍待时加以最后一击的意思。他们首由这种意味,对自由党员说社会主义。他们虽未得效果,可是经由德国劳动党感化劳动联合,功绩不少。即对于英国 380 万劳动联合员,鼓吹了社会主义的,只有"费边协会"。所以当着 1900 年"劳动党"组织的时候,尽了现实的功绩。现时"费边协会"虽不是政党团体,可是挂了劳动党和自由党的党籍而为议员的人,却在 10 人以上。会员之数,在伦敦本部有 2700 人,地方支部 40 个中,有 10 个支部,纯由大学方面所组织,所以这个协会又可以看作是英国绅士团体。会员总数凡 3200 人。1912 年设调查部调查土地问题与将来都会事业管理法。又,这协会的主张,在确定地方自治制度。最近的事业,如防贫运动,也是可注目的事情。

"大学社会主义协会",单由大学卒业生与大学生组织而成。其中有是"费边协会"的支部,有独立的。此协会的事业,专请名士讲演或由会员互相开会讨论。最初各大学社会主义协会,并无联络,至 1912 年在曼彻斯特开全国大会,各大学决议取协同动作,其余各大学亦渐受影响。

"社会主义星期日学校同盟",是仿基督教星期日学校办法,其目的在使儿童心理中吸收社会主义思想。小学校用教科书,本来不一定反对社会主义,但因教授的根据,多采用现时社会事实,所以易流于保守。故欲灌输平等主义平和主义于儿童心胸中,不如开扩儿童心胸为善,所以为行社会主义运动起见,设置星期日学校。社会主义星期日学校,以苏里格勒在巴达西市所创办者为最早。现在全国此种学校之数,有 120 处之多,生徒总数大小约计 25000 人。1909 年全国社会主义星期日学校开会以后,有徽章组织平民队行平和运动。又制定星期日学校用的赞美歌,运动着奏效。机关杂志《幼年社会主义》是 1901 年发行的。

"妇人劳动同盟",虽不能叫作社会主义团体,可是这同盟,是劳动党的一部,有社会主义倾向的人很多。这同盟创立于 1906 年,有支部 120,会员在 5000 以上,其目的在要求参政。

"劳动党",在有社会主义倾向的各团体中,是最大的团体,由独立劳动党和工会共同组织而成,其目的在采用议会主义。可是代表英国社会主义左派的"英国社会党",却与他立于反对地位。

要之,英国社会主义色彩,也可分为温和和激进两派。前者是独立劳动党所代表,无论如何总想得多数议员与工会提携。即如"费边协会",其会员自身本是自由学者,不限定属于一党一派,可是大多数却属于独立劳动党,大概带温和色彩。激进派是以"英国社会党"为中心组织的团体,都说议会主义收效迟缓,而且不利。因此之故,他们为达目的,不行政治运动,要行总同盟罢工,一举歼灭资本阶级。这两派各有主张,互相对抗,可是实际势力,激进派不如温和派。劳动党对于这种反抗全不介意的。

最初加入劳动党的,除独立劳动党外,有 141 个工会,共有 353070 人。前回鲁意乔治内阁之下所行的总选举,被政府党占了胜利,无论何人都想象不到的。劳动党出于意料之外,遭了大失败,只选出代表 62 名,该党的首领亨达森居然落选。原来是因为投票数较少,运动方法错误,而且有个最大原因,此次选举正在战时中举行,多数表同情的国民,都送到战场去了。可是现时劳动党的势力,有旭日升天的气势,议会以外,实际的势力,颇为巩固。战后劳动争议频出,劳动党处理这种争议,颇为活跃,大可以引人注意。这党发达径路最速,兹列其年表如下,以供参考。

时间	当选者	候补者	得票数
1874 年	2	13	——
1886 年	9	12	54471
1892 年	16	17	95626
1895 年	12	16	87092
1900 年	13	18	77286
1906 年	54	80	323000
1918 年	62(政府反对)	376	
	10(联合派)		

据上表看来可知劳动党正是发达时代。可是严格地说起来,假如劳动

党虽说有半数社会主义者的代表,却不能叫作主张社会主义的团体。只是这党热心为劳动者谋利益,要把劳动者由资本家的压制解放出来,就这种地方说,即称劳动党为社会主义团体亦无不可。前届选举之先,本有统计,可是党员中属于141工会的会员占大多数,计有539092人。党费别为普通费与议会费两种。看那1918年以前的统计,40名议员中有7名由独立劳动党选出,14名由坑夫同盟选出,3名由铁路从业员联合选出,2名由机械工会选出,2名由纺织职工会选出,2名由检字工人会选出,其余由种种工会和"费边协会"选出。

二、法国社会党

要想知道法国社会党的实势力,不能由表面的数字推测。由现在党员的数字说起来,党员不过8万,此外只有5个日刊新闻,12个印刷所。和德国比较起来,不得不有寂寥之感。可是也有种种理由。

大概法国所流行的社会主义有两种:一种是采用议会政策,假国家实行社会主义;一种是主张直接行动,用经济运动实行社会主义,这就是奉行工团主义的一派。社会党想在议会占过半数,在理论上或者可能,实际上恐难做到。

法国是工团主义的发生地,所以实际上的势力颇大。社会主义的实势力,在数字上,虽不能明白表现出来,然比预想的势力分外要大。又,党员之数虽仅8万,可是在总选举时得票很多。1912年的总选举,有1215877票,比党员数约为16倍。由这种地方看起来,可知社会党的实势力不能轻视。

法国社会党中所可注意的地方,是小党分裂的姿势,最近虽已统一,可是当初却分5个小派。第一是继承马克思学说的喀德派,在1879年马尔塞由的劳动大会,把这派叫作社会主义劳动党,历史上占正统派的位置;第二是普鲁夫所统率的一派;第三是阿勒绵所统率的一派;第四是布兰克一流;第五是包含佐勒斯、米勒兰等的独立党。这五分派在1906年组织联合社会党。可是也有激进渐进两派,所以还不算是真正一致结合。至于发达的程度可由次表推知。

时间	社会党议员数	社会党得票数
1902 年	48 人	805000
1906 年	54 人	877999
1910 年	76 人	1125877

可是这 76 名议员，到 1914 年选举的结果，将近百人，在议会中占议员总数 $\frac{1}{4}$。而尤以社会党首领曾经几次入阁一事，依现在说起来，可说是世界社会党中关系实际政治最多的。

法国社会党中不可忘记的人是佐勒斯。他是学者并且是有名的政治家，因为强硬反对战争，被人暗杀了。他反对阶级斗争论，主张凡遇有可以达社会主义目的的机会，都可以加入内阁。这种意见不期与喀德派意见冲突。这种冲突不但在法国国内，就是 1814 年阿穆斯特坦万国社会党开会时，对于这个问题不期佐勒斯又与柏伯尔酿起激烈议论。结局柏伯尔派得了胜利，可是各国的形势，越发与佐勒斯的主张相近了。法国社会党党员，约有 65000 人，此外称为会友者，有 2 万人。支部之数 2500，本部及支部收入，合计 60 万圆左右。法国社会党在地方自治团体颇占势力。最近自治团体排斥僧侣主义，表示赞成社会主义的意向。

社会党最有名的机关报，是佐勒斯生前做主笔努力办理的《阜马尼得报》。其他每周发行一次或两次的报纸有 135 种。这些多在地方发行，月刊的机关报，计有 10 种以上。法国工会虽然不如英德那样发达得整顿，可是会员约有百万左右。内有 45 万是带工团主义倾向的“劳动同盟”（Confédération générale du travail）的会员。他们公然高唱工团主义革命的社会主义。工会之数，多分为小团体林立，并无巩固的组织和准备。法国社会主义者，在很自由的境遇活动，所以思想进步，而且运动又带国际性质，这也是当然的道理。因此之故，所以工团主义的思想和运动，多在法国培养出来。又，社会党领袖中也有爱尔勒那样的人，主张极端的国际社会主义，又有喀德那样的人，主张确立社会党独立内阁，由这些地方看起来，也可容易观察法国社会党的趋向了。可是欧战开始，社会党态度一变，本诸宗教的热诚，社会党也化为专论主义的人了。其结果而喀德桑巴入了威维亚内阁。其他阁员中如米尔兰布利恩德加瑟都可说是社会主义者,也入了阁了。他们的态度,对于国际社会主义运动,似乎非常冷淡,他们专心经营战争去了。开战以后,法国社会党态度,自然未取协力一致的动作。最严格地说起来,可以分为三派。其中最右派,执牛耳的是多数派多麻森巴诺德尔一派的人,主张以胜利实现世界和平,若是以人民意志为基础的战争,可以承认的。至于最"左"派则为陈美华一派人。这派与列宁派相同,不与有产阶级妥协,主张即时媾和。中立派以伦喀为中心,主张无胜负的平和。法国社会主义者对于讲和会议的意向,伦喀派与陈美华派提携共抗多麻派,以 1528 对 1212 票的多数得了胜利。于是从前的少数派一跃而占多数派的位置。然而新多数派虽有伦喀派占大多数,但若没有陈美华派支持,也不能继续占新位置,所以这一派虽属少数,却有举足轻重的力量,在法国社会党中颇占重要的位置。

三、德国社会党

德国社会党起源于 1863 年拉撒尔的宣言,用社会主义作根柢,谋劳动者的团结。以前社会主义,虽经马克思等人论议,可是成了实际上的势力而来的,拉撒尔的功绩不少。社会党的发达,依下列年表和得票数看起来,可以知其进步。

时间	议员数	得票数
1874 年	——	351671 票
1879 年	——	312000 票
1884 年	——	549990 票
1890 年	35 人	1427299 票
1893 年	44 人	1786788 票
1898 年	57 人	2107000 票
1903 年	81 人	3025000 票
1907 年	40 人	3259020 票
1912 年	110 人	4238919 票
1919 年	162 全数	——

　　至于 1920 年所行的选举,因为 20 岁以上的男女都有选举权,所以对于前记的 1400 万票达到 4000 万票的多数。将此次选举的结果细分起来,社会民主党议员 165 人,民主党议员 75 人,独立社会党 22 人。又,由德国各地方选举结果看起来,各社会党在巴敦议会占 35 人,在普鲁士议会占 31 人,在巴维也拉议会得 228124 票,在威尔丁不尔尼议会占 94 人。

　　德国社会党包括原社会民主党名下。德国社会民主党是世界最大而且有完全组织的社会党,最近自战争以前起,每年约增加 10 万之数。其组织很有自治精神,德皇都叹赏他们,说他们比军队更有规律的训练。社会党首领间,在大会席上或在纸上,对于社会主义学说和政策,意见有不对时,彼此也有争论,可是因为争论而脱党的事实,似乎没有。

　　德国分为 397 个选举区,社会党也把这个做标准,设置 397 个支部,更细分设 4800 余个小支部。支部是由各地方组织的联合团体,地方团体数约有 50 个,地方委员之外,至少设 1 名专任书记,使为敏速的运动。党费每月男子纳 1 角 6 分,女子 8 分。有时可以纳党费于地方团体的委员,但必解送 2 成于本部。

　　社会党机关报纸有 90 个日刊新闻,可销行 150 万份。其中《武阿勃尔报》有 165000 份,《亚可福报》38 万份,《诺伊亚报》18000 份,《格拉海德报》10 万份,这是特别著名的。这类刊行物的收入约有 20 万圆。此外设立通信局,关于政治和工会及其他事项,供给特别通信于各报。1912 年的统计,在社会民主党有党籍的女党员,有 130371 人,她们为社会主义热心运动,这次男女普通选举公布以前,她们为争女子参政权,行了特别的运动。他们每年以 3 月 9 日为"妇人日",为争妇女参政权,行示威运动。对于女党员此种运动,男党员不仅给了她们多大的声援,而且奥大利、丹麦、瑞士的社会党也仿照这样办理。社会民主党与工会为授社会主义的教育于那些不许加入政治团体的 18 岁以下的人起见,特意设立学校,努力行幼年教育,在柏灵的本部,设有幼年社会主义者本部,在地方设有 450 个支部。各支部有委员,由社会主义者、工会会员、幼年社会主义者三种之中,各出同数之人组织。他们的《亚梅得友克德》机关报,发行数达 80100 份之多。又社会民主党在地方自治团体中,也有不可轻侮的势力,470 个市议员之中,选出的议员在 2500 人以上。此外各市议会及村议会中，也有多数的参事员。

其次研究德国的工会，原来工会以英国为发源地，占世界第一位置，但是德国也渐渐为长足的进步到 1911 年的时候，英国只有 3001346 名的会员，而德国属于中央同盟与地方工会的，合共有 3629403 人的多数，反占了世界的第一位了。现在把那时候的德国工会会员，依政党的派别，表列如下：

自由主义的工会（社会党）	2400185 人
Hirsch Dunker 工会（自由党）	107743 人
基督教的工会（中央党）	350574 人
独立工会	763935 人
地方工会	7133 人
总计	3629570 人

自由主义的工会，常与社会民主党有密切的关系，是工会运动的急先锋。Hirsch Dunker 工会和基督教工会，与社会民主党立于反对地位。独立工会不是政治的团体，是单以相互保险为目的组织的。其他则有"黄色工会"，与英国的"自由劳动协会"一样，这会的目的，是于同盟罢工的时候代表罢工者劳动的，总数达 16 万人。

依据以上的事实，德国社会民主党这个东西，我想四方八面都说到了。但是这里有个问题，可称为社会党员的人不满百万，何以 1912 年的总选举，得了 425 万的投票呢？这是明白证明党员以外的投票数也加入在内了。即是得了中产阶级同情的事，可容易推测而知的。这实是因为旧德国政治为军阀阶级官僚阶级所苦，有自由思想的人，多想实行社会主义，以期首先获得自由。可见这就是革命后今日的德国政府，挟持他们往常所抱负的政策，得了发展大经纶的地盘的所以然的道理了。实在德国不单是近代社会主义的发生地，而且产生了许多学说上运动上灿若明星的伟大人物，得收了今日的结果。然而这个有光荣的德国社会民主党到底不得不分裂了。原来德国社会民主党常取一致态度而来的，单是表面上社会党与他党折冲的时候，党内的激进派与渐进派的暗斗很烈。到了后来，这两派对于战争的态度，愈演愈烈，不得不分离了。当开战的时候，全社会党虽然一致主战，但是激进派的议员渐次声明反对战争

了。1914 年 12 月 21 日第五次军费协赞案提出议会的时候,柏伦斯泰因等 21
名极力反对。社会党干部,以 65 名的多数把这 21 个人申斥一次。但是现代
社会主义学上有权威的柯祖基,为了赞成非战派的缘故,把他除名的问题,却
喧闹出来了。那时候少数派的哈瑟与多数派的谢致孟大生激论,社会民主党
非议员的会员团体,竟用 58 对 33 的多数,把哈瑟派 21 人除名的案解决了。
于是哈瑟为谋对抗社会民主党起见,与里布格勒鲁勒等 19 人,设立社会民主
劳动同盟。哈瑟、里布格勒的分离,与其说主义,不如说是人性不对,但是里布
格勒与鲁勒同取爆弹的行动,不与哈瑟共同进行的。恰巧这时期内俄国革命
勃发,社会党非战的热度越发增加,不期而然的促进非战派的大同团结,里布
格勒与哈瑟两派劝诱佐恩以下 20 名,组织了独立社会党。但其总数虽然是
41 名,而就所得票数比较,与社会民主党 70 名议员所得的票,没有什么差别。
独立社会党的议员虽然是少,但是社会民主党所以把他们看作是大敌国的一
样的,也不为无故了。1918 年 5 月纪念日的示威运动,里布格勒问了叛逆罪,
哈瑟、几得曼、武克得尔三位领袖也遭连累,被审问于高等法院,独立社会党员
除了议员团体之外,都缄口不言。然而埃柏特、谢致孟一派,准据内外的情势,
渐成强硬,遂成了革命的主动力,组成了埃柏特两派联立内阁。但是这联立内
阁中两派的主义政策,根本的互相反对,所以不能圆满进行。最左派的斯巴达
团与独立党分离,里布格勒、梅林、克波里、谢特、鲁勒、武弗特及罗扎古拉拉则
德金两女史为主宰,由《路得法涅》、《亚路摆德波里几克》两报,猛烈奋战。其
结果与政府党生出内讧,德国完全生起内乱来了。柏灵的市街战,发生了未曾
有的惨状。但自里布格勒与罗扎惨死以及梅林克去世以后,斯巴达团不得不
雌伏了。这时期内埃柏特被选为第一次大总统,谢致孟为内阁总理,更就讲和
问题,这内阁由同党的诺司克从新组织。德国遂在一定时期内继续为社会民
主党的天下了。

独立社会党当着斯巴达团与政府派内讧的时候,与斯巴达团有某种的了
解,想握劳兵会的实权,乘两派疲蔽以收渔人之利,但是到了现在,却很自重
的。这一派是由第一流人物组成的,如柯祖基、柏伦斯泰因是当今学者中很有
威名的,又如哈瑟、几得曼、勒得布尔也是有名的人。最近的柯祖基,他是党中
的先辈,又是著名的学者,所以斯巴达团与社会民主党都很尊敬他的。

又,这时候兴登堡将军麾下的兵卒会和工会,与社会民主党都有一种默契,或者成了他的地盘亦未可知,这也不可忘却的。其他巴哈里亚首相爱司涅尔一派的分离,是介居斯巴达团与独立派的中间,继续独立的运动。今后的德国如何变换的问题,虽然得了少康,但仍不脱混沌的状态,所以不可谓非有兴趣的问题。社会民主党的势力,还没有达到安如磐石的境地。而尤以柯祖基做中心的势力,将来究应达到怎样的田地,这也是不可看过的事情。

四、意国社会党

意国社会党与法国的相同,社会的势力虽微,而其实力则不能轻视。

自己成为党员而奉主义的人,在1908年大会以前,仅不过41500人的少数,后来激进派——工团主义派——脱党之后,其数愈加减少了。但是与此相反的,其政治的实力似乎增加,1912年7月所开的大会,出席的人,有包容24596党员的670名支部代表,由这一事看起来,可是想知意国社会党的势力了。

此外是工会会员而属于社会党的,有359383人。党费最低每月1角。1912年本部由支部收入的会费,合计19000元,更加入其他一切的收入,总计20740元。议会中的议员数508人。社会党选出的代议士42名。比诸前届的总选举增加了2名。

如今把1900年以后社会党的得票数和选出的代议士的人数表列于下:

时间	得票数	选出代议士数
1900 年	175000	32 人
1904 年	320000	27 人
1909 年	339000	40 人
1913 年	960000	59 人

社会党最有势力的地方,以北部和中部为主,南部仅选出议员2名。社会党议员固然是少数,这也因为选举权受制限的缘故,意国有选举权的人数,每

人口百人中有选举权的不过 2 人。

意国社会党有特色可数的,在中产阶级和教育家律师之间亦占势力。例如米兰大学教授拉布里阿拉,罗马犯罪者恩里可弗里,富裕的律师德拉得等,都是意国中铮铮的社会主义者。地方社会党的评议员,社会党大会的代表者,多是属于中产阶级的人。

这种事实可以证明意国的劳动运动尚属幼稚,他们还没有可以成为社会党运动中心的充分资格。

如上所述,意国社会党多容纳学者一事,一面确是增加社会党的强势力的原因,可是党内议论不绝,实是可悲的事情。

意国社会党的分派,有德由拉特所统率的改革派,势力最大,又有拉撒里为首领的革命派,这两派常处于对立地位,议论不息。

此外更有称为拉布里阿拉的一个团体。这一派常唱革命的工团主义,对于议会政策极力反抗不止。属于这一派的人,多是工会会员,他们对于改革党或革命党,常为强硬的挑战。

1906 年在罗马开社会党大会的时候,拉布里阿拉派的提议被会众拒绝,遂至脱党了。于是改革党和革命党失了共通的敌人,他们两派又开始争论起来了。

1910 年米兰大会,社会党讨议他们所应采取的政策,德由拉特的改革主义经 21991 票的多数可决,拉撒里的革命主义,弗里的调和主义,都失败了。又 1912 年的时候,党内生了多少的分裂,但是幸而没有妨害社会党的进步。

意国中除社会党以外,更有所谓青年社会主义者同盟,有 7000 内外的会员。

1912 年,这个同盟在波罗拿市开第四次的年会,公表宣言书,说明对于各国劳动者之间,普及国际的友谊的感情,反对军国主义,反对战争。同时他们又议决配布非军国主义的文书于陆海军人,拿这个目的征收费用。

社会党在地方自治团体中,有 4000 人的议员——战时中的议员——有 130 个城镇乡,由社会党占居多数,城镇乡长,多由社会主义者充任。

刊行的书物,有四个日刊新闻,叫作《奥安得》的,是最重要的机关新闻。当初这新闻在罗马发行,到了 1911 年,因为社会党势力在北部中部最盛,为分派新闻的便利起见,把这新闻移至米兰市发行。这新闻发行部数,实逾 3 万。此外周刊之数有百几十余个,最主要的有发行 10 万余部的《讽刺》杂志,和《苦里得卡所谢尔》杂志。这些都是属于社会党的,其他在附属别处的印刷所印刷的东西,不过一两种。

意国工会,战时中分为两个同盟。即为都市同盟与地方同盟的两种。两种之外,更有反对社会主义的旧教同盟。工会的一部是奉工团主义。1910年,会员总数有 845000 人,内有 359383 人属于社会党。

共同事业,在意国推行最广,全部的农民都加入信用公会或生产公会,都市的人民,多组织同业公会。消费公会之数有 2000,会员之数达 35 万。

意国参加联合军布告宣战的时候,社会党依从自己的主张,堂堂正正反对参战。

当初议会中议论参战可否的时候,社会党委员和工会的首领,在波罗拿市开会,协议他们所应取的态度。有一部分人,主张即行总同盟罢工,妨害主战者的行动,可是这一说后来被否决了。但是议会到底把反对参战的事否决了。5 月 20 日,首相撒朗得拉说明不得已开战的情形,要求议会赞成,全议员 367 名,反对者只有 54 名。这 54 名,实是社会党员。

参战可决的那一天,意国各都市平和主义者,大行示威运动。社会党员这种态度,有些地方团体不满意他,也有脱党的,但是社会党的机关新闻和杂志都赞同干部的决心,党员之数,后来反见增加了。

对于战争的态度,英德两国的社会党,动辄步调纷乱,只有法国社会党一致赞成战争,意国社会党一致反对战争,这事很可注意。

五、奥国社会党

奥国人种复杂,国情与他国不同。大略人种之数约有 20 种,由这一事看起来,我们可以知道奥国的构成,是怎样复杂、怎样特异的了。

由这种国情,可知那种特异之点,与社会党也有关系,可不待言。一方面有以德国人种为中心的奥国社会民主劳动党,他方面有以斯拉夫人种为中心的奥国社会民主劳动党。奥国社会民主党劳动党的本部,设在维也纳,据战前的统计,支部之数有 1369,党员 145524 人。其内女党员占 9000 人。本部收入,达到 82940 圆。

1911 年的总选举,奥国社会民主劳动党在维也纳虽然得了胜利,但是在各地方,却招了意外的失败。维也纳市选出的议员数 33 名,而社会党因总选举之后,以前仅有 10 名的议员,遂一跃而增加为 20 名了。但是结局少了 5 名的议员。社会党所得的投票数,反由 513219 票而增为 541000 票。此外波希米亚党议员所得的投票数有 365000 票,波兰党所得的投票数有 19000 票。又投了 3 名意国人和 1 名卢塞尼亚人的票数,不能明白知道,但是投了各派社会党的总票数,大略将达到百万。

人种虽有异同,而国内社会主义者,却取一致的行动。差不多与完全表现大规模的国际社会主义的运动相同,不幸奥地利与波希米亚的工会之间,生出意见,其结果致社会党遂分为两派了。

奥国议会的议员数有 516 人,但是 1911 年的总选举,社会党选出了议员 82 名。而社会党分为三派,第一为德国党议员,有 47 名,其内有 43 名是德国人,3 名是意国人,1 名是卢塞尼亚人。第二为波希米亚党议员,其数有 26 名。第三为波兰党议员 8 名。

如上所述,奥国含有多数的人种,所以政治上自然分为许多的单位。恍惚和德意志联邦一样。德意志联邦各有独立议会,奥国各州也有独立议会。这些议会中社会党有几许势力的话,该国社会民主党合计选出 16 名的议员。更把他细别起来,下奥地利 6 名,士的里亚 5 名,萨尔斯波格 2 名,摩拉维亚 1 名,上奥地利 1 名,加里细亚 1 名。此外波希米亚党在摩拉维亚选出 5 名,意国党在多里斯拖选出 10 名。1911 年,维也纳市议会议员选举的时候,社会民主党选出 9 名议员。比之从前增加 2 名。此外基督教会主义者选出议员 11 名,自由党选出 1 名。又就全国自治团体说,奥国社会民主劳动党有议员 1137 名,斯拉夫社会民主劳动党在波希米亚和摩拉维亚,有议员 2114 名。合计有 3281 名。其中有 8 个小自治团体的市长,是社会主义者。

党的出版物有月刊四,每周发行 3 次的有 2 种,每周发行两次的有 7 种,周刊 11 种,隔周刊 2 种,月刊 4 种,其中最有势力的是劳动新闻。这些都是社会民主劳动党的所有物,内有 6 种是在党内所有的印刷所印刷的。至于女党员有 29000 人。这些女党员希望与男子得同等选举权,以这种运动为目的。有《妇人杂志》的机关杂志,每号发行 2 万部。奥国工会运动,为了产业不振的缘故,一时退了步。1908 年以维也纳市为中心而同盟的工会会员之数,有482079 名,但是到了 1910 年,其数渐减,只有 415256 名,其中波希米亚的工会会员有 11 万人。一方又有以首府巴拉格为本部的斯拉夫工会,会员 9 万人。而这两个工会之间,到底有难于调和的地方。奥国方面,主张把全国的工会,打作一团,附属于维也纳市的本部,波希米亚方面则不然,他们以为言语习惯不同,主张设置独立团体为好。其中虽然经了好几次的调和,都没有效果,这两个工会,不单是分离为止,并且互相反目了。

战前的统计所表示的,奥国的共同事业颇为进步。其数有 16468,内有10890 是信用公会,2887 是农业公会,1361 是贩卖公会与建筑公会。

斯拉夫社会民主劳动党——波希米亚社会民主劳动党——规定党员应为工会会员的,所以党员皆为工会会员。支部之数 2473,党员之数 144000 人。

波希米亚社会民主劳动党,如上所述,选出代表 26 名于帝国议会。而帝国议会中社会党又分为三派,这三派单是对于地方问题有些意见,可是对于普通问题常互相提携的。

各州社会党所以没有多数代表的原因,因为各州选举权的制限太多。因为如此,所以波希米亚社会民主劳动党在波希米亚,连一个议员都没有选出。但是在摩拉维亚议会,却有 5 名的代议士,以前已经说过的。

出版物有日报 3 种,每周发行 3 次的有 4 种,每周发行两次的 6 种,周刊约 40 种。这些都是属于波希米亚社会民主劳动党的,内中有 22 种是在该党附属印刷所印刷的。日刊新闻《摩拉维亚里组》在巴拉格每日发行两次,《德林克里斯特》在维也纳市发行,《罗威诺司特》在布鲁恩市发行,销行颇广。

属于波希米亚工会的女会员有 6000 人。加入社会主义运动的有 8200人。这些妇女辈参政运动固是行的,并且对于食料品的腾贵,也行了相当的运动,又对于在教育上所有的僧侣的势力以及军国主义的跋扈,也是反抗的。波希米亚的共同事业,发达颇为幼稚,1912 年之初,其数有 231。会员之数45000 人,资本金 50 万圆,存储金 22 万圆,卖出总额 830 万圆,纯利息 19万圆。

欧洲战争开始以后 1915 年 4 月 12—13 两日德、奥、匈各国社会党的代表者在维也纳市聚会，议决了希望平和的意旨。

六、比国社会党

比国是国际社会党本部所在地。开战以前，平和主义运动，是在此地画策的。比国社会党中最显著而可以为代表的，是比利时劳动党。这党在 1885 年创立，有 1305 个支部，有 222000 的党员。他的目的在贯彻社会主义和劳动者的主张。他们最热心运动的事情，在改正选举法，把教育和宗教分离，并且使他独立。比国选举法，于劳动者不利，25 岁以上的男子，无论何人都可以投一票，但 35 岁以上的男子成了一家的父亲而且又纳租税 10 圆以上的人可以投 2 票，更有具备以上的资格而又为地主官吏和大学卒业的人可以投 3 票，照这种情形看来，恍惚和普通选举一样，其实不过单是假面，毕竟劳动阶级不免受资本阶级的压迫。这就是他们劳动党所主张的根柢了。

其次要从僧侣手中把教育分离出来使他独立的原因，因为比国与从前的法国一样，僧侣差不多支配小学教育的全部。不由僧侣之手设立的小学校固是有的，然大半都是他们自身设立的，而且教育一概都归他们手中掌握。照这样儿童教育都由僧侣主持，若想把进步主义、自由主义、社会主义的思想输入儿童的心胸中，却是很困难的事情，所以劳动党无论如何，非把教育从僧侣手中解放不可。

故劳动党继续对于僧侣主义和军队主义，表示大大的反对气势。当着选举的时候，常和自由党提携，与僧侣党对抗。可是当着总选举的时候，两党终至于断绝提携，这事于自由党于劳动党都是可悲的事情。

如今把战争以前总选举的结果和派别表列如下：

僧侣党	101 人
自由党	44 人
社会党（劳动党）	39 人
基督教民主党	2 人

又每次总选举时增加的社会党议员之数如下:

1900 年	33 人
1902 年	34 人
1904 年	28 人
1906 年	30 人
1908 年	34 人
1910 年	35 人
1912 年	39 人
1914 年	40 人

以上系表示下议院中各派的势力,而上议院中社会党的势力,实在很少。即是议员总数 120 名中除了僧侣党的 78 名和自由党的 40 名之外,社会党仅有 9 名。

在中央政治上的社会党,已如上述,至于在地方自治团体的活动,比较地成功了。

1911 年自治团体议员改选的时候,社会党与自由党提携的结果,在不律塞与其他大都市把僧侣党打败了。社会党在自治团体有 130 名的议员。有50 个自治团体,社会党占多数的议员,更有 50 个自治团体,社会党议员虽非多数,而其势力亦不可轻视。

社会党发行的机关新闻有 8 种。其发行之数合计有 15 万。其中最重要的是不律塞市发行的《波不尔》报——发行数 45000——和《谢诺老易》报——发行额 25000。此外每周发行两次的 1 种,周刊 14 种,隔周刊 2 种,月刊 8 种。

社会党不仅以发行新闻纸为满足。他们知道青年教育的重要,要使那些青年成为社会党的运动者,用这种目的,在不律塞铿特菲移流久诸都市设立女学校,教授应用社会主义,并且研究共同事业的性质。即说是与英国的社会主义星期日学校的目的相同亦可。比利时工会会员有 15 万人,其中有 77000 人属于劳动党,此外有 4 万人加入非社会主义团体的天主教。这工会所有的月刊杂志有 27 种。其中最大的,销行到 17500 份。

比利时劳动者，不假资本家的手，自集资本，经营共同事业。这是现代劳动界的特征，信用公会、生产公会、消费公会的团体共有数千，真是比利时可以夸口的事情。其中最著名的有称为"人民馆"的局，劳动者的必要品，一概都在此处办理。单是这样的消费公会之数，合计有 174 个，会员之数达 175478 人。一年间的发售额，约为 17968000 元。

以前说过的，不律塞是国际社会党事务局的所在地。比国有名的社会主义者黄得勃特为国际社会党的会长，同国的菲司次曼为书记。而黄得勃特是大学的教授，又是有数百万财产的富豪，并且负有代表比利时的盛名，这是很可注意的。

然而国际社会党本部所在的比利时，开战以后差不多不能见社会主义的活动了。开战之初，代表各国社会党的委员会在国际社会党事务局开会，讲求防止战争的方法，但是战争一开，比国的社会党不得不全变其态度。开战后不久，曾闻黄得勃特入了内阁的。由这一事看来，可以想知比国的社会党所取的态度了。

法国对于此次的战争，处于防御的地位。当着敌人进击到离巴黎二三十英里地方的时候，差不多举国一致对敌，各派的社会主义者，也都援助政府，抵御敌人了。把法国这种状态推察起来，比法国更陷于惨状的比利时，也无怪那些社会主义者忘了主义为国家战争了。

七、俄国社会党

多数派建设的施设，使俄罗斯成了社会主义的霸王。研究社会主义的实际政策的时候，这俄国的现状很可注目的。然于研究俄国现状之先，有知道俄国社会运动历史的必要。革命以前的社会运动史，分为三期研究，较为便利。

第一期，是由 1855 年亚历山大二世即位后以至 1870 年的 15 年间。这时代社会运动的特色，与新科学的勃兴同时并生，渐受马克思拉撒尔的影响。第二期即是社会主义活动的时代。当时巴黎自治团运动勃发，德国社会民主主义大形活跃，俄国的知识阶级，受了这些刺激，不能独立。他们为解放农奴想于平和中实现他们的目的，政府却压迫他们。可是偶然的意外事情，遂使俄罗斯发生虚无党恐怖党。当时俄国青年学生,不问男女,都到瑞士苏里世大学留学,于是与那些为社会运动而亡命的志士论客相结合,接触了新思想。一旦与新思想接触了的青年学生,归国后遂从事于运动。然而国内运动的取缔最严,运动的人都下了监狱。于是他们为谋贯彻他们的目的,知道非用非常手段不可,于是入了第三期的恐怖时代。即是成了暗杀的牺牲毙命的,亚历山大二世为始,知事和警视厅长等毙命的也不少。革命党的精神,至此时根本渐形强固了。

一方面革命党的运动,如上所述,渐次发展,他方面产业发达,都市也渐渐发展了。革命党的运动,又向这一方面扩张起来。1896 年,圣彼得堡大同盟罢工,就是这种表现。此时社会民主党,遂开始发生了。俄日战争以后开了国会,1906 年,国会第一次开会,但是因为选举法不满足的缘故,革命党和社会党都没有加入。但是农夫和劳动者的代表曾选出了 107 名。其次在 1907 年第二次选举的时候,社会民主,社会革命两党联合运动选举,所以 524 议员中得自由党选出了 132 名的议员。但是这个议会遭了解散的厄运,政府不经国会的协赞,为贵族地主富豪设定选举法,他们社会党仅不过选出 14 名的议员,所以他们对于政府的处置,大声叱呼,彻底攻击,由 1908 年的统计看起来,被放逐于国外的有 7 万人,处死刑的 782 名,流滴于西比利亚的 18 万人,这也可称是多数了。就这件事,也可晓得俄政府压迫的程度是很猛烈的了。于是又入了暗杀时代。

因为有上述种种事情,所以当时社会主义一类的新闻杂志书籍,都在外国出版,采用一种秘密输入的方法。即是当时社会党机关杂志有 18 种在巴黎印刷的光景。此外各种国家禁止的书类,由国外秘密输入的费用,消费数十万圆,这类的小册子杂志书籍,得颁布于国内各地。

正在这种情势的当中,而世界大战勃发了。多数的社会党员,也和各国一样,想承认战争的。然而竟有少数的人敢于反对了。开战当时,有 5 人反对军事费案,处了终身的流刑。

果然,1917 年 3 月最初的革命震骇了全世界了。革命时社会党劳动党势力颇大。即社会革命党员克仑茨基(Krensky)做了司法大臣,接连又有克仑茨基内阁出现,是以立宪民主党员 6 名社会党员 8 名组织的。但是克仑茨基的态度,不能得社会党的信仰,加之极"左"党的列宁一派势力增大,中央捷塞派虽占了 3 名的阁员,却明明表示不满意于克仑茨基、奈克拉左夫和德勒倩哥等极右党的态度。克仑茨基本来是用劳兵会做中心作基础而得势的,但是与绅商阶级握手一事,却买了劳兵会的反感,社会革命党员遭了驱逐,不得不失足亡命了。

代克仑斯基而兴的,是列宁、脱洛基等极"左"党的多数派。他们首先在布勒司德利司克缔结单独媾和,完全废止土地私有,无赔偿的把所有权移归国家。又大呼解放各殖民地和各处被压制的民族,宣告各国,破弃国债。总之多数派政府的地位,在专心造出实现社会主义所必要的一切预备条件。加之多数派所取的立场,在注入工团主义于马克思的学说,更加以俄国特有的土地革命主义。后来多数派敢然打破各国压迫和干涉的关头,用一切的方法手段,尽力实现他们理想的主义。要想知道多数派实际的政策,须知那人民委员会即劳动中央政府所发的法令的要旨。看了这个,就可晓得多数派不是胡乱以破坏为能事的。劳动独裁政治的职能,土地的国有和分配,工业的社会化,银行国有等项,都有详细的规则,但是为避去繁杂的缘故,概从省略,以下的事项,因为便宜起见,作为社会党实际政策代表的一例,所以单把他的要点列举于下。

(一)劳动者的产业支配机关

1. 为整理国内经济起见,一切工业的商业的农业的事业和团体,概归劳动者管理,银行事业交通事业产业公会亦同。

2. 上述各团体的管理,由所属劳动者选出的机关即工场委员劳动者代表会议举行。这些机关概由被佣者和技术员的代表组织。

3. 于重要工业都市和工业地方,设置地方劳动者支配机关。这工场是由工会劳动委员会与他种工场产业公会的代表组织的。

4. 上述的劳动者支配机关,于开大会以前,在圣彼得堡设立全俄劳动者支配机关,网罗下述诸团体的代表。即,劳兵代表会执行会委员的代表 5 名,工会代表 5 名,技术员代表 5 名,农业公会代表 2 名,有会员 10 万以上的各劳动团体的代表各 1 名。

5. 劳动者支配机关,有监督生产制定最低劳银,决定制造品的卖价的权能。

6. 劳动者支配机关,有管理关于业务一切通信的权能。商业上的秘密,一切禁绝。使经营事业的主人,提出一切账簿和存款于劳动者支配机关。

7. 劳动者支配机关的决定,得拘束经营事业的所有主,除了由高级劳动者支配机关的决定以外,不得失其效力。

8. 事业的所有主或经营者,对于劳动者支配机关的决定,于3日以内得控诉于高级劳动者支配机关。

9. 凡一切事业的所有主和使用人的代表——行使支配权者,就秩序的维持,财物的保管,对于政府负责任,得处罚毁损财物和不整理账簿行为的人。

10. 地方劳动者支配机关,裁决下级支配机关间一切纷议,和事业所有主所提出的诉讼。

(二)国民经济高等会议

1. 国民经济高等会议,依利源和金融机关的公有,整理全国经济生活,统一中央和地方的一切支配团体——全俄劳动者支配团体,含在其内。

2. 国民经济高等会议,有没收,征发,抑留,合同各种工商业的权能。又于生产分配金融各方面,有施行前述以外诸政策的权能。

3. 国民高等经济会议,由全俄劳动者支配机关各人民委员的代表,以及特别招聘的专门学者和知名之人,组织而成。

4. 国民经济高等会议,分燃料矿山复员金融诸部。

5. 国民经济高等会议,由其议员中选出15人为一局,取各部的联络,行应急的处置。

6. 关于整理公共经济的一切法案和政策,先提出于人民委员会。

(三)外国贸易国有

1. 一切外国贸易,定为国有。对于外国政府和外国商业团体的生产物——如原料制造品农产物等——买卖,由政府特种机关直接管理。

2. 置商工人民委员会,以下述各团体的代表为委员。(1)陆军、海军、农务、食料供给、交通、外交、财政各部。（2）统括茶烟与纺绩物等各种产业的中央机关——国民经济高等会议各部门的委员包在其内。（3）产业公会中央机关。（4）商工同业公会的中央机关。（5）重要品输出入业者的中央机关。

3. 设外国贸易会议,登录输出入品的重要供给,决定价格,施行一切商工人民委员会的议案。

（四）临时革命委员会

现当危急的时候,为应急的必要,置临时革命委员会,禁止一切反对革命的印刷物。

对于此事,本于社会主义平日所主张言论自由的根本主义有相违背,颇受批难攻击,但是绅士阀的新闻杂志,实是反对的最有力的武器,所以当着劳动者和农民的权力刚才建设的现时形势,这种武器不应存于敌人手中。可是新制度确定以后,同时对于印刷物的一切制限,当然除去,完全的言论自由,即可实现。又,一切广告,定为国家的独立事业,唯有彼得格勒的现政府和地方劳动会的刊行物,得以揭载广告。至于揭载广告的他种新闻纸,一概禁止。

（五）银行贮藏金的处分

1. 各银行金库中所存的货币移归国家银行。金货和金块,概收回为国家的基金。

2. 金库的保管者,应依召唤速携键钥出席于银行,以受检查。

3. 金库保管者受召唤后,3 日内不出席者,认为反抗检查。

4. 属于反抗检查的人所有的金库,检查员将金库开启,其所有物概归人民公有,移归国家银行。

（六）国债废弃与国营贮蓄

在地主和绅士阀支配之下所行的一切国债,概行废弃。一切外债无除外例,绝对废弃。短期债券,不付利息。但与信用证券同为有效。小资产的人民,有已被废弃的内国债,而其金额不逾 1 万卢布者,每年可由国家给与利息和同额的补偿。国营贮蓄银行的贮金,不可侵犯。劳兵农代表会议,设置委员,决定谁某当属于小资产阶级。又,若非由各自劳动所得的贮金,其额虽不逾 5000 卢布,此委员会有完全否认的权利。

（七） 劳动者民兵之设置

一切劳兵代表会,均须设置劳动者民兵。文武官厅宜协力于劳动者民兵的设置,与以技术上的助力,供给武器。

（八） 土地私有权之废止

1. 对于一切土地所有权,概为无赔偿的废止。

2. 地主的所有地、贵族的采邑、寺院教会所属地等,一切均与其家畜器具建筑物共移归地方土地委员会和地方农民代表会管理。

（九） 选举权与被选举权

18 岁以上的男女而与下列各项相当的俄罗斯共和国民,均有选举权与被选举权。

（甲）为生产的,对于社会为有益的劳动以营生计而为职业联合员者。即,被雇佣于农工商业的一切劳动者和使用人。不雇用他人的农民和哥萨克农业劳动者。劳农政府诸公所的使用人和劳动者。

（乙）劳农政府的海陆军兵士。

（丙）上记两种的人民而丧失劳动能力者。

（十） 劳农大会与中央委员

1. 全俄劳农大会由县劳农会的代表者——每 25000 人选举 1 人——和人民委员会的代表者——每 125000 人选举 1 人——组织而成。

2. 全俄劳农大会,至少每年两次,由全俄中央执行委员会召集。

3. 全俄中央执行委员会,对于全俄劳农大会负责任。

4. 全俄劳农大会为俄罗斯共和国的最高权力,于会期以外,其权力由全俄中央执行委员会代表。

5. 全俄中央执行委员会,分为 10 行政部门。（1）外交。（2）国防。（3）保安。(4)司法。(5)公共经济。——内分为农业、工商业、金融、铁道、食料供给、国有财产、建筑等小部门。(6)劳动及公益。(7)教育。(8)邮政、电信、电话。(9)联邦事务。(10)支配及检查。

八、美国社会党

南北战争以前的美国,社会主义这句话,只当作一个空想的社会主义的理解。到了南北战争以后,从前并无组织并无统一的美国劳动团体,于是结束为国民的同盟,开了政治活动的端绪。1872年那劳动者同盟的本部设置于纽约以来,各种劳动者和社会主义者,都来加入,这个同盟,遂成了后来的社会劳动党。

无论欧洲何国的社会党都是这样成立的,但是劳工运动的发达,社会主义常有直接或间接的势力。美国也是一样,工会也是由社会主义发生,独立之后,大为发达的。社会主义者,要先使工会化为社会主义,所以将许多工会,合同起来,组织了"社会劳动党"(Socialist Labour Party)。但是叫作这个名称的,是1887年在纽约开第三回大会以后的事情。以前是叫作"合众国劳动党"(The Workingmen's Party of the United States)。1870年以前,美国社会主义者,有马克思正系的国际主义派和拉撒尔的社会民主派两种,两派对于种种根本问题,意见不能一致,互相对抗。可是社会主义者合同的机运,到了1876年,在彼兹巴克开第二回大会的时候,彼此相结合起来了。

然而马克思派和拉撒尔派虽已合同,可是根本的意见不能一致,所以这两派遂成了今日的"职业联合的社会主义者"和"政治的社会主义者"的分派。这两派在社会劳动党内,久成为相争的种子,构成了革命派和温和派的内容。1880年选举失败的结果,两者的分派,越发显明了。恰好这时以约翰摩斯特为中心的无政府主义运动,其本部设在纽约,革命的社会党,遂和他携手了。

在这种事情之下,两派的社会主义者相争的时候,1886年有"劳动党"(Knight of Labour)发生了;1890年,有"美国劳动同盟"(American Federation of Laobur A.F.L.)创立了。社会劳动党想把这两个团体笼络到手,但是没有成功,于是知道把已成立的大劳动团体化为社会主义的事,难于做到。1895年,为对抗美国劳动同盟与劳动党起见,创设了"社会主义职业劳动同盟"(The Socialist Trade and Labour Alliance)。这个同盟宣言对于 1896 年的宪法,赞成社会主义和政治运动,相约与社会劳动党提携。有这些团体为中心,渐次到了 1899 年,遂成了"美国社会民主党"(Social Democratic Party of America)。社会民主党发达的径路,如上所述,达纽耳列翁到 1914 年临死时为止,终身指导这一党的。其发达的径路,依下列数字,表示于下。

1907 年	9000 人
1908 年	21000 人
1910 年	24000 人
1912 年	42000 人
1914 年	52000 人

又美国除社会党以外,社会主义色彩浓厚而又有力的团体,是 IWW(The Industrial Workers of World)。IWW 是现代文明国中最激进的团体,有人说多数派也是发源于这个团体的。IWW 虽然被世人解作是受了法国革命工团主义的影响,但这是缺乏美国社会主义历史的智识的人所说的,其发生的起源,实在是美国特有的东西。在今日,自然,多少总受了点工团主义的影响,但是把他译作美国的工团主义,却不得当。这个不如依 IWW 自身所说的,是由劳动党发生的。对于 IWW 第一应当注意的,IWW 纯然是工银劳动者的根本团体,主张绝对的阶级斗争主义。以革命的产业联合主义为精神的地方,可以看作是这一派的特色。又如这派的运动手段,要用一切的方法,国际的打破现代支配阶级,本据生产的协同组织,设立自由社会。现在这一派与无政府主义者和社会党左翼,以同一理解,从事运动。果德曼女史那样的人,据最近的报告,也和 IWW 共同奋斗。美国社会党名士斯巴可当美国参战之初,与拉瑟尔塞孟司格罗易特奔森薄林克等名士,都高唱主战主义,现在去了社会党,组织爱国的新团体。

其次又有不能看过的事实,是以孔巴司为首领的"美国劳动同盟"(AFL)的活动。AFL 的会员,将近 300 万,势力颇大,他们的同盟罢工,能够震撼世界的经济界。其发达的程度,在设立的那一年即 1897 年,有 264825 人。但是近年来越发增加，看下表自明。

1912 年	1770145 人
1913 年	1996004 人
1914 年	2020671 人
1915 年	2949347 人

现在差不多有 300 万的会员。这个团体，本不是采用社会主义的，可是最近的 AFL 为立法的要求，由下列的条项看来，有注意的价值。

1. 法律上承认 8 时间劳动。

2. 市街铁道、水道、煤气、电气事业，均归国有。

3. 电话、电信、铁道、矿山均归国有。

4. 废止土地私有权，实施土地国有及公用权。

现在这团体援助民主党，为威尔逊尽力，其思想上的矛盾，渐觉有多少不安的现象。

第 三 篇

工　会

第九章 工会之意义及其由来

一、工会的语义及其本质

（一）工会目的两大区别

工会一语，英语称为 Trade Union 或 Industrial Union，若说前者是职工公会的意思后者是工业公会的意思怕容易误会的时候，则用 Labour Union，似较与工会的本质相近。现在把日本学者所著的书看起来，对于"工会"则多用"职工公会"的文字，说明公会的事情，只是"产业公会"虽有把他当作"职工公会"，却少有把他当作工会的。譬如铃木丰氏把桑巴特（Sombart）所著的 *Die Gewerbliche Arbeiterfrage* 译为《劳动问题与劳动政策》一书，把英语的 Trade Union 和德语的 Gewerkverein Gewerkschaften 解为"职工公会"。桑田熊藏和河田嗣郎两位博士也把工会呼为职工公会。所以大都是用职工公会这个文字来说工会的。如铃木氏所译的书中，他举广义的职工公会来暗示工会，看那书中第一章第一节"职工公会组织的本质"上说："职工公会及与此类似而构成的团体，为近世劳动者保护其利益而联合的，虽可说是近世最发达的同业公会之一，可是在本质上与其他纯粹同业公会——如中世的同业公会（Zunft）——大不相同的。若是世人要把现代劳动者所组织的职工公会当作狭义的职工公会（Arbeitergilden），以为与手工业公会（Handwerkergilden）相同，或以为起源于手工业公会，那就不得不加许多制限，这话方能成立。因为对于现在的职工公会，我们要想知道他为广义的职工公会的特质，要在他与往时手工业公会及职人团体（Gesellenverband）相异的地方，方能够辨别出来。若说职工公会是同业公会的时候，就不可不说同业公会的特征，在其会员属于同一职业了，这是不对的。在古时手工业公会的意思说起来，全然不适合的。古时工业劳动者职业的限界,由同等程度的训练能力决定的,有时关于职业上的秘诀,更由同等的修养和运命决定的。手工业劳动者设立同种职业公会,对于他种职业代表,取闭关主义。所以尊重职业的思想,虽成了经验科学发达迟缓的原因,然在数百年间完成手工业的生产同业公会,却是一种特色了。"

此中所谓中世的公会,都是译 Zunft 而来的,我们叫这种中世的公会为同业公会,与英语的 Guild 相当。同业公会这个译名,虽不通用,然当此研究劳动问题之时,想不久就要通用的。可是铃木氏却译为中世的公会,或既往的公会,即此可以推知他所译的职工公会也未必适当。事实上桑巴特对于英语的 Trade Union,认为有广狭二义,在那书第三章,就是用广义的职工公会即工会来说明劳动运动的。

同称工会为职工公会的河田嗣郎,却与前者相反,把工会作为广义的职工公会的一种。他说:"资本与劳动不是必然要在敌对关系上的",所以劳动团体,并不以阶级斗争为目的。有时职工公会虽从事阶级斗争,却是以肯定现制度为前提的,不过是增进利益的一个手段。河田氏所说如此,可是我们所说的工会,不是肯定现制度以增进利益为目的,乃以破坏现制度为目的,所谓职工公会之中,自然也有如河田嗣郎所说不以破坏现制度为目的的,例如中世的同业公会与 Trade Union 的一种就是的。河田氏所著《社会问题及社会运动》书中有一段说:

"职工公会有时虽亦同盟罢工,或用别的手段做阶级斗争的事情,不过都是肯定现时经济制度和社会制度,为劳动者增进利益起见,当作一种运动的形式去做的,换句话说,当作一种达目的的手段去做的。决不是把阶级斗争当作目的来破坏现制度的。所以同是劳动团体,而职工公会与工团(Syndicat),面目不大相同。工团行工团主义,想打破现社会制度,为劳动者造出劳动者的社会及经济,生产分配,都归劳动者自己支配,联合多数工团,成一大组织,造出一个劳动者支配的天下。在职工公会中,有叫作新联合主义(New Unionism),其性质与工团主义相同,可说是工团主义的一个别名。然而本篇不讨论新联合主义,想研究英国职工公会的性质,所以对于上述两者的区别不得不认定的。"

河田氏将英国式的普通职工公会和法国的工团分作两物是不错的,可是他说这不是那一篇的目的,不在职工公会中说明,却欠妥当的。因为就是说职工公会,说工会,总是劳动者的团体,即不得不相提并论。

河田氏所说"资本与劳动不在敌对关系上"这种想法,我们不能表示同意。总之,世界的劳动团体中,资本与劳动全然是敌对关系,不过此中有以阶级斗争为目的与否罢了,这是河田氏也承认的,桑巴特也承认的。本书本篇述"工会",对于以上两种区别,当然都要说明的,可是照桑巴特著河田氏译的书中所说的,无论如何用广义解释,本书却相信"工会"的意义不能说是"职工公会",所以预先把工会的语义说说,然后再说明他的本质。

(二) 工会之单位与内容

在英国说 Trade Union 在美国说 Industrial Union,其目的有两大派别而且又是包有两种意义的劳动团体的名称,在前面已经说明。可是就两者的历史和国别说起来,前者在英国有百年的历史,其性质不以阶级斗争为目的而以为手段,事实上可译为职工公会或职业公会。后者在美国不过十数年的历史,其性质有以阶级斗争为目的,又有不然的,所以不能译为职工公会或职业公会。所以由性质上说起来把他译为工会,与英语的 Labour Union 最相当的。

如桑巴特所说,现代的劳动者团体,不仅限定属于中世的同业公会与现代英国的几多公会及美国的 AFL,也有属于法国的工团和美国的 IWW 的劳动团体的。换句话说,今日的劳动团体,不仅是属于同种职业的劳动团体,或熟练职工团体,或"职工"与劳动者的团体,实是网罗全体职业劳动者的劳动团体,对于劳动问题最有势力的。所以与其说是 Trade Union 是 Industrial Union,不如说是 Labour Union 较为适当。——说是 Trade Union 犹可,说是 Industrial Union 则不可。

由上述的看来,可知工会与中世的同业公会现在的产业公会,其本质大不相同。依布连达诺(Prentano)和霍华尔两人的著书看起来,现代的工会不过是中世同业公会发达而来的一种变态。而英人卫布(Webb)则以为不然,说工会与中世的同业公会并无因果关系。中世的同业公会是自由市民所组织的一种自治团体,虽与今日的产业公会相似,而与工会则不同。即,中世的同业公会,并非由劳动者组织的,乃是当时的资本家组织的,在当时的劳动者,不过是资本家的奴隶。凡属同一种类的资本家，为增进自家企业上的利益组织公会，后来日益发达，自由都市的自治行政，他们都掌握起来了。这就是中世纪的同业公会与现代劳动者为图劳动阶级利益而组织的工会是不相同的。

现代的产业公会有由消费者方面组织的，有由生产者方面组织的，可是与中世纪的同业公会无大差异，并非劳动运动的机关。至于工会则以解决劳动问题才组织的，这是两者不同的地方。由生产者方面所组织的产业公会，多由小资本家组织的，其任务为购入材料，运搬商品，贩卖货物，筹备资金，使用器具等事；所以内容分为购买公会，贩卖公会，机械使用公会等项。由消费者方面所组织的产业公会，就是消费公会，其目的在由公会买入会员所共通的必要品，以分配于各会员，因此可免商人从中渔利，会员的负担，也可减轻许多。可是这种公会，有自设工场生产的，更有将其商品贩卖以营利的。与生产者方面所组织的营利产业公会，差不多是一样的。所以中世的同业公会和现在的产业公会，无论其为生产者或消费者所组织，与现代工会的性质不同，所以工会不特不能说是产业公会，亦不能说是职工公会。然则工会的本质究竟如何？第一节中已将要领说明，现在再说一次。

桑田熊藏的见解，对于河田嗣郎将工会呼为职工公会的地方虽然相同，可是对于他将工团主义除外，说"职工公会曾是肯定现时经济及社会的制度"一句话，却不表同意。桑田氏曾于所著的《工业经济论》上说：工会的目的，在使资本家与劳动者的关系成为买卖关系，而立于对等地位。可是后来他又于所著的《欧洲最近社会问题》书上，述俄罗斯的劳动运动道：

"1904 年年底宪政运动一经地方议会联合会提倡，天下之人靡然相从，劳动者响应的多，职工公会的态度大变，加本所创立的职工公会的工人，时常参加此等运动，加本虽欲极力抑制，无奈大势所趋，亦无办法，只得袖手旁观了。"

由此可知桑田氏认定工会有参加革命运动的事情，与河田氏说工会的本质是承认现制度的主张是不同的了。

还有洼田文三氏，他简直呼英国的 Trade Union 为工会，他于他所著的《欧美劳动问题》书中说道："现时的工会，在英国已于 18 世纪发生这种组织，如反抗同业公会而起的职人团体，由某种意思说来，可说就是现代工会组织的前驱（中略），英国的工会由历史看来，与大陆各国的工会有不同的地方。"

洼田氏不特呼英国的 Trade Union 为工会，他又认定工会在英国在欧洲大陆各国都存在的，他又说：

"英国的工会最初虽以改善经济上社会上的地位为目的，可是欧洲各国的工会，则专以政治为目的。所以关于改善劳动者经济上社会上地位的成绩，欧洲各国远不及英国。然而唤起劳动者政治的自觉心使他们参加政治，养成了一种潜势力的地方，英国的工会又不及欧洲各国了。"

将上述日本各学者的书考察起来，应称工会的，他们偏说是职工公会，而其所称为职工公会的工会，其实不过是英国式的工会，或者与此相似的工会，这是应该注意的。我们所称的工会，乃是今日的工会，其本质以资本家或资本主义者为对手，以属于一切职业的劳动者为单位，或以同业关系与境遇上的关系为基础，又或无论同等与否，唯以限制资本主义及撤废资本主义为目的而组织的运动机关，这就叫作工会。换句话说，就是对于社会问题中占大部分的劳动问题，不问其为根本方法与否，总想设法解决此问题而组织的团体，就是今日的工会。

二、工会与劳动运动

（一）劳动者与劳动运动者

欲说明工会与劳动运动的关系，就有了解劳动问题的必要。关于劳动问题的解释，已在总论中说明，兹更摘其大要而言，就是资本家对于劳动者一切关系的问题。想来解决此问题的人，就有一种劳动运动者。这种劳动运动者，有与劳动团体生关系的，有不然的。与劳动团体生关系的运动者，他注重在劳动团体的势力，为之指导助长，使成为阶级斗争的后盾，以便解决劳动问题。不与劳动团体生关系的运动者，其目的虽与前者相同，而其手段乃是间接的，他们不与劳动者接近而从远处为劳动者指导诱掖的。所以这种运动家，称作社会运动家的很多。社会运动者与劳动运动者有不同的地方，因为社会运动者对于劳动运动以外，别的社会问题，他也去运动的，至于劳动运动者，则专运动关于劳动问题的事情。

工会有依劳动运动者社会运动者为指导而组织的,或者现在还有由他们统率的;又有与劳动运动者全无关系即解决劳动问题的就是劳动者自身,行劳动运动的,就是劳动团体。所以工会和劳动问题的关系,与工会和劳动运动的关系是一样的。

劳动问题是劳动者自身的问题,所以劳动者至好自己觉悟,自己解决这个问题。可是这也不单是劳动者一方面的问题,至少与资本家也有关系。又不单是资本家的问题,实可说是社会全体的问题。劳动问题,既成为社会问题,则第三者对此亦成为问题。不过这个问题的发展,多半由于劳动者的自觉,由对于资本家发生不平而来,所以解决这个问题,劳动者当然居第一位。

假使资本主义虽行不去,而被压迫的劳动者不能自觉,此时有志的人若想努力解决这个问题,则劳动者不知不觉,倩人代理了自己的责任,于是非劳动者的运动者起来,解决这个问题,他既是社会的一分子,对此社会中不平之事,有主张的权利,又是应尽的义务。

(二) 劳动团体与主义方针

劳动问题,不单是劳动者的问题,乃是社会全体的问题。社会生活像一个大法庭,劳动者像原告,资本家像被告,其他的人像证人、律师、鉴定人、陪审员之类。所以这个问题,不单是原告的力所能解决,也不是被告或第三者的力所能解决的,必定要全体才能解决的。有时候那被告容了原告的要求,这个问题似乎可以解决,而其实不然,因为原告者的要求,在使被告者完全消灭,方能满足。换句话说,就是劳动者的要求,无论其理会与否,假使资本家若不中止其为资本家,他的要求是不满足的。就是原告虽有时满足,而周围的证人、律师、鉴定人、陪审员等,也决不随便的表示满足的。所以除开劳动阶级的势力能够打胜资本阶级以外,若想依劳动者自身的力量,单独解决这问题,不能做到。

其次要考察的就是劳动团体的工会,也不是绝对解决劳动问题的机关。工会虽可说是劳动运动的第一位,可是劳动运动不只是工会可以依赖,有时工会对于劳动运动也是无效的。譬如目前美国两个劳动团体,一为美国劳动同盟即 AFL,一为世界工业劳动会即 IWW。IWW 的会员骂 AFL 为资本家的团体,而 AFL 的主张运动,与中世的同业公会不能满足职人团体一样,也不能使一般劳动者满足，所以对于劳动问题是无力的。IWW 的会员现在不过 7 万人，AFL 的会员现在则超过 200 万，可知表同情于 AFL 的较表同情于 IWW 的多，然而也不能说对于 AFL 的主张运动均表示满足的。此处所谓"满足"，并不以参加的人数多寡为定。参加资本主义的人虽多，参加社会主义的人虽少，也不能说资本主义可以满足，社会主义不能使人满足的话。总要看社会生活的实际，根据理论的暗示，察看舆论的大势，看到底哪一种主义方针，能图大多数人的幸福，就是参加的人虽少，而于人类满足上看来，仍以有价值的主义方针为好。所以 AFL 的会员虽多，而对于劳动运动上也无多大期望的。

劳动运动的成效，要看那主义方针，是不是为大多数人谋幸福。所以工会的主义好，对于劳动运动上自然是好，若是主义不彻底人虽多，也是无用的。所以解决劳动问题，工会并不是绝对可依赖的，以工会为单位的劳动团体也是一样。可知劳动团体对于劳动运动，虽占第一位，若是主义方针不好，对于劳动运动也是无益的。

（三）劳动者的团结与工会

此后更须考究的，就是劳动者的团结与工会的关系。工会自然是劳动者团结的一个体制，可是劳动者的团结，并不要待工会才能实现的。此处该补说的，就是工会与劳动者的团结并不是一样的事情。工会本是劳动团体，而劳动团体不尽是工会，其他用种种形式而团结的很多。工会系劳动者依法律，定章程，组织一团，作为拥护自己阶级的利益机关。可是许多劳动者虽不加入这会，却不能说他们没有团体。前次东京印刷职工罢工的时候，有个革进会来团结他们，为他们的团体机关。可见劳动者的团结，并不要待工会才能实现。

其次劳动者的示威运动，也并不待工会才能实现的。有人说：劳动运动非有工会不可，因为劳动者不可不团结的缘故。这种误会就是不知道工会之外，还有种种团结的方法。如前次东京印刷职工，他们虽没有工会，他们还是能够团结，能够同盟罢工，其结果虽遭失败，却并不是没有工会的过失，乃是他们没有同盟罢工的经验的缘故。

劳动问题的解决，工会虽发达，也没有多大效力的。如英国的工会历史有了百年,为工会的本家,可是不能说他比他国善于解决劳动问题。又如法国的工会,最不发达,加入工会的劳动者与英德的 300 多万人相比较,法国的工会只有 70 多万人,然而不能说他不善于解决劳动问题。因为他的主义方针,比较英国要彻底些。若是主张彻底,工会纵不发达,劳动者的团结,还是能够坚固,且对于解决劳动问题比较那主张不彻底的工会,还要好得多。

劳动者的主义方针,要如何才好,这种议论不是本书的目的,本书但举事实说说。大陆各国的工会,多注意政治上的目的,英国的工会,多注意经济上的目的,事实上大陆各国的工会较英国的进步。可知注重经济方面不如注重政治方面为好。

最近如俄罗斯,在本质上在分量上,其工会均较他国为迟,多数的劳动者不属于工会,他们对于经济的改善运动,不甚注重,对于法国劳动者政治改革运动很表同情。其结果如何,我们看 1917 年的革命,就可晓得他们对于解决劳动问题的功效。其次如法国,其工会代表大陆的精神,大多数的劳动者虽不属于工会,然而他们的举动,很能使资本家阶级害怕。他们那种实施社会主义的精神,较英国劳动者以工会担当社会政策自助的方面好得多了。

由上看来,可知劳动者虽以团结为要,然其团结不定用工会那种形式,英国式的工会,于解决劳动问题上无大功效,不必学他。

三、各国的工会

(一) 概观

近世产业的特征,就是组织工场和应用机械。组织工场应用机械,非有大资本不行,所以左右产业的人,是能够集中产业的大资本家。资本既集中于少数人的手中,贫富的距离就一天一天的增大。社会上于是分为资本阶级无产阶级两种,两阶级的厉害相背而行,他们的厉害冲突,也就一天一天的激烈。所谓阶级斗争的现象,一般资本家的政府,就是想压住也压不住了。劳动方面的斗争方法,就是同盟罢工、排货运动、怠业运动。资本家方面应战的方法,就是 Scab(用方法使工人不加入同盟的意思)和 Lockout(企业者同盟休业),于是劳动争议,一天比一天激烈,阶级斗争的色彩,越发鲜明了。

　　财力智力都不能与资本家对抗的劳动者,一方面又被保护资本家的政府所压迫。过去数百年间,劳动者受压迫既久,社会对于他们,又不表同情。及至教育普及,劳动者渐能理解社会生活的实状,对于自己生活起了一种不安的思想。18 世纪以后,马克思出世,从此劳动运动,遂带了社会主义色彩。

　　最初的劳动运动,由第三者表同情于劳动者,愤慨资本主义太背人道,才开始实行的,此时的劳动者为他们所统率,也就非常的努力运动。后来劳动者智识渐开,有了阶级斗争的觉悟,他们虽没有财力,可是他们结合起来,很可以对抗资本家。对于劳动者的结合上,给了最大影响的,要算 1848 年马克思和恩格斯共著的《共产党宣言》。那宣言书有名的末句,就是"万国劳动者呵!速起团结呵!"由这宣言而组织的"共产主义同盟",起初只限于德国,后来成为国际的,后又因各国政府压迫,遂成了秘密团体。现时的工会所以有组织有团结力的,赖这篇宣言书的力不少。

（二）英国工会之由来

　　英国的工会已如前述,在 18 世纪方才出现,其实质与大陆的工会不同。后者为政治的革命的,前者为经济的改善的。这种相异,由工会组织的内容也可以看出。

　　英国工会的特征,在本诸历史的系统,纠合同业的劳动者,组织巩固的团体,以增进彼此间的利益。大陆各国的工会,则不问职业的类别,在网罗一切的劳动者组成一个大团体,作为阶级斗争的机关,以谋劳动阶级的胜利。所以大陆各国的工会,其会员间的关系虽不大密切,可是很能发挥团结力,这便是特征了。

　　英国法律,先前对于要求减少时间增加工银的那种劳动者团体行动,明白严禁,就是普通法令也当作共谋犯处理的。后来到了 19 世纪初期,议会认此项法律不当,遂于 1824 年、1825 年将此项法律废止了。又 1871 年、1876 年发布《工会法》,于 1875 年发布共谋及《财产保护法》,工会方才得了正式的承认。这也是劳动党在议会得势力的结果,依此法律,劳动者团体行动,认为合法,财产又受保护。从此工会始得自由活动,基础乃渐趋于巩固。

（三）美国工会之特征

美国自 19 世纪初期以来,英国式的工会很流行,可是当时的工会不过是一时的团体,没有永久的性质。带永久性质的是 1850 年以后的事情。然因 1873 年及 1879 年经济界的恐慌,竟使从前的劳动团体完全消灭了。现在美国的工会是在恐慌之后成立的。

美国的工会与英国的稍有不同,最初并未受法律的压迫,要求增加工资减少时间的运动,法律上并不认为不法,这是美国立法部宽大的地方。可是美国关于劳动立法,各州不同,所以由美国全体上看起来,是很欠统一的。

据亚丹斯博士及萨姆拉女士共著的《劳动问题》所说的看起来,美国的劳动团体,由实际上的经营观察,可以分为三种:(1)工会;(2)职工公会;(3)产业同盟。就中工会是网罗各种工银劳动者于同一统制之下,其目的在制定劳动法,为政治的活动,想实现共产主义或社会主义的。

（四）德国工会之长处

德国人民,多年因法律和政令的压迫,结社的自由,绝对没有。所以劳动者团体的行动多依社会民主党的指导而行,很带政治的色彩,并不像英国工会纯然以增进经济上的利益为目的,德国的工会,实有自由自救的风气。可是到了 19 世纪中叶以后,各会员彼此关系,日益密切,内部基础巩固,所以要谋增进自己阶级社会上经济上的地位,而英国式的工会,在德国中发达起来了。此种英国式的工会,以菲尔休、钟喀尔二人所创设的为嚆矢。此种工会全然排斥社会民主主义运动,专取法于英国式工会的主义方针。及至近年又加入宗教的臭味,于是那种基督教工会发生了。要之,这是国情和国民性使然,所以德国工会的长处,最有组织有统一,因为工会的方针是中央集权制,首动尾应,非常灵便的。

然而主张工团主义的人,却有反对那种长处的倾向,说:"德国在世界各国中,是社会民主党最发达的国家,劳动者经济运动的工会运动,竟被政治运动的光辉遮住了。到近年来,德国的工会,概属微弱,单为社会民主党政法上的目的,才着手干的,不过是社会民主党附属的活动。"这是一派人的批评,同时他们又说:"可是初年工会运动的领袖等人,其动机如何并无关系,而由他们所助长的工会,虽今日犹与社会民主党保持亲密关系,却在现时可以完全离开社会民主党而独立存在的。"即如卫布氏也说:德国的军国主义,或者可以粉碎亦未可知,而德国的工会,却明明是不能粉碎的。德国工会的特色,是工会内部所发现的组织能力,而内容一工业全部门的劳动者的组织亦渐次发达,这种地方,与英国的工会,真是好对照。德国的工会原取法于英国的工会,可是近来称为工会发源地的英国,反主张工会有大合同的必要,这是有趣的事情。而且英国的工会至少有 100 年的历史,德国的成立不过 50 年,而能对抗官僚政府的镇压政策,得来今日这样大势力,实在是可以注目的。

(五) 法国工会之特征

法国在 1884 年以前,政府严禁人民结社,所以对于组织工会的运动,亦作为一般的结社运动严重取缔的。可是到了 1884 年 3 月从新制定法律,许人民自由结社,关于工会组织的运动亦只设二三种制限,许劳动者自由组织了。

近年来工会成了劳动者有力的运动机关,有可以收效的机会,可是法国的工会常出过激的行为,所以也有丧失信用,错过机会的事。总之法国的工会,其使命专在阶级斗争,如共济事业虽为普通重要事务之一,而与英国的比较起来,却是完全闲却不办的。

与英语 Trade Union 相当的法语是 Syndicat,前者即为吾人所译的工会,后者是劳动者联合的意思,与英语 Syndicate 相通。然而英国人对于此语,不知道有这种用法,而法国人则呼其工会为工团的。近来法国产业上的骚乱,唤起世人对于工团主义的注意。工团主义本应译为"工会主义",而其性质则为革命的,所以译为革命的工团主义。过去 10 年间,自法国以及各国所起的劳动争议,其性质受这主义的影响不少。

(六) 其余各国的工会

前述以外各国的工会,本定在后章详说的,此处但述其起源及其特征如下:

俄国的工会以 1897 年犹太人劳动者所组织的"文特"为嚆矢。当时政府对于劳动团结甚为严禁,所以"文特"乃是一种秘密结社。数年以前由社会主义者从中指导,渐为发达。此后以社会主义者为中心,以政府运动为本位的共济主义式的工会发生了。又俄国工会中有一种特征,即官僚式工会的发源,在现世纪初期,由莫斯科秘密侦探次巴特夫所组织,专以离开劳动者与社会主义者为目的。

奥大利工会的设立,以 1864 年的印刷职工会为始,其主张偏于社会政策主义,其运动方针是合法的是妥协的。然而奉拉萨尔激进的社会主义一派,频年运动印刷职工,不数年奥国的劳动者遂多倾于拉萨尔派,于是稳和派渐渐衰落,后来两派合同为一派了。奥国工会与俄国的相同,倾向于政治运动。1917年奥国所以实行普通选举的原因,都是劳动者势力太大使然的。

意大利的工会以 1912 年某玻璃器制造公司的劳动争议为动机而组织的生产公会为始,这是罢工的劳动者以共同经营的目的,从事同一制造事业,以谋对付资本家而组织的。此后各处工会的组织次第成立。意大利人因其国民性的关系,富有工团主义的色彩。

瑞典在 1880 年始于斯卡尼组织工会,亦与俄奥相同相似,由德意志及丹麦的社会主义者所指导启发,多有政党臭味,工会与劳动党,不能照德国那样能够独立。

第十章　工会之组织及其职能

一、工会之组织

（一）体制机关

工会的组织各国不一，而大体亦有一个共通原则。把各国工会发达的旧迹观察起来，亦与国家的政治组织相同。

工会组织的发达，在初期大致是原始的民主制。当时万事由少数人商议决定，其后逐渐发达，原始的民主制发生不便。会员增加，劳动争议频出，劳动与资本两阶级的冲突愈甚。而各会员间的意见多不一致，于是这个制度就渐渐地消灭，变为官僚式的组织了。在小工会中，就推一个有薪俸的书记长，掌理会中一切的权限。书记长不惟处理会中一切日常的事务，对于法庭对于资本家也代表全会的。当同盟罢工的时候，他出与资本家交涉，调停各会员间的纷议，这是小工会的情形。至于工会则事务繁多，会员也多，一个书记办不下一切事务，于是多用几人做一个执行部，依官僚的组织作为最高的行政机关。书记长可以使用几名补助员，直接办理一切事务。这种组织不单是中央的本部为然，就是地方的支部也是一样。新工会的组织为谋扩张起见，特选出地方组织委员，设地方委员于地方支部。此外更于其上设代议员和上诉法院，作为最高机关。这种发达的情势，大概可由英国劳动者间看得出来。

会员增多，劳动问题增加，民主的共和制自然废灭，而成为官僚的组织，其结果对于会员个人本不免生出许多不利，然于工会全体，却是很有利益的组织。还有同盟罢工的时候，由本部发出命令，支部随着命令去实行，很能做统一举动。可是这种中央集权制，书记长的权力，若是太大，每每轻视会员意思，所以不得不设法防止这种现象。于是一方设一个决定会员意思的机关，一方设一个实行决议案的机关。前者为立法部，后者为行政部；前者由各工会举出代表组织，后者任命有薪俸的办事员组织。这是英国渐次发达而来的工会制度，而在美国则明白区别为立法、司法、行政三部，借以防止混同的弊害。大概英国工会是立宪官僚制，美国是民主共和制。德国在革命以前与英国相似，法国在战争以前与美国相似。要之，现代的工会，规模宏大，其制度差不多与国家的政治组织相同。关于劳动条件雇佣契约劳动争议的事，就有专任的代表机关。所以会中书记长的人选，必定要有特别的才能，若单从会员中选出，很难得适当的人，所以有时选用会员以外的人。不惟书记长要用这种专门人才，就是代表会员决定工会方针的人，也要用职业的专门家才好。试看英国工会的变迁，就可以知道工会的一切事务，是由会员的手中，渐渐移到官僚的专门家手中去处置的。

（二）构成区域

工会构成的区域，最初是地方的，各会分立各处，以会员所居住的地方为构成的范围，这事在美国在英国都是一样的。18 世纪英国的职工公会，受中世熟练的同业公会的精神，它的构成区域就以同一地方同一职业为范围。可是后来工会发达，渐渐失了地方的性质，由地方的进而为国家的，由部分的进而为一般的了。名字虽仍叫作"职工公会"，可是实际已成为"产业公会"了。如美国的工会，可以代表这种国际的倾向，而英国则犹注重于职工公会。然而美国的工会也不过主义方针是国际的，实际上还未脱国家的性质。一般工会的历史，已经打破了地方的和部分的界限，包括一切职业的劳动者，成了系统的组织进而为国家的结合了。资本家阶级亦然，也由国家的进而为国际的倾向了。这种倾向，多由其国内的工会注重社会改造者较注重于经济上地位向上者为占优势，可是工会的自身，则重视社会的目的较经济的目的尤为紧要，或者有专向社会的目的进行的，这是各国的趋势。如英国工会最近的倾向，与其说与美国的 AFL 相近，不如说与 IWW 相近，与其说与德国的工会相近，不如说与法国的工会相近。又如德国的工会本来取法英国，可是现在亦倾向于法国的工团主义美国的 IWW 了。然而在今日世界各国的工会,其团体的构成能够超出国家的范围而成为国际的工会的,实在极少。

（三）国际协会

各国的工会,自前世纪末叶以来,与社会主义的团体接近了,其结果而各国工会也和各国社会主义者开国际协会一样,去开国际的劳动协会了。社会主义者的国际会议,于1889年在巴黎开的,开会的结果,设了一个社会主义的国际事务局。工会的国际协会,于1901年开会,结局也设了一个国际劳动协会。先是1884年纤维业的劳动者曾谋成立国际的劳动协会,至1890年而各种职业的劳动者间,组织同职业的国际协会者不少。现时国际的劳动协会,如矿夫协会纤维业者协会、木工协会运输业者协会等皆是。其会员为欧洲各国的同业劳动者,本部均设在德国。

此等国际的劳动团体,可大别为二种:一为社会主义者的国际政治运动机关;一为纯粹工会或同业公会的国际劳动运动机关。可是这些国际的工会,因为此次大战,一时完全断绝联络了。国际劳动协会本部主干特知恩曾由德国致书英国支部干事亚普东,对于德国工会应募政府战时公债的事,极力辩解,可是英国劳动阶级的公愤,并未减少而且增加了反感。至1915年2月,法国劳动总同盟的代表与英国工会联合会的代表,在伦敦商议之后,致书于美国AFL的领袖孔巴司,想用他的势力,将国际劳动协会的本部从德国移到瑞士或其他中立国。孔巴司为此虽与特知恩说过,可是也未得要领。而一方面同业公会的国际协会,因开战断绝联络,以后并无何种活动。

到了1918年11月,战争告终,讲和会议要在巴黎开会,劳动问题,也成了重要议案之一。于是劳动问题当作国际问题来看待了。英、美、法、意与其他各国劳动团体的代表,当讲和会议开会之时,也在瑞士的首都,开了国际劳动会议。后来根据国际联盟条约于1919年10月在美国华盛顿开国际劳动会议。这个会议由各国的政府即资本家代表来组织的,对于劳动阶级虽是不利,可是此后劳动阶级的国际运动,必要勃兴,不久那包括各国劳动阶级的国际劳动协会必要成立的。

二、工会的职能

（一）调和主义与斗争主义

本书第一章也曾说过，工会的目的，可以分为二派：一是承认现社会组织，想在现社会中谋劳动者的地位向上；一是以为现社会无论如何不能为劳动阶级谋幸福，所以想设法把他推倒建设劳动者本位的社会。现在论工会的职能，也是应用这两层。至于实现工会职能的手段，一为改良的，一为革命的。前者是社会政策，后者就是社会主义。前者采用阶级调和主义，后者采用阶级斗争主义。可是实际上取这两种主义去运动的不少。如改良派的工会在打破现社会制度的范围内，也是采用阶级斗争主义的。同盟罢工本是一种阶级斗争的运动，可是英国工会的同盟罢工，只以改良劳动条件为满足，它的斗争主义，在半途就告终了。所以纯粹取阶级斗争主义的工会，其同盟罢工，不在改善一时的劳动条件，乃期望达到社会的总同盟罢工，以谋彻底地解决劳动问题。那以减少劳动时间增加工资与改善劳动条件为目的的工会，乃是取调和主义工会的职能。若其目的在解放劳动阶级，灭绝资本家对劳动者的关系，建设新社会的工会，乃是取阶级斗争主义工会的职能。就近时各国的形势看来，取阶级斗争主义的工会，比取调和主义的工会要占优势。现在的新工会主义或工会主义，却是采取革命主义，想依工会的力量，谋合理的成就社会革命的。

从大体上说起来，工会的职能本在解决劳动问题。然解决劳动问题的，不单是属于工会的劳动者有关系，即劳动者以外的各阶级，都有关系都要尽力的，这乃是社会的事实。本来与劳动问题有密切关系的，不外资本家与劳动者，所以解决这问题较社会上各阶级担负责任要大的也是资本家与劳动者两个阶级，可是实际上较两阶级先着手的，还是政府与经世家。他们所以要来解决这个问题的，虽因受了劳动者的刺激，可是虽受刺激，却并不是因为劳动者向社会申诉不平要求社会来解决这问题的。实在是他们见了劳动者的惨状，劳动阶级纵不去要求他们，他们自己也是不忍的。所以一般经世家就替劳动者鸣不平，要求社会来解决这个问题，这是最近各国中的实事。

工会的组成本为解决劳动问题。不过这并不是劳动阶级自身，以为劳动问题非劳动者自身解决不可然后创立的,乃是一类社会主义者,社会政策论者,或经世家来启发指导他们,使他们知道团结的必要,或由资本家为之创立工会,或使劳动者自己创立,而工会于是产生了。

所以解决劳动问题虽是工会的职能,可是因为组织的人不同,所以有采调和主义的,有采斗争主义的。又有最初本采取调和主义的工会,后来因为工会发达会员智识进步的结果,遂觉知调和主义终不能根本解决劳动问题,所以后来改取阶级斗争主义的。又有先本采取阶级斗争主义,而后来因为难于达到目的,所以又改用调和主义的。要之工会分两派,采用两种主义,各自谋完成各自的职能。具体地说起来,有想用各种同盟罢工的威力满足经济上的要求的,有谋实现改造社会的理想的,有想谋阶级地位向上的,有谋废灭阶级的。这就是工会的职能。

（二） 经济的同盟罢工

经济的同盟罢工,普通以减少时间增加工资为主要目的,现在各国都认为正当的。虽说减少劳动时间,却也有一个标准的,普通的理想就是 8 时间劳动制。工银也是要求定一最低工银制,以谋防止工银的下落的。其他还有改善工场的设备,限制妇人小儿的劳动种种。不过主要的目的,要数前两种。经济的同盟罢工,也有小同盟罢工与总同盟罢工的区别。小同盟罢工,就是一工场内的劳动者同盟罢工、总同盟罢工,就是指一都市或一国的劳动者同盟罢工。社会总同盟罢工者说:总同盟罢工是全国的劳动者将社会的事务一起罢了。不过社会的总同盟罢工与经济的总同盟罢工不同。社会的总同盟罢工的目的,是想藉罢工推翻社会,而经济的总同盟罢工,对于现在的社会制度,经济组织是无关系的。经济的总同盟罢工,其目的只在减少劳动时间增加工银而已。

（三） 政治的总同盟罢工

政治的总同盟罢工与经济的总同盟罢工,都是大规模的罢工,其不同的地方,就是政治的总同盟罢工的目的,在使立法部通过一定的法律,或者不使其通过某种法律。即是劳动者利用产业上的地位,想贯彻政治上一定的目的。这种政治的同盟罢工,同经济的同盟罢工其原则相同,都是承认现社会制度和经济组织的。所以无政府主义者和工团主义者,不采用这种罢工,惟有社会政策派和一种社会主义派采用的。社会主义派虽不承认现社会组织,可是以为政治的同盟罢工和经济的同盟罢工,可以作为劳动者的示威运动,或革命渐进的阶程,所以也采用的。

政治的总同盟罢工,其目的在要求扩张选举权,因为劳动阶级得了政治上的权力,就可以得经济上的利益。因此政治的同盟罢工,也可说是经济的同盟罢工,不过对付为政者的问题,不在工场而在政治,所以当然与经济的同盟罢工有点区别。

(四) 反对军事的总同盟罢工

反对军事的总同盟罢工,是反对军备运动,是反对战争的同盟罢工。这种罢工法国劳动者屡次想实行,可是未能实现。反对军备的运动行于平时,反对战争的运动行于战时。在战时反对开战的手段,或以劳动者选出议员,否决预算案,使战事无从发生。德国此次革命,以 Kill 军港的水军抗命起事,一面造船的职工,亦已起了此种反对军备的罢工。然而德意志帝国此次所以覆灭,不是因为反对军备的同盟罢工,是因为国民一般的革命所覆灭的。世界中平日此种罢工,在以前并没有实行的先例,此次所以能见诸实行的,就可知革命已经成就,近日俄德的革命很可以证明了。此种同盟罢工实是绝对危险的。

此种同盟罢工不是无政府主义者工团主义者专门干的事情,社会主义者也承认的。因为他们都以为国与国的战争,就是资本家与资本家的战争,不关劳动者的事,所以也主张这种罢工的。可是征诸实例,当开战的时候,踊跃去赞成政府开战,民族的反感,终究把劳动阶级支配住了,所以这种罢工,以前没有实现过的,实现的时候,大概限于战时或革命的时候。然而现世界的劳动阶级,得了此次俄德革命的实地教训,于平时于战时,已经发现这种运动的实行可能性亦未可知。此后的强国想与他国开战,当非容易的事情。

(五) 社会的总同盟罢工

社会的总同盟罢工,英语为 Social General Strike,兹就洼田氏在其所著《欧美劳动问题》书中关于社会的总同盟罢工一段,摘录如下:

　　"社会的总同盟罢工,其目的在打破资本本位的现社会制度,创设新社会。当叙述梭勒尔巴司拉卡德所主唱的法国工团主义之时,曾屡次说及总同盟罢工,可是彼时无暇详述,兹再述其大概。前所述的总同盟罢工都是可以实行的,其动机亦为一般劳动阶级所通有的。然而社会的总同盟罢工,乃是一种预想,一旦勃发,则非将现社会资本主义制度根本推翻不止。有人以为此事不过用以鼓吹劳动者的勇气,难以实行,有人却信以为这是推翻现制度的唯一手段。而相信这种罢工可以实行的人,以为依赖政治上的争战来达社会革命的目的,是一种迂缓手段,若有可以打破现社会制度的时候,无论何种行为都可以干的,现时这派的势力颇为旺盛。

　　"社会的总同盟罢工,不可当作一种空言,很有慎重考虑的必要。工团主义者,以为这种思想由来甚久,并非新思想,其实是由于近代无政府主义的共产思想而来的。工团主义者以为这种罢工是社会革命的方便,共产主义者把他作为主义上的信条。还有巴得和波克特欲使自觉的劳动者先行罢工,渐谋扩张于各处,作为实行社会革命的手段。此说能使各国社会主义激进者恍惚莫知所从,即法国历代首相中最有名的最能破坏同盟罢工的如布里安其人,他在少壮时代,也曾热心提倡这种社会的总同盟罢工。但是各国的社会主义者中,信奉的多是理想家及中产阶级的社会主义者。

　　"社会的总同盟罢工的动机所以发生的,有两种见解。一说,同盟罢工宜以轻微小故为导火线,如黑夜行窃于不知不觉之间,扬起燎原的大火。一说,一切工会和生产公会先事准备,事机一到便公然罢起工来。而工团主义者排斥第二说,其理想欲于咄嗟之间,行同盟罢工达到社会革命的目的。可是要使劳动者都来参加这种同盟罢工,必定要先施以适当的教育和训练。劳动者若已受了这种训练,那时大势已定,可以不假这种手段,也可以实现出新社会了。所以英德等国保守的工会,多不预想这种罢工,可是在法、意、西班牙等国惯于革命的国民,这种思想,传播最为容易。只有一层,革命的思想能够行得去,就以为即可实现革命,这是皮相的见解。在那种国情之下,若是没有确实达到目的的希望,劳动阶级必不敢轻举妄动的。

　　"要列举与社会的总同盟罢工相似之例,除了1904年意大利的罢工以外,毋须他求。当时意国政府因为用兵镇压一处的同盟罢工,死伤了多少人民,劳动者方面大为愤激,为报复计,全国劳动者各处大起罢工,一直乱了五天之久。革命派的人以为成功,改良派的人以为反使反对派的地位强固。他们的争论如何,可以不论,而其结果也只能泄了劳动者多年不平之气,实质上还没有效果。"

三、工会运动的限界

(一) 同盟罢工与社会

工会的任务或职能,虽如上述,但都是工会的理想,由第三者或一般社会看来,未必完全承认的。所以工会的理想自然受外界的限制,桑巴特于所著的《工业劳动问题》书上曾说道:

"对于劳动者的自助运动,由公益上看起来,可以想到他的限界。那无制限的劳动者自助作用,有时只是有害而且与他所要求的利益相反。此种事情在同盟罢工的时候,最容易看出。譬如面包铺与工人意见少有不和,即将我们日不可缺的食物生产废止,又如新闻停止发行,铁道及街市电车断绝交通,煤气公司的劳动者罢工,使全市不能举火,当着这种时候,社会全体当然也受影响了。到了这时,带有公的性质的仲裁裁判所等,就不得不行义务的干涉,以迅速调停劳动者与企业者间底争斗。可是这种例非常少,而且只限于同盟罢工有害公安的时候。其他工会运动,害公安的时候很少,要想利用害公安的名义去压迫工会,实是陋策。"

(二) 工会与劳动保护

桑巴特又说道:"此处所说工会的限界,是说在劳动运动能力和实行的可能性上,有限制的意思。如英国的工会成立已有百年,且有二十多年完全未受妨害,宜乎很发达了!然所属劳动人数,不过工业全体劳动者 $\frac{1}{5}$,其他各国的比例当然更少。德国全体劳动者不过 $\frac{1}{8}$,属于工会而享工会幸福的,不过少数劳动者。即使工会将来可希望收罗大多数的劳动者,亦不免要费多少年月,非仓卒间所能办到,在未办到以前,大多数的劳动者,仍然要在无组织能力的状态中。"

"所谓有活动能力的少年劳动者与妇人劳动者的大部分,一切家内工业劳动者及不熟练劳动者的大部分,皆属于无组织能力劳动者范围之内。由此看来,即使工会能为其会员除去近世由雇佣关系所生的弊害,然为工会以外的大多数劳动者计,也不可不讲求别的方法。

"更有不可不注意的事情,就是工会对于会员,有时亦不能完全为之补助。关于劳动时间或具体劳动条件以外的一切保护施设,即如全国或生产区域内卫生上道德上等项规定,也不是劳动团体自身可以用自助方法做得到的。又如关于疾病灾害衰老等保险事件,也不是工会的补给金库所能办到的。这都是应当注意的事情。"

(三) 劳动运动与国家的援助

"最后可注意的,就是工会能够自发的为劳动者实行改善的时候,即如协定工银确定劳动时间制的时候苟不得国家的补助(如强制立法),则不能收效。若夜间劳动、幼年劳动、妇人劳动、星期日劳动与其他劳动条件,倘不得国家的补助加以制限,则劳动事务的关系将愈增不利。于是工会运动所得的效果现在与过去,是否相同这是疑问了。

"故由各方面看来,可下一个断定,工会不惟为劳动者,就是为社会全体计,也是不可缺的,其发展很可期望而且不可不奖励的。然而工会的活动,实际上受了限制,而且只能包含一小部分的劳动者,其所能救助的,也只是劳动者苦痛的一部分,不能完全为之补救。而且所谓补救的,惟有依赖国家强制立法的援助方能实现的。所以劳动者的自助,同时必须国家的补助,因而社会改造的事业,不可单单委任劳动阶级的代表机关,在性质上,代表公共利益的国家和公共团体亦可承办的。"

以上系桑巴特所说的,大致与吾人有相同的地方,惟对于他末尾的一句,稍有一点意见。他以为劳动者所组织的团体,不能解决劳动问题,所以劳动问题应委诸国家及公共团体处理。可是今日的国家是由资本家阶级所维持的,劳动阶级想为自己阶级谋利益,岂可委任敌人办理么?劳动阶级的资力虽不足,然不可不有觉悟,用自己阶级的团结力去解决劳动问题。换句话说,就是劳动阶级不可不有觉悟,一面利用国家和公共团体的补助,一面要不受国家和公共团体所拘束,以谋达到自己阶级的目的。

第十一章　英国的工会

一、工会之起源

英国工会的起源，有说是起于中世纪 Guild 的，有说不然的。主张起源于 Guild 的人，为布连达诺（Prentano），反对的人为卫布（Webb）。Guild 是什么？就是中世纪欧洲各国的产业公会。起初有一种 Guild 商人，住在各地，由地方贵族取得一种特权，专卖商品，年深月久，势力扩张起来，专横无所不至，直接从事生产的手工工人，大受压迫。手工工人于是联合起来，组织手工同业公会，想来抵制商人的产业公会。果然不久，手工同业公会把商人的产业公会推到了，代替了他的位置。手工同业公会，乃是雇主与其子弟职工共同组织的。组织之初，不惟子弟得承其父兄之职作同业公会的主人，职工也可以轮流做的。历年既久，职工这种权利遂被剥夺，得为同业公会主人的，只限于雇主或其子侄。于是职工也仿先前反抗商人的产业公会的精神，另组织职工协会，来与手工同业公会抗衡。这就是劳动者与资本家对峙的起源。若依布连达诺说，今日的工会，恐怕就是由中世产业公会产生的职工协会中出来的。不过这是一种推测，没有证明这个关系的证据。所以现在的工会，或者如卫布所说，与中世纪的产业公会无关系亦未可知。

二、现代工会的历史

可称现代工会的嚆矢的，要算 1700 年西部地方的毛织物职工会。其次就是 1702 年裁缝工会，这会有 7000 多人，为要求增加工银组成的。因为他们罢工，市民很感不便，遂在议会提出请愿，把他们禁止了。可是裁缝工会，面子上虽说是解散,其实还是继续存在的。何以知道呢?因为1881年有个裁缝主人,当开秘密会之先,曾宣言说这会继续了一世纪之久。他如纽加瑟的靴工公会在1719年组织的。格兰斯哥的桶工公会成立于1752年,装钉公会成立于1793年,诺丁干地方有56个俱乐部,是于1794年产生的,排字工协会成立于1801年,铸物业工人会成立于1809年。由此可知英国的工会发源于18世纪之初,当时议会对于工会的政策,时严时宽,没有一定方针。然而不久法国起了大革命,对岸的英国劳动者受了影响,跃跃欲动。于是政府为防压计,于1799年、1800年两次发布结社禁止法,对于劳动者结社绝对禁止了。可是这法在实际上并无大效,不过惹起劳动界反感罢了。劳动者结社表面上既被禁止,于是向秘密方面做去了。秘密团体,各处皆是。又因法令非常严峻结社即为犯罪,亦处重刑,于是劳动者流于自暴自弃,诸事都诉于破坏手段。本来同盟罢工,并不算犯罪,而结局仍不免受重刑,所以酿成暴动。劳动者入狱的越多,劳动阶级与资本阶级的反感越深。结社禁止法若不撤废,永无调和余地,徒使劳动者铤而走险。于是政府不得已将结社禁止法撤废了。

此法一废,劳动者好像马脱了缰似的,到处同盟罢工,把资本家吓得呆了。于是又有结社禁止法的议案提出于议会了。可是那法令已是与时代逆行的东西,资本家虽极力运动,究竟未能成立,遭了否决。资本家死不甘心,利用他的金钱,组织些暴行团,去压迫劳动者,妨害劳动者加盟入会,及强使就业,可是自由结社既经承认,那妄加妨害的人反受了严罚的。

此时的工会非常幼稚,与日本现在的共济会救济公会差不多,所以还未能正正堂堂,主张劳动阶级的权利,作为阶级斗争的团体。后来劳动者纠合同业工人组织团体由会员征收会费,雇用书记,给以薪俸,使其处理一切事务,又尽力救济会员中失业之人,与现在工会已大同小异。到了此时,劳动者渐知卖劳力于资本家的时候,与其单独订约不如联合起来由工会去订约,较为有利。别的商品当出卖的时候,若卖多了必有折扣,卖力则不然,各个人自己去交易,价钱是不一定的,往往因为经济上位置上的弱点被资本家强迫减价出售的。若大家集合起来由工会去定价,较个人单独去交易要好得多。工会日日发达,会务渐渐增多,经费自然浩大。于是他们又知道工会非蓄积多金,不能备用,工会的准备金因此渐渐增多了。当时英国这种情形,与日本现在的劳动界差不多。由此可知日本劳动界的进步比英国要迟一世纪。

三、工会之社会主义化

初期的工会,其宗旨是禁止攻击资本家的,因为当时阶级斗争的观念,尚未发现,所以他们只主张大家根据博爱主义去唤醒资本家,由国家制定法律来决定劳动条件。因此指导工会的人,可以入议会当议员。至1880年新联合主义发生,这是一种战斗团体,于旧工会主义中,加入社会主义思想的。这个自然是社会主义思想侵入英国的工会之中,绍介的人是多曼和班司,攻击旧工会无谋而且是保守的。1889年船坞罢工与其他起于伦敦的罢工,就是根据新联合主义行的。英国不熟练的劳动者所以能够大团结的,也是根据新联合主义罢工的结果。如煤气劳动者同盟、船坞劳动者同盟、码头劳动者同盟等皆属此类。

原来不熟练的劳动者同盟是仓卒间成立的,所以不能持久。有事忽然团结,无事自然解体。加以新联合主义者,对于吊庆给与等事,视为无意义,不甚注意。所以只是一直向前望着社会革命的目的行去,救济事业全然不办。所以平时会员对于工会不甚亲密,容易分离,这也是不能持久的一个原因。不过近年来他们渐知救济事业,是团结的要素,也渐渐着手办了。

四、劳动团体与资本家同盟之对峙

工会基础日益巩固,战斗团体的色彩愈见鲜明。资本家团体谋对抗的方法,也组织了许多资本家同盟,两相对峙,宛然战时布阵的光景。兹将英国炭坑夫同盟与炭坑主同盟绍介如下,可知现在的社会组织之下,阶级斗争是一定要发生的了。

$$\text{炭坑主}\begin{cases} \text{地方独立炭坑主} \\ \text{英国同盟炭坑主} \end{cases}$$

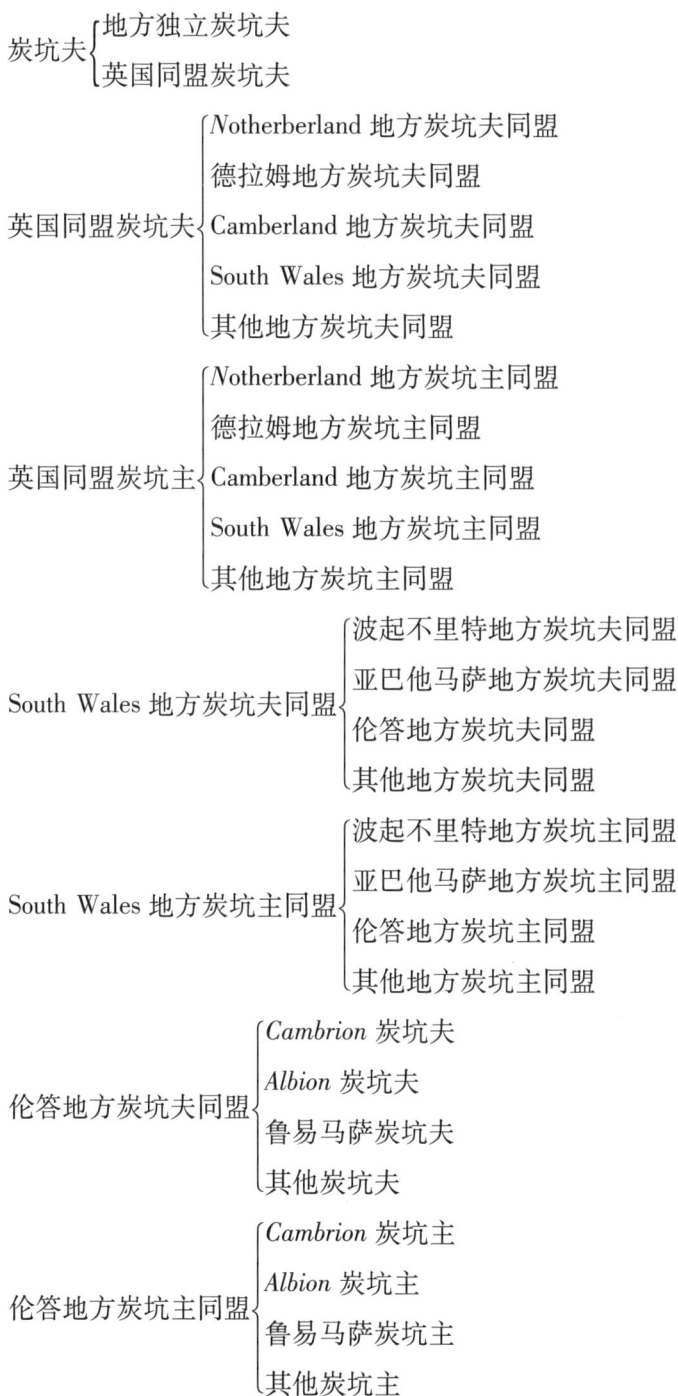

炭坑夫 $\begin{cases} \text{地方独立炭坑夫} \\ \text{英国同盟炭坑夫} \end{cases}$

英国同盟炭坑夫 $\begin{cases} \textit{Notherberland} \text{ 地方炭坑夫同盟} \\ \text{德拉姆地方炭坑夫同盟} \\ \textit{Camberland} \text{ 地方炭坑夫同盟} \\ \textit{South Wales} \text{ 地方炭坑夫同盟} \\ \text{其他地方炭坑夫同盟} \end{cases}$

英国同盟炭坑主 $\begin{cases} \textit{Notherberland} \text{ 地方炭坑主同盟} \\ \text{德拉姆地方炭坑主同盟} \\ \textit{Camberland} \text{ 地方炭坑主同盟} \\ \textit{South Wales} \text{ 地方炭坑主同盟} \\ \text{其他地方炭坑主同盟} \end{cases}$

South Wales 地方炭坑夫同盟 $\begin{cases} \text{波起不里特地方炭坑夫同盟} \\ \text{亚巴他马萨地方炭坑夫同盟} \\ \text{伦答地方炭坑夫同盟} \\ \text{其他地方炭坑夫同盟} \end{cases}$

South Wales 地方炭坑主同盟 $\begin{cases} \text{波起不里特地方炭坑主同盟} \\ \text{亚巴他马萨地方炭坑主同盟} \\ \text{伦答地方炭坑主同盟} \\ \text{其他地方炭坑主同盟} \end{cases}$

伦答地方炭坑夫同盟 $\begin{cases} \textit{Cambrion} \text{ 炭坑夫} \\ \textit{Albion} \text{ 炭坑夫} \\ \text{鲁易马萨炭坑夫} \\ \text{其他炭坑夫} \end{cases}$

伦答地方炭坑主同盟 $\begin{cases} \textit{Cambrion} \text{ 炭坑主} \\ \textit{Albion} \text{ 炭坑主} \\ \text{鲁易马萨炭坑主} \\ \text{其他炭坑主} \end{cases}$

五、达夫乌尔铁道事件与俄斯波恩事件

达夫乌尔铁道事件,就是铁道公司从业员,为要求增加工银,监禁会员不许从事工作,后来公司对此工会提出诉讼,要求损害赔偿。1901 年经上议院判决下来,公司方面胜了,工会赔了 23000 磅。从此以后每逢罢工,公司便起诉要求工会赔偿。工会先后赔了 250 万磅,工会的钱由会员捐出,来源很有限,像这样的赔法,工会终要倒闭,这真是工会方面的制命伤。所以劳动者方面想借政治运动,将这不利于工会的法文改正,于是起了猛烈的政治运动,至 1906 年,劳动争议法,遂得发布了。此法规定凡以平和手段监视会员作工者无罪,这也是运动的成功了。

达夫乌尔铁道事件,使劳动者知道政治的必要,于是创立劳动党,1906 年就得选出了 60 名的议员送到议会去了。选举费用和津贴费由会员募集一定捐款来充当的。可是到了 1909 年,遂惹起俄斯波恩事件(俄斯波恩为铁道从业员公会的干事,他反对用工会的资金援助劳动党,并主张工会没有为选举向会员募捐的权利,到后来提起诉讼,经审判厅判决,认工会为一种法人,不得办理会务以外的事情)。上议院的判决,以为用工会的资金作为议员的津贴费,是不合法的事情。原来英国议员并无年俸,议员的用费多仰给于团体。自俄斯波恩事件以后,1911 年始规定每年支给议员 400 磅。同年又由劳动党人提出工会法案,想要求承认用工会资金充政治运动费,可是也被否决了。

六、英国工会之将来

英国炭坑夫同盟最近为要求 7 时间制,与铁道从业员运输从业员作三角同盟,行同盟罢工。炭坑夫已决议非达到炭矿国有目的不止。可见英国劳动界近来思想已不如从前那样保守了。

英国工会受了社会主义的影响而进步,已如前述,可是当时的社会主义,是很稳健的国家社会主义,所以主张组织劳动党想在议会占势力。其后又受工团主义的影响,一变而为同业公会的社会主义了。工团主义主张不要救济

金和工会基金,不问其为熟练的劳动者与否,凡属于同一产业的人,无论是小使或事务员,都要集合于同一旗帜之下,依直接行动促进社会革命。可是因为国民性的关系,这工团主义思想传入英国以后,与从来的劳动联合主义混合,生出英国式的劳动联合主义,即同业公会的社会主义。同业公会的社会主义,是柯尔(Cole)及其他社会主义名流所倡导的。其流传于世,乃是最近五六年的事情,可是这种主义传播的速力很快,英国的工会差不多都遵奉这种主义了。同业公会的社会主义其主张在将各种产业,仿中世同业公会的式样,凡是从事于同一产业的人,无论技师职工都使其加入,其生产机关一切都任政府没收,工会受政府的委托,经营产业的事务。那时的政府虽然存在,而与现在的不同,政府的职务在专营教育外交等事,至于生产分配事业,专由工会办理。政府中执事人由工会取得生活资料,成为劳动者的使用人了。

从来社会主义,世人多说是与国家相冲突不能并立。可是同业公会的社会主义,却与国家毫无冲突。凡是一个主义到了那一国必与那一国的特殊情形混合,另变出一个形式。现在可行于日本的,想就是同业公会的社会主义了。

七、英国工会的组织与近状

现在英国工会之数有 1300 之多,人数约 300 万。英国工会的组织,由地方同盟中央同盟与从事于同一职业的工会等许多阶级组成同盟,如由各小地方同盟,成为大地方同盟,又进为中央同盟的。例如,就英国的炭坑同盟说起来,Albion 同盟,是 Albion 地方各炭坑夫工会的同盟,而属于伦答地方炭坑夫同盟,与鲁易马萨炭坑夫同盟、康不里安炭坑夫同盟及其他炭坑夫同盟等,均可说是伦答地方的区同盟。伦答地方区同盟与其他各区同盟,又均属于 South Wales 地方同盟,可说是小地方同盟。又 South Wales 地方同盟,是 South Wales 地方全体的同盟,与 Camberland、德拉姆、Notherberland 及其他地方炭坑夫同盟等又属于英国炭坑夫同盟。用图式表示则为

中央同盟——地方同盟——小地方同盟——区同盟——工会

中央同盟一旦决议罢工,各地方同盟、区同盟、工会等,马上遵命实行,连

一块炭都不供给。此次英国炭坑夫的骚动,为首的约克协地方炭坑夫同盟,是与 South Wales 地方同盟匹敌的。

兹揭举英国同盟的名称及其人数如下,这是 1907 年的调查,其后自然是大有变动的。此次大战的结果,会员也有战死的。

建筑业	193190 人
矿山业	703344 人
金属机械业造船业	376805 人
纺织业	354427 人
裁缝业	68810 人
运送业	238813 人
印刷制丝业	68221 人
其他	403136 人
合计	2406746 人

第十二章　法国的工会

一、工会的起源

法国的工会叫作 Syndicat，又资本家的生产公会也叫作 Syndicat，原来 Syndicat 乃是工会的意思，可是照现在这样有革命的工会的意思的，乃是社会主义输入法国以后的事情。将马克思社会主义移植于法国的人，是喀特。这种社会主义与法国 19 世纪的政治经济上事情混合，遂成为今日的工团主义。这主义又遵奉马克思所发明的阶级斗争主义，想由革命手段，把现在资本制度根本推翻，创立劳动世界的。法国工团中，不尽是奉革命主义的，也有和英国小工会一样，不以改造社会为目的，专谋减少时间，增加工银，及改善他种劳动条件的。

二、工会的历史

法国之有工会，是最近的事情。自 1864 年，法人得了结社自由以后，一时的团结虽不为犯罪，可是法律上并无保护工会的规定，凡有会员满 20 人以上的团体，还须得警察的许可。无论何时警察都可以行使警察权，解散或禁止。到了 1868 年，政治的宗教的结社，已不待警察许可，这时的工会也就发达起来了。自 1870 年至 1871 年之间，劳动者将谋大暴动，不幸归于失败，劳动者因此觉悟，遂采取稳健的态度。至 1884 年制定工会法以后，劳动者方才得了法律上的保护，凡是同职业的劳动者，可以自由组织工会，会员得依法律上的规定，自由集会。工会被认为法人，可以提起诉讼，可以由会员征收基本金和共济基金，并介绍劳动的事情。但是禁止外国人为会员。这个法律发布以后，法国工会的发达就很有可观了。

然而由工团主义方面说起来,此等法律不惟无益反使劳动者流于稳健,趋于妥协,实于劳动阶级最后大目的很有妨害。可是得了自由集会结社的事情,对于工团主义宣传上还是有利。

虽然同称工会,而工团主义的工会,却不是职工公会,乃是同一产业公会,凡属同一产业的工人都可以为会员。如印刷业中选文的、排字的、铸字的、印刷的、校字的、女工、使用人、职工长一切人等,都要一齐加入的。所以当社会革命的时候,这些会员立刻从事生产,秩序毫不会紊乱。这就是工团主义的理想。

三、劳动交易所之勃兴

法国在 1890 年,工会之数有 1006 个,会员有 139678 人。到了 1905 年,工会之数增为 4626,会员增至 781344,内中有 3176 个工会,并合为 158 个同盟。最大的同盟要推建筑业劳动同盟,次为运输业劳动同盟与金属业劳动同盟。

工团主义最初在法国并无大势力。先前在劳动界占势力的,要算米尔兰一派的修正派社会主义。后来工团主义勃兴,说修正派是温和的妥协的,不能为劳动阶级谋幸福,多方攻击他们。到了 1887 年,劳动交易所组成,议会政策派劳动党名声扫地,劳动交易所遂成为各地劳动运动的中心。劳动交易所奉工团主义,于 1892 年组织劳动交易所总同盟。而在他一方面工会于 1895 年组织劳动总联合会。1902 年两者合而为一,主张总同盟罢工,于是法国工会革命的色彩,越发浓厚,1909 年、1910 年的铁道从业员大罢工,即是劳动总联合会根据工团主义干的。可是工会不尽奉工团主义的,如同属于联合会的工会、铁道从业员公会、印刷工会、纺织工会等,都奉英国式温和的工会主义。此等工会,于 1909 年组织工会委员会,想与工团主义对抗。可是工团主义在劳动总同盟会仍占势力。

四、法国工会的现状

法国属于工会的劳动者,号称 200 万。然而此中慈善团体的工会与资本家为妨害罢工而组织的黄色工会也在其内,可知实际的数目还是很少。法国工会的历史,较英国为短。法国工会和德国工会起初皆取法于英,而德国工会的发达则远过于英国,法国的工会则不甚发达。这是国民性的关系不同,德国人关于组织的科学的方面很为擅长,而法国人则宜于偶然的突发的结合,不宜于为组织的结合,所以法国工会的发达,不如英与德,可是也不能断定势力的大小。因为工团主义不在乎人多,只重在有自觉的少数人。

依 1908 年的调查,法国纯粹的工会,有 5524 个,会员 957102 人。

五、法国工会之将来

法国的工会既为工团主义者所操纵,所以并不重在数之多少,自然不能如英、美、德等国的工会那样多而可以夸口的。法国的工会不希望多积基本金,可是他们人虽少,虽没有基本金,却敢于革命。所以他们专意要依总同盟罢工,对于资本家和绅士阀,行猛烈的阶级争斗。这都是法国国民性助长而成的。凡是同盟罢工,由一小工场的罢工为始,以至一地方一国或国际间的罢工为止,无论其规模大小如何,都要本诸共通的意思,于不知不觉之间,保持共同的关系。这共通的意思就是推翻现代资本制度最有力的共同精神。所以自部分的小罢工为始以至于总同盟罢工,其结局的目的,不外实现社会革命。若缺乏这种目的,罢工没有意义,不过暴动而已。

同盟怠工(Sabotage)这件事,以法国为本家,是法国工会一手贩卖的。原来 Sabotage 的意思,是"木靴",木靴无论如何好,穿起来总觉得不舒服。他们做工,也学这样。表明虽没有变动,实际却懒散的去做,正和穿木靴一样。所以这个意思变为怠工的意思了。可是将 Sabotage 广义的解释起来,就是劳动阶级用一切的手段对付资本阶级的意思(如毁损机械、破坏工场主信用、粗制滥造等类)。工团主义者不必要丰富的基本金来行拱手无为的罢工。无论何时,临机策战,以速为妙。据工团主义的学说,资本劳动两阶级正在继续战争的,未罢工未怠工的时候,不过是休战状态,实在无论何时非能作战不可。国际间战争一开,以前结的条约都归破弃无效,资本家与劳动者间也是一样,战争一起,以前的契约都可以破弃的。在现时社会中,资本家动辄说为公益为社会,可是现代的阶级互相仇视互相反对,所以公德的标准全不相同。于资本家、绅士阀的社会有不利的事情,却于劳动者的社会有利,于劳动者社会有害的事情,却于资本家、绅士阀的社会有益,所谓新道德新公道,非在社会革命之后,非在劳动资本两阶级升降至于同一水平线之后,到底无须议论而且不能实现。

以上是工团主义者的主张,主张既是这样彻底,就不难预知法国工会的前途了。

第十三章　德国的工会

一、工会的起源

中世的同业公会，不独发源于英国，即在大陆各国，到处都有势力。若以布达连诺所说为当，则德国的工会发源于中世的同业公会亦未可知。

在德国的中世同业公会（Zunft），在 1800 年的时代，已被各种法律废弃。由被佣者所组织的近世同业公会（Innungen），仍是继承中世同业公会的精神发达而来的。把德国公会成立的年次研究起来一看，则以伏里捷斯在 1861 年时所组织的烟草职工协会和 1866 年所组织的两个印刷公会为主，这两个工会，都带社会主义色彩。

二、社会主义与工会

德国为社会主义发祥地，其工会遵奉社会主义，并不足怪。可是德国既经产生马克思又是祖述马克思社会主义的国家，然其工会却不奉纯粹马克思派社会主义，而修正派的马克思主义反占优势，这也是一件奇事。对于德国工会鼓吹修正派社会主义最有力的人是拉撒尔。他相信单由议会政策，可以改善劳动者生活状态。拉撒尔派的领袖石卫次，他用促进工会组织的目的，在柏灵开了一次大会，到会的代表共 206 人（代表 142000 的劳动者），大会结果，决议将全国产业分为 23 部，于各部设立一工会。内中有 9 个工会立刻在大会中成立了。并且联合起来组织了一个联合会。到了 1869 年，这个联合会中的人想网罗全国劳动者，组织一大工会，结局虽得了 35200 人，可是到 1871 年，就减为 4200 名，到 1874 年竟完全解散了。

社会民主党中马克思派的亚森那哈也曾组织工会收了 11000 名的会员，可是受了政府的压迫，不久还是消灭了。后来到了 1875 年两派合并讲求恢复振兴工会方法，努力运动起来了。1875 年及 1879 年开了两次大会，大为活动，可是不幸遇了俾士麦的社会党镇压令，不惟社会党受了打击，就是信奉社会主义的工会也受了连累。那镇压令一下，差不多全德国的工会，都要倒灭了。其中能够不被解散的，不过用共济公会的名义，保存一个名目而已。

然而俾士麦的镇压令无论如何恶辣，而思想之为物与烈火相同，到底不能扑灭。劳动者表面上虽不敢露出形迹，可是实际还是用种种变形，一致团结。表面上或称友爱协会或称共济协会而实际上仍是工会。后来政府无法抑制，不久终将镇压令撤废了。镇压令一经撤废，立刻脱了假面具的工会有 53 个之多，人数有 301500 人。所以劳动者若果真能结团体，就无须顾及国家法令如何严酷，只要实际上牢牢团结，表面上的招牌无论共济会救济会都可以。

1890 年在柏灵开工会大会，可称中央机关的德国工会全体委员会，组织成立了。这个大会中有中央集权说和地方分权说两派争论，可是终究表决中央集权说，主张地方分权一派的与大会脱离了。地方分权派先曾宣言是社会民主主义的一部，可是后来倾向于工团主义，被社会党所驱逐，后来降的降了，解散的解散了。

三、希尔西钟克尔工会与基督教工会

1868 年工会勃兴。希尔西和钟克尔协力于 1869 年组织了四个英国式的工会。他们两人都是创立进步党的人，为反对社会主义才组织工会。这些工会排斥国家干涉，主张自由竞争，力说劳动自助，不承认劳动资本两阶级间有根本的厉害冲突，所以用这种态度，不触社会党镇压令的忌讳，能够安然发达。

到了 1894 年现出了一种工会的新形式，就是所谓基督教工会，反对从前劳动者所信奉的顽固的物质主义，主张从精神上结合。这种工会也有相当的人信仰，在 1904 年竟得吸收了运输业劳动者 83000 人、矿夫 44018 人，每年收入 140 万马克，支出 108 万马克。而前述的钟克尔工会有金属职工 47000 人，每年收入 108 万马克，支出 88 万马克。社会民主党的工会最大，1904 年的时候,已有建筑业者 243626 人,金属工人及船工人 217972 人,木工 105015 人。每年收入 2000 万马克,支出 1660 万马克,此外支出共济费 112 万马克。

四、中央集权工会

1890 年中央集权工会在工会委员会得了胜利,后来日益发达,到今日差不多左右德国的工会。只是欧战以来还不能得德国工会的消息,真是一种遗憾。这工会在 1891 年,会员不过 277659 人,至 1913 年增为 2548763 人。这个大团体,单单由 48 个大工会成立的,其主义主张与社会民主党相同,阶级的自觉和阶级斗争的色彩浓厚,以为劳动者与雇主之间到底有不可撤的障壁,劳银制度若不撤废,永久的产业平和不能确立。然而主义的宣传,工会不与闻,概委任社会民主党,而以增加工银减少时间改善劳动条件为目的。

这 47 个中央集权工会代议员,再选出委员 13 名,组织德国工会总委员会。其事务所设于柏灵,处理各种报告及一切事务。而此 47 个工会的组织,均由同一的组织和规约而成,德国一切产业工人均包含在内。其中最大的工会是金属工会,依 1913 年的调查,平均数有 556939 人。其次为建筑业工会,有会员 326631 人。再次为运输业工会,有 229285 人。最后为各工场的工会,有 210569 人,木材工会 195441 人,织物工会 140084 人,坑夫工会 104113 人。此外有玻璃工、理发匠、小使、店员、乐器雕刻师等工会。而最可注意者,其中有女工 221589 人,与全体工会会员八成八厘相当,1891 年的时候只有 4335人,与现在比较起来真是非常有进步了。女工为工会会员者所以增多的缘故,一方面固然是女工依劳动运动得以保护利益的觉悟;一方面又可知工业需用女工之数较前增多了。

英国社会主义者卫布说:"德国军国主义完全粉碎亦未可知,德国的工会牢不可破的",这真是名言了。德国军国主义今已绝迹,而工会并未因德帝国解体而受影响。新产生的德国可说是由工会支持的。世间往往有人顾虑德国战后的产业问题,可是工会既是俨然存在,德国的产业必能恢复旧状继续发达。

第十四章　俄国的工会

一、工会的起源

俄国是农业国，工会的起源，是最近的事，可是革命以前，有力的工会很多，日本还比不上。据 1907 年俄国工会总会的调查报告，工会之数 652，会员 245555 人。内中有工会 190 处，会员 165000 人。在莫斯科、彼得格勒、滑尔勺、洛克、巴克、渥德沙六大都市。其后至 1914 年世界大战之时，经过 8 年之久，其数当较前加多。1914 年俄国罢工次数共 3534 次，参加罢工人数百 337458 人。即此一事，可知俄国的革命"由劳动者起事的""劳兵会很有名"的话，决非奇事了。

二、革命以后的工会

世界大战的中途行了革命的俄国劳动者，一旦由第四阶级变成第一阶级的人民，而战前的第一阶级，反变为第四阶级了。而其实不然，阶级这个东西，在俄国恐怕已经没有了。工会也没有存立的必要了。然而工会已与劳兵会并合，专心担负维持治安。要想知道新俄国的内情和劳农政府的施设，本是有趣的事情，可是也和德国相同，差不多令人不能知道的。只不过由外国新闻，窥知一个大概，如今单就可靠的消息，把俄国的政情介绍于下。

原来多数派改造社会的基础，以设立劳动阶级的国家为第一要件，当着过渡的时期，要行一种独裁政治。富之生产人，应得富之支配权，现时只有俄国能够实现了。

劳动阶级的独裁政治，作为实现理想的动的机关，具有三个职能。

1. 废止一切方面所有绅士阀的政权。劳动阶级掌握国家的权力,将绅士阀作为一个政治力暂时利用。为成就此目的,具有两种方法:其一,经济的剥夺绅士阀;其二,不令绅士阀参与一切政治。但此系过渡时代,若绅士阀成为有益的生产者,亦可以劳动者的资格参与政治。

2. 施行一时的改造政策(即应急策),由资本主义制度移于社会主义制度,乃是一个进化的程序,不是一朝一夕可以成就。所以多数派以劳动阶级的国家为基础,来废止资本制度。又,绅士阀的政权一经颠覆,产业上不免有解体的事情,所以劳动者独裁政策中,多为防止产业的解体以图增加生产力,这不过是一时的性质。欲谋达到这种目的,则生产事业非为独裁的经营不可。

3. 为谋防止产业解体而行的暂时应急策,有时为资本主义的,有时为社会主义的。然而劳动者独裁政治所行诸政策,决非社会主义的政策不可。

在这种政纲之下的俄国工业,还没有完全社会化,而在各方面劳动盛行支配权,这却是事实。即资本家的所有虽未尽剥夺,多数工场主虽仍照旧经营他的工场,而其所得的利益实受了严重的制限。各工场中由劳动者和技师选出工场委员,处理劳银、劳动时间及其他一切事务。在主要的工业地方,有劳动者支配机关,由工场委员、工会、劳动产业公会三者的代表组成,与地方劳农会协同办事。在中央则设有统一的全俄劳动会议,处理全国劳动事宜。

第十五章　美国的工会

一、工会的历史

美国工会的发达，也是最近的事情。在 18 世纪的中叶本有工会，可是都是地方的工会，没有注目的价值。至 1869 年 Philadalphia 地方，有个裁缝工人叫作 Williams S.Steven，他组织了一个劳动会（Knights of Labour）。这就是美国近世工会的第一个，用涡文的共产主义做信条，是一种秘密结社。会员可以另入别的工会，又不一定收熟练职工。当时美国的工业，已经应用新机械，所以也不一定要熟练职工。所以当时移住美国的人民，要得职业，并不困难。因为这种关系，所以劳动会与今日专收纳熟练职工的工会不同，而且非常发达。这会创立之后 18 年即 1886 年，所属小团体 9000 余，会员号称 50 万至 75 万。可是这会包容太大，会员间彼此的团结反弱。而尤以英国式工会输入之后，遂日就衰微，到 1895 年完全消灭了。

继劳动会而兴的，是西部矿夫公会，这会创立于 1872 年，与今日同职业的工会（Trade Union）不同，是以同一产业的工会（Industrial Union）为原则而产生的。即，西部诸州矿山各种劳动者，例如使用机械的、碎石的、采矿的及其他一切矿山劳动者均网罗在内。这会自 1903 年至 1904 年曾行一次大运动，与雇主方面直接交涉，会员最低工银作为 103 元，劳动时间限 8 时间，这是一次大成功的事情。然而这会中的会员是些矿山劳动者，凶暴无所不至，丧失信用，不能维持势力，1905 年内部大起纷扰，至 1906 年与 IWW 并合，次年又与 IWW 分离，参加于 AFL 稍为温和了。

二、美国劳动同盟（AFL）之勃兴

Knights of Labour，实在是法国式的工会，与工团主义有相似的地方。后来英国式的工会起来和他对抗了。这后起的就是美国劳动同盟，现会长为孔巴司，他是创设这同盟的一分子而且从第一次起充会长以至于今。这会成立于 1881 年，次年孔巴司被选为会长。美国劳动同盟在当时早已提倡 8 时间劳动制，迄今犹未贯彻目的，才提出于世界联盟的。

美国劳动同盟，是 1 世纪以前奥哈州哥岺布地方商人及劳动者公会的后身，虽说是英国式的工会，却非今日信奉社会主义的英国式工会，实是以前用减少时间增加工银改善劳动条件为目的的英国式工会。与劳动会时相反目，争致会员。后来终归美国劳动同盟得了胜利，而由他一方面看起来，又可说是美国劳动者的软化。

美国劳动同盟以外，还有国际劳动同盟与世界劳动同盟。这些团体渐渐软化，变为单单的共济协会，社会主义者攻击得非常厉害。又社会主义的首领，痛攻工会的首领，要使其参加政治的社会主义运动，然而响应者皆无，所以社会主义者虽欲设立社会主义的工会，可是依然做不去。社会主义者与工会争论的地方，不外两个问题：其一，依同一职业组织工会么？其二，以同一产业的各种劳动者组织工会么？美国劳动同盟采取第一法，社会主义者主张第二法。美国劳动同盟中依同一职业主义组织的工会，只有最有力的炭坑工人会、埠头工人会和酿造业工人会。1893 年，德布施组织的铁道从业员公会，是采取同一产业主义的，机关手、火夫车长均联合在内。这是立于美国劳动同盟以外的，然而不久也归于失败了。

三、官僚化的 AFL

国际劳动会议于 1919 年 10 月，在美国开会，AFL 的会长孔巴司，名声被美国总统威尔逊还要大，可是把 AFL 的内容看起来，那种官僚化的现象，非常可惊。孔巴司自第一次被选为会长以来，30 余年，连次被选，继续会长的地位,其间失脚的事情,只有一次。屡次改选,屡次选到他,与专制君主无异,虽说是选举的,却有什么意义呢? AFL 虽是极端的中央集权,可是组织颇不统一。要为 AFL 的会员,非熟练职工不可。会员任意组织许多小团体,别的小团体要同盟罢工的时候,若于自己团体没有直接厉害,便不肯表示同情。又干部成了贵族的款式,带有政治臭味,会中的事务员,往往与雇主通款要陷害同僚的劳动者。而尤以靴工、织工、机织工等会,常用官僚所常用的胁迫威压,不许会员脱会。据反对者所说,AFL 的目的,并不是纠合国内一切劳动者组织团体图谋自己阶级的利益,单只是为熟练职工谋利益,把一般劳动者作牺牲的。单为自己的工会抬高工价,强使一般劳动者增高生活标准来受苦的。

无论何处的工会,都是熟练职工的工会。他们怕熟练职工以低廉工银夺了他们的职业,所以他们的工会合起来排斥未熟练的职工。

减少时间的运动,也可说是救济未熟练职工的一个方法,假如现在劳动时间为 12 时间,若减为 6 时间,必可收容 2 倍的劳动者,失业者大可以减少了。若更减为 4 时间或 5 时间,则失业者更当减少了。所以今日工会的任务,为劳动阶级谋利益,自然是要求减少时间的运动;同时为谋生活计,要求增加工价,也是当然的事情。不然,工会没有存在的意义。

AFL 的官僚化,也是大团体不能免的缺点。就是大总统都不能连任 3 次的美国,孔巴司却做了 30 年的会长,其酿出种种的弊害,也是难免的。孔巴司若真正爱惜这会,当效华盛顿的故智,以不连任为上。然而 AFL 会长的任期只有 1 年,任期太短,本干不了什么事。与其将会期定为 1 年而令 1 人连任 30 年的会长,不如将任期定为 4 年,勿使其连任 3 次为上。

四、美国工会之特色

美国工会有特殊的地方,就是每一工会之中会员的国民性和国语大不相同。此种倾向,尤以东南欧洲劳动者陆续移住美国以后最为复杂。移住的人一天比一天多。新机械也渐渐地发明出来,工会的实质到这时候大变了。靴工会与前大变,到这时务必要收容一切的使用人了。美国工会还有一种特质,即是采用工会票。所谓工会票,即系工会职工制造出来的物品,附以标章提供于公众的。目下仅有 60 种职业,采用此法。

工会票的得失,无须评论,工会会员若欲保证自己的手艺抬高价值,特意把自己制造出来的东西附以标记,表示区别,照这样看来,工会这种办法,显系保护自己工会的会员了。在他一方面说起来,这些手艺娴熟的职工,另成为一种阶级,要把那些未娴手艺的工人的饭碗抢去了。这个办法是不可以的。

美国的工会,在政治的方面,维持中立,专谋蓄积经济的实力,宛然与英国的工会一样。可是英国的工会对于共济事业非常注意,美国的工会不大干这种事情,完全有攻守同盟的态度。这是美国托辣斯太发达,所以劳动者为谋对抗起见不得不如此。所以美国劳动者每次罢工必起暴动的,也是这个缘故。

五、IWW

世人往往说 IWW 的起源最近,因其主张与法国工团主义相似,所以又有美国工团主义的称呼,而其实 IWW 在美国早就有了的,即是从前得了势力后来被 AFL 压倒的 Knights of Labour 的后身。Knights of Labour 失势以后,隐忍待时,又抬起头来了。IWW 在 1905 年始有组织,受西部矿夫协会的刺激而起的。这同盟的主张,想纠合不熟练的劳动者牵制熟练劳动者的横暴,为谋增进全体劳动者的幸福向革命方面突进的。第一次会议开在芝加哥,号称代表 9 万劳动者的大会。会中分出三个意见:其一,全然反对政治运动;其二反对与政党结关系;其三主张在社会党指导之下使劳动运动政治运动结合为一。三派意见最初没有调和的余地,社会主义者首先分离出来,其次劳动社会党首领德伦一派脱会,剩余的完全是革命主义的人。

IWW 分裂之后,新兴的是芝加哥产业的工会,经 1913 年巴塔温同盟罢工,基础越发巩固,现与 IWW 合同,成了中坚的分子。指导的人如 Haywood,Traudman,St.John 等都是一时知名之士。现在所说的 IWW 即是这芝加哥产业同盟为中心的新团体。其后会员虽日见增加,可是到 1911 年,会员也只有六万多人,实际纳会费的不过 10437 人。原来 IWW 不分熟练劳动者与否的区别,一齐收容,又采取革命的主义,但是到了现在发见了一个结合不熟练职工的方法,改变旧革命主义而取渐进主义了。

最近的日本，Sabotage 也非常流行，可是识者间把他译作"怠业"。怠业固是 Sabotage 的一种，不是 Sabotage 的全部。Sabotage 还有许多的意义，例如破坏机械，粗制滥造毁伤资本家的信用，都是 Sabotage。此外"劳动者不生子，20 年后使资本家雇不得劳动者"，这种说法，也可称为 Sabotage。Sabotage 与能率增进相反对，从来的工会会员即熟练劳动者得多额工银的，差不多没有。

属于美国劳动同盟的劳动者，据 1915 年的调查，中央工会之数 150 处，其会员有 1949347 人。铁道从业员协会最主要者在 1908 年有 26 万人。带有社会主义倾向的美国工会，有会员 10 万人。与其他各工会会员合计在 250 万以上，超过英、德两国。

第十六章 欧洲各国的工会

一、瑞士的工会

（一）瑞士非工业国

瑞士表在世界很有名，世人因此以为瑞士是工业国也未可知。其实瑞士并不是工业国。瑞士高山纵横，蜿蜒国中，各村落依山而建，风光明媚，称为世界的乐土，不产煤也不产铁。工业材料，几乎没有不仰外国供给的。由德国到瑞士去，稍为平坦，若由意奥两国去，则有阿尔卑斯山险恶万状，想由此输出也难，输入也难。所以瑞士不能用大材料的工业来建国，只能寻比较要轻少材料的表来制造，所以瑞士表很有名。国民的主要产业为农业，瑞士牛乳也是世界的名产，这即是农家的副产业。国家主要的收入，靠各种游览税。产业发达是一件不可期待的事，所以工会也不发达。更有一事足以阻害工会发达的，就是瑞士的社会政策办理得非常完善。

（二）官立工会

瑞士的工会有叫作劳动书记局的同盟事务局，其中委员 3 年改选一次，由工会会议来改选。因为这是代表官立工会的，所以由政府支给薪俸。1909 年工会人数男工 108538 人，女工 4075 人。近来受了工团主义的影响，同盟罢工，也带危险性的倾向。各州因此改正法律压迫罢工的。可是瑞士和解仲裁的制度，仍较他国为善，政府也时时设法改良。

二、意大利的工会

（一）意大利的工会

意国的工会,起源甚早,在丘领地方设立的印刷工信用协会,是 1710 年创立的。制帽工的信用协会,是 1738 年组织的。1861 年组织的 Fratellanze Artigiana,还算现时有力的工会之一,1871 年劳动同盟（Pattadel Fratellanze）出现于罗马,这都是属于革命家玛志尼派势力之下。意国的工会从来皆为社会主义者所统率,至 1902 年,会员共计有 48 万人,中有 24 万人属于农业公会。至 1907 年,在斯兹特卡尔地方,产生 2656 个工会,会员有 365000 人。据德国统计年鉴,意国工会会员之数至 1909 年共计有 783538 人,内男工 737604 人,女工 45934 人。

（二）意国工会与社会主义

意国工会起初多受社会主义者运动的影响,可是到了近年,对于政治多取中立主义。各地工会互相联合,设立工会运动机关,受城镇乡的补助,兼营教育及介绍劳动的事业。又,1902 年全国工会仿德国工会的办法,设立中央集权的劳动委员会。

三、奥匈国的工会

（一）四分五裂之奥匈国

奥匈此次四分五裂,工会也随着消灭了。如产炭炭有名的地方波希米亚摩拉维亚,现在成为捷克国。农业有名的地方加里细亚并归入波兰,匈牙利也独立了。因为如此所以奥匈国的工会没有可以记述的,可是劳动者已经得了势力,将来必有展开的希望。

（二）工会的历史

奥国工会的历史,与政治史社会主义史一致。最初的集会,在 1893 年复活祭的晚间，开在维也纳，有 270 名代表出席。当时在维也纳的会员，有 11320 人。到了 1905 年，工会之数增至 3110，会员 323090 人，其中妇人劳动者 28403 人。据 1911 年德国统计年鉴，奥国劳动者在 1909 年有 470923 人，内男工 431186 人，女工 39736 人。

匈牙利在 1905 年，有工会 40 处，会员 71173 人，至斯兹特卡尔大会的时候，增为 129232 人。至 1909 年又减为 855266 人，内男工 80095 人，女工 5117 人。

奥国人口中，德国人虽占多数，然其人种之复杂，世界无比。匈牙利更甚。所以工会依人种和宗教的关系，生出许多种的工会。如天主教工会、基督教社会主义工会、捷克人的工会等，真是数不尽。此次分裂以后，捷克人的工会大概归于捷克国了。

四、比利时的工会

此次受世界大战的祸毒最烈的，要算比国。大战 5 年，生产业完全停止，工人或死于战场或为俘虏，工会形同解散，可是在战时以前比国工会很发达的。无论是由往时共济协会发达而来的，或取法英国式工会的，都变成了社会主义的工会。在 1907 年由 10 万人的会员组织二大同盟，其中有 35000 人与社会党相提携，至 1909 年会员增至 138920 人。

五、瑞典的工会

瑞典的工会在 1907 年有会员 144000 人。工会也是社会党占大势力。在 1909 年，会员之数增为 148649 人，内男会员 139198 人，女会员 9451 人。这是根据德帝国年鉴说的，而依布里施的辞书看起来，1909 年，瑞典曾有 20 万人同演同盟罢工的事。

六、挪威的工会

挪威的工会，在 1907 年，有会员 25000 人。

七、丹麦的工会

丹麦的工会，在 1907 年有会员 78000 人，到 1909 增为 121295 人，内男会员 109328 人，女会员 11967 人。斯干几拿比半岛的工会，另具一种形式，可说是社会党，又可说是工会，两面都是光的。

八、荷兰的工会

在 1907 年有会员 28000 人，到 1908 年骤增为 143850 人。

九、西班牙的工会

在 1907 年有会员 34000 人。

十、澳洲的工会

在 1907 年有会员 25 万人，其形式全与英国的工会相似。

第 四 篇

妇人问题

第十七章　两性之进化

一、生物界之进化与女性中心

德国社会主义者柏伯尔在他所著的《社会主义与妇人》书中说："妇人是奴隶以前的奴隶。"实在就是奴隶也觉得妇人比他们还不如,这真是妇人的运命了。不但古代如此,就到现在,一般人的思想,都还以为妇人比不得男子的。然而美国社会学者乌特(Lester Ward),发表了女性中心说,世人才知道妇人在未成奴隶以前,曾经支配男性,而且在进化的初期,男性是从女性中派生出来的。这种为人类本源的女性,即是从前曾经支配男性的妇人,到今日反为男子所凌辱,实在很不合理。有某哲学者大声疾呼说:要返归原始的时代去! 当着解决妇人问题的时候,至少非还原到原始状态,使女性支配男性不可。

依乌特说:"在生物界中,无论单细胞,多细胞,都摄取荣养补助自体的消耗。摄取荣养,便是发育,这发育超过个体更进于他个体,这便叫作生殖。生殖不能与发育对立,只可看作是发育底一个形态。"次之如种族的发达上,因为异质混合有利,所以经过自然淘汰的结果,就生出交精作用的现象。这交精作用的机关,最初是寄附于一个体中。即女性的体中,兼有男性的机关在里头;这便是叫作"自家受精",或叫作"雌雄同体"。到了后来,男性虽然脱离这机关独立,可是比较他的母体,却很微细,好像是寄生在他的母体身上一样。这独立的男性,就是睾丸,后来渐渐发达,在一定的期间,就和他的母体接触起来。那女性后来至成为人类为止,依旧不脱他原来的母体,唯有那睾丸却经种种变化之后,就成了一个完全的男性了。

照这样看来,那最初的睾丸能够这样发达,遂至变成一个男性的生物,到底是依靠着什么力量呢? 这不消说是依靠着他母体(女性)"取舍选择"的力量了。即，女性从那受精者的里头，选择其最适于自己要求的，排斥其不适于自己要求的。所以被女性所选择的特质，依遗传的道理，渐渐的顺应着女性的要求变化。而男性本因母体的生殖作用而生，所以经过长时间之后，就自然而然遗传他母体一切的性质，而母体也出其全力来选择那最像自己的男性。总之，女性制造男性，使其与自己相类，男性由最初未有定形的睾丸，渐次变成他母体的相似形了。如果是没有这种理由，恐怕男性就和他的母体全然不同了（现在的生物里头，也有男女形体全然不同的）。

但是生殖的一个方法，交精作用所以发生，决不是突然发生的。必定要经过许久的程序，徐徐进行的。又交精作用，虽已经达到要发生的状态之后，也不一定要发生作用的。有种生物，它在若干时代之内，全为自然的生殖，至于交精的生殖，反是偶然发生的。这种偶发的交精，就叫作"交代"。有许多下等生物和植物，它的出芽的生殖，是自然生殖，它的结实生殖，就是交精作用的结果。即是这种生物，一方面虽为交精作用，一方面却是依然维持其旧时原有的生殖。至于动物的交精作用，最初虽是生殖行为的附带现象，可是后来遂成为生殖的条件了。高等动物，更不待言，交精作用是生殖的条件。世人往往说到生殖两字，便以为是交精的意思，像这种误会，是因为不明白上面所说的道理而生的。这样看来，男性在生物史上，比较女性，是居于后生的地位，可是依上述的理由渐渐变为母体的相似形了。最初的男性，不过因为应交精的要求而生的。他的体质，不但微细劣弱，并且没有荣养的机关和自存的能力，交精完了之后，若不为女性所采取，又不得交精的机会，立刻就要死亡的。

男性依女性的选择，渐渐就和女性的形体相似，在上面已经说过了。女性还不只选择男性为止，他方面还要选择别样的性质。这是女性对于美的趣味性发达的结果。这被选的性质（男性以外的性质），都是关于美装的东西。故男性一方面和他的母体相似，同时他方面又依据其特质，渐渐地朝那与母体相异的方面发达。所以后来那鸟类和那哺乳类的男性体中，生成一种为女性所无的美装，这是第二义的性的特征。又男性和男性竞争的结果，体格方面，逐渐发达，但是这种勇武的体力，决不是用来压伏女性的，不过为求女性的欢爱罢了。所以那鸟类和哺乳类之中，这种特质，一天一天的发达，到后来就现出一种"男性开花"的形态来。就是那人类直接的祖先"类人的猿"，到现在来，还剩有几分"男性开花"的状态,可见男性比女性,多少是大而美的了。

这最初为交精器具的男性,后来渐渐的发达,而尤以脑髓的发达,推人类为最显著,所以后来虽脱出本能的束缚,也决不如别种动物有灭种的危险。而且男性具有充分强大的体格,所以他就把自己的优长的武器发挥起来,任意把女性压迫了。究竟这是什么道理呢?原来"理性"全然是利己的东西,他是不受同情的掣肘和道德的束缚,可以自由发挥自己的威力。这就是人类界中男性优秀发生的初期。但是男性能够支配女性,这其间是要经过长年月,非一朝一夕所能做到。就是男女两性同登人类舞台以后,女性的地位,依然是居于男性之上的。

1861 年,有一人种学者包芬研究各色人种的古代法律,后来他发见亚利安、瑟姆两种人种之间,其中血统相承,是依母系的。他把这件事实作为出发点,对于太古人类两性的关系,全然从新解释;于是乎从来以男性中心说为绝对不能动摇的真理,就大受打击了。后来马克列男和莫尔甘两人,也发表了同一的研究。

照这样看来,野蛮时代女子的地位和权势,在男子之上,可无疑了。历史上的传说,往往有那女酋长的故事,这便是很好的证明。今试举朽仑人种的事实来说:这人种一族之中,共有 11 氏,一氏之中,选出女子 4 人,男子 1 人为代表。这 1 氏的代表,共有女子 44 人、男子 11 人。他们族中的事情,无论大小,都由这几十个代表开会议决,这又可见古代的女权,很占优势的。

到了现在,一般人都说什么古代的女子是服从男子的,有的就说女子的性质,本来和政治全然没有关系。这种思想,不单是男子是这样的主张,就是多数的妇人,还都是信以为实。所以我很希望今日文明社会的妇人们,从今后,应该要大大地反省才好。

人类也是动物之一种。动物的亲子关系,只有母子的关系,父亲不过尽他授精的任务罢了。而这授精的原动力,又不过是单纯的盲目的情欲,其初并没有想到授精之后,就会生出儿子来的。所以一般的动物,在交精和分娩的时候,全然不晓得此中是有一定的因果关系存在的。男性一方面,只晓得求满足自己的情欲以尽他对于女性受精的任务。而女性一方面,对于自己分娩这件事,也全然不晓得男性的受精,是有必要不可缺少的原因。女性只知尽她自己所有的本能,去养育自己所生的儿子,这便是母权制度的原因了。在这时候,为儿子的,只知有母,不知有父,父子的关系,全然分离的。所以在那人智未开的原始民族中,只有母权制而无父权制,也是当然的结果。

若从现在的男女道德看来,那原始时代的男女关系,是极丑秽的了。有乱婚的时代,有一夫多妻的时代,有一妻多夫的时代,种种过去的状态,在今日妇人诸君看来,必定是以为是很可惊异的事了。

二、男性支配与父权制之勃兴

从此以后,经过了几多的年月,那交精和生产的因果关系,就渐渐地明白了。男子对于自己的儿女,自然就要使他们晓得这父亲的意义。在那杂婚的时代,虽然明白这个关系,然而还不晓得谁是谁的儿子,谁是谁的父亲,所以男子依然还不敢要求这种权利。可是无论如何野蛮的时代,在一定的程度,或是一夫一妇,或是一夫多妻,这些结合,是一定有的。既有了这些的结合,所以父的资格,一经确定之后,父权与母权,就立于对等的地位,于是乎男女的竞争,就从此发端了。自此以前,男女两性自然没有用体力竞争的事情。在女性支配时代,一切取舍选择之权操于女性,所以此时只有男子与男子的竞争。男子并没有用膂力压迫女子使他服从的。

女性支配,既移于男性之后,女性"取舍选择"的权能,全然失坠了。从此男性崇拜女性的心理也同时消灭了。男性既晓得为人父的意义和权威,于是乎他就晓得自己具有许多的实力了(这种实力在当时是重在肉体上)。并且男性从此又晓得女性的经济价值,所以他就把自己的优秀的实力,利用起来,不但把女性来供给自己的性欲,并且要课以种种的劳役。这就是女性支配倒坏,父权制勃兴的时期到来了。要之,这个原因,究竟是在什么地方呢?就是因为理智一经发达之后,那本能的羁绊,自然破坏,所以这比较微弱愚钝的女性,便成为男性的所有物了。

妇人既被男子征服之后,男子就把女子当作自己的奴隶,做种种残忍暴虐的行为,这种现象,固可说是女性支配倒坏的结果,要其原因,实由于理智发达的缘故。但是理智的发达,未必是理性与同情心相冲突,在一定的程度,理性必定和同情心同时并进的。然而这一定程度的发达已经是很不容易的事了。如上面所说，人类的精神中当初发现理性的曙光的时候，全然是立于利己心的奴隶地位，这利己的理性，把原始人类精神中道德感情的发现闭塞了。

这种情形，在当时的人类，虽然没有同情心，而对于充满自己的欲望的事情却很有心得的。他们对于满足自己欲望的手段方法，却很有智识的。所以要明白这利己的理性，和爱他的理性的区别，可不比远求之于太古蒙昧的时代，就从近今的文明社会去观察，也可以知道。诸君不是时时看见那因为要得几块钱或几十块钱，便杀人放火，无所不为的人吗？要之文明发达的程度，视"吾人对于他人的苦痛，把他来反映在自己的心中的力量"如何为标准。这种力量越强大，那文明发达的程度，就越增高。

如此，妇人完全被征服之后，这人类便入于暗黑的时代。这时代中女子的境遇，是怎样呢？斯宾塞氏有详细的评论，今试节录其一二节于下。

"人类的历史中，最惨酷最残忍的事，莫过于妇人的待遇。如食人、拷问，以及把人体供奉于神前的野蛮习惯，这不过是一时的现象，并且其范围也不甚广大。至于妇人待遇之酷虐，乃是永久的，而且是普遍的。试由现在的半文明社会溯及以前的野蛮社会观察起来，他们对于妇人的残忍酷虐的程度，实在出乎吾人的想象以外。妇人所受的无限苦痛，其原因就是因为男子的利己心太大，并且没有同情心的结果。假定妇人所受的苦痛，若有一定的限度，那时他们那样纤弱的体力，已经是受不住了。如果再超过这限度的时候，妇人早已除死灭之外再无别法了。妇人死灭，即是种族的死灭，所以实际上若对于妇人行无制限的虐待酷使，必至于灭种绝族，这种事情也不少的。"

斯宾塞氏又说："无论什么民族，其爱他的精神的平均程度，依妇人地位的高低可以推测而知。这个意思，就是原始人类爱他的精神，极其低下，所以那不文明的社会对待妇人，无异对待动物①。妇人是男子的附属动物，个人的自由，丝毫没有的。这奴隶的状态，实是蒙昧时代一般妇人的地位，不但男子是这样想，就是妇人自己，也是这样想的。这是因为当时一般社会对于爱他的精神的发动力，过于薄弱，所以才造出这种现象来。"

---

① 人以外的动物界不虐待女性；不但不虐待，而且立于女性支配之下。

总而言之，无论动物人类，大抵男性的体格，比女性的体格强大，这就是妇人隶属于男子的根本条件了。利己的理性发生，把人类引到动物以上，同时女性由从来的优秀地位，堕于奴隶地位了。理性的光，是使男子自觉其为父的意义，同时又使他自觉其具有优秀的体格。这种自觉，就是使女子拜倒在男子下风的原动力，于是乎女性就为男性所征服了。

三、家族的起源

在女性支配的时代，自然没有严密意义的家族。当时的人类，对于父亲的意义，还不明白。为母亲的，和那别样的哺乳类、鸟类，以及其他种种的脊椎动物一样只知尽他所有的本能去养育儿子，所以没有真正的家族。到了男子支配的时代，妇人既陷入于奴隶的境遇，妻和子都成为男子的财产。在这时代，虽说是男子依然为了女子的事情，和他人争斗，但是这种争斗的目的，与从前的大不相同。从来争斗的目的，是因为要得妇人的欢心，而这时候的争斗的目的，是完全要把女子占为己有。并且不止争一个女子，还要把多数的女子，通通收为己有的。所以那弱者、劣者，就不得不守独身生活。反之，那强者、优者，就独占了多数的女子。这就是一夫多妻制度的滥觞了。一夫多妻的制度发生之后，男子的地位更加巩固，于是乎就产出父为家长的大家族来了。

所以原始时代男性支配的社会，是从父为家长的家族和独身的男子所集成的。这独身的男子里头，比较弱劣的，就要当族长的奴隶。妇人本来已是奴隶，可不待言，就是为儿女的，也非服从一切的劳役不可。所以这为父的家长对于自己的家族的全体，便握有绝对的支配权了。

人类学者里巴特氏，以为家族变迁的原因，是由于武器和器具的发明。他说："武器和器具发明之后，乃有狩猎之事，而主其事者，全在男子，因为妇人要养育其儿子，所以不能和男子一样持武器去狩猎。后来男子遂把那些比较简单的劳动（如运搬货物之事），来使役女子。于是男子便觉得有豢养女子之必要，所以结婚这件事，最初的目的是在经济上的。从此以后，男子既专心于狩猎，所以他的体力，一天一天的强健起来，后来至凌驾于女子，所以这个支配权，就全然被男子所掌握了。"

照这样看来,家族制度,是男性支配必然的结果了。拉脱恩荷菲尔说:"父的首长权,便是家族的根本条件。就是在平和的男女关系的群居生活之间,亦似乎有夫妇关系的模样。但是使这夫妇关系所以成为一个永续关系的原因,是全然由于家族的支配征服的事实。必通乎这两现象,然后永续固定的夫妇关系,才和那人类固有的欲望一致。然而社会中家族的结合,本来有经济的基础存在里头,所以妇女幼少的地位,遂受这结合的影响减少价值了。于是这为父的家长就把他自己的妻子降到劳动者的地位,自己便靠着妻子劳动的所得来生活了。至于他自己的劳动,也不过有时跑去狩猎,或是野战,这就算是顶多的了。像这样妻子的地位,在人类社会的现象中,实是最宽广最普及的。"他又说:"一个男子,征服一个或数个的女子,使自己的子女当作劳动者使役,或者族长的大家族,受了最年长的家长的指挥,而从事于经济的活动,或者几个男子,以共通的目的,领有一个女子,最后又如现在最普及的一夫一妻制度等等,都不外是立于两性关系基础之上的经济制度。"要之,把妇女和幼少压迫到底,这就是家族制度发生的根本目的。家族制度一成功,那从来具有至上的优越权,支配男性的妇人,就立于相反的地位,至变成男子的奴隶了。乌特说:"家族是社会之瘤,并且是不自然的男性支配的赘物。"

四、买卖结婚的变迁

原始时代的结婚,不过男子和女子的结合。到了族长得自由处分他自己所有的妇人的时代,妇人就成了有一定价值的物品,族长得任意把他和别样的物品(如牛、羊、锄、矛、木、船以及其他的器具等)交换了。所以当时的结婚,不管那当事的妇人的意思是如何,只看族长自己喜欢什么东西,就和他交换了。

到了后来,种族之间,常起冲突,渐渐呈出社会的同化现象来。于是被征服种族的妇女,遂成为征服种族的奴隶。久之,不但女子,就是被征服种族的男子,也成了征服种族的奴隶了。所以奴隶制度,遂成为社会一般的现象,而这现象,在妇人方面,反为有益。因为一般奴隶制度的结果,阶级的基础固定以后,上流阶级的妇人,对于同阶级中的男子,虽不敢抬起头来,可是比较下一层阶级的男子,他的地位就高了许多。这种社会同化的现象,使族长制度的基础更加巩固了。族长制度对于结婚的影响,其主要者有二:一方面是使结婚的形式趋于复杂,一方面就是缓和妇人的奴隶境遇。当时的结婚,大抵是一夫多妻制,到了游惰阶级发生以后,一夫多妻制度的基础,就益加巩固了。后来男子的奴隶越普及,妇人的境遇,就越缓和。因为那时代的上流的游惰阶级,大家都是把那金屋雕梁,深宫后院,来蓄藏美貌的女子。他的目的,只图满足自己的欲情,并谋子孙的蕃殖,所以劳动的使役,就一概免除了。

因此,下层阶级与中等阶级之间的结婚,渐渐趋于合理的倾向,而一夫一妇的制度,就自然而然的发现,于是异种族的混血关系,就完全造成了。后来有了国家,制定法律,结婚用法律规定,渐次成为人类的制度了。但是这种种的经过,决不是所说的这样简单。通常我们所称为古代的希腊时代,他们结婚的进步,还是很幼稚的。在荷马时代,妻与妾的区别,虽颇明了,但是与现在叫作妻妾的关系,稍有不同。那时代叫作妻的,就是从那和自己一样的上流阶级中娶来的妾;而那叫作妾的,却是从下层阶级中得来的妻。所以荷马时代的结婚,还是买卖的结婚。当时的妇人,都被男子定一种价值,同别样商品一样的买卖,从这买卖得来的妻,便是当时的妾。当时叫作正妻的,通常都是由赠送土产的谢礼得来的,性质上无异买卖,不过没有像那叫作妾的那样显露罢了(现时日本结婚的形式,也还是本诸这赠送土产的遗习)。

鲁脱挪说:“罗马的初期,妻是夫的奴隶,而隶属于其家族,他们不过是动产之一部分罢了。”恺多那样的君子,他尚且把自己的妻马西亚贷与他的朋友荷坦秀士而不辞,又何况其余呢!还不止此,罗马的男子,又有打妻的权利。所以圣者奥额斯亲的母孟加说:“罗马的结婚,只是缔结劳务的契约,并没有别的意义。”从此以后,妇人买卖的习惯,就继续到近代来了。妇人买卖的形式有种种:贵族的妇人,和他未来的夫婿,在 10 个证人的面前,司受那祭日比多神的糖果,这便是他们的结婚仪式。但是这种仪式,不过是虚文罢了。即使没有这种仪式,而其结婚的根本性质,也还是一种买卖的性质。虽是贵族大家出身的妇人,一经结婚之后,就绝对的成了他夫婿的所有物。像现在的半自由结婚,或是自由结婚,能够脱出这极端的买卖性质的,实是近代才有的事情。

五、掠夺结婚及其遗习

当时的结婚，还有一种叫作掠夺结婚的。这掠夺结婚的发生，在生物学上，很有深远的意义。原来叫作"自然"这种东西，是不断地在那里谋异质的混合，并防止变化发达的中绝的。生物界所以生出雌雄两性的现象，也是这个缘故。但是动物界却把他排斥的。如果能够确保雌雄的异体，就再不求进步，并且也无求上进的必要。所以当在人类界营求血族团体生活的时代，近亲间性交的倾向，太过激烈，势不能不把这种倾向极力防止。这不消说是人类的综合智识，或是本能所感得的了。所以要防止这种倾向，就有种种的手段。最初的时候，都是族与族的结婚，而同族内的结婚，是极端禁止的。

后来有了战斗征服种族合同的事，于是异质混和的方法，就盛行起来，而掠夺结婚，即是其中一种最主要的方法。这种习惯在现在的野蛮人种中，还有种种的形式存在。例如澳洲有一个地方，男子娶妻的时候，必藉朋友的助力去掠夺，掠夺过来之后，先让那些朋友顺次和这女子接近，然后才归自己专有，这种风俗，到如今还依然存在。又如南美洲地方，有一种人种，他们的结婚，最初男家的朋友，先到女家去和女家的父母开谈判，在这谈判之间，那男子（夫）就暗地里牵一匹马，到那女家的近傍，然后就施用巧妙的手段，把这女子掳掠出来，骑在马上就跑，于是这女家的人就要全数跑去追赶叫唤，而那男子却拼命地守护着这女子，向那最近的森林中逃走进去，这便是他们结婚的仪式。

古时希腊罗马之间，这掠夺婚姻的仪式，还有许多存在的。依历史的传说，这掠夺婚姻确是实事。当赛巴恩人大举侵袭罗马的时候，罗马的女子，被他们掳掠了好多，这是很有名的传说，想必大家都晓得的。在我想来，当时专以战斗攻伐为事的种族，他们对于缠手缠足累赘的小孩子，很觉得讨厌的。而对于女孩儿，尤其厌恶，因为女子到了长大以后，横竖是要被别的种族接过去，所以就不耐烦来养育她，产下的时候，立刻就把她杀了。因此之故，有些地方，一时就非常缺乏女子，于是乎掠夺女子的风，盛行起来。这是一定的趋势，可毋庸疑的。到了国家成立以后，这掠夺的事实，才渐渐地消灭，后来仅存形式而已。还有一个原因，当时的男子，最初对于没有见过的种族的女子，就发生一种稀奇的兴味，所以就把她掠夺了。这就是无意识的掠夺婚姻的起源。后来逐渐普及，于是遂成了一般结婚的形式。然而从"大自然"看来，这是人类利用他的好奇心，把上面所说的根本目的成全了。要之，这掠夺婚姻在社会进化的一定时期中，可说是各种族共通的结婚形式。

六、男性之美的趣味

人类道德的堕落，以初期的社会同化的结果为最甚。自此以后，人类的智识、道德，渐渐上进，而野蛮时代的惨状，也渐渐缓和了。原来男性能够发达进化，是全靠着女性美的趣味的力量，这美的趣味，决不是到了人类界就全然消失的，不过是被那新发生的男性的利己理性所遮蔽罢了。男性既有了这个利己的理性，并且受了女性的淘汰之后，他的体力上，就非常优秀，于是乎他便倚仗着这个势力，全然把女性压伏在自己的支配之下了。

美的趣味，与脑髓的发达并生，所以男子并不是全然缺乏的。只因美感是温和的兴味，不能与强烈的性欲比较。从来叫作淘汰的，都是指女性对于男性的淘汰而言。简单说，便是女性淘汰。至于男性，他只求满足自己的性欲。至说要选择怎样的女性，才能满意，那是不成问题的。在男性的眼中，一切的女性，都是平等无差别满足性欲的对象。至于比较、识别、判断的精神作用，却全在女性方面。后来到了社会同化（战争征服的结果）之后，发生各种阶级制度的时候，异质混合的结果，人类的脑髓渐渐发达起来了。于是乎上流的游惰阶级性欲，就不像从前那样单纯。他们的妻妾，是无限的了，既有了数多的妻妾，于是他们就在这数多妻妾之中，比较起善恶、美丑来了。由来"劣等物质的欲望的满足，和高尚的精神欲望并生"，这乃是社会学上的定则，所以他们（男子）渐渐就有了美的趣味的涵养。既有了美的趣味，于是他们再进而求那能够十分满足他们情欲的刺激了。

到这时候，女性淘汰，已经完全停止，遂造出肉欲全盛的时代来了。动乱的时代已去，平和的时代方来，于是少数的男子，才抬起头来，自由发挥他的精神力，遂一变而为男性淘汰的世界了。什么叫作男性淘汰的世界呢。就是男性把自己的美的标准来淘汰女子,使他和自己的趣味趋于一致,像今日妇人的"觯肩"、"柳腰",都是男性淘汰的结果。

七、女性美之发达

男性淘汰,虽然继续行了许多年,可是这事仅限于社会的一部阶级,而其淘汰的结果,实使女性美为种种的变化,而助长他的复杂性。因为女性美和男性美同为第二义的性的特征,其发现,只是一时的,不是永续的。所以妇人在青年时代,无论怎样美貌,一经到了老年,就色衰貌丑了。当时的女性美,纯粹限于肉体美的方面,而精神方面,却完全没有关系。所以这种继续性,就是现代的妇人,大抵也是很短的。——男性的发达,都是虚饰的、游戏的。就是女性美,也不免有这种毛病。但是男性美与女性美之间,不是没有差异的。例如男子决不喜欢身体强大的妇人,他们是欢迎那纤弱巧小的女子的。又如勇气才智那种道德的精神的性质,也不是男子所要求的。所以女子对于这几方面,就毫无进步了。至于生殖力差不多未经淘汰,所以男子的生殖力越强盛,女子的生殖力就越衰灭,甚至于不能妊孕的。这种倾向,如果再愈演愈进,恐怕不久,妇人就要变成了男子的性欲器具。渐渐的缩小甚至可以随身携带,亦未可知。

八、男女差别的发生

有一种人以凌辱妇人为生命,他说:"古时男女没有什么差异,因为文明进步以后,女子精神的和肉体的方面就渐渐低劣下来。"卢本说:"现在巴黎男女脑髓的差别,较古代埃及男女脑髓的差别几至 2 倍。南美洲有某种人种,除了性的差异以外,男女几乎没有差别。又如奴威利耶所调查,石器时代妇人的头骨,平均 1422 立方粍,而现在妇人的头体,平均不过 1338 立方粍而已。"鲁脱挪对于这调查的说明如下:"原始时代,一般的男子,大抵游闲无事的人居多,一切困难的劳动,都由妇人独立担任,所以非有壮大的体力不成功。所以妇人的体力,不知不觉之中,就变成了强健的身体了。"

以上的说明，确有一个理由，但是还不能说是完全的。何以呢？原来女子服役，在男性支配以后。在女性支配的时代，女子虽然也有多少劳动，然而大抵是男子去劳动的居多。如果由劳役之有无，决定体力的强弱，则女性支配时代的男子的体力，非比女子强健不可了。然而考察当时的情形，男女的体力，好像是匹敌的。

到了男性支配的时代，女性降而居于奴隶的地位，衣食既无余裕，劳役又极其繁忙，所以女子的身体，就日趋于衰弱。并且男性淘汰的结果，微弱萎小的女子，反为男子所欢迎，所以生出今日这样男女的差异。本来女子如果衰弱，依遗传的法则，男女两方，都应该一样的衰弱。但是男子因为有别种便宜可以补助，所以不至像女子那样衰弱得厉害。到了有史的时代，妇人依然继续受男子压迫，在社会的法律的方面，没有一样能够使妇人的心身，得到荣养的。但是她们（妇人）还能够多少和文明一同进步，这真是不可思议的事情了。男性中心论者总说妇人对于政治、科学、艺术，是无能力的，因而轻侮他们，这样虐待，岂不是把妇人的源泉截断了吗？鲁伯说："大家不要说妇人对于科学艺术的创造事业缺乏贡献的能力，自古迄今，男子曾经把许多追放和禁制的虐政压迫了妇人的。妇人既不能脱出这种种苛酷的压迫，所以一见好像比男子愚劣，其实妇人的本性，决不劣于男子。今日的妇人，其所以劣于男子者，全是习惯和遗传的结果，并没有别的原因。"

哈克斯列曾批评妇人的才能，他说："妇人一般肉体、智识和道德的力量，虽不能说是和男子一样；然我却很晓得有许多的妇人，他们肉体智识和道德的力量，却比男子优良得多。虚弱愚劣的男子，尚且能够自由开创事业，而对于今日有才气，有力量的女子，反来强制的闭锁他，像这种情形，究竟本诸什么正义，什么政策，实难明了。现在有些人都说妇人的肉体，是无能力的，然这或者是由于女子身体的组织，也未可知。但是十分之中，却有八九分是人为的产物，就是他们生活方法产出的结果。一般人又有说妇人的神经过敏，并且是游惰的、虚弱的，但是如果许妇人去做那有一定目的的健全事业，并且在少年时代，许他们和男子一样去学习健全有益的游戏，恐怕什么缺点都不难除去的。"

九、女子心身的缺点

今日妇人的心身,所以比较男子弱劣者,都由妇人被男子所虐待的缘故。文明愈进步,男女心身的差异愈甚,但是在女性支配的时代,这不过是男性被女性淘汰之后,生出男性装饰的特征,此外倒没有什么不同的地方。到了女性支配倒坏,移入男性支配的时代,女性被男性强烈的压迫,不能进步,遂日趋于衰弱了。然而女性心身衰退的原因,还不止此,女性支配的结果所生的男性淘汰,也有很大的影响。这是什么道理呢? 因为当时的男子,是很欢迎那柔弱、温顺、纤巧,像玩具小鸡一样的女子,所以才把妇人的心身弄到衰弱地位的。

以上的原因,一是父为家长制时代的产物,一是后来游惰阶级的产物。由此可见这两大原因的继续,是有史以后,全人类历史的2倍了。现在有数多的论者,举出妇人性劣的种种事实,大半都由这个原因生出来的;想到这里的时候,我们平时都说是妇人的心身有许多的缺点,因而批难她、排斥她,这就太过误谬了。

以上所说的,不过是乌特的女性中心说中最明显者。而其对于生物学之女性中心的考查论证,实非常详密周到,为学界所珍重。现在仅说述其大概,不能尽他所有的逐一介绍出来,实在是很抱歉。诸君如果要知其详细,请读 Lester F. Ward, *Pure Sociology*。

十、将来的妇人

过去的考察,已经完了。现在的妇人问题,且让后编说明。现在试就将来的妇人,作为想象的讨论。首先进步发达的,一定是妇人的身体和精神。像上面所说:妇人的身躯矮小纤弱,是受男子支配的结果,决不是自然的发达。若是一旦经济革命成功,妇人也能够和男子一样有经济自由的时候,妇人们就不像从前为男子的私有财产,拘束于家庭之中,而从前因为要迎合男子的欢心,至于束小腰围等事,更无必要了。又从事于家庭及工场劳动之后,那"䚡肩"一定就和男子一样的高高隆起来了。

还有一部分的人，说将来只有男子劳动，妇人专务生产和育儿，这话也是不对。生殖的事，自然是妇人的本能，不可回避，可是因为要养育儿子，便把贵重的时间耗费，这未免不经济。我想将来应该设有公共的育儿所，分娩后经过了一二月，把产儿寄托在这育儿所中养育，待产妇身体完全恢复后，再从事劳动的。

至于劳动时间，决不像现在那样自早至晚，憧憧不休在家庭劳动，或是每乡每村之中，设公共食堂若干所，这些乡村中的妇人，都按着时间，到食堂来料理一切食事。又如工场的劳动，或是一日做工 3 小时，或是午前午后各做 2 小时，所有的妇人，齐集在一个地方，来做那最愉快的劳动。至对于农业有趣味的妇人，她们从事于短期间的耕种和收获之后，有余的时间，便可利用来修养精神，研究学术，磨炼技艺。

像这样办法，妇人的经济，就可以和男子一样的独立，不受男子掣肘，而其心身一定发达得很快，到这时候，我想那平时专门愚弄妇人的人，只有惊异，哑然不能开口了。至于结婚一层，自然以恋爱为基础，经济的非常自由，无论何时结婚，并无不便；而且结婚之后，男女之中，如一方有变移其爱情于他人时，也可以自由离开的。

又如今日的男子，因为自己有了经济的实力，便任意把妇人侮辱虐待，如果妇人的经济能够独立以后，那从前被男子凌辱，至向无人处哭泣的态度，也自然没有了。那时候妇人的心身，就非常的愉快，她的容貌，就时时都像那春天的草木，"欣欣向荣"，决不如今日的妇人，才到了 40 岁前后，就满面皱痕，丑恶不堪了。但是要使妇人能够脱出家庭的羁绊，和保存她百年的美貌，这非待经济的革命成功以后，断乎不能做到的。

第十八章　日本现时的妇人问题

一、旧妇人之消灭

自从废止"女大学"①的旧式教育以后，就是良妻贤母主义了。如果女子父母和男子的父母，双方认为可以结婚的时候，女子的身命，就一任他人所主宰，而莫敢谁何，这就是近代妇人的运命。就是到了结婚之前夜，还不晓得那男子的容貌和体格，究竟是什么模样，这是很普通平常的事，不足怪的。到了最近，为父母的，稍稍让步，所以到订婚之前，许女子和那男子相见一面，这即是"觌面结婚"。结婚以后，对于翁姑，就要孝敬，对于丈夫，就要从顺，而对于儿女的教育，就要贤良，这就是今日妇人应守的责务。

至于姑媪之酷虐，小姑之凶恶，种种说不出的讥笑虐待，都不能表示丝毫的反抗；不但不能表示反抗，便是要哭，也不敢大声号叫，非暗地里微微地啜泣不可。如果丈夫放荡邪淫，儿子胡说乱道，以及害病种种，都把他埋怨在媳妇身上，说是"媳妇不贤之咎"。若是为媳妇的出身贫穷，便骂她是穷鬼可鄙；若是出身富裕，又骂她骄傲恣肆。凡此种种，都能够忍受的，那便是良妻贤母了。

欧美各国的妇人，都能够自由恋爱、自由结婚；日本的妇人，要想和男子交际，尚且不可能，何况说自由恋爱，自由结婚？像这些问题，要希望一般的家庭，都能够实行起来，那前途还是非常辽远。但是现在有些妇人，对于这些问题，已经觉醒了，或者旧式的妇人，不久可以废绝，也未可知。但是为父母的，如果依然固守其旧式的思想，若要望他实现，就很困难了。必定要等到今日的妇人成为人母之后，然后黄金的时代，方能实现。

---

① 女大学系日本从前的妇女的修身教科书。

二、新妇人之勃兴

旧式妇人尚未消灭,良妻贤母主义,仍然存在。当此之时,能够把旧习惯旧思想打破,这便算是新妇人。这种新妇人,是高唱恋爱自由的。她们蹂躏旧习惯,如同粪土。玩妓、饮酒、吸烟,种种无所不为,这是时人都看不惯的。但是她们的主张,却是堂堂正大,以为平常普通的男子,都可以吸烟、饮酒,为什么妇人就不可以呢?至于娼楼妓馆,在它们虽似无必要,然而要探访社会的情形,也是不得已的。像以上的主张,不能说是没有理由。

强制妇人为良妻贤母,而排斥新妇人,这是男子的专横。如果男子要望妇人贞淑贤良,自己就不应该首先游荡。如果不许妇人饮酒吸烟,自己也非先戒除不可。像今日的男子,自己不先把游荡不摄生的种种恶德戒除,只晓得责成妇人,天下有这种道理吗?而且理想的新妇人,还不是全部都实行饮酒、吸烟、玩妓,高唱恋爱自由的。这种是反抗时流,打破因习的显著的效果,不过是建设前的破坏运动而已。至于真正的新妇人,她的体格、精神、脑力,都要和男子一样的。诗人惠特曼歌曰:"我所期望的将来的新妇人,与现在柔弱的绅士阀的理想适成反对。我所期望的新妇人,非善泳、善操舟、善射、善走、善骑、善奋斗、善进击、善防卫的不可。"

柏伯尔所著的《社会主义与妇人》书中说:"在古代希腊的斯巴达,无论男女,对于体格的发达上,都非常注意。少年的男女,几乎是一样赤裸裸的热心练习运动和武艺。然在如今的社会,已视强健、勇气、决断,诸德为全不适于女子的了。"照这样看来,将来非使妇人的意志、脑力、体格,都和男子一样不可。

今日妇人的体格,这样矮小,而其智力能力,又比不上男子的原因,都是私有财产的制度发生之后,男子把女子收为私有,并且把她当作奴隶来役使的结果。当时的男子,都是喜欢女子善于顺从,善为奴隶,所以女子便不能不迎合男子的意旨,所以妇人的体格,就弄到今日这样柔弱不堪了。虽然,"迷途未远","桑榆可收",如果妇人诸君都能自己觉醒,把心身锻炼锻炼,不久一定可以造成有品格、有趣味,而且很伟大的人格出来,全人类就会进化向上,那可无庸疑虑的了。

三、恋爱自由的要求

恋爱是结婚的唯一条件，没有恋爱的结婚，便不是真正的结婚，那是强奸了。世人往往以为妇人既有了法律上的夫君，如果再和别个男子相爱，便说她是奸通了。然而在我看来，在法律上，或者是奸通，也未可知，但是从纯粹真正的爱看来，有时那法律上的夫妇关系，反是奸通，而那法律上的奸通，反是恋爱上的结婚。这是真正的话，不是过论。

现在日本的结婚制度，就是两个没有觌面的男女的结合，乃至觌面结婚罢了。如果那媒介人是很有信用的知己，或是亲戚，那还有几分可靠，然而大抵都是由那专门营利的目的结婚媒介，一手经理，这真是很可惊异的事情。所以往往有和盗贼结婚，至受无穷祸害的妇人，这是世人都知道的。所以我说日本的结婚制度，好像妇人自己投身于沟壑之中，百年的苦乐，一任男子之所为，天下可哀的事，实在没有更甚的了。我想贤明的妇人，决不愿把自己百年的身命，轻易任人去安排，必定有三五年的交际，仔细观察男子的性格，并研究其为人之如何，然后乃可和他结婚。像今日的结婚制度，全然是卖淫的制度罢了。俗话说："马必骑而后知其性之良否，人必交而后知其人之善恶。"但是马如果是不良的，那还可以掉换。至于人而至为夫妇，那是不容易掉换的。假令能够决然舍去，但是一度同衾之后，倘有妊娠之忧，则又奈何。世间像这种事件，致演出种种的悲剧来，那是不算珍奇的。

可是结婚的第一条件，虽是恋爱，而盲目的结婚和盲目的恋爱，亦是悲剧的原因。必定要具有理性的眼光，视察其能否获得幸福的结果，然后乃可结婚。若是父母所结的婚姻，那非决然把他拒绝不可。因为婚姻是自己的婚姻，并不是父母的婚姻，所以不能任第二人去主宰，必定要自己选择乃妥。又如觌面结婚、相片结婚等，那都是有百害而无一利的。妇人诸君呵！诸君无论如何急于嫁人，急于为人妻，像这种结婚的方法，绝对是不可盲从的呵！

日本以及东洋诸国，大抵都以为从古代到现在，从没有许过男女去自由恋爱。这种思想，是由父母和兄弟们的嫉妒而生的。好像姑之虐待媳妇，也是因为自己的爱被媳妇所夺，所以才起嫉妒的念头。又如自己的女儿或是妹子，到了长大的时候,就恐怕她和别个青年的男子往来,从而把她严重监视,这也是嫉妒的原因。本来日本古代的风俗习惯,不许男女自由恋爱的,但是到了现在,依旧还存这种心理,那不是嫉妒是什么？自由恋爱的本家如亚美利加合众国者,他们的女儿,长成以后,还没有意中人(Sweetheart)的时候,为母亲的,或是亲戚婶母,就要尽力为他的女儿百方斡旋。像这种事情,若是被日本的为父为母的听见,究竟不知他们作何感想呢。

然而结婚最不自由的,莫过于上流社会。因为他们最注重的,是地位、财产、门阀,所以要找一相当的匹偶,很不容易。反之,如劳动阶级之中,男女都是一样卖他的劳力来谋衣食,所以他们的地位和境遇,都是一样的。而且在同一工场之中,几千几百的男女在一处劳动,所以就能够自由恋爱,自由结合,并且可以自由离婚。因此,便晓得现在如果没有社会的阶级,一定是可以减杀许多由男女关系生来的悲剧了。

四、自由恋爱与经济革命

自古道:"恋爱无贵贱",所以芳川镰子(日本芳川子爵的女)和汽车夫陆助的恋爱,大家的姑娘和书生(日本的大家贵族,大抵都厮养有书生,就是贫穷的青年子弟,不能入校读书,所以来当大家贵族的书生,半服役,半读书,比那纯粹的奴仆稍有不同)的关系,华族的公子和下婢通奸,诸如此类,是很多很多的。

前章虽说以理性的眼光,仔细观察其能否得到幸福,然后才可以结婚,但是这也是很不容易的事,因为恋爱是感情的作用,所以通常盲目的恋爱居多,虽不限定投身于深渊,有时也得成为夫妇。然而有的才为了恋爱,立时就跑去情死的,像这种人,如果教他把理性去判断,那就像把油水混淆一样。由前章看来,这话似乎是矛盾,然而在这社会制度不完全的时代,如果不照理性的判断去做,要减少家庭的悲剧,就有所不能了。

有些人说是"男子须候有相当生活之后,才可以恋爱"。今假定中学卒业之后,由高等而至大学,就可以得到相当的生活了。然而那时候的年龄,已经差不多是 30 岁前后了。试问以十五六岁便晓得恋爱的人,叫他等到 30 岁前后才去恋爱,你想能乎不能呢? 第一,现在的习惯,男子至 30 岁之间,都在求学的时代,而女子在 20 岁前后,多半已经嫁人了。像这种情形,试问从何处去找对手的可恋爱的人呢? 譬如男子脑中,认得有一个女子,要想将来和她结婚,但是等不到一年两月,已经被人家先得了。所以像这样理想的妻,终究是不成功的。没法子,男子只好随人家去结那觌面的结婚罢了。所以今日的社会,非许男女自由交际不可。至于为父母的,也非尊重子女相思的期约不可。

但是还有因为地位不同,财力悬殊,门阀高低,致生种种悲剧的。然则要使这悲剧能够消灭,应该施用什么方法才好呢? 第一,非把贫富的阶级打破不可。如果实行经济革命之后,贫富的阶级消灭,无论何人,都立于同等的地位,那时候,就像镰子和陆助的爱恋,大家的姑娘和书生的爱恋,贵族的公子和下婢的爱恋,种种不自然的恋爱,都消灭于无何有之乡了。所以要解决男女恋爱问题,非经过社会革命,经济革命之后,终不能得到完全的幸福,那是一定无疑的。像今日的自由恋爱,和男女的交际,都是很不彻底的。

五、职业妇人之强处

今日的结婚,大抵都是因为吃饭的问题。像这种结婚的意味,何以异于"朝送吴客,暮迎越人"的卖春女呢? 这种结婚里面,虽说含有几分要满足性欲的要求,但是没有恋爱的结婚,那不过是男子的玩弄物罢了。而其差异的地方,不过一方面是专有一个的男子,他方面是迎送多数的男子,而卖身是一样的。——然则今日私有财产制度不消灭,女子的卖淫制度是不能绝迹的。

但是今日的社会里面,可以叫作职业妇人,独立妇人的,她的生活一定能够独立。这样的妇人,既不靠着父兄吃饭,为父兄的,也就可以免却这一番的负累。所以就无须把她们的婚事,赶快胡乱料理过去。而女子自己,也无急于求婚之必要。女子既不为家庭的奴隶,自己能够"自食其力",就可以缓缓的找寻那最合意、最满足的男子,依着真正的恋爱,去结那最美满的婚姻了!

然而还有一件可虑的事,就是结婚之后,妇人是免不了妊娠、分娩以及育儿的任务,因此,就不能继续她的独立了。本来生子这件事,是很重大很神圣的任务,社会对于服此任务的人,应该是要保护她、尊重她,才合道理。然而今日的社会,不但不保护,不尊重,反把生子这件事,看作妇人的弱点,从而利用它来把妇人压伏的。所以妇人当服这任务的时候,不要依赖一定的男子保护,要能够安安稳稳,由社会供给她的衣食住才好,不然,是不能确保她的真独立和真自由的。换一句话说,就是非到了生活状态一变,经济的革命实行以后的社会,那叫作什么女子解放的话,都是完全没有意义的。

在现在的社会,由妇人看来,握经济上的权力者,就是男子,由平民看来,便是富豪。所以平民不得不卖他的劳动,妇人不得不卖她的性,来补助衣食了。古语说:"女子幼时从父,嫁后从夫,夫死从子",这便是被那握有经济的实力者所支配的意思了。因为幼时还没有嫁人的时候,就是服从那握有经济实力的父亲。到了嫁人以后,就是服从那握有经济实力的夫婿。如果夫婿死了以后,这权力,就是儿子的,所以又不能不服从儿子了。所以服从与不服从,是看经济能够独立与否。如果今日握有经济的实力的妇人,在家庭之中,就可以不必采取从属的态度了。在这种单由男子握有经济实力的现代,说什么男女同权,主张什么自由平等,都是一片空话。

六、妇人劳动问题

身体一切的机关,运用之则发达,不运用则退化,这是生理学上的原则。拉车子的车夫,脚部非常发达,打铁的工人,腕力非常强健,这是最普通最明显的证据。照这样看来,游闲的身体,渐渐退化,劳动的身体,渐渐发达,可无用疑了。现在的妇人,一见好像害了肺病一样,细小的腰围,瘦削的肩膀,种种不自然的形态,都是因为要迎合男子的趣味,这种现象,是几百年间的退化,不是一朝一刻就成了这个样子的。

至于真正的曲线美,那就同这个反对了。必定要有一抱的腰围,和隆隆的肩膀才好。但是这个非由劳动得不到的。所以妇人劳动,是一件很可羡慕的事,而且是发挥真正美的唯一方法了。所以今日的妇人从事于家庭的劳动,是很合道理,没有障碍的。像那些只愿摆空架子,讲究体面的妇人,使役许多的下婢,口说手指,自己一步也不动,她全不晓得只徒安乐,不爱劳动,是减退真正的美貌的毒药。本来5人10人的家族,一个妇人,尽可以经理,不但在经济方面有益,而且对于心身的健康,真正美的发达上,也是很有效益的。平时曾听那有经验的劳动者的谈话,他说:"妇人怀孕后,如果依然继续其劳动,到了分娩的时候,就非常容易,没有困难了。如果怀孕后,就一点儿都不劳动,一天只是睡觉,对于身体上是很有障碍的。"

但是现在所讨论的妇人劳动问题,是工场的劳动,并不是指家庭的劳动。——妇人的工钱,比较男子是要低廉些,并且有的事非女子不成功的。还有一层,有些男工,他所收入的工资,不能支持一家的需用,势不能不把自己的子女,或是自己的妇人,拉到工场去劳动,以谋生活的补助。所以今日的妇人劳动者,只有增加,断没有减少的。大家不要听说是工场的劳动,就生害怕。如果工场的种种设备,能够完全,并且有一定适当的时间,那决不会把妇人的美貌减杀的。不过现在的工场,不讲究卫生,各种传染病菌,几乎把一个工场里头充满了。若是身体强健的人,杀菌力很强,那还不十分要紧,最可惨的,就是妇人,每月中总要发生一种特有的毛病(月信),而在这种不卫生的工场,整日劳动,你看还有人道吗?所以现在工场的妇人劳动者,害病死的很多。还有那流产的,有产儿虚弱,到底不能为接继宗祧的劳动者,种种惨状,实在不堪说了。于此,我们本据妇人产生劳动者的理由,对于这妇人劳动问题,有四个最重要的改良办法。1. 缩短劳动时间。2. 妇人当月经来潮的时候,不能使她为过剧烈或危险的事。3. 妇人坐褥的时候,当供给她的相当的休职补助费。(四)把换气,日光射入的种种卫生设备,更加完善。这些都是焦眉的急务,刻不容缓的。

七、男子的奸通罪

日本的法律,只认妻有奸通罪,但是男子虽和别的女子有关系,法律上却不认他是奸通罪,我倒不晓得是什么道理。或者恐怕妇人和别的男子奸通之后,就有妊娠之虞,也未可知。如其不然,男子的奸通,也应该和妇人的奸通一样,才合道理。若只管把妇人禁锢在家里头,单许男子在外嫖妓蓄妾,这便不是公平的道理了。世间往往对于妇人的举动,如果一些儿可怪,他就不管他有无证据,都要严重纠查了。又如法律上有夫的妇人,如果和别个男子相爱的时候,那就不单受法律上的制裁而已,社会中还要骂他是不贞节的妇人。反之,男子和别的女子有了关系,或是蓄妾,莫说他自己不以为意,就是妇人方面,也都不把他当作罪恶看。现在有叫作什么妇人矫风会的,时常听见他们在那里高唱什么废止公娼,扑灭私娼,到底公娼废止了没有?私娼扑灭了没有?要之,根本上的解决,如果男子们,能够除去猎取女色的恶习,公娼私娼,自然而然地都会消灭。因为没有了需求的,自然就不用供给了。

可是再反过来想一想,今日男子所以沉湎娼妓的原因,男子自己,不消说是错误,就是妇人和教育方面,都不能无罪。在今日的社会,男子每天在外办事,有时难免不发生种种不如意的事情,如果回家的时候,得妇人一番温情的慰藉,那就心平气静,把日间不如意的事,都忘记了。越日再鼓起新勇气,照常出去办事,这是必然的道理。但是如果回到家里的时候,看见自己的妇人,不言不语,其颜色直是"拒人于千里之外"的时候,那就不只一时不可慰解,反转增多一层不快的感情。所以往往就跑去酗酒弄妓,也是这个原因,我不是说妇人应该终年欢笑,实在因为妇人的颜色意气,被从前一般恶教育所养成,所以到如今,才成了这个现象。有些人说,妇人应该像那卖春妇一样具有可以使男子欢悦的技术。这种论调,或者稍稍趋于极端,也未可知。但是今日的妇人,缺乏表情,太过于颠顶粗率,那是不可掩的。所以今日的卖春制度,就说是"女大学"和良妻贤母主义的教育的结果,也是可以的。

现在社会上对于妇人犯奸的事情,处置非常严酷,而对于男子的奸通,却非常宽大的,这都是把妇人看成奴隶及私有财产的结果。到如今,非赶快把这种偏见打破,使男子也都成为贞淑温良、操行端正的不可。这便是今日对于妇人应该办的急务了。

八、离婚之自由

所谓恋爱自由,若单说结婚前的恋爱,实是很不彻底的理论。有夫之妇,她的性交方面,虽能满足,但是一见了美貌雄伟,或是技能优长的男子,便发生爱慕的思想,这是人的常情,不足怪异的。况且男子在外淫乱,以致性交上不能满足,不得已别求候补者,那有什么不可呢。

日本的现行法规,男子虽有淫乱的行为,妇人是不能请求离婚的,或者在程度的问题,如过于虐待不堪的时候,可以请求离婚,也未可知。然而男子嫖妓蓄妾的事,那就似乎不能作为离婚的理由的。这种淫乱的行为,是把妇人侮辱轻视,若用这事作为离婚的理由,很有充分的价值。可惜现在法律,都由男子编成的,无论什么法律,都是男子占了便宜,无论妇人如何愤慨,总是没有法子。

好几年前,有一个姓岩野的某文学士,他和他的本妻,已经是同栖了10年,后来因为又和一个姓蒲原的女子有了关系,从此以后,就一步都不和他的本妻接近了。后来他的本妻到法庭提出请求同栖的诉讼,结局裁判官虽然判决他们应当同栖,然而岩野文学士,终没有实行,毕竟国家对于这件事,也没有什么办法,只是给那妇人一纸空文的判决书罢了。这种事情,因为妇人不能把男子强要过来,所以才要假藉国家的力量,若是把男女的地位掉转过来,我想男子一定是发挥他的强暴的腕力,拼命把妇人拉回去的。并且法律上,一定又要判那妇人是奸通罪了。照这样看来,自由恋爱和自由离婚这两件事,在妇人问题中,都是一样占有重要的位置了。

九、妇人之参政问题

妇人参政一事,英美等国,都已实行了。以文明国自任,而又不许妇人有参政权,只有日本一国而已。或者因为现在日本的男子,尚且不能完全得到选举权,所以妇人就更不能得到的,也未可知。但是日本的普通选举制,不久一定是成功的。然而单许男子有选举权,那还不能算是真正的普通选举。何以呢？假定日本的国民,丁年者有4000万人,除去女子,只剩半数的男子有选举权,这还能够算是普通选举吗？妇人也同是国民,不但国家有事的时候,能够尽他的力量去帮忙,就是平时或贡献国家的生产,或从事各种的事务,即使没有从事各种事务,而至少都能够尽力谋第二的国民生产和教育的。像这样还不给她们选举权,真是太把妇人轻视侮辱到万分了。

今日种种的法律,都是以男子为中心造成的,所以只有男子占了便宜,妇人是很不利益的。譬如同是国民,何以妇人就不许她听政治的演说。这种理由,究竟是从何处来的。政治演说尚且不许她听,至于政治的结社,那更是绝对不许她们加入了。

第十九章　各国的妇人选举权

一、美国妇人选举权获得之运动

（一）**女尊男卑的原因**

美国是世界有名的女尊男卑的国家,例如在妇人面前,不能吸烟,上楼的时候,应让妇人先登,下楼就要男子先下,以及其他种种尊敬妇人的习惯,实在不胜枚举。这样优待妇人的情形,是当时美国人由欧洲移来后的习惯。无论什么殖民地,要得多数的妇人渡来,非经过长年月不可。所以当时的殖民,因为妇人缺少,就把妇人看得非常贵重,至有"得君一夜情,不惜百年命"的谚谣,由此可知他们对于妇人,是非常尊重的了。

但是因为他们都是基督教徒,所以免不了还要尊崇圣书中所说的什么"女子应该从属男子"的圣典。所以他们尊敬女子,还不彻底。在能力方面,还是以为女子不及男子的。据这样看来,像这样尊重妇人的国家,岂不是还不许妇人立于政治的要路,不承认妇人有选举权的吗? 但是要晓得就是因为有这样尊重妇人的国家,所以他们妇人运动获得选举权,才有那样早,才有那样猛烈的。所以说美国是女权运动的摇篮,决无不当的。

然则美国的选举权,究是如何呢? 他们的选举权,不单是限于国会议员一方面,就是大统领以及美国全体的国会联邦议会的议员,各州议会的议员,以及地方自治团体等种种的选举权,都包含在内,有数州妇人,只有几种的选举权,有些就和男子一样有全部的选举权。总之美国的宪法,妇人有无选举权,一任各州的自由。美国一共有 48 州,其中妇人完全有选举权者,有 12 州之多。像前回的总选举,孟塔拿州所选出的兰金女史,她就是美国国会最初的妇人议员了。

（二）美国妇人运动选举权的历史

1787 年，妇人要求市民的选举权于费府所开之宪法会议，这就是美国妇人运动获得选举权的头一次。当时的妇人，如自由民和纳税者以及户主等，妇人占有选举权者，全美 13 州（当时美国只有 13 州而已）之中，实居其九，从前威的尼亚和纽约二州，只限定男子有选举权，到了 1780 年马萨抽塞和罕普西亚二州，也仿照办理了。在那时候，虽然有对抗的运动，但是没有什么力量，结局未能贯彻他们的主张。

自 1830 年至 1840 年，10 年之间，实为运动废止奴隶制度的全盛时代。当时的妇人，也极力从中运动，他们在演坛上大声叫吼，反招当时有识者的反感，至受他们的诽谤揶揄。1840 年在伦敦开废止奴隶大会，美国派有多数的代表到伦敦去，路克列采莫持、耶里萨别斯加特士坦顿、耶里萨别斯卑斯三位妇人，也到英国去与会，然而当时那个会中，并不承认妇人是代议员，把她们都安置在旁听席里。于是乎这几位妇人，便觉悟归国之后，第一要紧的，就是开妇人讨论奴隶制度会。所以到了 1848 年就实现了。当时莫持和士坦顿二位夫人，仿美国独立的宣言，遂起了 18 条妇人的要求的草案，提出议会。结局虽得满场一致的可决，然而会议之后，嘲笑诽谤之声，充盈耳皷，甚且有的还要请求取消调印，妇人的运动者，实在被他们侮辱不少了。

（三）妇人选举权运动的主张

从此以后，美国妇人对于选举权的运动，就一天一天的猛烈起来。今日各处都有妇人选举权协会，及其他俱乐部，他方面如大学平等选举权同盟、全国劳动联合同盟、美国劳动同盟联合会，以及 19 州之劳动联合会，无一不发表他们赞成妇人选举权的决议，把他作为妇人的声援的。然则这妇人选举权运动的主张，是在什么地方呢？简言之，就是"贯彻美国宪法的精神"一句话。依这主张，美国的宪法，是无论全国的选举，各州的选举，都没有片言只字不许妇人有选举权的。《合众国宪法》的前书有云："吾等合众国人民，为美国合众国制定此宪法的。"妇人等也是国民，和男子有同样的目的。其独立的宣言曰：

（1）使万人平等。

（2）造物主与万人以不可夺的权利，这权利之中，含有生命、自由、幸福在内。

（3）政府因为要确保此等权利，故由人与人之间组织而成，须得被治者的同意，方能发生正当的权利，这是明白的道理，政府不是给此类权利于人民，乃是因为要保障人民所有的权利才组织的。

所以选举权是人民的权利，政府既不能把权利给与人民，当然就不能从人民手中来夺去了。政府如有不得妇人的同意的行动，按诸以上独立宣言的精神，就是不合法的行动了。为什么呢？独立的宣言里面，究竟从何处看出他是许政府单依据男子的同意的行动，是合法的行动呢？

（四） 选举权获得运动的成绩

兹将美国妇人运动选举权所经过的成绩列举如下。

妇人有完全选举权的共有 12 州（亚利索拿、加里佛尔尼亚、可罗拉特、埃达波、康萨斯、孟塔拿、尼瓦亚达、纽约、阿列贡、由塔、华盛顿、瓦伊阿冈格）。

妇人仅有预选权的共有 2 州（帖奇塞斯、亚拉康塞斯）。

妇人有选举大统领的共有 2 州（密司干禄特、爱兰德）。

妇人有大统领选举权及地方自治体的选举权者，共三州（意里诺伊斯、尼不拉斯加、诺阿斯、达可塔）。

妇人仅有地方自治团体的选举权者，只有（威尔孟德）1 州而已。

妇人有市制自治的选举权者，共 2 州（阿海呵、佛啰里达）。

妇人有学务委员及课税委员的选举权者，共有 14 州（纽罕普顿沙、马萨抽塞、康尼日加持、纽嫁秀、德拉威亚、伊斯康新、密尼所塔、爱陀洼、叟斯达可塔、肯的伊、密西歇丕、鲁伊知尼亚、阿苦拉赫麻、纽墨西哥）。

由上面看来，妇人完全没有选举权者，不过 12 州而已。然据 1919 年 5 月 21 日华盛顿的电报云："美国下院关于妇人选举权之讨论，不过 3 个时间，遂以 304 票对 88 票之多数，可决美国宪法修正的决议案。这决议案，因为要把他作为最后的决定，所以又交上院去审议。"又依据同月 23 日之纽约新闻（Tribune）华府特派员之报道，该宪法修正案，上院议员 96 名之中，已得 66 名之赞成投票的誓约云。又 6 月 4 日之纽约电报云："本日上院关于妇人参政权的宪法修正案，以 66 票对 25 票，赞成者多数，遂通过。又该案已经下院通过了。"

为什么关于妇人的参政权有修正宪法的必要呢？因为美国是一任各州的自由，所以要使美国各州通通承认妇人完全有选举权并确定立彻底的妇人参政权，非把宪法修正不可。如果这修正案能够通过，美国的妇人，对于所有一切的机会，就完全和男子一样立于平等的地位了。唯所难的，就是 48 州之中，非得四分之三以上的批准，不生效力。幸而这 48 州中，虽程度上有点儿差异，总之承认妇人有选举权的，已有 37 州了。照这样看来，大概是可以成功的。如依这修正的宪法，妇人有选举权的，实有 2500 万人之多。

二、英国的妇人问题

（一）英国妇人参政权的运动史

英国的妇人问题，大概和美国差不多，全部都是运动获得参政权的问题。其中虽然还有别样事情含在其内，但是她们是确信如果能够得到参政权以后，别的问题，自然可以解决的。而实际上已经解决者，也在英国。

英国的妇人参政权运动者，非常猛烈，她们几乎像发狂一样，这断不是日本妇人诸君梦想得到的。必定要像英国的姊妹们有热心和坚忍，然后乃能获得选举权。像那漠然不关痛痒，骄矜自慢的日本妇人，她们要想获得选举权，前途还是很远。然就现在日本妇人的态度看来，恐怕她们是不愿意要求选举权的。

英国是一个有国会最早的国家，十七八世纪的时候，已没有拒绝妇人的选举权，何以见得呢？那时候的妇人，虽不能直接投票，然而可以间倩男子替他们投票。但是到了 1823 年改正选举权法的结果，法文中就明白禁止了。1867 年重新改正选举权法的时候，虽然有一位叫作约翰斯智亚德密尔的，极力主张给与妇人的选举权，可是结局归于失败。这便是英国实现妇人参政权问题的头一次。后来到了 1870 年，又有名武雷逸的妇人，提出"妇人参政"的议案，却被格拉特斯顿猛烈反对之后，也被否决了。此后虽经屡次提案，终未通过，到了1884年，正当第三次改正选举法的时候，威廉俄达鲁氏又把这个问题提出来，当时一般新闻，虽是全体力表赞成，后来也是因为被格拉特斯顿反对，归于失败了。

（二）妇人要求参政权的原因

英国妇人要求参政权的原因，就是因为文明进步，结婚的机会减少，所以独立的妇人（即是职业的妇人）就渐渐增加了。这便是她们发生要求参政权的主要原因。从来的妇人，是家族的妇人，与国家的政治上并无交涉。但是到了独立以后，便成了组织国家的一个单位，所以政治上的事件，即是自己的事件，政治上的厉害关系，便是自己的厉害关系了。以前是男子代表其意思，到现在来，自己尽可主张，不必倩人家来代表了。兹将英国妇人的主张列举如下：

1. 职业问题。结婚的机会减少和老媪的人数增多的时候，同时就要把从来只限定男子的职业范围给妇人开放。

2. 教育问题。与男女以一样教育的机会和便宜。

3. 法律问题。法律上女子的地位不及男子太远，所以应该改正，把同等的权利给与妇人（这第三项可看作妇人要求参政权的直接原因）。

4. 1883年之选举取缔法的反动。该法是把男子运动者的人数加以制限，用妇人代替（这就是煽动妇人的政治热了）。所以到了1885年的时候，就有樱草同盟（Primrose League）出现，1886年就有妇人自由联合（Women's Liberal Federation）的妇人结社出现。

以上所举，是其重要的，照这样看来，日本的妇人，其所以没有政治的趣味者，可以说是没有独立的妇人（即是职业的妇人）和教育的妇人的原因了。英国的姊妹们，已经是得到参政权了。但是我们日本的妇人诸君，还依然在那里做梦，没有醒的。

（三）激进主义和渐进主义

英国妇人参政权运动，有二大潮流：一是激进主义，即激进派；第二便是渐进主义，即温和派。前者是妇人社会政治同盟（Women's Social and Political Union)作代表;后者是妇人参政权协会国民同盟会(National Union of Women's Suffrage Societies)作代表。前者是 1903 年有名的榜加斯夫人所组织的,他们只为目的,不择手段,极力把社会威嚇的。有时举行大规模的示威运动,有时便闯入议会去妨害议员的演说,如果被捉入狱的时候,便同盟绝食(Hunger strike)。这些事都是这一派妇人干的。所以世间如果说到英国妇人的参政权运动,便想及这激进派了。然而这参政权运动,还不止这激进派而已。还有那得英国上下的人心,与妇人参政权的实施上最有力量的温和派,即是妇人参政权协会国民同盟。但是只有温和派,也不能成功。必定要和那激进派两方并进,然后乃有今日。所以就不能说谁是谁非了。温和派的会长是荷色持夫人,她一方面唤起舆论,一方面极力和国会里头的议员联络,因为要依仗她们的力量去改正法律,使妇人们得到选举和被选举的权利的。当时激进派虽然也在极力运动,到底不及温和派的稳健,可以着着成功。但是激进派,全然是战斗的。她们以为要待男子把参政权给她们,无异"俟河之清"一样。所以除了用暴力把她抢夺过来,没有法子。因为法律上男子占便宜,要望他们去改正,必定不成功。她们的意思,以为只用温柔的手段使男子去改正法律的事,既属不可能,倒不如示以威力,使他们战栗恐惧,然后俯首帖耳亲来军门请和较为得计。像英国是个淑女的产出地,而她们的妇人,竟有如此厉害,真要把男子惊倒了。

(四) 激进主义之运动方法

妇人社会政治同盟的主张,约有四端:

1. 全然不与一切的既有政党提携。

2. 对于无论什么政府,都极力反对。

3. 采取战斗的方法(Militant method)。

4. 只为目的,不择手段。

照这样看来,妇人社会政治同盟,最初是取战斗的行为,以男女的阶级斗争为目的而产生的。但是当初开始的时候,却没有什么猛烈的行动,到了创立后三年的时候,方才渐渐的猛烈运动起来,它的运动方法,第一就是遍访有力的政治家,强要她们赞成其说。至则侃侃而谈,将自己的主张,极力述说,不得她们的同意不止。但是这种呶呶的强辩,结局是要失败的。后来那些政治家都不愿意听她们的话,甚至把她们逐出门外,不许再进去了。没奈何,她们又变计用挂号邮便的书信去要求,后来也被送转回来。第二就是在演说会场妨害政治家的演说。这不是最初就想妨害她们的,因为是常常被那些名士们拒绝不见,所以看见她们到来演说的时候,就想把她捉住,好像 1905 年 10 月 13 日,俄流外务大臣在曼彻斯特演说的时候,被那榜加斯夫人极力把他妨害,后来榜加斯夫人虽然被逐出场,但是经此番逐出之后,她们又想出一个法子来,即是把自己的身体锁住在会场里的柱头或是栏杆上头,当着政客演说的时候,便极力妨害,此时虽然要把她们逐出场外,可是她们的身体锁在柱上,钥匙又命她们的同志带去了,所以虽欲将她们放逐,终是无可如何。当时政府也无法对付了。第三是示威行列,妨害演说的法子,既被政府严重警戒之后,于是她们又想出一个示威行列的新战术来。1908 年 2 月,听说妇人参政权的议案已经上议,于是遂开大会于亚鲁巴荷尔以为声援。其间与政府冲突过好几次,至6 月 13 日,遂在海德帕克举行大示威行列,参加人员有 1 万人之多。21 日再举行大示威的运动,参加的妇人,有 10 万人,遂向官卫警署投石,并大声吼叫,扬言要直诉于国王。第四就是闯入议会,在那大示威行列的前后,又发明闯入议会的法子。原来英国的议场,除了议员以外,不论何人,是一步不许进去的。英国的议会,没有书记官,也没有速记者,旁听席是在二层楼上,自古以来,英国议场的习惯,是不许旁人乱进的,今竟被妇人参政权运动者强闯进去,实在把英吉利的老蛙,都吓哑了。第五是同盟绝食(Hunger strike),她们种种暴动,其初政府倒也没有十分注意,到后来越闹越凶,所以警察就不能久守缄默了。1912 年,捉了几百个女权运动者投于狱中,于是她们又想出这同盟绝食的法子来,原来英国的法律,凡在狱中身体衰弱者,是要把她放还的。她们既晓得这个规矩,所以就极力缔结这个绝食的同盟。但是官宪知道她们的鬼(诡)计,竟把些滋养的食物,强从口中灌将下去,起初也就奏了点儿效力。于是她们又想出一个假食的法子,即是表面上好像是在那里饮食的样子,其实暗中却把它丢入便器中了。后来这法子,又被官宪觉知了。同时一方面那些女权运动者,也极力反对这种强制荣养的手段,不得已,当局者又制定一种保释的规则。这规则是凡在狱中身体衰弱者,得保释出狱,至身体恢复后,依然照原判执行。所以当时的人，把这方法，叫作猫鼠法（Cat and Mouse）。其意以为猫儿捕鼠，起先不把它一口吃下，必定要把这鼠儿暂时放下口来，使它踉跄逃去，然后跃进，又再把它捉住。这法子恰和那暂时保释，后来施刑的法子相似。然而当时保释出狱的女权运动员，一个个都把身体隐藏不出了。所以无论政府有怎样的好法子，到底不成功。政府既已棘手，于是她们就越发狂暴起来了。譬如向鲁意乔治的别墅抛掷炸弹，埋设地雷于英兰银行和圣保尔寺院的地下，放毒药于水道中，破坏运河，种种计划，虽没有达到目的，然而已足使当局者不寒而栗了。又像德卑孙女士，她当竞马会的时候，把运动女权的旗帜，高高的揭起，勇勇猛猛地冲死于国王的马前，这是要使国王知道有女权运动的事情的手段。后来她们对于这壮烈的殉道者，就轰轰烈烈地举行了盛大的葬式，以为表示她们的敬意。此外还有袭击亚斯岂斯的，焚烧武里斯托尔大学的运动小屋的，种种暴举，依然没有罢休，到了 1914 年 5 月 6 日，妇人的参政权，再被否决之后，她们的暴行，就更加猛烈了。

（五）英国妇人之胜利

英国妇人参政权运动者的劳力，不是空费的，毕竟是有相当的报酬的。如最近英国的议会对于承认妇人的选举权法案，已得上院的通过，不过在年龄上，男女有点儿差别，所以没有像美国那样彻底。但是也还得了全国妇人三分之一的有权者 600 万人。照这样看来，不久一定可以和美国或是德国一样的彻底的。

三、法兰西的妇人问题

法国的妇人参政权运动，发生于 1848 年，到了 1851 年，就发生一个"无论男女不问职业都要一样有平等的选举权"的运动。当时政府把这运动的猛将若安德罗俄默和波林罗兰二人捉入狱中。法国的反对妇人参政权者，他们时常都说："法国的妇人，是不要求参政权的"。但是去年（1919）2 月，巴黎全市，到处都贴有一种反应的文字。大意谓"法国的妇人，要从 1919 年起，有投票权，英、美、澳、瑞、挪、冬、荷、芬、俄诸邦，都给与妇人的选举权，而德国的妇人,且得参加于制定宪法的议会,独我法国的妇人,至今依然是被支配的。"又说:"法国妇人所以要求选举权的理由,一来是因为要保护他们自身的权利,二来是因为对于国民的名义,也应该尽自己的义务。"这热心的参政论者之中,有克列满叟的女儿加克默鲁夫人,和法国妇人参政权同盟会的会长多威西伦弼日鲁夫人等,在里头热心猛烈运动。果然到了去年(1919)5月20日,接到巴黎打来的电报,说是法国代议院已经把"一切地方自治团体的议员选举权一概给与妇人"的议案通过了。据这样看来,还不能说是十分获得胜利,还有那国会议员的选举权和被选举权没有获得。所以法国的姊妹们,非再继续奋斗不可。

今又把法国的妇人职业问题讨论一下。当战争的时候,妇人从事于农业及其他类此的职业者,有1840885人,被雇于工场和矿山者,有1427322人,被佣于商业者,有571000人。而战时的妇人电车长和摩托车车夫的人数,尚不能确知,殊为可惜。至于女教师之67000人,比较男教师之86000人,可谓相伯仲了。又巴黎大学校,也于1868年给妇人开放了。其中不只医学、美术、文学等准他们随意旁听,即正科的生徒,也都一样收容了。于是1898年,就有871名的女大学生,至1907年,遂增加至2500名,这2500名之中,法科124名,医科796名,文科1105。由是观之,战后的法兰西,是女学士称霸的时候,实在不错的。

四、德意志之妇人问题

(一) 妇人代议士36人

德国是个良妻贤母主义的国家,本来军国主义和良妻贤母主义,像车和轮一样不可分开的。然而德国一败涂地之后,同时竟能承认妇人有选举权及被选举权,这是何等快捷。像前回的总选举,一时送至议会的妇人代议士,至有36人之多,真是盛事。

这36人的妇人代议士之中,社会党占最多数,一共有18人,而这18人之中,尤以劳动联合的办事人员和社会党支部的干事居多。他如国民党,则有6人。加特力党,则有4人,民主党,则有5人,大抵是以劳动联合的干事和学校教员居多。下余 2 人,是从社会党中之小数党选出来的。这少数派是主张激进主义的,即是所谓过激派。2 人之中,一是罗列亚格斯女史,一是路易惹徐都女史,两人都是出身于劳动阶级的。

(二) 妇人的劳动问题

德国现在男女的职业竞争,非常激烈。例如战争的时候,电车卖票人都是妇人充当的。到了战争终了的时候,旧时的男车长,从战阵中回来,便去要求复职。但是女车长却不肯退让。后来不得已,一车之中,才用两个卖票人(男女各一名),一是专向乘客收钱,一是专管银钱的。这岂不是一大奇观吗! 然则要除去男女的职业竞争,怎样才好呢? 如果是能够把 10 时间的劳动改作 5 时间,男女就通通可以从事于职业,大家不至争闹了。

像上面所说那种奇观,是因为德国现在还没有实行社会主义的缘故。像在俄国,它们劳动的时间,是男 6 女 4,就充分了。因为如果人数增加,劳动的时间,自然就要成反比例的缩少。若使德国的斯巴达卡斯团占了胜利,也断不至呈这样的奇观,为天下人的笑柄。

五、俄罗斯的妇人问题

现在俄国不单是撤废贫富的差别而已,就是男女的经济差别,政治差别,社会差别种种,也没有一样不撤废的。所以俄国现在的妇人,不仅有选举权及被选权,而且官吏大臣等职务,也和男子一样可以充任的。像那亚历山大郭伦泰女史,曾被任为救济大臣,这事想必世人的记忆还新(郭伦泰女史是俄国有名的社会学者,她关于母亲和儿子的关系著书很多)。

照这样看来,俄国妇人问题,可以说是消灭了。所有男女的差别,已经通通撤废了。妇人和男子的经济,都一样可以独立,所以男主女奴的偶像,也从此破坏了。然而妇人的经济,要能够独立,那必定就要依着自己的劳动(精神的、肉体的)来保证她的生活。但是妇人当分娩的前后,就有长期间不能劳动。俄国对于这个难题,怎样解决呢? 她们在分娩前后 16 星期之间,不但不要妇人去劳动,并且还要去扶养她的(这种扶养,是不收费的)。等到过了这

16 星期之后,每天劳动的时间,也不过 4 小时而已。并且她们对于自己的财产,得自由处理。对于男子,得自由离别。对于职业,得受同等的待遇。

六、其他诸国的妇人问题

（一）澳洲之妇人问题

澳洲的妇人问题,大抵也和欧美诸国一样,其所注重的,也在妇人的参政权问题。至于妇人的劳动问题,虽然不能和欧美诸国比长较短,却不能说它全没有妇人的劳动者。不过为数无几,没有势力罢了。

澳洲的选举制,分为市会、国会、地方三阶级。新南威、威尔士于 1868 年,域多利于 1869 年,西澳洲于 1871 年,新斯兰于 1877 年,南澳洲于 1880 年,达斯马尼于 1884 年,次第给与妇人的市会议员选举权。至 1920 年,这各州的妇人,遂和男子一样有地方议会的选举权了。然则澳洲的妇人,对于市会及地方议会的选举权,是和男子一样了。而西澳洲、南澳洲以及新南威、威尔士的妇人,已完全获得以上三种的选举权。唯有域多利的妇人,尚未得到国会议员的选举权而已。

（二）奥大利

奥国经这番大败之后,国境虽然缩狭,然而革命之后,一变而为社会主义的国家,奥国的天下,一变而为劳动者的天下了。然则妇人的参政权,必定也和德国一样,是不难想象的了。唯是他们的内情,还不能为世界所周知,未免遗憾。

妇人参政权问题之纷争,在英国则以为当增加独立自活的妇人,而奥国也可谓本乎此意。战前该国职业妇人的人数,有 4304581 人,其中从事于农业者,实居 58%,女教员则居 20%,他如被佣于工场、商业、矿业者,实有 72537 之多。照这样看来,日本的妇人,如果要求参政权,就非从女教员唱始不可了。

（三）瑞士

瑞士是个男子选举权最发达的国家,它们的国民,如果想要制定一种法律,尽可向政府建议,这叫作 Referendum。至如法律制成之后,必定要和国民商酌其可否,这个制度,便叫作 Initiative。至于他们妇人的参政权,虽然也是发达,但是代议士的选举权和被选权,好像还没有得到的。至于州议员——瑞士是共和的国家,由十数州集合而成的,——也有付与她们选举的权利的。今日瑞士的州会议员的选举权,可以说是通通给与妇人了。他们的代议士选举权和被选权,不久也一定可以得到的。

瑞士的妇人问题,据战争前所调查,妇人从事于农业以及和农业类似的事业者,共有 92500 人。被佣雇于工场者,有 7311 人,小学教员 3180 人,幼稚园的媬姆 7000 人。又如以风光明媚鸣于世界之俭尼洼湖畔之俭尼洼市,已自1907 年以后,准妇人做齿科医生和律师了。

（四）意大利

古时以文化鸣于世界,至称为欧罗巴之中国之意大利,它们妇人参政权之发达,到底回非中国所能冀及其万一的。即如日本,也当让它一步,日本的妇人,对于参政权,不但国会的议员没有她们的选举权,即如乡村会的议员,郡县会的议员,也都不许她们有投票权的。意大利的国家,她们对于有财产的寡妇,虽然要有代理人投票,要之,代议士的选举权,却已是给与她们了。如果再把财产障壁撤废,使她们直接可以投票,就完全得到参政权了。

意大利妇人的职业,有些种类,是几倍于男子的。据战乱以前的调查,其中被雇于农耕的妇人,有 310 万人之多。他如从事于工业、旅馆,以及其他家庭的职业者,则有 1993559 人。其中被佣于机织工场者,占有 1196743 人,较之男工,约当八九倍,几乎完全被妇人所独占了。又如女教员之数,有 46987人,较之男教员之 32908 人,已多过 14000 人。

（五）捷克国及其他

捷克自昔为奥国之一部时,妇人的参政权,已是很进步的。波希米在战前时,凡有土地的妇人,一概享有选举权。摩拉维亚的妇人,也有市会的选举权。其中尤以两者均得代理投票为特色。今经世界战乱之后,脱去奥国的羁绊而独立,那更不消说,它们的妇人,必定是和男子一样有选举权和被选权了。至如芬兰的国家，凡一切官吏的选举权，妇人都能够享得的。1919 年，妇人的议员，已有 19 人之多。今经这番大战之后，它们妇人的地位是怎样？那更不难预知了。

又像哪威的国家，它们不论已婚未婚的妇人，凡稍有纳税的，或是妇人的丈夫有纳税的，都可以享得官吏和国会议员的复举权。

瑞典的妇人，只有官吏的选出权，没有上下两院议员的选举权。

荷兰的妇人参政权运动，自从开始以来，已经有 25 年之久。到了去年 5 月 9 日，该国上院，才以 64 对 10 票之多数，把妇人的选举权案通过了。它们妇人参政权协会的会长，是一位女博士亚列他稼雇万斯当任的。

至于比利时的妇人问题，是怎样呢？原来比国是个社会主义很发达的国家，但是经此次战争终了之后，只许战死者的母或妻有选举权，这未免太不名誉了。

俄国农民阶级斗争史

(1921.4)

一、绪 言

农民性格,大概重保守,好平和,常和植物一样,在土地上栽定。古来社会史上,从没有农耕种族做过征服者,站在盘剥阶级的地位,他们是社会的一群,在被盘剥劳动力的悲惨的命运里过活的。可是到了 1917 年俄国大革命的时候,农民却把这社会学的定则打破,干出了正相反对的事业来了。他们那种果敢的革命势力演出的行动,就是罗素那样奉自由主义向来与贫民生活没有情素的交际的贵族哲学者,也惊异起来了(罗素游俄感想中有惊叹农民那革命的态度的一节)。

这也不算是奇异的事情。马克思在 50 年前,早已指摘道俄国的农民问题,也和当时英国都市劳动者问题一样,都是大的社会的危机之因子。社会主义所说的第四阶级,在俄国就是农民。他们的苦痛,是很久远的。若想到太古奴隶似的农奴时代可怕的惨苦,与为资本主义所拨弄沉沦在乞丐那样穷困的近世农民经济生活,就晓得这次的大革命,对于他们,实是报复过去 1000 年的深仇的绝好机会。列宁现正严密的把都市的第四阶级做中心,实行建设,这不过是战术上的手段罢了。若不把农民问题好好解决,他的革命,还不能说是根本的成就。我现在把带有这种重大意义的俄国农民历史,极简单地描写出来看看。

二、古代俄罗斯之轮廓

俄国的历史,从自由出发。伊并不是生来就是专制国家。古代斯拉夫社会,都是为光彩灿然的自由所祝福的。

斯拉夫人是世界历史上最优秀人种阿里安人的一族。斯拉夫人在阿里安人中有特种的性格。从中央亚细亚故乡出来的各系的阿里安人,奋斗于印度欧洲各地,把原有的住民当作奴隶,自为征服者,展开了婆罗门、希腊、罗马、条顿、克尔特各种文明。只有斯拉夫人不然,嫌恶战斗,爱好平和与安逸,不把原有的住民作为奴隶,反与他们同化。俄国最大历史学者克尔捷斯基的想象说,第7世纪时,斯拉夫人,滞在卡尔巴香山脉,到了第8世纪,就移到多尼尔布河流域。斯拉夫国民的潮流,这才扩张了平和的殖民的发展。他们在这个时代,虽营种族的生活,但勃珊汀帝国的史家也还记载着这些蛮族酷爱自由。多尼尔布河畔,给予斯拉夫人伟大的幸福。这地方早就有了发达的商业。在克里米亚半岛繁盛的希腊人殖民地,勃珊汀帝国、亚刺伯人、犹太人都是把多尼尔布河作主要的交通路,营大规模的商业。从来专从事蜂蜜、狩猎、兽皮等原始产业的斯拉夫人,从此就转而成为新兴的商业种族了。

俄国人最初本不是农业种族。他们最初虽以狩猎为主要的产业,可是到了第8、第9世纪多尼尔布河畔时代,就成了以交易为主业的商民了。市场在各处发达,渐至变成都市,各地方成了自然的中心的都市,如斯孟伦斯克、捷夫、诺哥罗特、捷尔尼哥夫都是代表的都市。这时候爱自由的斯拉夫人本来的性格,就成为民选议会(Vcohe)的政治组织发露出来,每逢民选议会钟鸣的时候,民众就集合起来议政。这时候没有王、没有公,也没有独裁君主。后世反逆者的理想,都在恢复古代的俄罗斯,总之,这时代的斯拉夫人,自由快活,满腔崇拜自治,是毋庸置疑的。

三、自由农民的时代

自第9世纪至第13世纪,是东方游牧族与西方海贼种族骚动的时期,俄国自然也不能不遭袭击。比捷涅喀、波罗基诸蛮族来自东方,诺尔曼海贼来自西方,都集聚于多尼尔布河畔,把经营平和的产业的斯拉夫各都市都劫掠了。蜂蜜被夺去了,河川的交通被断绝了,队商也被胁威了。斯拉夫人对于战斗是没有兴味的。所以就把些金银财宝、妇女、鸡蛋,送给那些诺尔曼海贼,并且迎接那贼魁卢力克,委托他军事大权使他防御东方的蛮族(普通历史家,说是迎接这海贼首领卢力克做皇帝的)。然而诺尔曼人欲壑无穷,最易由防卫的人变为管辖的人。因此他们便夺取都市,破坏民选议会,掌握行政权,压倒主人翁的斯拉夫人,绞取他们的劳动力了。

在第 13 世纪,又受了暴风般的蒙古人的大袭击,斯拉夫人的自由便完全坠地了。拔都袭击欧洲,本是很壮快的事,可是只干了大规模的破坏,并没有文化上的建设。在俄国也是一样,蒙古人 300 年的统治,把斯拉夫人的自由,完全破坏,把他们的性格也弄成阴险了。

这时候,经济组织,已由商业被移入纯粹的农业本位时代。称为 Upeli 的领地制度发达了,农民的数目也增加了。自多尼尔布河畔时代以至诺尔曼人侵入之后,俄国是奴隶经济时代,由 Kholop 的农业奴隶,供给着劳动力,而在蒙古侵入之时,农业颇为发达,蒙古人甚至把俄人叫作“农民”Krestyanino。而在蒙古王鞭策之下,俄国更变成纯然的农业国,大多数的民众都是农民,阶级的存在,渐次显明了。

自农民阶级发达的第 13 世纪至第 16 世纪之间,可以称为自由农民的时代。土地的所有权在异国人的诺尔曼系公爵和蒙古王爵的掌中,然而蒙古人被逐莫斯科公国中央集权发达时候,土地多化为称作 Pomestie 的这一种庄园了。土地归于王及王室、寺院、功臣等非劳动阶级所有,农民没有寸土,只当一个佃户,可是这些农人在这时代犹时有自由由甲地移转乙地的权利,有自由改换主人的权利。这时代的农民,担着 Sokha 那样简单的农具,把劳动作为唯一的财产,以此阔步天下的自由生产者。肥沃的薄尔加河的中流,河口的草地,顿河的广茫的荒地,都披开胸襟,在那里等待谦虚勤勉的俄国农民底铁锹。所以这时代,农业是很发达的。

农民本是得不着土地的佃户,可是在这时代,农民之间却有一种“土地只应归耕种者所有”的观念,也是一个有兴味的现象。克尔捷斯克记载第 16 世纪农民之间所流行的习俗的话,有“土地虽由我们所保有,但属于王”、“土地属于神与王,但在我们的锄和锹之下”等语。又节姆哥伊契曾经述了“属于皇帝和太公而负担租税的黑土的村落,是我和我们父亲的土地”的话。这些话就是说,土地所有权虽为王所夺,而使用土地的权,全属农民。这只有耕种者

即劳动者才得有土地权的观念,简直就是近世劳动报酬全收权的观念。这种
思想是俄国农民由自己崇高的体验发见出来的传说的观念。在农奴时代,又
变为"我们的身子属于地主,而土地则属于我们"的观念,在近世便成为强烈
的土地所有权获得的希求了。列宁革命的时候,有一类人非难农民妄贪土地,
那类人果能理解这种俄国农民传统的心理吗?

四、农奴制度之抬头

自第 16 世纪末叶至于第 17 世纪前半期中间,自由农民的时代告终了。
阴□悲惨无极的农奴制度抬头了。

依一般人的通论,说 1597 年波里斯哥德诺夫的敕令是农奴制度的起源。
但农奴制度之具体的状态,早已在第 16 世纪后半期构成了。原因系由于债
务,佃租与租税的过重。

农民从来本自由移徙于各地,可是他们并无资产,就不得不向地主借用农
业资本,不得不成债务者。加以当时支配者阶级无穷的绞取欲所课当时第 16
世纪农民的负担,较第 19 世纪农民的负担额尤为超过。战争增加了,官吏增
加了,农民的负担,自然增大。于是国家和地主,都以为若任农民自由迁徙,实
于收入大有障碍,所以努力要使农民隶属于土地。又富裕的大地主把农民集
中于自家的领地,弄得小地主疲敝不堪,这事对于国家也不失为一种大胁威,
因为国家是要依赖小地主出力的。于是到了第 17 世纪的前半期,就发布了种
种命令,使农民隶属于土地,后来依据 1649 年乌罗采尼法典,完全禁止农民自
由移转,从此农奴制度便成为俄国国法上的组织了。

在乌罗采尼法典的立法者亚历克塞时代,农民不但被隶属于土地,便是人
格也隶属于地主了。农民变为农奴。地主把农奴作清偿债务的要具。农奴被
抵押,被售卖,被交换。一地主同他地主的妻通奸的时候,给以农奴消账等类
可唾弃的奇例也有了。于是,农民大规模的脱逃就开始了。于是农民都逃往
高加索、北俄、西伯利亚、顿河平原去求新自由,被捕者往往受笞刑、绞刑的惨
罚,这是过去自由的农民所梦想不到的。

五、农奴制度之成熟期

后来到了亚历克塞的末代,曾经有过快汉斯敦卡拉丁大规模的反抗。从此以后反动政治,愈益进步,农民受苦更甚,诗人路易珂夫歌道:"俄土虽云广,却无寸地不遭农奴血泪染",这真是形容得当的话了。普通历史家赞为大帝的彼得一世和加达利拿二世,都是把农奴地位弄坏的人,可以记忆的。

普式金虽然讴歌彼得大帝,说他是向欧西开放俄国窗户的人,但他并非俄国民众的恩人,是迫害者。他想出变地租为人头税的恶制度。他改革军队,只采用贵族为士官,而征发农奴为兵卒。兵役年限定为 25 年!他课过农奴如许长期的兵役。他仿用古代埃及王作比剌尔特的方法,建设新都圣彼得堡,浪费了 20 万人的生命。农奴遭恶疫,毙死如蝗虫。俄国大经济学家马尔得夫说:"圣彼得堡立在 20 万农奴之骨之上,深夜立于大广场的人,于今犹得闻农奴咽泣",这话并不是假的。他又在 1713 年发了一个敕令,规定地主对于反抗自己的农奴得处笞刑。又规定国家的一切刑罚,除了死刑,地主得施之于农奴。于是地主对于农奴,事实上就是裁判官了。

把更换情夫看作"更换手套一样"的加大里拿二世,也是把农奴地位弄成劣恶了的君主。伊虽然 15 岁时便读了柏拉图和西塞洛,长与塞基德罗相交,和乌尔德通信,著了孟德斯鸠的《法意》一书,但伊像在将亡的波兰行残虐的政策一般对于农奴也是一样残酷。在伊当国的时代,农奴之数增加 80 万人,伊又把农奴制度,普及小俄罗斯。伊认许卖买农奴不加限制,伊严禁农奴直接诉讼,服役每过 3 日的,改作为 5 日,有的地方,甚至被役 6 日。伊并且许地主将农奴处流刑。他们被地主当作鸡马一样被牵往市场中卖了。地主如何的把农奴当作动物待遇的实例在谢米夫斯奇所作的《农民问题》书上,揭载得非常多。有个地主取农奴的妻的乳饲养猎犬。有个地主强迫农奴吃毛发,使其毙命。有由便所脱逃的农奴,被捕之后,将其头塞入便所而杀其身;有某农奴之女恋爱地主之子,致遭扑杀,客来之时,使农奴之女招待,算是地主的礼仪;有不堪苦痛而欲自尽的农奴,致被捕获,缚以铁索,系在厨房的柱上 5 年,农奴就因此毙命。住在都会的地主,一年巡游领地一次,去猎取农奴之女,称为"巡回慰乐旅行",并有买农奴之子,令学技艺,成年之后,以高价卖给企业家的事。……这些现象,都是通例,并不是为特例。难怪燕格曼教授叹道:"世界无论何种农奴制度,再没有比俄国的更为可耻的"。

到了第 19 世纪,农奴的状态也依然未变。热心在西伯利亚殖民的政府,一个农奴只用 300 卢布就买得了。地方长官都是地主自身或是地主的傀儡,里亚山州有地主出身的地方长官,在贵族会的席上,公然说:"在我做长官的期内,地主虽欲杀农奴若干人,我亦为之隐瞒,因为圣书曾经说,'你要爱你的兄弟'的话"。这种农奴制度,无论如何解释,都是绝对不可的。所以农奴要想脱离这种境遇,只有自杀、复仇、暴动、逃走四种方法。这四种方法都只是绝望的东西。请更将农奴反抗的事实写出来看。

六、农奴之反抗

人类是无论如何支给代价也不甘受暴恶的,绞取的生物,因此农奴的反乱,便与农奴制度同时发生。第一例就是使亚历克塞——彼得大帝之父——胆寒的斯敦卡拉丁的反乱。

《乌罗采尼法典》告成,自由农民堕为农奴,同时要求自由的农民就开始向南俄顿河流域逃走了。顿河被称为"自由底母"。顿河平原是逃走者的根据地。这些逃走者集合,共仰望指挥之人出来指挥,于是便有应此无声之声而起的斯敦卡·拉丁。他是身长六尺筋肉无双的快男儿,他做了这些逃走者的首领,把"土地与自由"的标语高揭起来,檄告全俄农民在 1666 年举起兵来了。那檄文的大意说:"莫斯科王国罗曼诺夫朝廷等人,以前都是我们的佣兵,现在却把我们当作奴隶了。你们在全俄境内咽泣的,快些加入我军,灭了贵族与士族,复兴自由的俄国"。这檄文传播很广,连白海地方都传到了。他的军队骤然增大,他的舰队出动于顿河、乌尔加河,而尤以撒拉得里、里牙山、华诺涅守诸州成为叛乱的中心,其精锐正向莫斯科袭击时,便在新比尔斯克——列宁生地——决战,斯敦卡此时重伤,遂收阵于沙林清,徐图卷土重来之策。因为部下所卖被捕,遂被送到莫斯科克拉斯拿亚——今日之革命本部——处手足四断的酷刑。临死之时,有人依习惯劝他感谢基督,他从容地说:"我为俄人谋反,无用感谢什么基督,我将赞美基督而死"。他是俄人一齐崇拜的国民的英雄,赞美他的诗歌,迄今不绝。

斯敦卡之后所起的大反乱,是加达里拿二世时布卡基约夫之乱。他也是从"自由之母"的顿河河畔的哥撒克出身。"土地与自由","地主征伐","农奴解放",是他的标语。1773 年,他率领 140 人攻陷西部西伯利亚的亚克要塞,占领阿伦布尔克,夺取乌哈、撒马拉、卡暂、尼基尼诸哥烙特,席卷欧俄的东半部,因农奴来投者无数,其军队便骤增至 30 万人。加达里拿二世大惊愕派大兵攻破布卡基约夫。无情的兵士,竟攻击解放自己阶级的恩人和同胞! 这真是最愚的事情。1775 年,布卡基约夫为部下所卖被捕,也在克拉斯拿亚受了斯敦卡所受的一样的酷刑。他在就刑之前痛快淋漓地说:"我是乌鸦之子。勿以为俄国反乱至我死而止。今后当有大乌鸦出现,拯救俄罗斯咧"。"乌鸦之子"即是"平民"之意。不料后有列宁这样的大乌鸦出现了。

农奴制度之末期,大小反乱相次而起。自 1837 年至 1855 年之间,被杀的地主达 200 人之多。地主被放火烧的,其数无限。把暴动的统计一看,在 1842 年只有 24 处,到 1848 年增至 327 次,其倾向渐渐险恶,渐渐增大了。当局的人受了这种"社会的不安"的威胁,遂于 1861 年把《农奴解放令》发布了。

七、把农奴解放

1861 年 2 月 19 日,亚历山大二世在所有教会的钟声里,把农奴解放的《敕令》署名了。俄国各阶级被空前的兴奋所隐蔽而亡命于海外的盖尔珍也赞赏亚历山大二世,说:"加拉里亚人呵! 你已征服了。"在经济史上,农奴解放一事,是中世封建的农业和近世资本主义农业的过渡点,而在社会史上,是使农民由单单的劳动原动力一跃而进为一个人的跃近的现象了。可是西欧的农奴解放,是封建制度行不下去的自然的程序如此,至于俄国的农奴解放,却是很不自然的。此处实有一种"在不妨害地主的范围以内"的原则作用于中的。

俄国的农奴解放,与西欧很不相同。第一,在西欧已被废止的土地共有制度,竟被无条件的采用了。土地不为农民所私有,而成为密尔的公有制度了。

莫里斯巴林格固然把此事采作社会主义的要素。可是这是皮相的观察,这种制度,在中世自足生产时代,也许是社会主义的组织,而在资本主义的时代,不过是困苦农民的组织罢了。第二,赔偿金太重,据诸家所论难的地方农民赔偿的金额超过于地价太远,连农奴的劳力和人格的赔偿都包括在内了。第三,分给农民之地太少,务以不损害地主为主,不顾农民生活上的需要。第四,依农民种类不同,而解放之内容亦异,在解放的当时有国有地农奴、地主农奴、御地农奴三大区别,最重要的地主农奴,解放条件最为恶劣。

在西欧被解放之农民中,有大中小的自耕农人、佃户和农业劳动者各种,适当发生,自足生产的粗放农业归于消灭,而移于企业生产的集约农业,但在俄国则不然,农民大多数,都陷于同等的贫农的运命,生产组织依然踏袭中世的粗放农业。而在他一方面说,如波涛澎湃的西欧资本主义,向着俄国莫斯科侵入,畸形的俄国特有的资本主义发达,社会心理成了一种封建的奴隶气息与资本的掠夺气息相混淆的奇物,其影响骤然波及于农村,大多数的农民所过的恶劣经济生活,与爱尔兰的佃户、中国的苦力所受的相等。

八、近代农民之经济生活

自 1861 年农奴解放之时以至本世纪之初,俄国农民的经济生活极其悲惨。亚列丁斯基说:"这种生活并不是生,实是缓慢的死"。每遭饥馑之年,那文字上所称的死,便来威胁他们。今再就他们的经济生活的状态,概述于下:

第一要说的,就是土地缺乏的问题。农业上的主要生产资料,就是土地。农民不能得维持生活的土地,当然非变为贫民不可。俄国的农民,确缺乏"不流为贫民的限度内所应有的土地"。自 1870 年至 1890 年 20 年之间,农民人口增加 5 成 6 分 9 厘,其户数增加 5 成 7 分 8 厘,而农民所有的土地不过增加 2 成 5 厘,含有佃耕地的全用益面积,也只增加 4 成 5 厘。在解放的当时,一人的共有地曾有四德含丁零五的面积,到 1880 年,只占有三德含丁零五的面积,到 1990 年只占有二德含丁另六的小面积了。在他一方面,约有 1 亿德含丁的大面积,归 10 万人的贵族 2 万的商人及其他少数人所有,有私占 14000 德含丁的贪欲汉。肥沃的土地,虽横亘于缺乏耕地的眼前,却全在与农民生活无关系的非劳动者之手。"再多给一些土地啊!"这种话是农民心坎里发出来的悲声。耕地太少,当然的结果,对于他们,不许得有够吃的谷物。依 1897 年财政部所发表,农民最低限度的食料每年需 19 布多之谷,连这些谷物都没有的人,占全农民的 7 成 7 厘。又 1901 年所组织的委员会的发表,略与此相同。所以农民或从事工场劳动,或从克斯他里工业,或成为农业劳动者忍饥受饿。巴拉诺夫司克教授说莫斯科工场劳动者的劳粮,冬期低减两成,因为冬季农人闲暇,外出求工作,农民无乘车费多沿铁路步行。

农民的衣食住最为粗恶,一年肉食之时不过数次,所嗜好的茶,不过是一些"仅仅着了色的清汤"。第 18 世纪末期,人口中每千人不过死 20 人;至 19 世纪之末,每千人中死者大 50 人,死亡率大见增加了。而且前代政府对于每年约售 6 亿卢布之酒精性饮料,抽取消费税。

农村女子的地位,也为悲惨。恶劣的经济生活,使农村女子,变为娼妓。所以俄国大多数的娼妓都是从农民出身的。彼得格勒娼妓,有 6 成 5 分由农民出身,尼基尼、诺哥洛特的娼妇有 7 成 5 分由农民出身。伊们并不是纯粹职业的娼妇,实是一时的或周期的娼妇。农村闲暇的冬季,来到都会充当娼妇,到了夏天农事忙迫,伊们就回乡下耕种去了。此事与男子趁冬天到都会做工谋得工钱回乡是一样。

前代政府的态度,真是冷淡。在第 19 世纪的末叶,虽会设立农民土地银行,使农民容易取得土地,而其根本目的实在贷出多额货币于被当时经济变动所苦的地主。政府不肯与农民以智识。以为使农民无智识就是"使农民忠实于皇帝,终生做保守主义者的基本"。俄国农民 1.1 亿人,约有 7 成不识字,都是因为受了前代政府愚民政策的影响。

柯次基说,小农所以存在,因为劳动过度而消费过小的缘故。可是像俄国的农民受了极残酷的待遇,他们也不得不起来革命了。1905 年日俄战争后磅礴□积的革命气运,掩蔽全俄,农民也趁机起事,杀地主,烧地主家屋,烧打官宦,全俄农村变成了大混乱场。农民暴动的结果,最为悲惨,那些从战场回来的哥撒克兵,架大炮轰击他们,可怜他们的生命被杀得与犬一样。1906 年以后实行了的"农业改革",虽是废止土地公有制度,确立土地私有的原则,而前代政府传统政策拥护地主的色彩著明,并未有真实顾及农民的要求。

1917 年革命的标语中,有一种是"土地的分配"。列宁确实捉住之农民的心理。威廉里布克勒布说,农民所最难奉行社会主义,可是俄国的农民,却自成革命的要素而行动了。革命之初,农民杀烧地主,夺其财物,一时虽现出了无政府的状态,列宁出来掌握政权,宣言土地国有,或作为劳农会的直营地,或作为农业共产园,或创出集合的耕作制度,对于农业的社会化一事,列宁实费了绝大的精力。可是他的努力虽然不挠,好像还没有得到好结果。

俄国农民的历史,真是苦痛的连续。现在他们交了好运,正要脱离千年来的重担,恢复自由的身子了。我很悲悯他们过去的凶运,同时又深为他们的将来祝福。

(原载 1921 年 4 月 1 日《新青年》第 8 卷第 6 号,署名佐野学著、李达译)

劳农俄国底结婚制度

（1921.4）

前年俄国妇女国有的风说，宣传于世，不辨社会主义为何物的人，对于这种奇闻，好像都很相信。而不知社会主义常主张男女绝对平等，唱说妇女自主自由的，这些常识，稍有读新闻杂志程度的人都会知道。决没有社会主义得势，专就政治经济等一切方面，授予男女平等的特权，而对于恋爱问题，反抛弃向来的主张，无视女子的人格，把女子看作物品一样，要用国家权力共同管理共同使用的。这种浮言，纵不是社会主义者，就是有多少常识的人，也必看作是一种臆说付之一笑。

巴里特氏游俄报告中，对于俄国妇女曾有一段记述说："俄国娼妓已完全消灭，因为伊们职业的经济原因已经铲除了。家族生活对于革命绝对未受变化的。我对列宁、多洛司儿、捷林等人说世人都相信俄国已实行女子国有了，可是我说这话，他们连笑也不笑。此种虚报太过于愚蠢，谁也不肯认真的来打消的。在俄国中照今日那样尊重女子的时代，以前没有的。实在说，我到彼得格勒的那一天还是为妻与母祝贺的纪念日期哩！"

普来安女史在伊所著的《俄国赤派的六个月》一书中也说："我就那受了大批评成了名流公愤的种子的婚姻事说说。劳农会通过布告关于婚姻时的集合，我曾经出席，连正确的时日我都知道的。……这布告采决以前，有一兵士起立，主张政府应制限离婚在三次以下。于是又有一兵士站起来说，'我们相信自由的。为什么一定要命令人结几次婚呢？'讨论于是终止了。最有趣的事，结婚离婚都与吃一杯茶一样，并无别的道理，可是结婚和离婚局也并没有应接不暇的模样。这就可知一切种类的压迫已经除去之后，不品行的事已明明减少了。俄国的法律虽然和缓，而风俗纯良却为世界第一，这是可以夸口的事情。"

布告女子国有的原文,是在前年 4 月 15 日由伦敦共同通信的长文电报传到美国的,电文中关于女子国有一事说得很详细。然而这种无根的风说,反太过于彰明较著了,所以最初发表这布告的英国《新欧罗巴》杂志,就在 3 月 13 日所发行的杂志上,对于读者首先谢罪了。又,美国国务院也于 2 月 28 日发表取消的公文,把"俄国女子国有的风说不确"的话说明白了。这种风说的由来,好像是美国方面误传出来的,最初有名叫阿里夫塞拉的美国人,于 1919 年在波士顿发行"Russia:Whiter"的劳农俄视察记中,有一节,报告乌阿加河畔离撒拉特夫市南西 200 英里之地,约有人口 25 万的撒拉特夫小都市中一些无政府党的运动,于是讹传出来了。塞拉氏曾记那无政府党,发了一种布告,说:此布告依据克伦斯达农民、兵士及劳动者代议员的劳农会关于女子国有的决议,由撒拉特夫市无政府党自由协会发出来的。于是这废止女子私有的片言只语,于有意无意中,惹起了俄国多数派女子国有命令的虚报,使世界反对革命的精神病者,发了上下颠倒的大骚动,这真是很抱歉的事情呵!

劳农俄国婚姻法之制定及其内容,对于这类的谣言,给了一个最确切的反证了。

男女关系纯粹是个人间的私事,是不许国家干涉的问题,这是许多社会主义者所主张的。在俄国漫说女子国有,就是制定婚姻法一事,也有一部分的人士反对国家侵越权限的。这些人的主张,说恋爱超乎法律之外,若用法律规定,这是社会主义国家所不应有的拘束。对于此种议论,也有一种答复的。"我们的理想,自然是没有那种外的拘束的状态,就是希望不受法律支配的男女关系的,可是这种期望要在社会主义永久确立之后的社会方能做到。若在由资本主义到社会主义的过渡期内的现状中,那样的无标准无拘束,凡使人民队里残留的习俗的根性越发蔓延,表面虽似激进,而内部却是维持现状,或者使其回复原状了。俄国无产阶级,在中产阶级的不行革命而且开始与封建时代遗物的思想妥协的时候,才勃然兴起的,所以俄国的无产阶级,本来连那中产阶级所负的使命即封建的思想习惯都非破坏不可的。说起来,俄国革命一面要破坏资本主义,同时要把资本主义以前的制度思想都要扫除的。"

一部分唱激进论的人以为无制定婚姻法之必要,可是又以为宗教的结婚,委之本人的希望,无干涉的必要,照这样说,准据俄国现状所存留的只有向来的教会结婚。然而教人崇拜天上及地上的权力的教会及宗教,与科学的社会主义思想,不能两立,而尤以俄国教会有与皇室不可分离的关系,其势力就是旧思想旧制度的势力。所以打破教会的势力,实是革命的进行和大成功之上的最大急务,要与旧势力战,就有建立新理想新标准的必要。

新婚姻法不单是驱逐人民中教会及宗教势力的武器,同时又是革命的,而且是社会主义的。这婚姻法在法律上实现男女的绝对平等,由资本主义到社会主义的过渡期的状态中,给妇女以可能的范围内的自由,离婚则由男女双方合意或者单由一方的意思,亦可实行,父母对于子女的权利义务双方平等,因此打破旧结婚制度,同时做成未来男女关系更为自由的基础。

新婚姻法虽禁止重婚,而无制裁奸通私通之事,由婚姻以外之关系而产生的子女,其权利和义务,完全和那由婚姻关系而产生之子女相同。所以虽说是结婚而与往时惯受形式上束缚的结婚,其内容完全不同,这婚姻法不过是对于男女根据自身内部的要求而得以自由离合的结合,公然承认的。

《俄国新法典》最初的四编,是关于婚姻家族及后见人的法律。第一编规定关于生产死亡结婚离婚怀妊中诸儿童的通知死去及变更的照会(这是因为要精密的知道人口和生活状态,是确立社会政策的方针上最重要的事项)。第二章是《婚姻法》。第三章是家族之权利。第四章是关于后见人的规定。家族的基础在于血族系统而不在于结婚,其权利和义务与由结婚而生的全然分离,连后见人的权利都与家族法分开的,这事实有特别注意的价值。这些法律使私有财产制度和父权的家族制度不能继续。努力确立共产主义与个人的自由,这种精神始终一贯。至于《婚姻法》的批评暂为保留,本文只绍介《婚姻法》及《家族法》的重要部分。

《婚姻法》共五章,第一章为婚姻成立之形式,第二章为婚姻成立所必要的物质的条件,第三章为婚姻之无效,第四章为婚姻之解除,第五章为夫与妻之权利及义务。今先举第一章中重要之条项于下:

第五十二条　唯有民法上的婚姻已通知于应受理民间九项登录之官厅者,发生本编所规定的夫妇之权利及义务。

依宗教的仪式藉僧侣助力而成立之婚姻,若其婚姻未依规定形式通知,则不发生夫妇之权利及义务。

第五十三条　婚姻在应受理关于民事上事项的登录之地方官厅或公证局（附属于地方劳农会之登记所之代用物的）成立。

第五十五条　婚姻于人事登记所长或其代理人，及行登记之书记或其助手，及公证人与书记会同之后，在登记所成立。

第五十条①欲登记婚姻之男女，须向所居住之地方官厅，用口头或书件通知。

第五十九条　陈述要订婚姻的意思的通告，须调印证明要结婚的男女确系本人，证明他们确系自动的要订婚，并且证明关于他们的婚姻实于第六十六条及第六十九条所指定者无障碍。

第六十一条　婚姻成立之后即由有关系的事务员依夫妇的请求出具证明书。

第六十三条　包含关于婚姻成立的法律上之障害的通告，若在婚姻通知的记入以前接受，则事务员须中止此项婚姻登录至该问题归地方裁判所调查之时为止。若明系无根据的抗议，则事务员毋须再调查即行放弃。

注意——地方裁判所必须于三日以内将对于婚姻抗议之诉讼付诸裁判。对于这种问题的判决不能控诉。

第六十五条　关于婚姻手续的履行拒绝之诉讼，不拘定时期，得提出于地方裁判所。

第二章之要旨如下

第六十六条　要订婚之人非达于婚姻年龄不可。婚姻年龄，男子 18 岁，女子 16 岁。

第六十八条　不关于提出通知与否——后者亦有提出通知的婚姻之效力——已在婚姻状态之人，不能成婚。

第六十九条　直系尊族或卑族，同父母或异父母，以及异母同父的兄弟姊妹，不能成婚。

注意——"未经法律许可之夫妇"的亲类也包含在内的一切关系，视为对

---

①　从前面为"第五十五条"、后面为"第五十九条"看，此处疑有误。——编者注

于前条所指示的若亲戚间婚姻的障害。

第三章之重要点

第七十五条　取消婚姻之诉讼,得依夫或妻或依因该婚姻损失利益之人,或依政府当局之代表者提出。

第七十九条　若夫妇之一方,其最初之夫,或妻死亡,或因离婚无效而犹在有效婚姻状态时所成立之婚姻作为无效。

第八十一条　婚姻不经夫妇的一方之承诺,或其成诺而在于人事不省之状态,或成立于强制之下,此时之结婚视为无效。

第四章之要点

第八十五条　夫妇之一方死亡或裁判所宣告其一方之死亡时,婚姻得以解除。

第八十六条　婚姻在夫妇生存期内得依离姻解除。

第八十七条　夫妇双方同意希望离婚,即可视为离婚之理由。

第九十条　关于解除婚姻之请愿,必须向夫妇同住地所在之地方裁判所提出,又欲离婚之人必须将此项请愿提出于自己所选择之地方裁判所提出。然若离婚之请愿,由夫妇之一方提出时,不论原告被告,非从夫之所在场所提出不可。

第九十二条　人事登记所长,确知离婚请愿系由本人提出之后,必须将离婚登记而应离婚者之要求交付离婚证。

第九十条①关于解除婚姻之地方裁判所的判决,对于控诉院受控诉而控诉期间未终了的期内,若非当事者放弃控诉的意思,不视为生法律上的效力。

第五章——夫妇之权力及义务——之要点

第一百条　夫妇用同姓,婚姻成立之际夫妇得以决定或用夫姓或用妻姓或两人合为一姓。

第一百零二条　依离婚而解除婚姻时,离别之请愿书必须将此后两人应用如何之姓称呼一事通告。

第一百零四条　夫妇之一方移动住所之时,他一方无移住于一所之义务。

---

① 上文已列"第九十条",此处疑有误。——编者注

第一百零五条　婚姻不确立财产共有。

第一百零六条　夫妇得依法律为财产契约。欲削减对于夫或妻的财产之权利这种夫妇间契约无效,对于第三者或为夫妇者不使负义务。彼等随时得以拒绝履行此类契约。

第一百零七条　若夫妇之一方贫弱不能劳动之时,他一方若能扶养则有由彼人受扶养之权利。

第一百零八条　若夫妇之一方拒绝扶养贫困而不能劳动之他一方时,后者必须保留一种权利,得诉于被告——不同其为夫为妻——在所地之劳农会评议会附属社会部要求其支出扶养费。

第一百一十条　前记之社会部,于请愿保管之后,必须召唤原告被告或因便由邮通信召唤。

第一百十一条　社会部调查完竣之后,若认原告之请求为正当则必须命其支出扶养费并决定其金额与形式。

第一百十三条　前记社会部当决定扶养费之金额与形式时,须参看当地劳动者与雇主间缔结之团体契约所决定之最低工银,同时并考察请愿人之穷困与劳动力之程度。

注意——未成年者与已达 50 岁之男女,虽无他种证据,均视为无劳动能力之人。

第一百十九条　婚姻经裁判所确认为死亡或夫妇之一方作为无效时,妻或夫若是穷困不能劳动,则可由死者所遗之财产受领扶养费。

第一百二十一条　经商或为产业上企业之所有主死亡,或经裁判所确认为死亡,或遇不在之时,所遗存之配偶者,得由此项应移归地方劳农会管理之营业收入中领受扶养费。

第一百二十八条　死者的配偶人,可由其遗产中领受扶养费。其条件与死者之亲戚同,得较死者之债权者先期领受。

第一百二十九条　死者之财产不逾一万卢布而为家屋家具农业或产业上之劳动要具时,其财产交付于生存者。生存者须将此财产均分于有应受死者财产权利之亲戚。

第一百三十条　配偶者在穷困与劳动不安之状态所受他方扶养之权利,

在以扶养为必要之状态中若无变化,虽在离婚之后亦须继续。

第一百三十一条　将离婚之夫妇关于抚养问题意见缺乏一致时裁判所判决其解除婚姻,同时决定一方对他方支付扶养费之金额与形式。

关于家族权利之编,第一章为血统,第二章为子女与父母之个人权利及义务,第三章为财产之权利及亲之义务,第四章亲戚关系同伴之权利及义务,第五章为养子婚事。

今举其重要之点如下:

第一百三十三条　血统之真实视为家族之基础。合法的教会结婚与非"未经法律手续之结婚"所生之关系,其间并不认为有区别。

注意一——未具结婚通知之双亲所生之子女与已具婚姻通知之双亲所生之子女有同等之权利。

注意二——本项在民法上之婚姻布告以前(1917 年 12 月 20 日以前)所生之私生子,亦可适用。

第一百四十条　未婚之妇人而妊孕者至少须在未生产三个月以前将妊孕之时日及父亲之住址通知于居住地民事登记所。

注意——有夫之妇而与夫以外之男子交接受孕时,亦须具同样之通知。

第一百四十一条　民事登记所接受此项通知时,须将事由报告于该通知书中所指以为父之人。其人若以为母者所陈述之事实不符而有异议的,在接通知后二星期以内有起诉之权利。

第一百四十三条　如第一百四十一条所指示之人物,若明白认知其与此受孕之母有为此妊孕儿之父之交涉时,裁判所即将彼认为此儿之父同时须命其分担怀胎分娩及子女等扶养之费用。

第一百四十四条　依裁判所之调查,如第一百四十一条所指示之人物,同时又与曾经交接多人之儿童之母,在受胎前后发生关系,此事若经明了,则裁判所所须将其他有关系之多人作为被告令彼等负第一百四十三条分担费用之义务。

第一百四十五条　有婚姻通知之双亲所生之子,用双亲之姓。无婚姻通知之双亲所生之子,得用父姓或母姓,或用双方合一之姓。这种子女之姓依双亲协议决定,若意见缺乏一致时则由裁判所决定。

第一百四十六条　离婚或依无效之声明解除婚姻之时,所生之子女对于第一百四十五条所揭之三种姓字究应如何采用何姓,依其父母决定,若意见缺乏一致,则由判事个人的权力决定,夫妇之间发生争议时由地方裁判所决定。

第一百四十九条　双亲对于男儿至 18 岁为止、对于女儿至 16 岁为止得行使亲权。

第一百五十条　亲权由双亲协同行使。

第一百五十一条　关于子女之一切手段由双亲双方同意后执行。

第一百五十二条　双亲之意见不一致时所争之问题,双亲参加之时始地方裁判所决定。

第一百五十三条　亲权专为子女之利益行使万一误用之时,裁判所得剥夺其亲权。

注意——关于剥夺亲权之诉讼,在地方裁判所裁判权之下,私人或政府代表者亦可起诉。

第一百五十四条　双亲尽力准备未成年子女之发达与其教育及有益之生活。

第一百五十七条　双亲受有决定子女教育扶养的方针之权利,然双亲关于自 16 岁至 18 岁子女雇佣之事,若不得彼等之承诺,无为结契约之权利。

第一百五十八条　双亲分居之时,未成年之子女应随父或母同住,由双亲决定。双亲之间意见若不一致,此问题依地方裁判所普通裁判法决定。

第一百五十九条　裁判所由其双亲剥夺亲权时,若不认为为亲子之会见有恶影响及与子女,则裁判所须许可双亲与其子女相会。

第一百六十条　子女对于双亲之财产并无权利,双亲对于子女之财产亦无权利。

第一百六十一条　双亲对于不能劳动而穷困之子女,有与以宿金及扶养之义务。

注意——上述父母之义务,当子女归公共或政府保护扶养时,得以中止。

第一百六十二条　父母须平等负担养小儿之义务,但扶养费之金额,依收入多寡决定。然由父或母所消费之金额,不得在对于该地小儿所定的生活工银半分以下。不能支出自己所负担之全部的父或母,单支出其一部分。

第一百六十三条　人子负有扶养贫困而不能劳动之父母。但父母依据疾病及养老保险令,或依社会之施设受政府扶养者,不在此限。

第一百六十五条　第一百六十二条、第一百六十三条中,子女受父母扶养之权利及父母受子女扶养之权利,虽遇一方配偶者死亡,离婚,或因婚姻无效解除婚姻之时,亦须保留。

第一百六十六条　裁判长当因离婚而解除婚姻之时,谁人应负养育子女责任,其费用如何,须根据双亲之协议,于宣告离婚时同时决定此问题。双亲关于养育子女之协议,若与子女之利益不一致时,裁判官有依法律规定扶养费向该双亲请求之权利。

第一百六十八条　当决定关于扶养子女之问题时,地方裁判所必须加入考虑;有无扶养子女之必要或母因怀孕不能劳动以及双亲收入与劳动能力等事。

第一百六十九条　双亲被剥夺亲权时,不得免除扶养子女的必要费之负担。

依照以上的记述,不加特别说明,就可知道俄国的婚姻法及家族法很简单明了,而且是常识的富有很自由的人情。此法律之制定,在劳农政治确立之后不过月余。当时私有财产制度根柢犹深,夫妇、亲子、亲戚间之财产以及扶养之义务权利,大有明白决定之必要。然在今日一切大工业差不多都归共有,大财产均被国家没收,遗产继承权已不承认,较之规定该法律之当时已不相同,将来产业发达,社会化愈益进步,个人间之扶养义务,都要移归社会保护了。

子女而有双亲者,在丁年前虽受双亲保护,而无双亲之子女,则以国家为后见人。又如发狂痴呆等有精神的缺陷之人,直接受国家之保护监督。人民委员会社会部及各地方劳农会附属社会部,是国家后见之机关。国家适应必要,由人民中任命认为适当之后见人,当保护未成年者及精神病者之任。但此不必依血统关系,只因其充保护者之资格与否为定。俄国的后见制度,并不像第三阶级国家那样专以保护被后见人之财产为主,以而确保被后见人之完全与幸福为目的。

把俄国婚姻法和日本的婚姻法对看,俄国婚姻法专以恋爱为婚姻唯一之基础,于本人的意思以外,并无成婚或毁婚之危险,此种地方很为注意,至于日本之婚姻法,则非常复杂,对于婚姻与离婚,有许多无益之限制,单因恋爱之故而离合,均感困难。离合之困难明明不是因为本人自身有困难的,然则困难究为谁人呢？若是因为子女幸福的问题,则认定父亲对于私生子责任,又一般对于母亲亦有与父亲同等之权利,这种俄国新法律,确系与此种目的相合的。

资本主义与社会主义间一个根本的相异点,前者以利益为本位以金钱为本位,后者以人为本位的。

新俄国的立法——譬如因为过渡时代的要求所迫,虽非十分完满的社会主义的立法——与资本阶级国家的立法,其间相异之点最多,均可用这种本质的相异点来简单质直的说明的。

（原载 1921 年 4 月 1 日《新青年》第 8 卷第 6 号,署名山川菊荣著、李达译）

《共产党》第三号短言[*]

（1921.4）

我们并不反对政治革命，只是不满意于单纯的政治革命，因为单纯的政治革命不立脚在经济革命上面，革命成功之后，政治、法律、教育、军事、国家财政、社会经济制度一切设施，都必然仍旧立脚在资本主义上面；无论何人组织政府，都必然仍旧和前政府一样受资本家支配，采用资本主义；因为供给政府财政底权柄仍然在资本家手里。

我们并不是绝对地反对代议制度，只是绝对的反对淫鄙无耻的游惰阶级代表勤苦生产的劳动阶级。

我们并不是说无政府主义理想不好，只觉得他的玄虚已去西天阿弥陀佛不远了。人性中恶的部分一天不消灭净尽，裁制人的法律，军队便一天不可少。

我们既然不像托尔斯泰反对物质文明及大工业大交通，便没有理由反对反对权力集中。我们若决心用革命的手段打倒资产阶级，非采用权力集中的战术从事阶级斗争不可；因为必须将劳动阶级权力集中起来，才免得中资本阶级各个击破的毒计。社会革命成了功，政权拿在劳动阶级手里，阶级争斗仍是要继续进行；因为革命后若干时期社会上资本阶级底势力仍然要大过劳动阶级多少倍，在此时期内若有人主张把政权及自由给资本阶级，便是杀害劳动阶级；若劳动阶级肯把政权及自由给资本阶级，便是劳动阶级自杀；"劳动专政"并没有什么特别深奥的意思，只是不把政权及自由给资本阶级。这些都是我们和无政府主义者见解不同之要点。

---

[*] 本文原标题为"短言"。——编者注

有人说中国没有资本家,我要问中国农工商矿一切生产分配交换方法是资本制度还是共产制度?

有人说中国没有劳动者,我要问中国人底衣食住等各生产品是何人造成的?欧美各国底华工又是什么人?

有人说中国劳农程度低不配专政,我要问中国劳农底智识人格比徐世昌、梁启超还低几何?

（原载 1921 年 4 月 7 日《共产党》第 3 号,未署名）

世界消息

（1921.4）

一、共 产 党

（一）全欧共产党及独立社会党之联席会议

莫斯科 10 日电：本月四日德国共产党及独立社会左党，决议在最近期内召集联合会议。英国、瑞士、和兰、匈牙利、捷克斯拉夫诸国之共产党代表皆到场。法兰西、丹麦两国之共产党，未得政府允许，故不能派代表与会云。

（二）共产党势力日增

莫斯科 10 日电：伊桑尼亚国（Esthonia）都城锐乌（Reval）专门职业联合会选举之结果，为共产党 14186 人，独立共产党 2175 人，社会民主党 2000 人云。又同日电：色必亚（Serbia）国会选举之结果，为激进党 4035 人，民主党 3195 人，共和党 352 人，共产党 4050 人。当选者有激进党、民主党、共产党之首领 3 人在内云。

（三）全欧共产党及独立社会党之联席大会

莫斯科 14 日电：全欧共产党及独立激进党左翼之党员，刻在柏林开联合会议。独立党代表会员票数 44 万，共产党代表 5 万云。

二、俄 国

（一）劳农政府最近之议决案

莫斯科 17 日电：国民委员自治会最近表决以下各项：1.将红军军内之矿工，概行召回。2. 取消矿工出征之动员令,同时延长已经入伍者之义勇当兵期。3. 改良地下工作之劳动状况。4. 派工人若干名,至顿河煤矿区域,担任装货卸货之事云。

(二) 俄罗斯之少年共产党大会

莫斯科 20 日电:全俄少年共产党第一次大会,已于本月 18 日在亚库次克(Yakutsk)开幕,各省区干部及各村落支部皆派代表列席。全俄工人农人学生共产党派员与会者有 11 团体云。

(三) 劳农俄国之农工会议

莫斯科 20 日电:莫斯科省之农人会议,已定于明年 1 月间在莫斯科开会。又同日电:桃木思刻(Tomsk)铁路制造部工人,决定每日增加工作两小时,以促进其工作能力云。

(四) 全俄共产党近讯

莫思科 21 日电:全俄共产党中央委员会,决以 1 月 15 日,为德国社会主义大家查利李卜尼提氏(Karl Liebknecht)逝世纪念日云。又同日电:乡村共产团体代表大会在桃木思刻(Tomsk)开幕云。

(五) 全俄劳农会议在莫斯科开会　共产党占绝对大多数

莫思科 27 日电:全俄劳农会议第一次例会,已于本月 22 日在莫斯科开会。讨论各问题如下:1. 对内对外之政策。2. 工商业之恢复。3. 运输事业之改良。4. 农业之发展。5. 对于农人之扶助。到会各处代表有共产党 1211 人,无党派者 73 人,犹太社会党一人。列宁亦于席间详细报告政府允许列强之优先权,共产党党员全体赞成之云。

三、捷克斯共和国

(一) 捷克斯拉威之共产运动

莫思科 19 日电:捷克斯拉威(Czecho-Slovakia)国都蒲加城(Prag),连日发生纷扰。市民厅（Peoples Hall）本在共产党之手，现被军警夺去，因之工人倡言总罢工。共产党要求将被捕党员 25 人速速释放云。

（二）捷克矿产国有与罢工风潮

莫斯科 27 日电：捷克斯拉夫（Czecho-Slovakia）政府，因保加利亚国（Bulgaria）破坏和约，已与保国断绝关系。捷克政府与工人之争执，仍猛进不已。总罢工势力澎涨，殊出意外。若罢工从此停止，政府即容纳工人之要求，将矿产收为国有。

（三）捷克共产党被捕者 800 人

莫斯科 29 日电：捷克斯拉夫国（Czecho-Slovakia）共产党之罢工运动，现已完全失败。共产党党员被捕者 800 人，将治以阴谋推翻政府之罪云。

四、法 兰 西

（一）法国社会党实行加入第三国际

莫斯科 6 日电云：法国社会党之思口堡①（Strassburg）部分现已实行加入第三国际共产党大会。

（二）法国社会党加入第三国际

莫思科 3 日电：法国社会党评议部，投票表决，赞成加入莫斯科第三国际社会党大会云。

五、意 大 利

（一）意大利业已赤化之表征

莫斯科 6 日电：意大利国米兰诺城（Milano）地方选举之结果，社会党大得

---

① 据外文翻译应为思特拉斯堡，法国东北部城市。

胜利。该议会第一次开幕时,议员皆高唱革命歌。演说时,又表示欢迎列宁及劳农俄罗斯之至意,并力促其政府速与俄国通商云。

(二) 意大利社会党加入第三国际

莫斯科 10 日电:意大利社会党各派别,大多数赞成无条件的加入莫斯科第三国际共产党大会云。

(三) 意大利社会党加入第三国际

莫斯科 11 日电:意大利佛乐森遂亚地方(Flarenciar)之社会党大会末次会议时,决议加入第三国际共产党大会云。

(四) 复辟声中希腊共产党之胜利

莫斯科 21 日电:希腊共产党近有党员 10 名被选为国会议员。保加利亚国曙光报(Zarya)因希腊共产党在马其顿(Macedonia 希腊北部)大获胜利,谓马其顿人民反对复古派,故投票时倾向共产党云。

(五) 意国社会党与俄德携手

莫斯科 23 日电:意国著名社会党首领余兰第(Seruwti)、邓乃锐(Dienari)两氏。近向意国当局要求准其前往柏林,以与俄德两国共产党员有所协议云。

六、波 兰

(一) 波兰军队与德国工人

莫斯科 13 日电:上西利细亚(Upper Silesia)之波兰军队与德国工人常常发生冲突,波兰军队已准备军装。

(二) 波兰社会党之通告

莫斯科 16 日电:波兰社会党发出通告云,波兰工人之地位,惨苦已极。波兰一块土诚为垄断者及寄生者之天国云。

七、远　东

（一）远东共和国之学生运动

海参威 3 日电:远东共和国学生联合总会,召集赤塔、哈尔滨、哈巴罗夫克、海参威各处学生代表,开大会于海参威。讨论各大学之改革、今后学生之命运各问题。又同日电:各大学教授代表及学生代表之联合委员会,已将各大学之共同管理计划讨论完毕。大学自治会之第一次联席会议,即可开幕云。

（二）海参威工联建筑劳工塔

海参威 4 日电:海参威工联总会执行部,以投票办法,招人建筑劳工塔(The Labour Temple)。规定头奖金卢布 6000 元,二奖金卢布 4000 元,三奖金卢布 2000 元。应聘者限于今年 3 月 1 日以前,将姓名图案等物交到云。

（三）远东职工联合之新决议

赤塔 12 日电:远东职工联合会之会长干事联席会议,决定以下各条:1. 要求政府禁止人民在黑河区(Blagoweschtschen)内使行中国货币。2. 宣布以外国货币为工作报酬者为劳动界之公敌。3. 拒绝俄国纸币者,充公其财产。4. 取缔钱商垄断。5. 要求农人通用纸币,以扶助平民。

（四）劳工神圣之远东共和国

赤塔 13 日电:年逾 50 岁之雇员,前被铁路、水道及陆地各交通机关裁汰者,此后皆须回职作工云。

（五）黑河省共产党势力之澎涨

黑河 19 日电:黑河(Blagoweschtschensk)地方自治会将于今日举行选举。本地各政党如希伯来(Hebrew)民主党、社会民主党、社会革命党、劳动党等皆愿与本地共产党支部联合,成一投票团体。闻地方自治会之选举,将按克伦斯基(Kerensky)选举法执行云。

（六）海参崴省区行政委员选举之结果　农人共产党大获胜利

海参崴 20 日电：海参崴议会现已休会，明年 1 月 15 日当重行招［召］集。大多数农界议员已束装返里。省区行政委员选举之结果，农人及共产党各得 4 席，少数党共得 2 席，社会革命党左党共得 1 席云。又同日电：赤塔中央政府电令威埠当局，从速建筑国家蓄室，并清核威埠所屯之国产云。

八、其余各国

（一）德意志共产运动遍布全国

莫思科 29 日电：德意志共产党示威运动，刻已遍布全国。柏林该党演说员，声称非速速解决失业问题不可云。

（二）美国务总理之承认劳农政府说　义大利反对兰格尔

莫斯科 6 日电：美国总理语人云，英俄商约之成立，与英国承认劳农政府无异。又同日电：意大利绝对不承认兰格尔军队有屯集土耳其境内之权。又同日电：法国务总理声称法国政府决不阻挠对俄通商之事云。

（三）土耳其革命运动之蜂起

莫斯科 5 日电：土耳其共产党，势力日形扩张，深得国家议会“在安果拉 Angora”革命党议员之同情与援助。米索不达米亚一带之土耳其人民，已举行革命，组织政府。与“土耳其革命政府”关系至为密切云。

（四）采行劳农制后之阿门尼亚国

莫思科 8 日电：阿门尼国（Armenia）自建设劳农政府以来，从前对于毛沙人（Mossulmaus）之恶感悉已消除，彼此已附立友谊的关系云。

（五）最近赤化小国之社会主义运动

莫思科 22 日电：乔治亚国（Georgia）共产党发表宣言，力诋小［少］数党虐待共产党之事。又同日电:梨桑尼亚国(Lithuanian)少数党,决定对于政府禁止工人自由结社之事,提起抗议,主张废弃军事检察,要求人民出版自由及言论自由云。

(六) 土耳其愿与俄国携手排除帝国主义

莫斯科 8 日电:劳农俄国外交总长翟趣林氏(Chicherin),日昨接到土耳其国某部总长纪马迫沙氏(Reamolpsha)之电报,称赞劳农俄国与帝国主义列强空前之大奋斗。并谓劳农俄罗斯及土耳其两国携手战胜世界帝国主义之期,即在目前云。

(原载 1921 年 4 月 7 日《共产党》第 3 号,署名江春)

告中国的农民[*]

（1921.4）

（此面被上海法捕房没收去了）。^①

是免不掉的。阶级的自觉（the consciousness of class），也是厉害关系，完全一致的人群之间的自然的趋势。就是从外面没有第三者来鼓吹，他们早晚总有从内部自己发现的一天。而阶级斗争（the struggle of class）也是两群厉害不一致的人，到厉害冲突，达了极点；被支配方面的痛苦，到了十分的时候必然发生的自然结果。上面述了三种趋势，无论你愿意不愿意，它既然有了厉害不一致这种原动力，是自然要发生的。不过若是只听它底自然的进化（evolution），时间上就要慢得点；若是因为它既有了这种趋势，而再加以人为的革进（revolution）来促进它，就要发现得快一点。中国农民占全国人口底大多数，无论在革命的预备时期，和革命的实行时期，他们都是占重要位置的。设若他们有了阶级的觉悟，可以起来行阶级斗争，我们底社会革命，共产主义，就有了十分的可能性了。所以他们既有了这种趋势，我们与其听他自然地慢慢进化，不如用点人为的方法来促进他，使他们早有一天阶级自觉，早免一天痛苦。而要促进他们这种趋势，就是设法向他们宣传了。

三

有人说中国农民底生活，并不是痛苦的，也不是受十分压制的。因为所谓

---

[*] 本文首页被当时的上海法租界巡捕房收走，或许正是由于这个原因，原文上无作者署名。据考证，本文系李达所撰。——编者注

^① 原文如此。——编者注

农民,都是自己有着田地,自己耕种的,并不是单靠着耕人家底田而谋生的。就是耕人家底田,而所得的生产物底分配,乃是平分的,所以也没有什么分配不平均。既然这样,你就向他们去宣传,也断不能促进他们底自觉,这话都不然。我现在只要把农民底状况记述出来,就可证明这一说底理由不充足了。不过我现在记述的农民状况,是就我住的那一县和附近的各县底状况而论的。我想就以此推想全国,也不过是大同小异罢了。

1. 农民自身里面的阶级。有人说中国底农民,都是各有土地的,这句话是有一部分确实的,然而未免太笼统了。一家3人,所有千亩田,算是所有土地;一家10口人,所有1亩田,也不能不算是所有土地。然而你能以这样的所有,就说农民之间,生活都是一样,没有什么特别的痛苦吗?设若细细地考察起来,就可知农民自身内面,也有几层阶级:(1)所有多数田地,自己不耕种;或雇人耕种,或租给人耕种,自己坐着收租。这一种人本算不得纯粹的农民,我乡下叫作"土财主"。(2)自己所有的土地,自己耕种;而以这个土地底出产,可以养活全家。他们也有于自己底土地外,租人家底土地耕种的。这一种人就是中等农民。(3)自己也有一点土地,然而只靠自己土地底出产,决不能养活全家的。所以不得不靠着耕人家底田,分得一点以自赡,这一种人已可谓下级农民了。(4)这乃是"穷光蛋",自己连插针的地方都没有;专靠耕人家底田谋生的。这一种人就是最穷的农民了。上述四种里面,以第三种和第四种的人数为最多。第一种当然是少的,第二种也是很少。第一二种底生活,是丰衣足食的,不是我们问题底目的物。我们底目的物,乃是占农民全数内面的大多数的第三四种农民。第四种农民底苦况,简直是非常厉害,每天到晚,每年到头地苦作,还不够穿衣吃饭,一遇年岁不好,田主顽强(分配底方法,后面详说)的时候,就差不多要饿死。所以这种农民底生活,是非常困苦的。第三种农民,虽然自己有一点田地,还耕一点人家的田,然而因为生活程度日高,不是东挪西扯地来借贷,也是不能维持全家生活的。所以每到收谷的时候,谷总不能全数运到家里来,直接运往债主家里去还账,或还利息去了。因为这种原因,自己所有的一点田,也不得不渐渐卖或当给"土财主"或中等农民(在后面田地集中里面详说),而堕为第四种农民了。所以他们底生活也是极困苦的。

照这样看起来,可见得大多数农民底生活,是非常困难的;只拿着农民都是自己有田地这句话,说农民底生活都没有什么困苦的先生们,简直是瞎说。这和说劳动者是和资本家同样地有收入,他底生活是不困难的是一样的胡闹。

2. 佃户和田主间的分配方法。有人说佃户和田主之间的出产分配法,是以二除,各占一半的,所以这种分配,没有什么不平均。其实不然,像这样的分配法,行得非常之少,十分之九是行我们乡下叫作"认谷"的方法的,"认谷"就是譬如某丘田相传出 10 石谷,田主就认要 6 石。无论该田所出的实际出产,不能 10 石,或超过 10 石,田主都不管,他只是认要 6 石。因为这样办,于田主有两种便宜。(1) 可以省多雇用人。因为设若是照实际的出产平分,田主必于每佃户收谷时,派人去田里当场监督,以免佃户虚报。而"土财主"所有的土地很多,甚至于百里以外都有他底田地。所以于收谷时,他不得不雇一群平日他信赖的人,分向各地监督;甚有雇几十人或百人的。所以田主方面,非常麻烦,且费用也很大。又如百里以外,要派人去监督,也是件很烦难的事。他因为要节省用费和免除烦难,所以简洁了当地每丘田指定认谷若干,自己坐在家里,一点事不做,等着佃户恭恭敬敬地送上门来。(2) 田主既然认定了要多少租,他就不至于因年岁不好,减少他底收入。因为有这两种原因,所以田主大概都是"认谷",很少和佃户均分的。然而这种"认谷"的方法,对于佃户有利益没有? 这是于他们决无利益的! 有人必定以为设若佃户好好耕作,出得 10 石谷的田,使他能出 10 石多,那么,这种超过指定数目的出产,归他专有,田主不能来分,这不是他底利益吗? 这纯粹是理想的空谈,设若实地调查一下,就可知他底结果,适得其反。原来规定某丘田能出多少谷的标准,不知道以几百千年以前某一岁有了特别的丰收,就以这一年底出产为标准规定某丘田出谷若干的。其实以后实际的出产,不但没有超过原定的数目,大多数反是不足原定的数目。我小时在家里,看见我家里有的一点田,无论那一丘田每年底出产都没有达到原定的数目的。心里就疑是请的人没有好好地耕种。后来向各处一问,大概都是这样。所以其名说某丘田能出若干,其实不能出这样多。那么,佃户就要因此受恶影响了。譬如他租田主底一丘田,其名说是每年可收 10 石谷,田主认 6 石,他自己就可得 4 石。其实年岁好时,也只能收得八九石,除了应缴给田主的以外,自己只能得两三石。然而这两三石,也不是白得的;人工、肥料一切东西,都是出在这两三石内面的。试问除了人工,肥料底费用以外,能够赚得多少？所以就是好年岁,他们底生活也是困难的。一遇年岁不好,所收的谷只有六七石,那就不但没有赚的,并且还要贴本了。然而田主他是不管的,他认定某10石谷的田要6石租,就硬要6石。无论你只收得6石或7石,他这个6石是一粒都不能少的。设若佃户不照数缴清,他就把田收回,租给别人耕种。所以佃户无论自己怎样赔本,怎样挨饿,都不得不上天入地地先设法把田主底租缴清,以保下年的饭碗。这种痛苦,非生长在乡下,与农民接触得久的人,绝对是不知道的。所以一般农民底生活困苦,简直是形容都形容不出的。说佃户和田主之间的分配平均,所以说农民底生活不困苦的人,也是瞎说。

3. 土地集中的倾向。工业上资本集中的原则,就是在农业上也不能逃掉的。在工业方面,有资本集中的趋势,在农业方面则有土地集中的趋势。照前述田主和佃户之间的分配法来看,第四种农民固然是非常困苦的。就是自己有着一点土地,而租别人底田耕种的第三种农民,又何尝不是这样？近年来生活程度一天高似一天,年岁又没有什么好的。他们内里,则要养活全家,外面则要缴清田主底租。所以只靠田里的生产,决不能一年维持下去。那么,借贷呀,当田呀,卖田呀,就是他们暂时糊口的方法了。他们并不是不知这样"牵萝补屋,剜肉医疮"的方法不是可以永久的。然而不这样做,一家人就会要即刻饿死,田主把田一收回去,他们就要失掉谋生的路。他们因为要求田主不夺去他们底饭碗;要暂时维持生活,就不得不把自己底一点田,当或卖给田主了。所以田主就慢慢地把这些分散的、零碎的小所有地,吸收起来;而第三种下级农民,就堕落为第四种最穷的农民了。他底结果,就是所有大土地的人数越少,没有插针的地的人数越多。一地方底土地,都集中于少数人手中,而大多农民底日常生活、命运、生命都悬于这些少数人之手了。这就是社会上贫富的悬隔越甚,阶级底区分越明,一般农民底生活越苦的原因了。

综观上述,可见中国农民困苦,并不减革命前俄国底农民的。他们底怨气,已弥漫天地,像萍乡今年的事,不过是充满宇宙的怨气,才发泄一道出来罢。他们一时爆发的时期,已是不远了。然而从别一方面看,萍乡今年这件事,也是中国农民觉悟的一点曙光。他们这次的举动,范围虽小,然而正如昏天黑地之中，东方现出一线曙光是一样的。有了这道曙光，青天白日就要随着来的。谁说他们不能觉悟？谁说我们去宣传，他们不肯来听？同志们呀！我们要设法向田间去，促进他们这种自觉呀！

四

可怜的贫穷农民呀！你们要知道我们人类，从娘肚里一生出来，都是平等的。从娘肚里一生出来，各人都一样地应该穿衣吃饭；各人都一样地应该做工。为什么他们一生出来，就应该一点工夫都不做，坐着吃好的、穿好的；你们一生出来就应该像牛马一样地做工，倒反要挨冷挨饿呢？这并不是你们底运气不好，他们底运气好。世界上没有什么叫作运气的，没有什么叫作天命的。都是少数自私自利的人，做出来的恶制度。本来是世界上的一块大土地，大家都可以共用的，偏要分开起来，指定那一块是张的，这一块是李的，弄得现在这样一方面有少数吃肉穿绸的人，一方面有大多数挨饿挨冷的人的样子。你们不要埋怨自己底命运不好，你们只要埋怨现在的制度不好。你们想一想我们应该大家共有的土地，为什么少数的人，硬要说是他们的？他们所有的土地，是从他们娘肚子里搬起来的吗？是他们用自己底力，把大海填平起来得的吗？不是！不是！这是大家应该共有的。这是他们从你们底手里抢去的。你们要快起来抢回来呀！设若有个强盗，把你们底一件衣抢去了，你们一定要设法抢回来的。难道他们把你们靠着吃饭的田地抢去了，你们反甘心不抢回来吗？

但是要抢回来，全靠你们自己动手的。专靠人家来救你们，是靠不住的。设若你们自己不动手，人家就想来帮你们，也是不好帮的。你们不要说你们没有力量，你们底力比什么还要大，你们只要学萍乡底农民一样，大家集合起来，设若田主压迫你们，你们就大家一齐不耕种，看他们吃什么？要饿死大家都饿死；要吃饭大家都吃饭；要做工大家都做工。你们却不要做看着人家吃饭、享福，你们自己却挨饿，做工这种的蠢事。你们自己快起来抢回你们被抢的东西，你们一起来，自然有共产主义来帮你们的忙的。共产主义就是要人人一样地有饭吃，一样地有工做。决不像你们现在这样，只是做工，没有饭吃。所以你们若都照着萍乡底乡民这样行动,共产主义就能使你们脱出一切的痛苦,使你们享没有享过的福。可怜的穷苦农民呀!你们快起来抢回你们被抢的田地呵!

(原载 1921 年 4 月 7 日《共产党》第 3 号,未署名)

日本文坛之现状

（1921.4）

一、混沌错综的现在文坛

试将我国文坛界的地图展开一看，我们就会知道此中的界线比新世界地图上欧洲的国界线还要多。而且关系复杂，也和狭隘的日本领土中许多山川湖沼的错综复杂是一样。我这工作就是要把这种国界线当作主义倾向，把许多山川湖沼当作个人的性情气质，逐一检点，分类批评解说出来。只是著者现在没有那样准备和余裕，能够充分地完成这工作。仓猝执笔，只凭着些少的记忆做材料，写出来的东西也不过是一片印象记罢了。

刚才说过，现在的文坛非常混沌非常复杂的。第一，著作家很多，又没有什么统一的倾向统一的主义统一的观念，各人都在自由天地中各自开展各人的羽翼。所以主义倾向性情气质，也复杂多端，应接不暇。可是在他一方面看来，山川湖沼，虽然极其复杂，却有一定依节季发生影响的普遍性。因此，现在的文艺，从广义的解释起来，也并不是不可以看作一时期的文艺。现时所谓一时期的文艺，就是我们一面在那虚空中隐约看见新时代的曙光，却又依然脱离不了那古代传统桎梏的最后的时代。古代的传统是什么呢？不消说就是往年著作家田山花袋、岛崎藤村，批评家岛村抱月、长谷川天溪这些人所唱道的自然主义了。自然主义不但在文艺上，就在日本人的生活上思想上，也划成了一个转机，这是个个人都认定的。自此以后，能够照这样的在文艺界思想界卷起漩涡的主义主张还没有表现出来。自然主义明明是划分旧时代和新时代的一个界线。可是这新时代和未来新时代的分水岭还没有发现出来。将要现出的征兆固然有的，却还没有现出明了的一条界线。在这种意义上，把现在的文坛总括起来说,我要在自然主义开始的时期内加它一个"自然主义以后"的名称。在这时期的当中发生出来的享乐主义、理想主义、人道主义、浪漫主义、象征主义以及种种主义,大概都是自然主义的延长,是自然主义的对抗,这些主义辐辏而来,成了一个大海洋,这就是现在的文坛了。在这个范围中,凡是最初活动的人,以及在这主义以外发挥自己个性的一切新出身的著作家,都一概包括在内。下面我想依各作家年龄的大小以及在文坛上所占地位的顺序,作个大概的观察,说明现时文坛的倾向和他的归趋。还有一句话要声明的,既说是现时的文坛,当然要把创作坛、批评坛、歌坛、诗坛、剧坛的全部都要说到,可是著者不是万能的神,没有那样宽的眼界。所以这篇文字还是把创作坛做中心,批评坛和剧坛,多少也说一点。

二、自然主义时代的各作家

创作方面自然主义时代的人物,就是田山花袋、岛崎藤村、近松秋江、正宗白鸟这些自然主义的作家;此外主义相反而旗鼓相当的作家,就是永井荷风、泉镜花、上司小剑、森田草平诸人。

田山氏继续努力活动直到现今开 50 岁诞生纪念,不曾休息这一点,我确是很敬服他的;可是他的作品,内容形式渐渐与新时代的人们差远了的事实,却也不可看过。田山氏所写的感想,很有可以激动人的地方,他作的文字却不见得有怎样大的效果。现在所发表的作品,多缺乏往年抑压主观尊重客观的精神,多不过是感伤主义的连续罢了。但花袋氏却发挥出本来的花袋氏来了。现时的花袋是真的花袋,主张自然主义的花袋,是二重人格的别一方面的花袋。还复了本来面目的花袋氏所发出真情流露的呼声,很可以感动我们。

花袋氏还不如现在的德田秋声氏心思的活泼;花袋氏只想株守在自己的圈子内,秋声氏却是更要向外部展开的,秋声氏也是 50 岁诞生纪念的一个人,他所作的感想文中,有一段说:文艺的势力渐渐强大了,可是世上的人还不大关心他,想起来觉得很寂寞的,现在越发实行的做去不更好?不然,就宁愿做一个独乐的艺术家吗?何去何从,这实是歧路了。他是专作朴素的小说的人,也想到这种地方来,这明明是表示他的一个转机了。他去年发表的《一个娼妓的小史》及《厌离》两篇文字,或者便是暗示他的前程的了。

島崎藤村氏抱着苦闷游历法国归来发表两卷《新生》,刺激了文坛上以后,便没有什么紧要的文字发表过了。去年虽然发表了《齐藤先生》等短篇,可是并没有往时的藤村氏那样惊人的地方。他的著作在表现上在构思上明明都已结成一种外壳,因为那个外壳,他的心思的活动常被遮住了。像他那样似乎多说自己却又那样说自己说得很少的著作家是没有的。他那种故意的无体裁的构思法和表现法若不抛却,我们怕不能多得他的益处了。正宗白鸟氏比藤村氏正在继续活动。但他的方向是一定的。他的全部就是趋向虚无主义这方面。他的生活兴趣,他的思想,他的作品,都渐次带着这种色彩。他去年发表了的《毒妇一般的女人》以及其他随笔的作品都是这样的调子。他虽然想要否定艺术和宗教,却否定不了艺术。与正宗氏有同样的心境而更有明亮的乐观倾向的人,就是上司小剑。他对于现代生活的不满足,并不反抗,只一方面采作讽刺的材料,他方面构成乌托邦的梦幻。他不是积极的社会改造家,只是一个消极的不平者。他的著作,多带轻微的讽刺,措辞巧妙,笔法轻快,读起来很觉有趣。但缺少深的活动力。他没有法国佛郎司(Anatole France)那样的机智,缺少英国威尔司(Wells)那样科学的智识。

近松秋江氏再在文坛噪誉以后虽然也有引人注意的东西,却没有往年那种缠绵的情绪和浓郁的色彩能够使人感动。三田派的饶将永井荷风最近也差不多销形匿迹了,虽然偶然说话,也不过是对于社会人生厌世的讽刺;耽美主义底杯酒也干枯了,辛辣辣的文明批评的音声也并不曾听见。漱石门下第一人的森田草平氏,漱石死后行踪就隐秘不明,铃木三重吉氏专办《赤鸟》这童话杂志,努力于创造新童话,与文坛界的关系也疏远了。泉镜花氏是旧式人物,虽然在现文坛上出出头,却也不能为新时代的文艺培植新生命。

以上所述各大家,比较的都有一种停滞的情势,现在再往上说去,说开拓明治时代文艺的人就是坪内逍遥。他的气势压倒壮年人,这不是说小说界是说戏剧界,他用他的作品和戏剧论努力奋斗,这是能使我们感服的。森欧外氏入了博物馆专留意古董趣味,幸田露伴氏有时虽然把他的名文敷衍场面,终究也不能与现代相接触,只有坪内博士一人意气扬扬,不可谓非一种可注目的现象了。听说坪内氏现在研究的中心是演剧与文化乃至社会教化的主题。文艺对社会的问题,在现时议论的方面很多,坪内氏的努力研究,必定可以收到一种效果。

要之,文学大家以及老人家中,除了两三个特别的人以外,都在可以收场的地方收场了,就是说前途无望也是可以了。文坛的中心势力,明明握在中坚著作家和新进著作家的手中了。而这些中坚著作家、新进著作家中,也有向着前人已走过的路前更进一步的,也有完全弃掉前人的路另走新路的。今为便宜起见,先把那些中坚作家的主义倾向说说。

三、中坚作家之现状

自然派的嫡派在今日文坛上擅声名的作家,是中村星湖、加藤作次郎、吉田弦二郎、谷崎精二、相马泰三、广津和郎、白石实三、葛西善藏、江马修、福永挽歌诸人。他们所描写的,大概是日常生活,现代社会风俗习惯底最好的再现。其中批评现社会的东西并不是没有,不过比较的不加批评的地方反有生命的联络。所有的非难都从这种地方发生的。他们所表现出来的,只是各种生活状况心理状况为止,并不加什么批评,就使人觉得不满了。我们在这种不满之中就可以看得出那时代的反映来。在自然主义旺盛的时代,与现实表露人生再现相接触的人,就觉得有是否有那种现实是否有那种人生的感想,和艺术相接触了。而作者的小主观却不愿暴露出来的。可是在现在的时候,若单说有那样的人生有那样的现实的话,就不能满足了。此时非听听作者的批评和理想不可了。这种现象在一方面看起来,固然可以说人心中怀疑的精神已经消失,而在他一方面看起来又可说是成了理想现出光明来了。对于外界的事物仅仅怀疑设想,反觉不便,无论是甲是乙,总想设法解决他,这便是读者大概的倾向了。这种倾向同时又是一般社会的倾向。欧洲大战引导出来的一个思潮就是尽于"社会改造"这四字的理想主义了。前面所述的各作家,早已有人领悟了这种潮流,晓得那单纯的事实的再现和现实的表露没有意义,所作的文字中就有许多理想的光明的色调了。中村星湖氏是这样,加藤作次郎氏也是这样,广津和郎式也是这样。不过中村氏直率地描写和他的人生观社会观还没有达到一致融合的境地,加藤氏过于重视人生,我们也要说他是进于大乘道德忘却小乘道德了。广津氏是明敏的作家。他对于自然主义作品的危机早就看到了,只是在今日专在神经上创造活泼的艺术,渐渐弄成狭隘的情绪小说,时常要失掉了艺术的普遍性。他明明又遇着危机了。相马葛西两氏,太偏重自己的趣味,艺术的本质反被隐蔽了。至于谷崎精二,他的圆满的人格和稳健的观察,很能使读者发生兴致与快乐。但只是安眠的药剂,不是惊梦的闹钟。只是叫人睡,不是叫人醒的。吉田弦二郎与谷崎氏似相同而又不同,他对于无论什么人都要使他流泪。所以他描写那可以流泪的人就做得很好,不然就失败了。白石实三、福永挽歌、江马修诸人,过于沉默,不在文坛上出头。内中江马氏更专心努力于长篇小说,但在文坛上总不成问题。

要之,以上各作家,确到了一种境界,可是在某种意义说起来还是站在歧路上的。他们的前途,依着对于现实和理想问题的处理方法说起来,又是光明又是绝望,——这是确实的事。

又有一般人,在手法上说,明明受了自然派的影响,而在人生观上说,却与自然主义挑战的。这一派人在现文坛上占势力的,是《白桦杂志》社诸人,即是有岛武郎、志贺直哉、武者小路实笃、有岛生马、里见弴。有岛、武者小路两人,自始就用理想的眼光观察人生。他们描写那理想的著作,在有岛氏则有丰丽的文章和缠绵的情感,在武者小路则有贯通铁石的热心,感动邪恶的率直。他们俩人共通的地方,就是歌唱人生的光明,唱悲壮的人生进行曲都很有勇敢的。可是他们最近的活动也没有可观的地方,有岛氏专去演讲了,武者小路变了新村的人,也没有什么消息了。还有志贺氏在文坛内部很受人尊敬,他对于善恶的敏感和对于生活的洁癖,给我们良好教训,最近却也没有好著作发表出来。然而在比较的沉默的期内他会发表新式的长篇小说,对于文坛,究竟要说些什么呢?有岛生马氏虽然暂时努力要将耽美主义和人道主义结合起来,而最近在文坛上却不出名,反变了画坛的人了。他们之中比较守沉默而令人钦仰的就是《人间》杂志主干里见弴。他的技艺在去年发表的术《毒蕈》、《父亲》等文字上发挥极致。若把艺术当一种艺看,他已是完人了。可是在他一方面看起来,他对于人生的内省一层,似乎欠功夫。

与白桦派并驱而依《新思潮》在文坛中占了位置现在犹占中坚位置的人就是菊池宽、芥川龙之介、久米正雄、江口涣诸人。他们之中,芥川、久米两人因夏月漱石受了自然派文艺以外的即新浪漫主义及理想主义文艺的指示，现在还在这里徘徊不止。芥川氏曾经几次预想转机，但好像还是把技术本位艺术无上主义作中心生命。久米氏最初就具有作通俗小说的要素，现在已在这方面得了立足地了。菊池宽氏对于人生具有光明的理想。他是文坛上数一数二的道学家。正义之念，率直之感，常在心中往来，这种地方不亚于志贺氏。他明明是艺术家又要做道德家。艺术家同时又是人生的教师，又是社会的预言者，这种风姿，惹起我们的好感。可是这一面，有时又是艺术的烦闷，妨害艺术的深造，动辄把作品化成说教的东西。他现在正努力作《真珠夫人》的长篇小说。

还有江口涣，他觉得艺术的天地狭隘，非跑到活社会中去不能满足，他受了这种刺激加入了社会主义同盟，提倡劳动文学。他的气慨实在可爱，可是还没有这一方面的好的工作。

把以上诸人，总括起来一看，内中也有把艺术当作游戏或类似游戏的事情，也有把艺术当作正常事业看的。前项的出品还很少，后项的出品颇多，可是这一群人也觉得有些疲倦了。

以上是成为团体的中坚作家，若单独开拓自己而可列入大家之列的作家就是谷崎润郎和小川未明。其次是三田派的久保田万太郎、水上泷太郎以及长田干彦、铃木善太郎、石丸梧平、长与善郎、万造寺齐诸人。谷崎氏的艺术无上主义唯美主义始终不曾变更。可是没有以前那样的生气与活力了。他在《中央公论》杂志上发表的《鲛人》一篇文字，好像是苦心经营的。可是与现代的趣味已差了六七步了。小川未明氏的头脑，常常和快班火车一样，非常躁急，不知停止，将来不免和别的火车冲突的。然而感受了别物的力量，非前进不可的。他去年加入了社会主义同盟了。他真是一个北国的诗人，我们有了他便可以看见诗人的社会主义者之好模型了。久保田、水上两人把身子浸入艺术的微温汤里，他们要待几时才能作出最感动我们的著作呢？长田干彦氏有时虽在杂志的创作栏内出出头，现在却也变了通俗作家了。铃木善太郎把创作集《暗示》发表以后，完全隐去了，石丸梧平氏虽然继续出了创作集，却还没有汇聚了世人的视听。长与善郎对于戏曲小说很努力。去年发表的《赖朝》一篇文字，是他很可注目的著作。万造寺齐君的名字听见许久了，但还没有窥见他的特色。丰岛与志雄虽与芥川久米两人同时出名,可是倾向并不相同。他用神秘的眼光观察人生,要努力创造一种作品出来。最近他翻译了Les Miserable(按:此是 Hugo 之作)、Jean Christophe(此是罗兰 Romain Rolland 之作)贡献于读书社会,很有称赞的价值。

四、新进作家之将来

与中坚作家有同样势力在现文坛上活动的,是新进各作家。新进作家也和中坚作家一样,主义倾向各有不同。先把自然派的作家数出来,就是藤森成吉、细田源吉、加藤武雄、水守龟之助诸人。但同是自然派创始人,田山、岛崎、德田诸人的作品比较起来,却明明有一个大鸿沟存在当中。藤森成吉所描写的东西原只是日常底生活,但因为有诗人的气质遮掩着,却常常保有"艺术家的艺术"的印象。细田源吉氏用健实的笔致,掘采人的生活,有感动人心的长处。但现在还在构想的境界,实现还在未来。加藤武雄的作品,仅表现纯粹的感伤,往往中了感伤主义的流弊,只是在他一方面那种对于人类生活的理想,却也很有光明辉映。他这种光明若要生出热,现出力,恐怕还是以后的事。水守氏的观察和手法差不多达到了圆熟的境界,不过似乎还缺少清新的色彩。去年是新进中最活动的,现在已逢着一种危机了。他怕是要转换方向了。以上各作家对于现实大概都不满意了,必有一种很活跃的要求发表出来。

他们这种活动向上的气势生出来的要求,必定要表现出来的,就是所谓理想主义或浪漫主义。加藤一夫、宫地嘉六、岛田清二郎、宫岛资夫诸人是理想主义派代表的作家,细田明树是浪漫主义派代表的作家。加藤一夫诸人,不肯单停留于艺术世界,还要直接改造自身的生活。他们的热忱和要求,感人最深,可是未免架空,现出难看的姿势。细田民树将现实生活中难求到的东西,向艺术世界中探求,想于此发见出生之喜悦。他以为艺术就是生活,生活就是艺术。看他的作品而与实际感想不符的,就是他的艺术成为生活而生活不成为艺术的地方。

最近和细田、水守同在文坛上享受盛名的,就是从诗人出名的室生犀星和宇野浩二。室生描写官能的卓越,宇野语句的多趣,都能使读者满足。他们所以博声名的也没有别的理由。他们对于人类生活的理想,没有一点影子。他们对于艺术的根本思想还没有,能够永久博得名望吗?

至于中户川吉二、南部修太郎诸人,我要称他们是艺术无上主义者。中户川有一种巧妙的才能描写人物的印象和感想。他缺少批评全体的精神。最近发表的作品很少,他为什么守沉默呢? 南部是今日三田派唯一的代表者。最近对于评论和小说都很尽力的。他已是二眠起三眠起的程度,应熟而不熟,未免有些遗憾。田中纯是少壮有名的论者,早在文坛噪誉的人,最近著作小说脚本,不愧是个才人。他的技巧很可佩服,却不免纸上空谈之弊。最近有名的《妻》的一篇文字,也造意有余,不无可惜的感念。须藤钟一有多方面的才能,从他的年龄说起来他应该占中坚作家的位置,但他是最近著名的,应称为新进作家。他有时写浪漫主义的东西,有时又写自然主义的倾向的东西,又有时作菊池式的短篇文字描写一种的心理转换出来。无论他向那方面走去,若没有更深地把握力和洞察力,也只能维持现状而已。

新进作家还不止此,还有舟木重信、冈田三郎、三岛章道、野村爱正、中泽静雄、津村京村、牧野信一、木村恒、浅原六郎、宫广灵一诸人。可是他们现在还没有成为中央文坛的势力。

把以上新进各作家总起来说,在这种地方早已看见他们安定的气势了。最初各人都有许多抱负,有许多倾向,后来时过境迁都现出安定的色彩了。今日的新进作家,不是恰恰造到这种时期么? 有些人对于自己的艺术,早已觉醒了。有些人还是照旧从事艺术的。所以今日新进作家的现状,渐次逸去生气,消失新鲜的色彩了。

此外还有一群女流作家,野上弥生子、小寺菊子、长谷川时雨、中条百合子、三宅安子、吉屋信子诸人。他们的作品之中,也没有非女流作家做不出的那样特殊的东西,不过模仿男子罢了。所以就是在文坛方面说,也没有成问题的作品。《新潮》杂志上,曾经向女流作家征求她们批评男作家描写女性的文字。她们当时也曾作不平鸣,说男性所描写的女性,只限于男性见到的范围以内,可是她们自己究竟描写了几许特殊的女性呢? 总之,就现在说,能够赶得上男性作家的女性作家还没有这句话,怕是适当地批评了。

五、创作坛概评

今日创作界中作者之数和作品之数,颇为复杂,正呈百花缭乱之趣。无论哪一种花,若一一采取一看,花的色和香,各有特殊的倾向。只是这些花之中没有出色的"王者的花",未免使看花的人扫兴。这种使人不满的原因,有人说是文艺上社会性的缺乏,又有人说是似是而非的现实主义之跋扈所致。欧洲大战的结果使世界思潮发生变换,我国当然受其影响。一切制度习惯再受人间性的光明所照,要显耀出来。一般人的倾向,当然不以现状为满足的。有一部分先觉者,早就撑渡这思潮要努力创造出新世界。至于创作家就怎样呢,创作家对于这种地方却不觉得紧要的。对于这种运动并不关心,过于株守自己的范围,这就是前者的非难了。今日创作界对于这种非难,非有相当的注意不可。把艺术当作直接改造社会之具,当然没有这种必要。可是艺术既与社会改造相接触,就要具备一种要素,使人间发生觉悟,刺激人性破坏的气质或不满足现状的精神。今日的小说是过于有趣味的小说,是有发现的趣味的小说,是报告日常生活的小说,莫泊三所说的那样能使我们凝想的小说能使我们惊骇的小说,实不多见。

似是而非的现实主义作品太多,这种非难,也是现文坛上应当受的。材料已是各作家周围的事实,若有充分批评解释的余裕和思索力,自然是好,若单由所见闻的直率写出来,明明是坏意义的现实主义了。现实主义的精神不在这种地方的。现实主义的精神要把人生下正确的观察,要把人生更加改善的。现实凝视的意义,汲取了这种精神才有生命。若单单把事实再现出来,并没有什么价值。然而有些作家偏要把那仅仅是事实再现的东西当作艺术发表出来。虽不能说全部都是这样,而事实上却明明有这种弊病。

以上是撮要的说法,而大的统一观念和人生观,这些作家是没有的,从别的方面看现在的文坛,简直化成了游戏的世界。"我们怎样生活"、"我们向那方面走"这种怀疑的精神思索的体验,在现在的作家中实是很少。在自然主义的当时,一切问题都是从自身出发的。所表现出来的作品,都是自身苦闷的声音。这种地方就有非正襟静听不能闻的妙处。现在的作家中,这种苦闷这种努力比较的颇少。所以听不到对于人生和生活的真挚的声音,这也非无故了。

文坛这种状态,恐怕不会永远如此。就是各作家之中也有不满足于自己的艺术的人,对于自己的生活和艺术已不似先前那样冷淡了。转换的机运正在发动了。文坛以外的人早已发生了不满的呼声,现在文坛的内部也有这种不满的和声叫出来了。为民众的艺术将要产生,劳动文学中将要开拓新境地,这就算是很易惹人注目的事例了。这只是一个例。以后革新的文艺究取什么形式表现出来,不能预测。只有转机却是必然的。这一个转化若不经过,文艺就不会继续地活泼泼的生命。残余的东西,不过是些形骸罢了。真正有生命的艺术,要经过这转机之后方能寻得的。将来的文艺无论用何种形式表现而在精神上必定要汲取一种现实主义方能使一切人发生热烈的感动,这现实主义是什么呢,就是在吾人生活上根基深厚而且给人生以暗示或刺激的东西。所以我们见了创作坛的现状怀忧,预想将来的发达而喜。

六、现时的评论和戏曲家

从创作坛转看到评论界,我想人人都有寂寞之感。现在的评论界也没有往年坪内逍遥对森鸥外那种阵容,也没有高山樗牛那样的勇气,也没有反抗自然主义参与新文坛运动的岛村抱月、长谷川天溪、相马御风、片上伸一流人的奋斗精神。现在的批评家不是指导文坛的人,乃是文坛的附属品。批评界何以甘居这种位置呢?直截了当一句话,就是批评界没有人物。但也不能这样说的,批评界不振的原因,也可以从别的见地看出来。

第一,批评家自身不把自己的批评看得十分重要。做批评的人都是半生不熟,少有真正主张自己的说话。第二,批评家没有大统一观念没有大主义主张。把主义主张当作生命看的人,在现在批评家中没有。大概的措辞,都是口头的话。没有人把自己一生对付自己主张的精神。单是这一点也可以说是修养不足。第三,批评家自身对于批评的价值怀疑。这是引出第一、第二两原因的根本原因。"创作果足以作为男子一生的事业么?"现在的创作家对于这个问题,大部分恐怕都答"是"的。可是当着问"批评果足以为男子一生事业与否"的时候,恐怕就有许多批评家踌躇不能答了。照这样的对于批评价值怀疑,当然不能由这种境地发生有权威的批评出来。

这样看来,现在的批评界大概是萎靡不振的状态。然而也不是决没有批评家。批评家虽没有作家那样多,也有相当的人数。可称大家的人,有金子筑水、田中王堂、长谷川天溪、相马御风、片上伸、吉江孤雁、本间久雄、阿部次郎、杉森孝次郎、安倍能成、生方敏郎诸氏,后起的人有赤木桁平、中村孤月、加藤朝鸟、加藤一夫、菊池宽、石坂养平、江口涣、田中纯诸氏,又有新进的西宫藤朝、原田实、小岛政二郎、南部修太郎、井坂清二、木村毅、平林初之辅、堀本克三、村松正俊诸氏。各大家中如金子博士最近对于文艺批评文化批评元气很旺,只是他那种学者的态度,未免与我们相疏远起来。田中王堂也可说是和金子氏一样。长谷川氏已没有昔年的意气和精神,而有时发表的东西,其中有些警句教训吾人不少。深居越后地方的相马氏不闻著有往年那样深刻的论文,间或发表的感想文兴味也很深长的。从俄罗斯归来的当时的片上伸,有很能够指导文坛的言论,最近反守沉默,专办育英事业去了。吉江孤雁氏很努力研究法国文学的,他的活动还是在将来。本间久雄对于文艺评论妇人评论努力不止,态度稳健公平,这是他的特色。归国以后积极活动的人是杉森孝次郎,他是社会改造家一分子,同时又是新文艺的指导人。阿部和安倍诸人,都沉默不鸣了。生方氏本不是文艺批评家,但其文章中多有警句,暗示读者的地方不少。

赤木、中村二氏差不多都守沉默,加藤朝鸟到爪哇去了,广津氏潜心作小说,田中氏也去作小说,在现时的文坛上,有时听菊池、江口两人的说话,也算是痛快的事。又新进评论家之中也有许多人正在活动的。若是创造评论坛的权威,也要仰赖这些人努力的。

长谷川如是闲氏,本不是文艺评论者,但他的小说和感想,明明能使文坛上增加特色。生田春月氏也是感想文学家,也是现文坛中的特色。

再看戏曲界,虽然没有大刺激深趣味,而有大抱负的戏曲家创造的作品,使旧剧界生了多大的波动。其中坪内博士、中村吉藏诸人,要由言论戏曲两方面,增进演剧前途的光明。山本有三氏所作的《生命之冠》、《津村教授》把寂寞的新剧界添加光彩确是吾人应当注意的。长田秀雄、秋田雨雀也尽了相当的努力。秋田是新童话作家,晓得他的人更多。又最近创作家的作品,频频的出现在舞台上面,也是可注意的现象。就是武者小路所作的《那个妹子》、《二十八岁之耶稣》,长与善郎所作的《孔子之归国》,菊池宽氏所作的《报仇以上》,谷崎润一郎的《法成寺故事》,久米正雄氏的《三浦制纸工场主》等作品,兴味都深长,使剧场受了相当的刺激。又新人仓田百三、近藤经一也发表了有意义的剧曲。其次演剧论评剧等颇能努力的人,要算岛村民藏、三宅周太郎两人。

最后要说的,就是既称文坛,当然有翻译一项也不可分离的,这些翻译人的活动,也不可忘记的。如俄国文学翻译者升曙梦、米川正夫、中村白叶、原白光诸氏,都是不能忘记的人。

以上是现文坛的概观。一切方面,暗云正在兴涨;在某种意义说,现文坛正在分水岭上,正在转换期中。这种转换,不论迟早总要由革新的机运引导出来。若照现在这样,文艺家也寂寞,读者也寂寞。总之我们不得不希望近的将来展开这文艺的新天地啊。

（原载 1921 年 4 月 10 日《小说月报》第 12 卷第 4 号,署名日本宫岛新三著,李达译)

"五一"运动

（1921.5）

今天是工人每日做工 8 小时运动得胜的"五一"纪念日。

我想今天世界各国劳动者们，逢着了这个纪念，必定有一个大大的表示，或者庆祝社会主义成功，或者努力干社会主义运动，或者因为行示威运动，横受资本家政府的压迫而牺牲。也有欢喜的，也有奋斗的，也有苦痛的，今天的确是劳动者的天下，全世界的劳动界，当然有许多轰轰烈烈的大举动演出来，这是我们可以预料的了。

向来呻吟苦闷于资本制度之下甘做奴隶牛马的中国劳动者诸君，近年来很有许多人也晓得资本家的专横，也晓得要求增加工资减少劳动时间的利益，也晓得追随各国劳动界的后尘，和全世界劳动阶级的兄弟们携手共同举行"五一"纪念日的统一运动，这真是中国劳动界阶级觉悟的曙光。我就这一点，对于这些有觉悟的劳工们表示十二分的敬意。同时对于那些还没有觉悟的劳动者，很希望他们赶快地觉悟起来。所以我在这里特意贡献几句话。

"工作 8 小时，休息 8 小时，教育 8 小时"的计划，实在是劳动者在资本主义社会之下对于资本家最小限度最守本分的要求，又是劳动者万不得已和资本阶级妥协的手段。劳动者在工银奴隶的状态之中，每日做过度的工作，没有受教育的机会，永远没有智识，永远没有觉悟，永远没有幸福，这是人间极悲惨极苦痛的事情。所以劳动者要想有幸福、有觉悟、有智识，就不得不要求受教育的机会，就不得不要求减少工作时间取得受教育的余暇。所以劳动者 8 小时工作运动，于资本家并无损失，于资本主义的发展，并没有丝毫妨害，这真是劳动者对资本阶级最和平的办法了。中国劳动界工作时间最长,差不多没有受教育的机会,8小时工作运动,或者也许是万不得已的必要手段。但是我要进一步解释"五一"运动的真意义,给劳动运动者做一个参考。

"五一"纪念日,本是美国劳动界在1886年5月1日获得8小时工作条件的胜利日,后来到1889年,经万国社会党在巴黎开会,把"五一"纪念日,采做万国纪念劳动者纪念日,于是"五一"运动就成了普遍于全世界劳动界的广泛运动了。但是万国社会党所以把"五一"采作世界劳工纪念日的真意义,并不是纪念8小时工作的理想得以见诸实行的事实,也不是纪念劳动阶级能够真正的战胜资本阶级的事实,实在还有最深的意义,就是借着这个纪念日使万国劳动者全体一致同时结合起来和全世界资本阶级宣战的统一运动。实在说起来,8小时工作的条件,并不能算是什么理想的计划,现在欧美各国大概都见诸实行,已由理想而成为事实了。若以实行8小时做工制度便算满足,欧美大多数得了这个工作条件者就可算是已经满足了。照这样说,"五一"运动还有什么重大的价值呢?劳动力依然是商品,8小时的工作并不是为自己而做的,依然是为资本家做的,劳动者依然是工银的奴隶,是机械的奴隶,永远不能得着解放的一日,这岂是有觉悟的劳动者所期望的吗?

有一般人的理想,以为8小时的工作,还是不能防止资本主义的毒害,所以主张进一步做6小时工作的运动。达到6小时工作的目的以后,又进一步作5小时工作运动,以为因此循序渐进,使资本家不能施掠夺手段为止。这种办法,或者也可成为一种理想的计划,但也不是根本解决的方法。要想把社会问题根本解决,要想使劳动者完全由被压迫、被掠夺的当中解放出来,非根本的改革社会组织不可。所以"五一"运动的目标,不专在获得8小时工作的条件,乃在积极的努力准备奋斗的手段。

现在我简单地说几句:

1. 劳动者要获得政治上、经济上的自由平等,就首先要团结起来,组织巩固之工会。

2. 借工会之机关,学习管理生产机关的技术,蓄养奋斗之精神。

3. 与万国劳动界携手,筹备共同的计划,对国际资本阶级为最后之奋斗。

以上三条，都是劳动者应有的觉悟，我们必须日日努力向前运动，务期达到真正解放之目的。这就是我对于"五一"纪念日的一点感想和希望。

（原载 1921 年 5 月 1 日上海《民国日报》副刊《觉悟》，署名江春）

讨论社会主义并质梁任公*

（1921.5）

近来讨论社会主义的人渐渐多了，这确是一个好现象。因为社会主义的真谛若能充分的开发出来，批评者就不会流于谩骂，信仰者就不会陷于盲从。而且知识阶级中表同情于资本家的与表同情于劳动者的两派，旗帜越发鲜明，竭智尽力，各为其主，而社会主义与反社会主义两方面，皆可同时发展，以待最后之决胜。所以我说现时讨论的人越多，越是好现象。

《改造》杂志2月号特辟《社会主义研究》一栏，一时知名之士如梁任公、蓝公武、蒋百里、彭一湖、蓝公彦、费觉天、张东荪一班人，均有长篇文字，表明对于社会主义的态度。他们的文字均有点研究，我读了非常感佩。但是这几篇文字之中，也有误解社会主义的，也有同情于社会主义的，也有积极赞成资本主义的，也有恐怖伪劳农主义的，我觉得这种地方，却也应该详细研究分别讨论。只是我没有许多闲暇，做从容地论辩。所以只就梁任公一篇代表的文字，讨论一个大概。

梁任公是多方面的人才，又是一个谈思想的思想家，所作的文字很能代表一部分人的意见，很能博得一部分人的同情。就是《复东荪书论社会主义运动》的一篇文字，虽然明明主张资本主义反对社会主义，而立论似多近理，评议又复周到，凡是对于社会主义无甚研究的人，看了这篇文字，就不免被其感动，望洋兴叹，裹足不前。我为忠实主义起见，认定梁任公这篇文字是最有力的论敌，所以借着这篇文字作一个 X 光线，窥察梁任公自身和梁任公所代表的智识阶级中一部分人总括的心理状态，试作一个疑问质询梁任公，或者对于主义上有些少的阐明补正也未可知。这也许是梁任公所说"冀普天下同主义之人有以教之"的一点反映了。

梁任公本文的旨趣,约分五层,兹摘录大概如下:

1. 误解社会主义。梁任公首先误解社会主义为社会政策派的劳动运动,所以说:"吾以为中国今日之社会主义运动,有与欧美最不相同之一点焉。欧美目前最迫切之问题,在如何而能使多数之劳动者地位得以改善。中国目前最迫切之问题在如何而能使多数人民得以变为劳动者。"因此推论中国产业不发达,生产机关极少,不能行均产主义。所以又说:"我虽将国内资产均之又均,若五雀六燕铢黍罔失其平,而我社会向上之效终茫如捕风。"于是又论到社会主义运动,说:"故吾以为在今日之中国而言社会主义运动,有一公例当严守焉。曰,在奖励生产的范围以内,为分配平均之运动。若专注分配而忘却生产则其运动可为毫无意义。"此一层是梁任公误解社会主义的本质的议论。

2. 提倡资本主义,反对社会主义。梁任公又以为中国生产事业极其衰落幼稚,中国人消费所需之生产品,皆仰外人供给。而制造此类消费品的资本家、劳动者和工厂,均在外国而不在中国,中国人受不到外国资本家的恩惠,中国无业人民,又不能到外国工厂做工。中国国内未梦见工业革命之作何状,工厂绝少,游民最多,并无劳动阶级。既没有劳动阶级就不能行社会主义运动。所以说:"欲行社会主义生产方法必须先以国内有许多现行之生产机关为前提。若如今日之中国,生产事业,一无所有,虽欲交劳动者管理,试问将何物交去?"社会主义既不可行,则为改造中国社会计,当然不能防止资本阶级之发生,而且要借资本阶级以养成劳动阶级,做实行社会主义的准备。此一段是梁任公提倡资本主义,反对社会主义的立言。

3. 高唱爱国主义,排斥外国资本家。梁任公看见国内无业游民过多,贫困日甚。加以受外国产业革命影响,"我国人之职业直接为外国劳动阶级之所蚕食;而我国人衣食之资,间接为外国资产阶级之所掠夺"。所以中国生产事业,必须由中国资本家自己开发,以便造成多数生产机关,吸收本国多数无业游民使为劳动者。所以说,"中国生产事业若有一线之转机,则主其事者,什九仍属于将本求利者流。吾辈若祝祷彼辈之失败耶?则无异自诅咒本国之生产事业以助外国资本家张目。"末了又说："欲使中国多数人弃其游民资格而取得劳动者资格,舍生产事业发达外其道无由。生产事业发达,凡吾国人消费所需皆由吾国人自生产而自供给之,至少亦须在吾国内生产而供给之。"若对于本国资本家采抗阻态度"必妨害本国生产,徒使外国资本家得意而匿笑。且因此阻碍劳动阶级之发生,于吾辈之主义为大不利。""然则所当采者为何?则矫正态度与疏泄态度是已。所谓矫正态度者,将来勃兴之资本家,若果能完其为本国增加生产力之一大职务,能使多数游民得有职业,吾辈愿承认其在社会上有一部分功德,虽取偿较优亦可姑容。"由此一段可推知梁任公爱本国,爱本国资本家劳动者之热情,故发而为排斥外国资本家劳动者之言,也许是爱国主义和资本主义结合的一种表现了。

4. 提倡温情主义,主张社会政策。梁任公既然主张用资本主义开发本国产业,而资本制度发生的恶果,当然要循外国资本制度的旧径,发出无穷的弊害。要想补救此种弊害,只有采矫正态度与疏泄态度,不可抗阻,亦不可坐视。所以说:"惟当设法使彼辈(资本家)有深切著明之觉悟,知剩余利益断不容全部掠夺,掠夺太过必生反动,非彼辈之福。对于劳力者生计之培养,体力之爱惜,智识之给予皆须十分注意。质言之,则务取劳资协调主义,使两阶级之距离,不至太甚也。至所用矫正之手段,则若政府的立法,若社会的监督,各因其力之所能及而已。"又说:"所谓疏泄态度者,现在为振兴此弃毙之生产力起见,不能不属望于资本家,原属不得已之办法。却不能恃资本家为国中唯一之生产者,致生产与消费绝不相谋,酿成极端畸形之弊。故必同时有非资本主义的生产,以与资本主义的生产相为骈进。"此一段是他提倡温情主义,施行社会政策的主张。

5. 误会社会主义运动。梁任公误解社会主义运动为劳动者地位改善,所以反对;又误解为均产,所以反对;又误解为专争分配,所以也反对。又误解社会主义运动为利用游民,所以说:"劳动阶级运动之结果能产出神圣之劳动者。游民阶级运动之结果,只有增加游民。"又说:"游民阶级假借名义之运动,对于真主义之前途无益而有害。"这是梁任公反对中国社会主义运动最精刻的地方。但是依他所主张的运动方法却不外以下两层。即对于劳动者,"第一,灌输以相当之智识。第二,助长其组织力。先向彼辈切身厉害之事入手,劝其办一两件(如疾病保险之类)办有成效,彼辈自感觉相扶相助之有实益,感觉有团体的好处,则真正之工会,可以成立。"工会次第成立,有组织完善之工会,然后可以行社会主义运动。但梁任公所主张的工会运动,不在敌抗本国资本家,而在敌全世界资本家,所以说:"全世界资本主义之存灭,可以我国劳资战争最后之胜负决之。"又说:"谋劳动团体之产生发育强立,以为对全世界资本阶级最后决胜之准备。"他主张运动的规模非常之大,而所用的手段又非常之小。未知是否有效,实有讨论之余地。

以上梁任公论社会主义运动的大概,以下逐条讨论。

第一,社会主义是什么? 社会主义运动又是什么? 我以为这应该首先在这里说明。

社会主义成了现实的势力活动而来的,还是18世纪以后的事情。瓦特发明蒸汽机关以来就引起欧洲产业革命的导火线,新机械陆续发明,归特权阶级所有与利用。家庭工业变成工厂工业。手工业者骤然失业,不得不到特权阶级的大工厂中,做机械的奴隶。新机械不须劳动者多年的练习,又不须专用男性,而吸收妇女与少年。劳力供给过多,惹起男女的竞争,助长工银的低落,占大多数的消费者无产阶级,不能消纳工厂中的生产品,资本阶级不得不向海外觅销场,于是惹起国际战争;于是惹起经济恐慌;于是贫富的悬隔愈甚;于是欧洲的劳动者觉悟他们实在是被引到错路上来了。他们觉悟他们自己的正当权利,于是觉悟到以共同生产共同消费为原则的社会主义。一言以蔽之,资本主义给了他们一个好教训——但这教训的代价不小——使他们知道以自由竞争及私有财产为根本的社会组织是毕竟要使他们陷于资本主义的迷途而把自身做他的牺牲的,要谋社会全体的福利只有把这种自由竞争和私产制度永远除去,而建设永久的共产社会。阶级由对峙而争斗,而社会主义运动的大势以成,这是欧洲社会主义运动的由来。

所有社会主义在根本改造经济组织谋社会中最大多数的最大幸福,实行将一切生产机关归为公有,共同生产共同消费。

社会主义运动,就是用种种的手段方法实现社会主义的社会。至于所采取的手段,有激进缓进的分别,然就现实最新的倾向而言,一方面在联合一切工人组织工会,作为宣传社会主义的学校,学习管理生产机关,一俟有相当组织和训练,即采直接行动实行社会革命,建设劳动者的国家。它一方面则联络各国劳动阶级为国际的团结,行国际的运动,以期扫尽全世界资本阶级。

中国现在已是产业革命的时期了。中国工业的发达虽不如欧美、日本,而在此产业革命的时期内,中国无产阶级所受的悲惨,比欧美、日本的无产阶级所受的更甚。先前恃丝业、茶业、土布业、土糖业,以致制钉业、制钱业谋生的劳动者,今皆因欧美日本大工业的影响,次第失业,又不能赴欧美日本大工场,去充机械的奴隶,得工资以谋生。加以近年来国内武人强盗,争权夺利,黩武兴戎,农工业小生产机关,差不多完全破坏。中国无产阶级的厄运,实不能以言语形容。所以我说中国人民,已在产业革命的梦中,不过不自知其为梦罢了。

中国旧有的小生产机关,既然受了欧美日本产业大革命的影响,差不多完全破坏,而新式生产机关又非常的少。因此之故,中国大多数无产阶级的人民,遂由手工业者变而为失业者,专成为欧美日本工业生产品消费的失业劳动者了。所以中国的游民,都可说是失业的劳动者。

我并不主张利用游民实行革命。但是劳动者不幸失业而成游民,若有相当的团体训练,何以绝对不许他们主张自身的权利?梁任公一定要他们回复到了赁银奴隶的地位以后,才准他们发言,是何道理?

至说中国现时社会实况与欧美各有不同,这是我们所承认的。但是不同的地方,也只有产业发达的先后不同,和发达的程度不同,而社会主义运动的根本原则,却无有不同,而且又不能独异的。

所以在今日的中国而讲社会主义运动,在如何设法得以造出公有的生产机关,如何方能避去欧美资本主义生产制度所生的弊害,而不专在于争生产品的分配。梁任公既误认了这对象而主张"在奖励生产的范围内为分配平均之运动",这明明是主张贫人丐富人恩惠以谋生的运动,只可说是乞丐的社会主义运动。梁任公这公例,我就首先不承认了。前提既然不当,以后因此前提演出来的推论,当然也是不对。

照以上所述看起来,我们晓得欧美社会主义运动,决不是梁任公所说的"劳动者地位改善",也不是他所说的"均产",也不是专在于争分配了。

第二,要想为中国无产阶级谋幸福而除去一切悲痛,首先就要使他们获得生活必需的资料。要使他们获得生活必需的资料,首先就要开发生产事业。所以发达生产事业的一件事,无论是资本主义者,或是社会主义者,都是绝对承认的,只不过生产方法不同罢了!

资本主义有资本主义的生产方法,社会主义有社会主义的生产方法。今就这两种生产方法分别比较于下。

资本主义生产组织,一切生产机关,概归最小数资本阶级所私有,最大多数的劳动者,均为劳银的奴隶,完全受资本阶级所支配。劳动者与资本家的关系是人与物的关系。劳动者制造出来的剩余生产尽归资本家,自己仅得些小工资过活,还不能赡养一家。资本家专讲自由竞争,对于生产力绝对不谋保持均平,供给与需要不能相应,只顾盘算劳动者的剩余劳动,增加生产力,谋生产多量的商品,增加自己的私产。一时需要减少,生产过剩,其结果资本家别谋妙法填补,劳动者却因此大受恐慌,招来失业的苦痛,这就是产业组织不受政治力支配的恶果。社会主义生产组织却不是如此,一切农工业生产机关,概归社会公有,共同劳力制造生产物平均消费。商品生产可以全废,生产物不至于压迫生产者。人与人的生存竞争完全消灭。生产消费完全可以保持均平。一人利用他人,压迫他人的事实绝对不会发生,也没有经济恐慌人民失业的危险。所以资本主义的生产组织,是无政府无秩序的状态,社会主义生产组织是有秩序有政府的状态。这两者的厉害得失,我想无论何人都容易判别出来。

世间不懂社会主义的人,把社会主义看作洪水猛兽一般,当着这社会主义潮流澎湃而来的时候,这类人就大惊小怪,好像对于项城称帝张勋复辟一样,纷纷议论顺逆的态度。他们以为一旦实行社会主义,就破坏生产机关,或者将生产机关分散,生产事业就要永远停止,人民就得不着生活资料了。梁任公误解社会主义为均产主义的说法,也就是因为忘记了社会主义更有很好的生产方法的缘故。他或者不是不知道社会主义有很好的生产方法,而以为资本主义是一个必不可免的过程。那么,我就要告诉梁先生。若忧劳动者不经过资本主义不能自觉,这是个教育的问题。若忧劳动者自己没有发达生产的资本,那时资本却在劳动者自己身上,资本家要雇劳动者,共产的劳动者只须自己出气力。若说劳动者在起初毕竟少不得金钱的资本,那么资本家的金钱本来是要归还给劳动者的。

将来社会的经济组织必归着于社会主义,我想无论何人都当承认的。中国生产事业虽十分幼稚,远不如欧美、日本,然在稍远的将来,中国的社会组织必有追踪欧美、日本的一日。据现时趋势观察起来,欧美、日本的社会改造运动,已显然向着社会主义进行,中国要想追踪欧美和日本,势不得不于此时开始准备实行社会主义。

就中国现状而论,国内新式生产机关绝少,在今日而言开发实业,最好莫如采用社会主义。譬如我们要建造新建筑物,只好按着我们的理想去造,不必仿照他人旧式不合理想的式样暂时造出不合理想的建筑物,准备将来改造。欧美各国的经济组织,正如旧式不合理想的大建筑物一样,规模太大,转换不易,想要根本改造,实在是最难之事。请看欧美社会改造运动家,那样的努力、那样的牺牲,犹然达不到改造的目的,这就是最好的实例。梁任公说:"吾辈畴昔所想念总以欧美产业社会,末流之弊至于此极,吾国既属产业之后进国,正可惩其前失毋蹈其覆辙……及至今日,而吾觉此种见解什九殆成梦想。"然据我的推想,梁任公所说的不过是没有经验的"梦想"。因为他并未向着这个目标进行,并没有努力运动,又岂能期望社会主义自然实现吗?

梁任公主张要设法使中国国境以内建设适当之生产事业,以吸收失业游民使不至冻馁而死,资本阶级纵掠夺剩余生产亦可姑容。这样说来,我们的目的若果是专在使游民得衣食资料,那就有两条近路可走。第一,设法不开发工业,极力奖励旧式手工业生产,或者提倡国货,排斥外资,依梁任公所说,"凡吾国人消费所需,皆由吾国人自生产而自供给之"。照这样办,我国的生产事业也可望发达,游民可以减少,劳动阶级可以成立。社会运动得有主体,新社会亦可以实现了。第二,就是完全抛弃国家主义,主张将中国全土交各强大之资本国家共管。各国就可以用最大的加速度的生产力在中国开发产业。此时中国游民,不患不能得生活资料了。中国全国人民若尽成为劳动者,则以劳动阶级资格和世界资本阶级为最后之决战,世界的社会主义就可实现了。单凭思想,这两条办法,或者也可以试办。只有一层,就第一办法说,现在已不是闭关自守的时代,而且受不起外部的压迫,要维持旧式生产事业是绝对难办到的。就第二办法说,是爱国主义者所绝对不肯承认的。除了这两法以外,若一方面要采用欧美式资本主义,一方面要固执国家主义来谋本国实业的发展,那就是大大地烦闷了。我们有件事应当注意的,就是资本主义的背面,存有军国主义。若美、若英、若法、若德,都是资本主义最发达的国家,也是军国主义最强盛的国家。欧美姑且不说,就说新具工业国的日本,日本的工业发展的路径,不皆是海陆军助长而成的吗?中国是万国的商场。是各资本国经济竞争的焦点,是万国大战争的战场。各资本国在中国培植的经济势力,早已根深蒂固,牢不可破。当着产业万分幼稚的时代又伏在各国政治的经济的重重势力之下的中国,要想发展资本主义和各资本国为经济战争,恐怕要糟到极点了。梁任公认此是唯一可行之道,我看这唯一可行之道,反不免是空想罢。

至于梁任公说,中国现在没有劳动阶级不能行社会主义运动,若要行社会主义运动,惟有奖励资本家生产,"有资本阶级然后有劳动阶级,有劳动阶级然后社会主义运动有所凭借。"若照这样说,简直是为实行社会主义,才造劳动阶级,为造劳动阶级,才奖励资本主义,梁先生就有故意制造社会革命的嫌疑了。

中国境内的资本家是国际的,全国四万万人——由某种意义说,都可算是劳动者。——虽然有许多无业的游民,然而都可以叫作失业的劳动者。所以就中国说,是国际资本阶级和中国劳动阶级的对峙。中国是劳动过剩,不能说没有劳动阶级,只不过没有组织罢了。

若依梁任公说,中国若是没有劳动阶级,当然就没有资本阶级了。政治方面没有贵族和平民阶级的中华民国,又没有资本劳动阶级,就可以算作无阶级的国家了。社会主义运动就是要实现消除阶级的国家,中国既无阶级,又何须制造阶级?若因为行社会主义运动才提倡资本主义以制造劳动阶级,是梁先生有意制造社会革命,就不应非难社会主义运动的人了。我有一句好笑的比喻,譬如一个天然足的女子,就用不着我们说缠足的解放。若是因为要解放伊,故意为伊缠足,使伊得着有被解放的资格,然后再替伊解放,岂不是陷于"循环定理"吗?

诚如梁任公所说,资本主义可以达到社会主义,因而我们一面去"挖肉做疮"。那么,梁先生亦觉此法迂缓否?若是梁先生不怕亡国,我看只是照我前边说的话,让外国资本家到中国来开发实业,到了程度,中国社会革命自然也可以成功的。否则,索性慷慨点,也不要讲什么主义。世界的趋势,是必须要实现社会主义,资本主义是必须灭亡的。让他们外国的资本家来到中国做遁逃数,烛火余光,也必须熄灭的,等他将熄灭的时候,中国的劳动者一齐起来,联合世界的社会主义劳动者,同扑灭此荧荧余烬共建社会主义的天下,岂不省事!

第三,资本主义,在今日的中国并不是拯救失业贫民的方策。我们要知道劳动者的失业,就是因为新机器发明产业革命招致而来的。一架机器可抵数十百人的劳力。在资本制度的社会里,新机器增多一架,就增多失业者数十百人,所以在今日产业革命正在开始的中国,若更奖励资本制度的生产,并不会将产业革命的流弊根本除去,产业革命还是产业革命,不过将外国人的资本家变成中国人的资本家罢了。若果中国提倡资本主义生产,效力速,则一时间产业革命的影响烈,旧工业之下的失业者愈众。而能"丐余沥以求免死者"不过千分之一二而已,然而同时外国商业的掠夺不能说就可以抵制得了的。则又无非使中国的劳动者受一个两重的压迫罢了,救济一语还是空谈。效力迟咧,不消说了,梁先生对于资本主义所抱的希望都成泡影! 要等中国的资本主义发达到一面可以和外资抗衡,一面可以尽数吸收国内的劳动者,其中要经过如何长的时日。恐怕那个时期未到,"而我中国的四万万同胞,且相索于枯鱼之肆"了! 我们在这里做梦,外国的社会主义劳动者"且将匿笑于其后"了! 只有抱着国家主义的人听见自己国内也有资本家,也有兵强国富才眉飞色舞罢了。

其次讨论温情主义。梁任公既然主张资本主义,其当然的顺序,要归结于施行社会政策的。这种滑稽的办法,我们实在不敢苟同。现社会中经济的组织,不外两个大原则,就是自由竞争和私有财产。这两大原则就是现社会中万恶的根源,社会主义运动就是要把这两原则完全撤废。讲社会政策的大都不然,只主张借资本阶级的国家底立法,施行几项温情政策,略略缓和社会问题,并不是想根本的解决社会问题的。自由竞争和私有财产,还是依然存在,资本家仍可以行自由放任主义,积极地发展自由竞争,无限制的扩张私有财产。无产阶级呻吟于资本家掠夺支配之下,绝对得不到丝毫的幸福。简单地说,社会政策,就是处理社会问题的结果,并不是要铲除社会问题的根本原因。梁任公正在欲实行资本主义却就提倡社会政策,在方法上已是南辕北辙。还有一层,社会政策在欧美各国说起来,是资本主义和军国主义极端发挥以后所生的必然的结果,若果在资本主义和军国主义未发达的国家说,社会政策就行不去,而且也不能一一见诸实行的。就中国说,资本主义正在萌芽时代,人民因产业革命所蒙的苦痛尚浅,若能急于此时实行社会主义,还可以根本的救治,若果要制造了资本主义再行社会政策,无论其道迂不可言,即故意把巧言饰词来陷四百兆无知同胞于水火之中而再提倡不彻底的温情主义,使延长其痛苦之期间,又岂是富同情者所忍为? 资本主义是社会的病,社会主义是社会健康的标准,社会主义运动是治病而复于健康的药。只要问中国现在的社会病不病,什么病便下什么药。一定要把中国现在的病症移作资本主义的病症而后照西洋的原方用药,这种医生是不是庸医?"庸医杀人!"中国人民的元气已经丧到不能在丧了。梁任公对于资本主义所取之矫正态度说:"惟当设法使彼辈有深切着明之觉悟,知剩余利益断不容全部掠夺太过,非彼辈之福。"梁先生以为靠这一句空话,资本家便能奉行,劳动者便能安乐了吗? 资本家若果能有着明深切之觉悟,他们一定能觉悟到他们的最后命运——就是他们终于不能存在而必须让给社会主义的世界。若是没有觉悟,他们一定唯利是图。他们宽待劳动者,无非是免得受罢工的损失,而可以安稳的扩张资本势力;换句话说,即是使劳动者安于奴隶状态而不思反抗。况且谁可以矫正资本家? 国家是受资本家维持的,绅士式的智识阶级是受资本家豢养的,社会改造论者的空言是无补的,有实行力者唯有劳动家,而劳动家却被温情主义缓和了。梁任公要想在温情主义之下使劳动者觉悟,是不明社会问题的真相。要想由资本主义而温情主义而社会主义是不明欧洲社会进化的历程。

提倡某种步调与社会中事实有某种步骤是不同的。因为社会实况的中间,实行温情主义的时候,就有反对的呼声。反对的呼声,就是促劳动者觉醒的。提倡的人可不能自己反对自己。所以我说由梁任公的温情主义的主张是不能达到社会主义的。

第四,资本主义是国际的,并无所谓国界。资本主义既是侵略,所以无论何种社会主义,对于资本主义国际的势力必须采用国际的对抗方法。

资本家在各国蔑视国境并且超越国境营国际的生活。如所谓银行团国际托信等等,均有国际的生活,为国际的行动。各国资本阶级驱使劳动阶级如牛马。所以在现时资本主义国家的世界,必须厉行国际社会主义运动,支持国际的方针,和资本阶级国际的行动挑战。

劳动者没有祖国。社会党割分人类,以阶级不以国。若要假设一些纵线将国与国分开,就可另引一横线与各纵线相交,将资本阶级和劳动阶级截为两段。社会党只注重这横分线,不注重纵分线。社会党因为要增加本阶级反对别阶级的力量,想把所有的垂线取消,因为这些垂线纷乱劳动阶级的心理,妨扰劳动阶级的自觉,阻碍自己主义的进路,所以要谋国际劳动者的团结。

所以就社会主义者的立场而论,不论本国外国,凡见有资本主义,就认为仇敌总要尽力灭它,也不论在本国或外国,凡见有掠夺压迫的资本阶级,就认为仇敌,总要出死力战胜它。社会主义没有国界,资本主义也没有国界。我们不能说外国资本家所行的资本主义应该反对,本国资本家所行的资本主义就不应该反对。我们不能说本国资本家对于本国劳动者有所爱护,别国资本家对于本国劳动者更加虐待。资本家务必掠夺劳动者然后方能大行其资本主义,我们不能说本国资本家的资本主义所生的弊害比外国资本家的资本主义的弊害少。外国资本家把商品舶到中国卖,席卷金钱,存在自己衣袋里;中国资本家造出的商品在中国卖,席卷金钱也是存在自己的衣袋里。同是一样的藏在自己衣袋里,中国的无产阶级不能向他们领取分文使用,在劳动者有什么区别?

况且就现在的资本家说,他们并不排斥外国劳动者,不但不排斥,而且非常欢迎。资本家雇用劳动者,不问国界,也不问是亡国奴或是未开化的人民,只要他们甘愿受低廉的劳银做工,资本家无不欢迎。中国的劳动者遍布世界,各国资本家很欢迎他们,而且对于本国的劳动者反不愿雇用,因为本国劳动者要求高价的劳银,并且有时不肯受虐待。总而言之,资本家是虎,我们不能说,本国的虎比外国的虎不会食人,我们也不能说,只可抵抗外国的虎,不必扑杀本国的虎。资本主义是流行世界的瘟疫,瘟疫的菌能够流播全世界,我们不能说,本国的瘟疫不可怕,而外国的瘟疫可怕,我们也不能说,只可消灭外国传来的瘟疫,不必消灭本国的瘟疫。劳动者没有祖国,所以要谋国际的团结,要扫灭全世界所有的资本主义,这是马克思的教训,要谈论社会主义或资本主义的人,至少要了解这一点,不然,就要说门外汉的话了。

第五，梁任公要谋中国劳动阶级的产生发育强立，以为对全世界资本阶级最后决胜之准备。梁先生的目的，可说是非常远大，可是所主张的手段，只说要对劳动者灌输智识，助长组织，而先从疾病保险入手以促成真正的工会，借工会以与世界资本阶级作战，以期达到那远大的目的。这种手段，如何的迂缓固不待言，而且这也并不算是什么革命的手段，实不过是改良主义的社会政策派的劳动运动罢了。我想借此机会把社会主义运动的手段略述一个大概。

社会主义运动的手段很多，我只举出最重要的三种：一为议会主义；二为劳动运动；三为直接行动。这三种手段，究竟哪一种宜于中国，我想和大家讨论一下。

先就议会主义说。议会主义主张劳动者组织团体为参政的运动，想借立法机关，成立改善劳动地位或矫正资本阶级的法案，慢慢地改造社会。这种手段，没有多大的效果，我们看看德国社会民主党的先例就知道了。社会党要和作对的资本阶级在议会中妥协，试问能够得到什么利益么？不过要求资本阶级的政府行使社会政策倡办慈善事业罢了。社会根本改造事业，永远不能达到。欧美各国社会党，得了多年的经验，受了俄国革命的提醒，多能觉悟到议会主义已经破产而倾向于有效的激进的方面了。

再说劳动运动。劳动运动是社会运动最大的武器。可是劳动运动是社会运动的一部而不是全部，社会党若专靠行劳动运动，不能达到革命的目的。工会本是社会主义的学校，是劳动者学习支配管理生产机关的教场，学会了组织训练，准备组织劳动者的国家。可是不能利用罢工的手段来举行革命。因为举行总罢工实行革命，劳动者非皆有相当的教育和训练不可。劳动者既然有如许的教育和训练，其结果当然要实现新社会了。然而事实上决不能与理想相合的。所以劳动运动只可作为一种必要的手段，却不能算作社会运动唯一的手段。

现在说直接行动。现代各国进步的社会党都觉悟了。直接行动是社会革命的最有效手段，都晓得采用了。直接行动是什么呢，就是最普遍最猛烈最有效力的一种非妥协的阶级争斗手段。直接行动，可分两种：一种是劳农主义的直接行动；一种是工团主义的直接行动。工团主义的直接行动，主张用突发的总罢工的手段，实行革命。劳农主义的直接行动，主张联合大多数的无产阶级,增加作战的势力,为突发的猛烈的普遍的群众劳动,夺取国家的权力,使无产阶级跑上支配阶级的地位,就用政治的优越权,从资本阶级夺取一切资本,把一切生产工具集中到无产阶级的国家手里,用大速度增加全部生产力,这就是直接行动的效验。

以上三种之中,中国社会主义运动者,究应采取何种手段,我却不大留心这事。可是就我推测而言,或者不得已要采用劳农主义的直接行动,达到社会革命的目的。因为议会主义的手段,在欧美曾经实验过,并没有多大的效果,可说是已经破产了。劳动运动的手段,只于工业国相宜,而于农业国不相宜。其理由俟有机会再行详述。所以中国将来的社会革命专恃劳动运动恐怕不甚容易。除了这两种手段以外,只有采用直接行动的一法。而直接行动的两种之中,我看或者要用劳农主义的。工团主义的直接行动,专靠总同盟罢工的武器,也只能适用于工业国,所以俄国的革命运动,就要采取另一种方式,即劳农主义的方式了。俄国是农业国,中国也是农业国,将来中国的革命运动,或者有采用劳农主义的直接行动的可能性。

所以中国社会党人,若也抱着与梁任公同一的宗旨,想组织中国的劳动阶级和世界资本主义宣战,我看还是不必去办疾病保险式的工会,不如采直接行动,和各国劳动阶级为适当之联络,共同努力运动,反为有效。我并不是不主张劳动运动,只我不过不认劳动运动为社会运动的全部罢了。

我的讨论说完了,现在我把这篇讨论文字的大旨,简单明了的条陈于下:

其一,中国社会运动者,要联络中国人民和世界各国的人民,在社会主义上会合。

其二,为中国无产阶级谋政治的经济的解放,做实行社会主义的准备。

其三,采社会主义生产方法开发中国产业,努力设法避去欧美资本制产业社会所生之一切恶果。

其四,万一资本主义在中国大陆向无产阶级磨牙吮血,则采必死之防卫手段,力图扑灭。

其五,联络世界各国劳动阶级,图巩固的结合,为国际的行动,与世界资本阶级的国际行动对抗。

为达到上列的计划,采必要之运动手段:

其一，网罗全部劳动者失业的劳动者，组织社会主义的工会，为作战之训练。

其二，培养管理支配生产机关的人才。

其三，结合共产主义信仰者，组织巩固之团体，无论受国际的或国内的恶势力的压迫，始终为支持共产主义而战。

其四，社会党人不与现政党妥协，不在现制度下为政治活动，要行有效的宣传为具体的准备。

1921 年 4 月 8 日于上海。

（原载 1921 年 5 月 1 日《新青年》第 9 卷第 1 号，署名李达）

唯物史观解说[*]

（1921.5）

---

　　[*]《唯物史观解说》系荷兰郭泰（Hermann Gorter）所著，考茨基为之作序，李达据其德文本和日文本译成中文，1921 年 5 月由中华书局列入《新文化丛书》出版，至 1936 年 8 月共印行 14 版，各版内容相同。该书第十章"宗教与哲学"曾以"唯物史的宗教观"为题发表于《少年中国》1921年第 2 卷第 11 期。——编者注

序

这本书是我的朋友郭泰（Hermann Gorter）为他和兰的劳动者作的，自然也可以推荐于用德国话的无产阶级。

郭泰作了这本书之后，有许多批评家攻击他，说他对于唯物史观没有了解。我对于这一层很觉得有解释的必要，所以特为作这篇序。

我曾在 1903 年以《新时代》（*Neue Zeit*）的题目发表过我的思想，说在以前社会发达的过程上，道德的命令只在人所属的社会组织（即国民或阶级）内部才有无限的价值，但不能无条件地推广到那阶级或国民的敌人。这个事实上的观察，现在还很有人，尤其由基督教的教师们利用来对付我及我的党。他们是有名的爱真理的人，他们因爱真理的缘故，就把数千年来，即自人类发达的开始期以来，由一切阶级和国民所认识的这个事实上的观察，强词夺理地作为是我要求我的党员：在党的利益上有需要的时候，不要顾虑有价值的道德观察，并且去无礼的欺骗民众。我之所以要作那篇论文的动机，就是为反对从前的修正论者，现在的前社会民主党员柏伦哈德（G. Bernhardt），因为他为"高级"党员拥护欺骗民众的权利。

现在郭泰又作了同一的观察，但他因此比我尝了更苦的经验。他并不是因此受了反对党的反对，乃是受了同志的攻击。他们说他一点都没有懂得马克思主义，马克思自己所说的与郭泰所说的完全不同。

他们把万国劳动者同盟①的规约里面下列的文句引来作证据：

> 加入万国劳动者同盟的各团体、各个人，以真理、正义、道德，为一切

---

① 万国劳动者同盟即国际工人协会或第一国际。——编者注

> 团员相互间和对于一切人的行为的规律,不问其人种、信仰、国家。

这个文句是万国劳动者同盟规约的起草员马克思作的,但与郭泰的主张不相一致。

但我们第一要注意,这个文句与郭泰的主张毫无关系。他所说的,是从太古时代直到现在在各处发生的现象。规约里面只说明了同盟员的要求,并没有说明历史上的事实。

而且我们又不能说,这个要求是很适当的、明了的,说明出来了的。真理、正义、道德是什么? 各阶级没有他特别的正义和道德上的观念么? 互助不是无产阶级的道德么? 我们希望无产阶级的互助无条件地推广到资本阶级么? 不待说,资本阶级和无产阶级也有许多地方是对立在同一关系上的。在这种场合,无产阶级也是要永远与资本阶级一样实行他们道德所要求的互助的。米细那(Messiner)地震之后,急赴救助的无产者没有问问被没埋的是富的是穷的;只要找得着的,他们都救济了。妨碍了救助的,不是无产阶级的思想,却是资本阶级的思想;因为资本阶级把财产的救济作了第一要务。

凡在人不是与自然对立,是资本阶级与无产阶级在社会里面这样互相对立的地方,他们相互间自然没有互助之可言;一方面是想减少工钱,一方面是想增高工钱的。这两方面底要求各各都是要损害了一方面,才能成功的。

无产阶级与资本阶级明明白白相敌对的时候,无产阶级对于资本阶级是不负无条件的示明真相的义务的。谁人希望同盟罢工的劳动者把他们罢工基金的实在情形告知资本家呢? 对于敌人的资本阶级的这样欺骗行为,无论在甚么地方,都可以认为有阶级觉悟的无产阶级道德上的义务。

万国劳动者同盟的规约在这种地方,不待说,是含得有很正当的要点的。我们不能不承认真理、正义、道德,是我们相互间行为的规律。一个群众的一切战斗者间,不能有虚假。我们就是相信对于党员说伪话是于党有利的时候,我们也不敢如是。所以我在1903年《新时代》的论文上面说:

> 有合乎各社会组织的经济法则,亦有不可废弃的道德原理。这里面关系最重要的,就是对于党员不作虚假的义务。对于敌人,我们决不承认

这个义务;反之,一党里面如果没有这个义务,就不能有平等党员的永久的共同协力了。对于一切人不作虚假,是没有阶级对立的社会底道德,在实行阶级对立的社会,只是同阶级的各个党派里面的道德。欺骗党员,从前只在那两阶级共同协力各为互相利用而结合的党派里面才行。这就是基督教主义、僧侣主义党派里面的道德。

万国劳动者同盟底规约要把这基督教道德完全除去了,才能有价值。

在我所晓得的范围内,马克思只有一回引用过这规约底这文句,并且还是以厌恶他(欺骗同志的可厌)的意思引用的。他是对于巴枯宁派说的,因为他们在万国劳动同盟里面组织了一个秘密团体;他们以为"在秘密团体底存在上,在他言论和行动底主旨和目的上,欺骗不纯的同盟员,是他们老练家的第一任务"①。

彼此没有真实,党员不互相信赖,是不能把民主主义的党派引到作有力的争斗的。

但对于一切人(或许还要对于那逼迫我们朋友的警察),在一切情形,都守不作虚假的义务,无论如何,都是不行的。

如果万国劳动者同盟规约的那个文句,是出于马克思之手,我们就不能不说他是很不幸,并且又不能不说他在很有价值的思想上面,又加上了很谬误的形体了。我这几句话一定是要使相信马克思的人吃惊的。但马克思完全没有作这个文句。据我所知,关于这一层耶克(Jäckh)起初就在他《万国劳动者同盟史》(Geschichte der Internationale)里面指明了。我也曾达到了同一的见解,这个见解更由我们的同志,马克思的女公子拉发克(Laura Lafargue)证实了。

我们要晓得,马克思在万国劳动者同盟里面并不是一个独裁者。他为无产阶级的阶级斗争的一致起见,不能不采取许多他所绝对不能满意的决议。

万国劳动者同盟的规约不是由他一个人制定的,蒲鲁东派(Proudhonisten)和马志尼派(Mazzinianer)都是参与了的。如果我们因为马克思也参与了万国劳动者同盟规约底制定,要他对于这个文句负责;他还要连同

---

① 《对于万国劳动者同盟底反叛》,第33页。

紧接这个文句的第二段文句也要负责,这第二段文句在文法上,在论理上,都是与第一段一致的。连续的两段文句如下:

> 加入万国劳动者同盟的各团体、各个人,以真理、正义、道德,为一切团员相互间和对于一切人的行为的规律,不问其人种、信仰、国家。
>
> 他们不但以为自己要求公民权和人权为一切团员的义务,并且认为履行自己的义务的一切人要求,也是他们一切团员的义务。没有义务就没有权利,没有权利就没有义务。

对于含有真理、正义、道德的这段文句是不是出于马克思之手,还有疑问的人,如果看见了这段文句与说只为"履行自己义务"的一切人要求公民权利的这第二段文句关系很密切,这个疑问就可以减少了。这也是一个很可笑的笼统决案。究竟那个独裁者来决定那个是履行了自己义务,值得有公民权?关于国民的义务的思想,不但资本家与劳动者很不相同,就是在劳动阶级里面,通万国劳动者同盟存在的期间,也有很大的变迁。他们也实在是屡次在资本阶级特有观念的河流中游泳过的。同盟罢工在蒲鲁东主义者就是违背义务。那么,同盟罢工者就不能有选举权了。马克思自然不会发生出只为"尽了自己义务的人"要求普通选举权的这种思想。

马克思自然不能公然反对规约的这两段文句,这两段文句是他与人共同草定的,是他在全体上承认的。但由可信赖的方面所告知于我的看来,他对于这两段文句,是非公式地表示了他不满意的。况且也有近于公式的表示。

这个规约的草案是 1864 年在伦敦在成立报告的英文版的附录上发表的。这个草案成了正式规约之后,1866 年 4 月又由别加(Jean Philipp Becker)在更夫(Genf)发行的《先驱》(Vorboten)上面发表了。问题的两段文句在这里完全没有。这不能认为是别加厌忌他,是因为他难于找着理论的根据。

马克思未曾想由规约的草案中除去这两段文句么?用德文发表这规约的时候,除去这两段文句,是必要的,我因此(与耶克单独的)起初就注意到了:在规约起草的时候,就有过意见的不一致,这两段文句是受过反对的。

普鲁东主义者,在这规约里面,加入了马克思所必定反对的许多文句,这一层由下面的文句也可以明白。规约的草案第九节里面有规定说：

> 万国劳动者同盟的一切同盟员，由一个地方迁到别一地方的时候，得受同盟劳动者的亲爱的辅助。

这段文句还不能满足纲领制定委员会和更夫大会确定规约的委员会，大会的这委员会又附加解释说：

> 这个辅助的意想就是：
>
> （a）同盟员无论要往甚么地方去，关于那地方他所关系的职业的一切情形，均有向本同盟会要求报告的权利。
>
> （b）同盟员有酌量他所属部细则所决定的条件，和由这条件所得的收入，组织信用协会的权利。

关于插入这一段的原因，现在还没有明白；这是小资本家的蒲鲁东主义，这个主义是想用贸易银行和无报酬的相互信用协会来解放无产阶级的；这就刚刚与他们梦想了一个永久的正义，来把那由利己主义的原因产生出来的私有财产变而为理想的制度的一样。

蒲鲁东主义是支配了1866年大会的全体的。他们对于那由评议会所提出，现在还为模范的产业协会（Gewerkschaft）的提案，毫不感觉兴趣。关于这一层的讨论很短。这些热心家所热心讨论且为全场一致所采取的，就是巴黎代表所提出的下列提案：

> 国际信用协会底组织。
>
> （1）大会奖励各部研究信用协会，遣派能够以报告使一切同盟员都能够了解这种计划的劳动者到总会，以便下次大会能够决定计划。
>
> （2）大会奖励赶紧研究关于已经成立及要成立的劳动者信用协会，合并到后来成立的万国劳动者同盟的中央银行的观念。

更夫大会所引以为特征的决议,只还有一个,就是关于妇女劳动的问题。巴尔宁(Barlin)和布尔东(Bourdon)所提议的,就是:

> 教育底缺乏,过度的劳动,过少的工钱,工场里面不卫生的情形,今天对于在工场劳动的妇女,都是心身颓败的原因。这些原因能够以较好的劳动组织即协作社铲除。我们应当注意使女子在维持生活上所必需的劳动,养成充分的力量,并且使这个劳动不与伊本身分离。

这个很好的提议竟被摈除,由蒲鲁东派的耶马列(Ehemale)、托连(Tolain)、佛利布(Fribourg)所提出的下列提议反受了采取:

> 妇女劳动,在心身和社会的关系上,是种族颓败的原因之一,又是资本阶级风纪颓坏的原因之一。
>
> 女子由自然受得有一定的天职,伊的地位是在家庭;伊的天职在教养子女,为男子整顿秩序,维持家务,保持温柔的习惯。这些都是女子所不能不尽的天职,不能不作的劳动;把他们弄出家庭之外,是一件不好的事。

对于劳动妇女的这种凡庸的解释,就是真蒲鲁东主义。

我们简单地把万国劳动者同盟的一切宣言,都归罪于马克思,是错到极点的。有许多宣言是由反马克思的分子弄出来的。我们如果要引万国劳动者同盟来证实马克思的思想,我们就非先将马克思思想自身,与万国劳动者同盟时代的别派社会主义的精神间的区别,明白理解不可。

我们要好好地了解了唯物史论,反对万国劳动者同盟的许多决议和规约的许多文句起来了,我们才能成为一个很好的马克思主义者。

万国劳动者同盟的这两段文句,绝对不是出于马克思之手。我们如果以所谓马克思底这两段文章为满足,无批评地向这两段文章低头,我们就不能算是真马克思主义者。若果从马克思别的方面努力研究,就自然没有人愿意反对像马克思这样精神上伟人的坚实思想家。在上述的情形,也是没有必要的。

我为说明郭泰是了解了唯物史论,对于万国劳动者同盟的规约提出的这

个异议,在我所晓得的范围内,还是唯一的异议。德国的读者诸君大概是要自
己来检查他这本书的。

柯祖基

第一章　本书之目的

社会主义,不单是要靠政治运动即掌握国家政权,来把生产机关的私有,即自然力、器械,及土地的私有制度变为公有制度;换句话说,社会主义不单是有政治战争及经济战争的意思,实在还有最深的意思,就是对于绅士阀即富力阶级行哲学上的思想战争。

劳动者要想征服绅士阀,要想由自己阶级掌握权力,非先把自幼时起在国家和教会里牢记心中的传统旧思想排除不可。劳动者单单加入工会加入政党无济于事。若不先改造自己的内部变成一个转生的人,总不能战胜敌人。于是这里就有一种考察事物的方法、观察世界的方法,就是一种哲学。这种哲学虽然受绅士阀痛切的排斥,可是劳动者要想征服绅士阀,无论如何,非采用这种哲学不可。

资本家要用下述的话,说服劳动者。他说:"精神高高的立在这社会物质生活之上。精神支配物质,而且物质是从精神之中造出的。"他们利用精神作为统治人民的手段,直到现在。他们役使科学,役使法律,役使政治,役使文艺,因此掌握了统治权。所以无怪他们瞒住劳动者,说事物本来的关系如此如此;说精神本来是支配社会的物质生活;说工场、矿山、田野、铁道、船舶等一切劳动者的劳动,都被精神支配。相信这种话的劳动者,就相信精神单独产出物质,造出劳动,造出社会阶级的事情;像这种劳动者,结局要屈服于绅士阀及拥护资本家的僧侣学者等人之下。其理由就是因为绅士阀把大部分的学问握在自己手中,又领有教会,因而领有精神;所以当然要支配他人了。

绅士阀为维持自己的权势,就要使劳动者相信他们这种话。

然而劳动者想变为自由人,即是要想由自己阶级掌握国家权力而从现时权力阶级取得生产机关,就要明明白白考察一下。前面所述绅士阀的说法

(说明的方法)全然是相反的事情。精神不能决定社会生活,乃是社会生活决定精神。

劳动者若抱着这种思想,就可以免却绅士阀精神的支配,反对绅士阀的思想而成为最有力最正确的自己特有的思想了。不单如此,劳动者若晓得了社会的发展,是自然而然地向着社会主义进行,自然而然地准备社会主义的,若又晓得他自己的社会主义思想是由社会生活发生的,那么,他必定更能觉悟这件事了。我们周围的社会所发生的事变,是我们头脑中先发思想的原因。社会主义的事实,业已在这社会中显露出来,所以社会主义的思想也已经在我们头脑中发生。于是我们方晓得在现实之上去获得真理。所以,这是一种把社会革命所必要的意气和确信给劳动者们的思想。

这种智识的养成,对于劳动者也和工会组织政党组织一样,一定要有才好。劳动者行经济运动也好,行政治运动也好,若没有这种知识,总不能圆满的达到目的。劳动者成了精神的奴隶,于物质上的争斗,也有非常的妨碍。必定要使他们觉悟,自己虽然是贫穷的劳动者,而在精神方面比有权力的人还要强大,然后方能发生自重心,同时方能发生击破那有权力人的能力。

唯物史观(唯物的历史观、历史的唯物论)说明社会生活决定人的精神,把人的思想归入一定的轨道,决定个人或阶级的意志和行为。

本书以下想为劳动者把这唯物史观的真理,简单明了地说明出来。

第二章　历史的唯物论与哲学的唯物论

　　为略事防止偏见与误解起见,特于说明唯物史观之前,先说明唯物史观的反面。恩格斯与马克思所建设的唯物史观(或历史的唯物论)之外,还有哲学的唯物论。这哲学的唯物论又分几派。这唯物论与唯物史观不同,它并不是论述精神如何依赖社会状态,如何依赖生产方法、器械与劳动而取一定轨道进行的问题;乃是论究肉体与精神、物质与心灵、神与世界的事情。这种哲学论是解说思想与物质大概关系如何,思想起源如何的问题;而唯物史观则不然,它是说明某时期内某种思想所以发生的原因。例如哲学的唯物论上说:物质是永劫的东西,而精神是在某种事情之下发生的,那种事情若是没有,那种精神也消灭了。唯物史观则说:劳动者的想法所以与绅士阀不同,是由于某种原因所产生的结果。

　　哲学的唯物论与唯物史观有很大的差异。前者探究思想的本质;后者探求思想变化的原因。前者要说明思想的起源;后者要说明思想的变迁。前者是哲学的;后者是历史的。前者豫想思想与精神尚未存在的状态,而后者预想精神的实在。

　　所以要研究或学习社会主义理论的人,非先明白晓得这种区别不可。我们的反对论者,尤其是信仰宗教的人,总把这两种区别混合起来;依了基督教劳动者对于前者的恐怖,同样地把后者也要排斥了。教会的牧师说:唯物论不过把全世界当作机械运动的物质;以为只有物质和势力是永劫绝对的存在;以为思想只是脑髓的分泌物,和那由肝汁肝脏分泌出来的东西一样。总之唯物论者崇拜物质,而唯物史观与哲学的唯物论却是相同。于是一些旧教地方的劳动者像奴隶一样的崇拜精神,而明白与精神本质有关系的社会主义者真实见解的——像狄更(Joseph Dietzgen)所说的——人,因为很少,所以一听见牧师那种说法,立刻就相信了,以为一听社会党的演说,就会要变为物质的崇拜者就怕将来要堕入永劫地狱了。

上面的那样说法,全是假话。此后要举许多实例,证明唯物史观不是说明精神与物质、心灵与肉体、神与世界、思想与实在等一般的关系,乃是说明依社会变化所产生的思想的变化。

我们因此就可由基督教(及精神主义的)策士之手,夺取一个有力的武器。

然而也不是因为唯物史观与哲学的唯物论不同就说唯物史观不能到达总括的宇宙观。唯物史观实与一切实验科学相同,是达到哲学的宇宙观的一个手段。这即是对于劳动者的唯物史观的重要意义。唯物史观引导着我们达到一种宇宙的概念。这种概念尤其不是纯粹器械的,不是基督教的,乃是一种特别的社会主义的新宇宙观。唯物史观自身虽不就是这宇宙观,而与进化论、自然科学、马克思资本论、狄更认识论等相同,是达到这宇宙观的一个方法、一个手段。为达到这种宇宙观,于上述各手段之中,若仅取其一则不能足用,实有必须协和各种手段的必要。

本书是单论唯物史观的,所以不能充分说明社会主义哲学的宇宙观。以后举例说明本题的时候,再有说及这哲学的宇宙的机会,所以对于唯物史观与其他科学集合构成的这种综合哲学,多少总要为读者诸君说明。

第三章　这学说的内容

一、劳动技术、劳动器具、生产力

然则这学说的内容,大体是如何呢? 要表示这学说的真实与正确之前就应当先把这学说所证明的事情明了地概说出来。

大凡无论何人,若把自己周围的社会生活考察一番,就晓得这社会中各人是由一种关系互相对待的。他们在社会中不是平等的;或在上段,或在下段;是成为互相对立的团体或阶级的。皮相的观察者说:这些关系只是财产的关系,一方面的人或有土地,或有工场,或有交通机关,或有商品;而他一方面的人无论什么都没有。又说:这些差别,主要的是政治的东西,某一团体掌握国家的权力;其他团体差不多没有势力。可是考察事物最深的人,却晓得这财产关系政治关系的背后,实在还有生产关系存在。这生产关系,就是这社会里关系必要的生产事业中人与人的关系。

劳动者、企业者、钱主、运输业者、大地主、小佃户、贩卖店、小卖店、放债者等等,都是生产过程上各个的地位生出来的区别。这种区别反是最深的,就是一方有钱一方没有。把自然界的富财采取与制作,这就是社会的基础,所以我们人类是常常用劳动关系,即生产关系,相互结合的。

这种劳动关系,究竟又因什么东西支持的呢? 资本家、劳动者、地主、佃户,以及此外组织这社会的各种人,无论如何称呼,他们莫非是这种虚浮在空中的形态么?

这种关系,是因他们在地面上,在自然界里应用于劳动的技术、器具等物而决定的。工业家与职工,依机械而生,并且隶属于机械。若没有机械连工业家也没有了。至少照现在这样的工业家和职工也没有了。

从前简单的手织机械,生出家庭中人做的家庭劳动。自从木制的机械发明以后,就生出了师父与徒弟的社会了。最后用蒸汽、电气运转的铁制织物机械发明以来,于是又生出大工业股东、企业者、银行家、赁银劳动者的社会了。

生产关系,并不是空中浮着的云烟,实在是已经造了一个框,把人类关在这框子里头的。生产过程,是物质的过程;劳动器具,是关住我们的那个框的边和底。

劳动技术、劳动器具、生产力,均是社会的根底。这是此大而且杂的社会组织赖以存立的根本基础。可是人类一面因那种实质上的生产方法造出社会关系,同时又因这关系造出思想,造出世界观,造出根本原理。资本家劳动者及其他各阶级,各因自己营生的社会的劳动技术不同,不得已以主仆君臣或以有产者无产者,或以田主佃户的特殊关系相互对立;这种对立虽是不得已发生,而资本家劳动者,考察事物的时候,却自然而然成了资本家劳动者的思想了。他们不是抽象无形的人,他们是具体的活着的现实的人,或是生活于特殊社会里的人,所以才作成那种思想和观念。

所以不单是我们的物质关系,被技术所左右,被劳动与生产力所支持。实在是我们要在自己的物质关系之中,或在这物质关系之下,去考察事物,所以我们的思想,也直接地被物质关系所左右。因而我们的思想,又间接地被生产力所左右。

近世劳动者的社会生活,是由机械造成出来的。他们的社会思想,是他们立于劳动者的地位而应付那种关系的东西,所以直接地因近世的机械而支持,间接地被近世的机械所左右。资本家社会中一切阶级,都与这种相同。所以各个人与他人对立的关系,决不仅自己一个人所能适合。人不是在社会上孤立的,必定与他人生一种特殊关系,也有许多人用那与自己完全相同的关系和他人对立。譬如再把劳动者作比喻,劳动者决不单是自己一个人成了赁银劳动者和他人对立。他是多数中的一人,是由数百万人而成的阶级中的一分子。这数百万人,都是赁银劳动者,和他的境遇相同。文明社会中一切的人,都是一样。一切的人,或属于团体,或属于阶级。即团体中各分子,那阶级中各分子,对于生产过程,都有同一的关系。所以某劳动者、某资本家、某农夫等人,由劳动关系上面看起来,必然有某种社会的考究方法;这种事实不特是真实的,而且他们的宇宙观,他们的思想,他们的观念,在其大体的调子里都与那在同一境遇中的其他千万人一致共鸣。这就是阶级特有的思想,正与在劳动过程中所有阶级特有的地位相同。

二、劳动关系、财产关系、生产关系

在本节中也把这学说的大体说述一下。凡资本家、企业家、劳动者等各阶级所生的劳动关系的形式,在资本家社会及一般阶级的社会中,即是所有关系(财产关系)。资本家、赁银劳动者、商人、农夫等,不特在生产上占有特殊的地位,就是在那所有物在那财产上也有特殊的地位。收入那种分配物的股东,在生产关系上也不单是干那贷金的职务,并且也是企业、生产机关、地皮、劳动器具、原料、生产物的共同所有人。商人不单是交换者、经纪人,并且是那贩卖品和利润的所有人。劳动者不单是制造财物的人,并且是日日零卖的劳动力和赁银的所有人。换句话说,在分了阶级的社会中,劳动关系同时又是所有关系(财产关系)。可是古代却与现在不同。在原始共产社会中,土地、共同家产、家畜等生产机关,都是共有财产。主要的社会劳动,都在协力之下合作,除了性与年龄之外,人在生产过程上一概平等。那所有物中完全没有差异,纵有差异,也是极少。

然而在劳动分业盛行生出了特殊职业以后,在劳动技术进步与分业的结果,生活的直接必需品以上的剩余产生出来以后,智力或战斗力占优胜的有职业者,即是僧侣武人之辈,遂至于领有这剩余,更领有生产机关了。于是社会遂发生阶级,劳动关系遂在私有财产的形态中发生了。

"阶级这种东西由技术的进步和劳动的分业而生;阶级关系,财产关系都根据于劳动。技术的进步,遂使一种有职业的人,站在可以领有生产机关的地位;所以生出有产者和无产者的区别;大部分的人民,变了奴隶,变了农夫,变了赁银劳动者。"

可是这种剩余(即技术与劳动造出直接生活必要品以上的剩余)渐次增大,而有产者的财产也渐次增大,有产无产两阶级的悬隔就越发显明了。阶级的争斗也在同等的程度发达了。阶级斗争的意思就是各阶级争去领有生产物及生产机关的事情,以后就变为人类社会中一般普通的生存竞争形式了。要之,劳动关系是财产关系,而财产关系又是互相争斗的各阶级间的关系。这些都是根据了人类劳动的进步,由劳动过程,劳动技术之中生出来的东西。

三、生产力与财产关系之矛盾

然而技术的进展是不休止的。或者急速或者缓慢继续进步发展,即生产力是时常发展,生产方法是时常变化的。生产方法一生变化,人在劳动过程中互相对立的关系也必然变化了。往时的师父对于伙友和徒弟的关系,与今日的大企业家对于伙友与赁银劳动者的关系,完全不同。今日的机械生产,使那种劳动关系变化了。在阶级的社会中,生产关系就是财产关系,所以前者一经革命,后者也被革命了。于是宇宙观、思想、观念等等,在人的生活内部,随着那种关系形成出来,所以劳动生产和财产若是变化,人的意识和自觉也随着变化了。

于是劳动与思想,遂如此不断地变化、进步、发达。"人类依自己的劳动变化了自然界,同时又把自己的性质变化了。"生活物质的生产方法,控制社会生活的全部。"不是人的自觉决定他的生活,反起来说,乃是人的社会生活决定他的自觉。"

然在人类进步发达的某阶段中,社会的物质的生产力,就与当时现存的生产关系及财产关系矛盾冲突起来。新生产力在旧关系中早已不能充分发展了。于是以旧生产关系及财产关系为利的人,和那以发展新生产力为利的人就起了争斗。这就是社会革命的时代,其结果新生产力遂占胜利,可以使生产力兴旺的新生产关系发生了。

于是人的思想也随着这革命变化了。思想是与革命共同变化的,而又变化于革命之中。

以上是唯物史观的概要。兹为使人一目了然起见,更摘要写几条如下:

1. 劳动技术,即生产力作成社会的基础。

生产力决定生产关系,即决定生产过程中互相对立的人与人的关系。

在分成阶级的社会中,生产关系同时又是财产关系。生产关系与财产关系不单是个人间的关系,又是阶级间的关系。

2.技术继续发达。

生产力、生产方法,以及生产与财产及其阶级关系也随着继续变化。

所以人的自觉即对于法律、政治、道德、宗教、哲学、艺术等思想观念,也和生产关系及生产力共同变化。

3.新技术在他进步的某阶段上,与旧生产及财产关系相矛盾冲突。

结局新技术得胜。

以旧形式为利的保守阶级和以新生产力为利的进步阶级之间的经济斗争,造成法律上政治上宗教上哲学上及艺术上的种种形式,这种种形式表现在两者的自觉之中。

四、掘翻资本家的基础石

以下专就上述各说,正确的证明,即是要用许多实例说明思想变化和技术变化之间的因果关系。能够办到这一层,就可以掘翻资本家对待劳动者的权力的一个重要基础石了。何以故?因为劳动者要做世界的支配者,若得技术的和生产力的发展所许可,就可以成功,什么神的操纵力,什么人的超越的精神力都不能妨碍他,无论物质的方面或精神的方面,都可以由上述的证明,同时还证明这事能够成就。

第四章　实例之说明

一、最单纯的实例

举在这里的实例,第一是要简单。若使那些缺乏历史上知识的劳动者不能了解,因而读了以后不能明了并且确信,那就不成了。所以我们就那影响所及的地方,能够见到的大事实、大现象举了出来说明。唯物史观说若是正确,那么,对于历史的全部自然也非有效不可。一切阶级斗争,一切阶级和社会的思想变化,非一一由这唯物史观说明不可。可是要由唯物史观从历史上各年代引些实例出来,历史上的知识,最为必要。而且对于不甚明了的时代或事件,若适用唯物史观最为危险(此事后来还要说明的)。本书的著者和读者,没有那样深的历史上的知识,所以这里所举的实例,不但要选那最单纯的东西,而且要依据现代的事实。这种实例即是劳动者在自己周围所能认识的大现象,无论何人常常见的那种社会的事实和社会思想的变化。而且就是在那些现象之中,也要选出于劳动阶级大有关系的问题,即是要用满足劳动阶级的事情(即社会主义),方可解决的问题;因为这类问题的解决,自然要成为社会主义的主张,而且也可以说是一种传道。

可是对于唯物史观有一种很激烈的而且一见好像有力的反对论。这里特就所议论的各种精神现象(例如政治思想、宗教观念等),把最大的反对论一一介绍出来,加以驳斥。如此,自然可以顺次把唯物史观由各方面观察,可以窥见他的全豹。

二、新技术所生的各种变化

由技术的变化生出来的物质上的变化,无论谁人立刻就知道的。无论何种工业,无论交通机关,技术若是变化,生产力也随时变化。这是我们日常所看见的。

譬如印刷的活字,先前用手,到了技术进步以后,就发明了排字机械,这种机械,排字人可以随意把多数活字一齐取来,一一安置在适当地方。又如吹玻璃一事,最初用口,到了技术能发明一种机械以后,就是玻璃片和玻璃瓶,都可以自由吹成了。以前吃的牛酪,用手制造,到了现在却用机械,可以在最短时间内,把多量牛乳化为牛酪,一切都用机械制造了。碾粉一事也是一样,从前小小面包店在土窑中用手碾粉,到了现在,大工场中却用机器来碾了。古时晚间点用煤油灯,每日要擦灯一次,添上煤油,换上灯心,到了现在无论何处人家,都有煤气和电灯,由远方机械通到了。生产力这种变化,在工业中随处发生,而且变化发展愈益急激。就是平常觉得用机械做不到的细手工,也有机械发明出来了。

生产力变化,生产关系跟着变化,生产方法也跟着变化了。机械织机发明以后,机织业者之间,以及他们与职工之间,生出种种与以前不同的关系,这层是前面业已说过的。就是以前,多数小织工共有小织厂,比较地使用少数赁银织工,到了现在赁银织工无虑数十万,工场主和企业者,比较反占少数。工业家都是些大绅士互相对立,对于劳动者变成了东洋式的专制君主。这样大的变化都是由机械发生出来的结果。

使有机械的人得富,使竞争者得胜,使托辣斯这一类东西出来利用绝大的资本,都是机械使然的。夺去小资产家的资产,使几千几万的人流为赁银劳动者,这都是新生产力使然的。

把牛酪制造作为比喻,来考察新生产力所生的影响,使几千立方米达的牛乳立刻变为牛酪的机械,价值高贵,普通的农家不能购用,而且单是一家也不能买许多牛乳。于是百家的农家联合起来,共同购用机械,共同制造牛酪了。这事就是表明生产力一经变化,生产的方法也跟着变化,生产的方法种类一切都要变化了。从前百个农夫,各干各的事,妻女帮助着在家里制造牛酪,到了现在就不同了,百人联合起来,用共同的计算,使用赁银劳动者了,农夫自身和妻女和雇工,对于彼此,对于社会,都站在新生产关系上面了。

把煤油洋灯为例,从前的灯火,一切都归主妇办理,数十万的主妇,各在各的家庭,从事灯火的生产,可是到了城市乡村有了煤气工场,有了电气事业以后,对于灯火的生产关系,骤然变化了。现时已不是一个人去生产,乃是城市村乡的大社会机关去生产了。从前稀有的新种类的劳动者,无虑数千人都现了出来,和从前灯火生产者完全在另一种类的关系上相对立了。

以前货车和马车担任国内运输事务,可是技术发明了电信和蒸汽汽锅,资本家的近代政府,因此把人和货物和新闻等收归自己手中。于是无虑数十万的劳动者和使用人,都站在新生产关系上头来了。在今日的自治团体和国家中对于公共经营事业有直接生产关系的人物,较之往时武装的武士还要多。

大凡无论何种事业,没有不因新技术输入新生产方法的,学术上的研究所,发明家的实验室,以及洒扫尘芥的那样最下等劳动,自上至下,一切技术都继续变化,劳动的方法也随着变化了。在现世界中,发明并不是偶然的结果,也不是天才的事业,实在是故意教育出来的,是依已定方针去研究的人的事业。所以各种事业,现在都是这样的正在革命。

生产界的各部分都一一受了变化,或者完全废止了。所以近代资本家的国家经营生活,正和近代大都市改正区域,把旧家屋、旧道路依次改筑的一样。

近世新技术又造出大资本,造出大银行,造出各种信用机关,因此增加几倍大资本的力量。

新技术又助成近世的商业,生出多量的货物和资本的输出额,因此多数船舶遮蔽了海面;又为采取矿产物或农产物的缘故,竟把全世界化为资本主义的奴隶了。

新技术又生出强大的资本家的厉害关系,而拥护这种厉害关系,只有国家的力量方能做到。所以新技术又造出了近世的国家,造出海陆军,造出殖民政策,造出帝国主义,造出多数官吏和官僚的组织。

上面既然举了许多实例,我们就晓得新生产关系即是新财产关系,不必絮说了。德帝国拥有生产机关的人数,在 1895 年至 1907 年之间,人口虽然增加,而在工业方面约减少了 84000 人,在农业方面,约减少了 68000 人。又卖劳动力谋生活的人数,在工业方面约增加 300 万人,在农业方面约增加 166 万人。小经营的各种事业消灭了,市民和小农人的徒弟,降为赁银劳动者的人无虑数千万,这不单是生产关系的变化,在同等程度说,并且是财产关系变化的结果。今日所称的中等阶级,不就是有新财产关系的一个阶级么? 官吏、将校、学者、文人、牧师、律师、医士、艺术家、事务员、小卖商人中等商人等一流人,或者由绅士阀得些报酬,或者直接间接经过国家之手得些报酬;这种中等阶级与古时所谓中等阶级其财产关系,完全不相同了。近世大资本家有银行、有银行团、有托辣斯、有(Kartelle)①,又握着世界政策,他们与古时福罗仑斯人(Florentiner)、威尼斯人(Venetianer)、汉萨人(Hanseatischen)或和兰英吉利等国古时商工阶级比较起来,他们对于社会全体完全站在相异的财产关系之上。

三、新技术与新阶级的关系

由上面看起来,可知生产关系和财产关系,不单是个人关系,实是阶级关系。

新技术在一方面增加造出无产者的速度,比人口增加的速度还要快。这些无产的人渐次增加占了人口的大部分,对于社会的财富,却差不多没有份。同时又造出一些靠点小收入谋生活的佃户、小百姓、苦力及种种中等职业者的群众。而在他一方面又造出一些藉政治上经济上的权势吸收社会大部分财富而比较占少数的资本家。

这些资本家年年用所产出的大剩余,更对于无产者小产者劳动者小佃户小百姓及资本制度不发达的外国,实行掠夺和榨取,急速地利上生利的集积,一方生出过甚②的缺乏,一方生出社会之富的大过剩。

所以技术进步,不单是造出新生产关系和财产关系,而且也造出了新阶级关系;所以就现在说技术的进步,造出了很大的阶级悬隔,造出了很大的阶级争斗。

我想以上的事,无论何人当然没有异议。这些小事,无论谁,都能认识。阶级与阶级间的悬隔,一天比一天大。今日的阶级争斗,比50年前的阶级斗

---

① Kartelle 即卡特尔。——编者注
② "过甚"疑为"过剩"。——编者注

争更大更广而更深。阶级间的间隙，年年加广加深加大，而其原因则在于技术，这实是很明白的事情。

四、物质生活之物质的原因

我们在这里要说明事实之物质的方面，都是可以容易理解的。

例如撒格逊（Sächsischen）、魏斯发里亚（Westfälischen）的农人之子，已变了工场中的劳动者，他们的境遇的变化，自然是因为技术因为新生产方法的产生，毋须多述了。小规模的农业早已没有希望。因为竞争也太激烈，所需的资本也太大。用小规模干，能够得相当利益的极少，大部分都受损失。就是把这些事看起来，也就可明白了。大资本就是大技术。握了拳头和大技术角力，到底是不能的。劳动者的物质境遇（即是不足的食物，粗恶的住居，恶劣的衣服）都是新技术产生出来的物质结果。这件事，在近代的劳动者，都很知道了。所以把一切阶级物质的境遇和财产关系及生产关系结合，再拿来和根本的生产力结合起来考察，实是很容易的事情。试将今日那些资本家豪奢的衣食住一看，无论何人，也都晓得那些并不是神赐的东西。他们那些财富和那种生活，都是榨取他人膏血的结果。又试将今日的商业和投机事业一看，无论何人也都晓得这并不是前世注定的东西。又今日的劳动者常常失业，常常生病，常常遭不幸的事情，无论何人也都晓得这并不是神的责罚。这些悲惨苦痛的事情，一切都是由新技术中自然的或社会的原因而生，这也是人人知道的（劳动者最能知道的）。又在今日的世界，成功和失败的责任，不能归究个人的才能和性情，因为大资本家压迫过甚，就是有优秀才力的人物，也不能够战胜几百万人而成功的。

今日的社会，业已进步发达，在我们的自然界及人类的社会里对于物质的生活之物质的原因，都容易明了的观察出来了。

我们晓得太阳是地球上一切生命的根源，依同理，我们也晓得人类的劳动过程及生产关系是现在我们眼前物质的社会生活的原因。

劳动者若是冷静地把自己和自己同僚与立在自身之上的阶级关系，仔细的观察起来，立刻就会知道上面所说的话是正确的。若是明白了这一点，就可以除去以前许多人的偏见和迷信的大部分了。

五、劳动是人类精神的根源

可是论到人类物质的劳动（即生产及财产关系）与精神的交涉，这个问题就难答了。说到精神，说到灵，说到心，说到理性，自古以来常把他当作独立者、优胜者、全能者（甚至是唯一的独存者）来说明了。

可是这里我们所谓"社会生活决定人的自觉"的话，其总括的意义虽为新发见的真理，可是表示这种倾向的话，在马克思、恩格斯以前已经有人说了出来，为他们两人所发见的新学说的准备。

例如习惯、经验、教育、境遇等等，从精神方面把人造成了，这件事在今日的有心人都很知道，就是在马克思、恩格斯以前，也曾经明白被人指示出来。习惯这种东西，不是社会产出来的么？教育我们的人，先前不是也受了人家的教育然后把社会的教育授予我们的么？经验这种东西，不也是社会的东西么？我们不是鲁滨孙那样过孤独生活的人。我们的境遇是社会的，比较什么都要早；我们先站在这社会中，在自然界谋生活。单只是这件事，就是非马克思派，非社会主义者，都是的确认识的。

唯物史观于此更进一步。即是聚集以前一切学问知识更深进一步。社会的经验、社会的习惯、教育、境遇等等，也是依社会的劳动和社会的生产关系而决定的。精神即是从这根本上发源的。

在精神生活的某一方面，这种事最容易认识出来。我们先从这一方面开始，次章以下，依实例证明唯物史观。

第五章 科学、智识、学问

一、劳动者的知识之由来

科学不是包括精神界全部的东西，可是占据精神界重要的范围。而科学的内容是如何决定的呢？

劳动者读这部书的时候，要先把自己的事考察一下才好。自己心中所有的智识的范围和种类究从何处得来的呢？

劳动者对于读书、写字、算账多少有些智识（此处自然就一般普通劳动者说的，特别的不在此例）。他当着年少的时候，多少总还学了些地理和历史，可是大概都忘掉了。然而他只能受这种贫弱的教育而不能多受教育，这是什么缘故呢？

这些事并无别的原因，就是由于现社会生产关系产生的生产过程所决定的。支配所谓文明各国的资本阶级，他们所办的工场，反要用那不是完全没有教育的劳动者，所以他们为劳动阶级的儿童设小学校，从 12 岁起至 14 岁止，定为义务教育年限。这就是绅士阀在那生产过程上所用的劳动者，不是完全无知识，也不是真正受了教育的一种证明。因为劳动者若是全然没有知识就不好使用，若是真受了教育，又不经济而且桀骜不驯。近代的生产过程，要继续加增生产的速度，供给多量的生产物，所以要用一定的新机关，可是同时又要用一般具有与往时职工不同而有某种资格的新劳动者。生产过程对于社会挟着这种欲望，而且就其本来的性质说，也要造出这种欲望的。试就 18 世纪设想，当时的生产过程，不是连这一种的劳动者都不要么？

二、科学家、技术家、法律家及僧侣之必要

劳动阶级的智识,由来如此,而他种阶级的智识也是相同的。

资本家的大工业,交通机关及农业,越发非在自然科学上立脚不可。近代的生产过程原来就是有意识的科学的过程。新生产技术使近代自然科学的进步,得了基础,科学又为那生产技术发明劳动器具,并造出由外国收取生产材料的交通机关。生产作用,自觉地利用了自然力。所以近代的生产过程要求理解自然科学,理解器械学,理解化学的人物。若是没有这种人物就不能举办生产事业,就不能发明新方法新器具。所以顺从生产过程所产出的社会欲求,而各实业学校,高等学校多注重自然科学,尤重在教授于生产过程的成就和发展里必要的各种科学。

所以现时器械学、造船学、农艺学、化学、数学等一切自然科学,都依生产关系决定它的地位。

同上,再就社会阶级举例。律师、法律学者、经济学者、裁判官、公证人等等,他们所执行的业务,不就是预想某种特定的财产关系(即生产关系)的吗?他们不是这资本的社会要求他们来确保财产权或拥护财产权的吗?他们的特殊思索法不是由绅士阀阶级所造成的生产过程发生出来的吗?

官产制度、官僚制度、国会等等,其前提不是在内则对于他阶级,在外则对于他国而拥护那些以生产关系为基础的财产利益或阶级利益吗?政府不就是拥护绅士阀的财产和利益的中央委员会吗?政府以及政府所具有的智识学问,都是由社会的欲求,生产过程的欲求及财产制的欲求发生的。他们所有的学问智识,即是维持现时生产关系及财产关系的。

然则僧侣、牧师、宣教师,干的又是些什么事呢?他们之中,保守的人,要求无条件地服从教会的信仰和一定的道德律,这种地方已经明明是维持现社会了。他们的智识,是在那种完全适应这欲求的学校中教养出来的。对于这种说法的社会欲求和物质欲求早就存在了。其次,他们之中,进步的人则说:神支配世界,心灵支配感觉,精神支配物质,所以去助绅士阀支配劳动者。他们因此才受绅士阀养成的。

三、生产过程欲求的结果

现时的生产制度和财产制度,发达到了一定程度,就觉得有需用僧侣法律家理学者技术者的必要,于是就把这种人才培养出来。于是顺应这种欲求,而担任或执行这类任务的人陆续出现了。

这类的人都想用自己的自由意志,选定他们自己的职务。他们又觉得他们自己对于那职务的观念是特殊的决定原因,是自己活动的出发点。然而他们不知道那种职务的思想内容以及自己所选定的东西,都是由于生产过程发生的。

所以马克思说:"人为社会生产的时候,不关于各人的意志如何,都是必然的要造出某种关系即生产关系。"这话说得很对。这种关系,必然要离开我们个人意志独立的。实在说这种关系,在我们的个人未生以前,早已存在的了。我们要想不混进这种关系以内而不可得。社会实在是把那生产过程,把那阶级和欲求来强制我们的。

可是这类的业务,若要举行那社会的任务,就要有某程度与某种类的学问和知识。所以这种任务,这种智识,都可以说是由社会的生产过程决定的,这是很明了的事实。

四、第一反对说（欲求乃精神）

我们在上段议论中,把欲求这件事说了好几遍。欲求在社会里,在社会所映影的学问里都有重大的作用;这是以后要往复辩论的题目。

然而这种要求是精神的东西,是我们的心中、感情中、精神中所感受,所知觉的东西。可是反对社会主义的人就拿着这种事实作为攻击我们的武器了。

他们说:"生产过程的各机关,若是由人类的欲求做出来的,那种原因就是精神的,并不是物质的社会的了。"

这种反对,要打破他非常容易。欲求是从什么生出来的呢？是从自由意志生出来的吗？是根据信念而生出来的吗？是精神独立的作用吗？这些都不是的,欲求是从人类的体质生出来的。要求的第一事,就是关系人民的衣食

417

住。制造衣食住，就是生产过程的目的。我们所说的生产的意思，即是人类生活必需品的生产。

衣食住本是人类普通的欲求，然在某时代中某种生产方法，又造出相伴而来的欲求。那种特殊的欲求，就是紧紧的根据那种生产过程发生的。今日我们的衣食住，只有依据国家权力所拥护的大产业制度，方能得到。所以今日的社会需要进步的科学，需要通晓那进步科学的人物。今日学生的欲望，多要求工学、法学、政治学、神学等类的智识。这种欲求是谁付与他们的呢？不是这个社会付与他们的吗？这个社会，有一定的生产过程，若没有上面所说那些智识就不能成立，而且也不能生产衣食住的必需品。若是在形体相异的别种社会之中，恐怕就没有需用上述那类智识的必要，而要求完全相异的另一种知识了。

可是现在的劳动者，也有智识的欲求。不过他们所欲求的智识，不是权力阶级在学校中教授的那类智识，乃是我们这里要给他们的一种关于社会组织的智识。但是这种欲求从何处发生呢？依然是从生产过程发出来的。现在的生产过程，驱使数百万人使成为一阶级，使其战斗，使其得优胜地位。假使不是这样办，劳动者不会要求有那样的智识了。在18世纪时，这种欲求，他们还没有。这是因为当时生产关系与现时的不同，所以不能使他们发生这种欲求。

所以说智识的欲求是精神的这句话，是皮毛的见解，若稍为多加研究，就可以晓得这种欲求是由物质的社会的各关系注入而来的了。

这种事实，不单是关于"高尚的"精神的要求是如此，其他许多下劣的事物也是一样。即物质的欲求，也常常因劳动技术，因生产关系及财产关系而决定的。例如劳动者也想吃和他人一样好的东西，谁肯吃那粗恶的牛酪呢？又对于其他一切衣食住及安慰物，谁愿意要那胡乱凑出来的东西呢？这决不然的。人的自然性质，总是喜吃一切有滋养的健全食物，希望华美温暖的衣服。可是现时的生产组织和财产组织，只使劳动者吃那最廉价的食物。这种组织，有贩卖粗恶品的欲求。所以把廉价粗恶的日用品制造出来，然后劳动者才发生需用这种粗恶品的欲求的。

一时间要造几万个几十万个物品，一时间要走百基罗米突①的速度，这种

---

① "基罗米突"是 Kilometer(千米)的音译。——编者注

要求,决不是谁人自己去要求的;只是因为今日生产组织的结果,在竞争上,生产者不得不有这种要求。今日的生产组织,造出有那样速力和生产力的机械,然后一般人方才开始有这种要求。

这种实例要举出来,可以有许多,就是不举例,读者诸君自己把周围的事情考察一下,立刻就明白了。

"把社会的欲求的全体看起来,果然是本诸个个人的意向么? 或是本诸生产的组织运用么? 大概说起来,这是从那本诸生产作用的社会的一般状态发生的。全世界的商业,差不多完全不顾消费者个个的欲求,而归着于生产作用的欲求了。"所以智识也是从生产作用的欲求发生的。

五、第二反对论(纯粹智识欲)

第二反对论者说:"人类不是都有根本的智识欲吗? 对于某种特殊智识的冲动,虽是一时的也未可知,然一般的智识欲却是不变的。"

这也不然。世界上有一种人全无智识欲而以前代人所残留的少许学问就很表满足的。

在天然供给着丰富的衣食住的热带地方,所住的人民只栽椰子,造木叶的小舟,只学会原始的手艺,就很满足了。又在肥沃的土地,干小规模农业的人,几百年间都继续过那完全同样的生活。他们稍新一点的智识都不求。这是因为这种生产关系不要求新智识的缘故。

更有显明的实例。譬如在年年定时泛滥的大河两岸,经营农业的人民,他们就有计算月日的必要,所以不得已要研究天体。于是埃及、米索波达米亚、中国等地的人民,就因为尼尔河、幼发辣底斯河及黄河,得着天文学的智识了。别处人民就没有要求这种智识的必要,所以不能早知道天文学。

所以使智识发达,决定他数量种类的东西,就是生产关系。

六、成为进化动力的地理的要素

依上段所举的实例,在热带地方不发生智识欲,在大河流域就发生智识欲,这种事实想读者诸君已经注意;可是唯物史观,也不是把生产过程作为进化唯一的原因。即地理的要素,亦与有重大的意义。更举最后的一例:假使欧洲气候是热带,所有土地,差不多不加什么劳力可以得多量的收获的时候,欧洲的生产过程,恐怕就不会发达得那样迅速旺盛。只是因为是温带气候,是比较瘦瘠的土地,人民非努力劳作不可,所以不得已对于自然,努力开发智识了。

由以上所述看来,可见以为"社会主义者把生产过程当作唯一独立的进化的动力"这种批评,是不对的。气候与土地的性质之外,即空气与地方的影响之外,还有许多动力。以下各章,再逐次说明。

第六章　发　明

一、精神与发明

科学的一方面,还有特别详细说明的必要。这就是技术发明的问题。

我们说过了,生产技术是生产关系的基础。然则我们不就是承认人的精神是生产关系的基础吗?

自然是这样的。生产技术,是有思考力的人特意发明生产器具出来应用的事情。我们由唯物史观的立脚点说全社会的基础在于生产技术的时候,当然是说全社会的基础在于生产技术的时候,当然是说全社会的基础在于人的心身的劳动。

那么,这样说法,不是与我们以前所说的相矛盾吗? 这不是仍然把精神归于社会进化的主要动力吗?

精神若是造出生产技术,生产技术若是造出社会,那么精神究竟是社会的第一个原因了。对于这点,还要详细考究一回。

精神是生产技术的一部分,这是唯物史观决不拒绝的。因为生产技术乃是人的事业。人自然是思考的动物。生产关系(即财产关系)就是人与人的关系。人的行为思想,一切都在这关系之中活动的。生产技术、财产关系、生产关系,均是物质的,同时又是精神的。这是我们所不拒绝的。

我们只拒绝精神与那种活动的自主独立。拒绝那种超自然性,不可思议性。所以我们说:"精神就是发见了新的科学,新的生产技术,也决不是由于精神的自由独立的作用,实在完全是社会的欲求之结果。"

生产技术上的发明,在往时是由自办生产事业的人干的。他们的心中,有一种冲动在那里生作用,要使劳动更有效、更迅速,要增进自己或社会全体的富裕和安乐。

无论在何种性质的社会，既然说是社会，就不问其大小如何，也不问其为游牧群众或为家族共产团体，也不问其为封建的社会或为资本家社会，凡是上面所述的那种冲动往往是社会的，经济的欲求之结果。即在共产的社会中，这种冲动是为团体做事的一种社会的冲动，在以私有财产制为基础的阶级的社会中，这种冲动是为阶级的个人即为有产者或有产阶级做事的一种社会的冲动。

这事并不足怪，人本是社会的动物，人的劳动是社会的劳动，所以劳动改善的冲动，也不是由个人的特殊精神发生的，是一定要由各个人社会的关系发生的。改善生产技术的劳动即发明的冲动，完全是一个社会的冲动，从社会的欲求发生出来。这就是唯物史观论要说的地方。它们否定精神的自主独立性，并且排斥精神占最上位的主张。它们说："精神被社会的欲求所强制，逼入一定的轨道以内。这种欲求又是由一定的物质的生产关系而生的。"所以在这种地方，我们早就拒绝精神有至上的绝对性。

这种生产技术与科学的关系，是很重要的问题，所以我们不能暂时把这个问题离开不研究。今为详细说明起见，再举数例于下。

二、中世之发明

先把中世手工工人考察一下。在当时的社会，要满足纺织物的需要，只用手织机械就很够了。商业、交通、外国市场等等在当时很不发达，所以也无发见那样强大的生产力的必要。因为当时的社会，并未觉得有那种欲求。

然而在当时有特别慧眼的织物工人，对于生产器具，早已引起了多少的注意。因为他们已经知道生产的便利迅速于自身是最有利的。

于是他们多少也发明一些东西拿来应用。那种发明就为同业所模仿了。当时的发明，只不过如此。这些少的而且差不多没有进步的生产上的变化，就是在当时经过十年百年的唯一的变化。并且这全是本诸个人的欲求的变化。

可是以后到了 15 世纪至 17 世纪的中间，通商很见发达，外国市场非常扩大，需要母国制造品的殖民地重新建设了。这时期内，对于生产技术的改善，即对于增进劳动生产力的欲求,较以前为普及而且扩大,并不像从前只是一两个人的欲求,实在已有数十百人的多数,都苦心设法要改良生产技术了。于是多数的小变化,用急速力累积集中,越发促进新器具的完成。

三、过渡期之发明

其次我们把巴宾①(Papin)那样最初发明蒸汽机械的人,考究一下。

许多人对于生产技术都有特别的趣味和才能。这是几百万年人类进化之赐,这种趣味和才能,受了生产关系的助长,立刻在少数人士的心中燃起炎炎的气焰。而且这些人所归属的社会,已有发达的生产技术,所以他们单想就生产技术更加改善,以期确保社会生产的发达。这种企图,就是一种社会的思想。他们依着这种社会的思想,就注意到被压榨的水蒸汽的魔力了。他们实在是把许多由人类兽类或水力风力运转的旧器具作基础。在这基础上再发明出一个新器械。他们有伟大的社会的感情。他们对于发明新器械的事情,有一种大欢喜和欲求。他们把时间、财产和健康一切都牺牲不顾,一心要完成要应用那类的器械。

但是这种器械,并不是社会一般所要求的。生产技术的进步太大,经费也太大。那一旦出来的发明,结局不见应用,所以这发明因以中止,并且渐渐地被遗忘了。因此发明者往往失望悲观而止。他们的确感知社会的要求方去发明的,可是实际上社会还没有那种要求。就是有那种要求,也没有要求得那样充分。总之,发明还是过早。

四、现代之发明

其次我们把现代发明家爱狄生(Edison)做比例。他是一个专门技术家。他的一生,就是思索生产技术的一生。可是他不是早成的发明家。他的思索并不是人所做不到的。他想的只是社会或者有产阶级所想的事情。因为资本

---

① 即法国物理学家丹尼斯·巴本——编者注

家以为生产技术的改善就是增进利益的事情,若有使生产更迅速更低廉的发明,立刻就可为资本家所采用。这事促进发明家的劳动力,发明家因此自进而想出特殊的问题来。即他们的发明并不是偶然的,已是完全由自己的意志而成就的。

所以爱狄生那样发明家的发明欲,不可不说是一种社会的欲求。他们的技术趣味,实在现社会中而又依现社会而发生出来的趣味。即是社会的趣味。他们劳作的基础仍然是社会的。所以他们实际上能够完全成功而且预先知道成功的都是社会的庇荫。

现有一事人人都知道的,新器械虽然发明,而价值太高,不能见诸应用。譬如精美的农具,大概是不能见诸应用的。即使能够见诸应用,大概也是极小部分。其理由就是因为社会的生产关系太过于狭小。所以个人虽然感知一定的社会的欲求,把原有的生产技术做基础,创出新发明,但不能都受社会所采用。社会在实际上只采用自己所要求的,并且在那一定的关系以内所能够应用的发明。所以生产技术就是由发现上说,与由发达上说,全都是社会的东西。其根基不能在一个人的精神以内求得,只能在社会之中求得的。

五、原始之发明

最后再由人类最初制作生产器具的时候举一个例。关于这一点要借用柯祖基的《伦理与唯物史观》。那书上第 153 页中说:

> 原始人得了枪,就可以猎取较大的动物。以前吃的是果实,虫及小鸟之类,以后能够猎杀大动物,渐渐能够得到肉食了。然大动物不在树上而在地上,所以人因为要狩猎,也由树上的生活移到地上的生活了。又因为适应狩猎之目的的动物,如反哺动物之类,在原始森林中的很少;所以人越发变为狩猎者,就越发离却原始森林中的古巢穴出来了。
>
> 照以前所说的事,自然单是一个假想。实际进化的程序或者逆着这个倾向进行也未可知。就是人类或者是依了别种理由从他的古巢被追出来,因此受了刺激,就发明武器和器械亦未可知。或者说不定有下述的事

实：比如在冰河时代，因中央亚细亚山中的冰河消灭了的缘故，或因气候干燥的结果森林自然枯衰了的缘故，人不得已出了山林来到平地。这时候人类自然不得不停止往时树上的生活而营地上的生活了。这时候人类早已不能单单吃那果实的东西，自然非肉食不可了。从此以后依新生活的方法，往往用石和棒，所以能够组合石和棒这一类东西发明新器械亦未可知。

上述各种顺序之中，无论何者为正，又无论前者行于某处后者行于某处，总之，新生产机关，新生活方法与新要求之间，存有密切的关系，非常明了。这些要素中若有了一种，必定生出他一种。即各要素为必然要变化的原因，而在这变化之中，更孕有他种变化的卵。所以发明必与变化相伴而起，变化更生出他种发明。新生活方法与新要求若是产生，就成为原因，又唤起新发明。这种关系愈变愈复杂，愈变愈急速，遂作成无限发达的连锁。

柯祖基更进而说明人类一旦下于平野以后，就晓得经营农业，造作家屋，晓得用火，晓得养家畜。他说："枪或斧一旦发明以后，其他种种器具，陆续发明，人类欲求、住所、食物变化（即全体生活的变化）的次第，也可以知道了。"

六、由必然的世界到自由的国家

依以上所述（成了科学的基础的），新技术的发明，完全依社会的冲动，及在个人中作用的社会的欲求而生的。那种欲求，充分成为社会的欲求的时候，然后方得完成。发明家的精神，大概不能预见那发明中发生出来的当然的结果。

发明蒸汽机关的人，对于因发明而更加激烈的资本劳动两阶级的争斗，是没有预先见到的。就是发明今日这样强大的新技术的人，也还是不晓得争斗的。他们对于这种发明所产出的社会主义的社会，没有预先想到。人类自有生以至于今日，就是最大的天才，也未能了解社会发展的真相。他们的活动，是被社会的欲求所逼迫的结果。在资本制度之下，这种欲求虽不明了，他们还是能知道的,可是这种欲求充分发达了以后,要把社会引导到什么地方,他们就全不知道了。他们只是被社会力所支配的,他们是住在必然的世界中的。

等到社会主义的社会出现,生产机关归人类共有,有意识地把它来使用支配的时候,然后人类方能认识那强迫自己行为的社会力和社会的要求,并且觉悟自己行为的目的和结果。到了这时候,一切技术的改善,将更成为人类的幸福,对于精神的及物质的发达,更可以增加许多自由。无论何种新发明,不但不能对于任何人,惹起意外的灾害,且将与各人以完全发达的自由,于是全人类幸福的条件就会永久完成了。

照这样继续下去,生产力(及物质的生产关系)就要逼迫我们达到社会主义。可是有一层,就是在社会主义的社会中,我们或者仍然被生产力,被社会主义的生产法所左右亦未可知。照这样,社会的生活依然是支配精神,我们决不能自由了。可是在这时候,我们早已不是盲目的被动的服从,也不是徒然为技术的无限制的活动所牵引,也不单是贫弱的个个孤立分散的分子,乃是成了一个有意识的全体,一致地从事生产;对于我们社会行为的结果是预先见到的;所以到这时候,我们比今日更为自由,从那盲目运命的黑暗世界来到光明璀璨的自由国了。可是就是在那时候,绝对的自由自然也没有的。所谓绝对的自由,只不过是无政府主义者、神秘的僧侣和自由主义者的理想。无论如何说法,我们是被现存的生产力束缚着的。只是我们能够依共同意志把现存的生产力用在共同的幸福上,这就是我们所能做的一切事情。

七、超过欲求而发达的科学

科学一旦依社会的欲求发生以后,在发达的某阶段中,自然就会不与社会的欲求生直接关系,而独立发达了。例如天文学的初步,虽是由一个社会的要求生出来的东西,可是在今日其发达程度,已经达到适应社会生活欲求的直接关系以上了。但是要考察这成了独立的科学、技术和欲求三者之中的关系,也不须看科学的枝叶,稍微将其根底深加追求。无论是谁,都会知道的。

第七章 法　律

一、所有观念变化之实例

法律是论我的所有物与人的所有物的关系。换一个说法，就是法律的普通观念是说明在某社会中这些属于我，这些属于你，这些应属于他的话。所以在生产力和生产关系固定的时期内，这所有权的观念是固定的，可是生产力和生产关系一旦开始动摇，这所有权的观念也跟着动摇了。这并没有什么不可思议。前节已经证明的，生产关系就是财产关系。

我们因为表示这种变化，把现代中某种无论谁人都知道的大规模的实例举出来看看。

到现在为止，例如阿姆斯德坦（Amsterdam）那样的大都会，灯火、用水、交通、机关等项，依普通一般的见解，都说是可以作为一私人赚钱的事业经营的。又如煤气、水道、市街铁道等项，也都被当作是私人所应有的东西。可是在现时就不同了。在现时，大概的人，不但是对于煤气、水道、电车，并且对于其他许多赢利事业，都以为是当然要归自治团体所有而经营的。这实是法律观念的大变化。即是关于我物与人物的意见确信或偏见上的大变化。

这种变化究从何处来的呢？

这个答复，并不困难，就是由生产力的变化而来的。

和兰国受了近世大规模的产业和世界的商业的影响，中产阶级与劳动阶级的地位，大为低下。1870 年以后，更加疲弊。于是这些阶级，想出了可以救穷的法子来。政界中现出了中等阶级，劳动者也附属他们了。于是他们得了势力，渐渐实行市营制度，要免除从来私立会社垄断煤气、水道、电车的事情。

一方面是大资本，一方面是小资本经营和小工业，这两者间有一种新经济关系(在根本上说就是大机械与小器具间的关系),那种新关系在社会一部中即在某阶级之间,造出新的穷迫状态。于是新财产关系的欲求发生出来,新生产力不致流于滥用,可以充分发展。苦闷的阶级,遂得掌握权力,制定新财产关系。

然而这是比较细小的实例。市有制度和国有制度,较之资本家的私营事业,原来是全然相异的财产形式;可是,人人都知道的,现在的都市、现在的国家,都是资本家的东西,所以都市经营国家经营的利益,于下级人民没有什么大关系。这种时候,下级人民所受的掠夺,虽然没有官府商人,特权阶级所行的那样横暴无耻,亦未可知,可是也为国家,都市所欺骗盘剥是相同的。

这样的比较起来,我们社会主义运动的实例越发大了,越发好了。

二、社会主义运动的实例

社会主义是要把生产机关并归公有。数十年前,社会主义者差不多没有一人,到了现在,多至几百万了。为什么这样思想上的大革命发生在这许多人的头脑中呢?

对于这个问题的答案,较前例可以更加明了些。

大规模的产业,造出了几千几万几十万的赁银劳动者。这劳动者在生产机关私有制度继续发展的时期内,得不到什么财产和幸福,可是私有制度一旦打破变为公有制度的时候,他们的幸福就会展开了,他们就变成社会主义者了。

又经济的恐慌,生产的过剩,以及敢于猛烈竞争限制生产的托辣斯(这些都是直接从现时生产机关私有制度发生的),使中等阶级受了影响,于是许多中流人士就想出一种共有制度来救济这种危急,他们就变成社会主义者了。

所以在社会主义上,那生产力及生产关系的变化和思想的变化之间,其直接的关系,可以明了地看出来。

把社会主义的思想,放进我们脑子中的,是天神吗? 是圣灵吗? 是基督教社会主义者所说的那样由上帝所授的灵光吗?

又,我们自主自由的精神,是依自己特殊的优越性,造出这种可贵的社会主义思想的吗？我们特别高贵的德性，我们所有的神秘力，是康德所说的至上命令造出来的吗？

我们共有财产的观念，莫非是恶魔替我们养成的吗？有些信基督教的人，却是这样说的。

不然，社会主义思想的发生是必然的。是社会的必然的。那种必然性，是从一种地方发生的。古时财产关系的槛中所押住的新生产力，对于劳动者和小资本家一流人加了很大的压迫，所以劳动者和许多小资本家若共有生产机关，就能够把这种大压迫除去了。社会主义的解决法，自然发生了。劳动者业已共同努力活动着了。这种难局可由共有制度解决，是很明了的事实。

这样看来，可知社会主义的思想从古来就有的，社会主义也不是从今日的生产力发生的，平等主义是一切人所有的永远的理想，无论何时代的人心中都有的，像那类信口开河的话，决不可以任意说的了。

三、原始基督教与社会主义

原始基督教徒所想的那种社会主义，与今日劳动阶级所希望的社会主义不同。其理与当时的生产力及阶级关系和现代的生产力及阶级关系的不同一样。原始基督教徒想共同消费。即是说富人应把生活资料的余剩分给贫人。并不是说要将土地和劳动机关归与公有，只是说要将生产物归为公有。所以这种社会主义叫作乞丐社会主义，主张穷人要依富人的恩赐，受生产物的分与。

就是基督自身也并没有教富人把财贫捐弃的，也没有教富人把贫人（或贫人把富人）当作兄弟一样爱的。

反之社会主义者却是这样说："无资产的人当与有资产的人战斗，当依政权掌握生产机关。"他们并不想将生产物归共有，是想将生产机关归共有。各人所得的生活资料，可归各人所私有，所以没有分配的必要。

由基督纪元第 1 世纪的生产关系看起来，不能发生今日这样的社会思想；依同理，今日的生产力到底也不能使我们追求基督教那样的理想。在当时生产力是微弱的，是孤立的，是分散的，到底不能造出大规模的共产团体，所以博爱慈善那类事情（就令其效果微细）在当时实是解决贫困的唯一方法。可是在今日劳动已渐次成为社会的性质,社会的共有制度,却成了救济贫困的唯一的而且满足的方策了。

四、对于犯罪思想之变化

其次刑法的事,也是显著的实例。就是在这一方面,许多人的心理也大生变化。社会主义者既相信犯罪者有个人的责任,又相信犯罪的原因是社会的而不是个人的。

这样的新思想,究从何处发生的呢? 不待言,是从对于资本阶级的争斗而来的。社会主义学者为了此项争斗,为了批评现社会组织,发生研究犯罪原因的必要,就发见这原因是存在社会里面的。他们这种见识,都是今日的生产过程和干阶级斗争的人逼着他们发生出来的。

于是一般劳动者受了社会主义者的教育,就把这种自觉印入脑筋中去了。

关于此事,因为篇幅有限不能过细详述,而一切思想的变化都是生产关系变化的结果这件事,却已证明了。单是这一点也可晓得变化是很大的了。世人大家相信人类堕落的说话,相信个人的责任,相信自由意志,相信神罚,相信刑罚,这都是过去的事情。只有现在的社会主义者（虽然只有社会主义者）却相信这犯罪的孵化场的资本家的社会若经废绝,各人的生活若得自由,社会的犯罪就可以完全消灭。

五、阶级斗争与权利思想

在上述对于财产和法律思想的变化举实例说明之中,也可以明了人类思想发展的法则。对于这一点一向还无暇去明白考究的。

生产力是生出思想发展的原因,是原动力,此事早已十分明了。现在连那思想如何发展的原因也明白了。这就是从斗争之间从阶级斗争之间发生出来的。

这种事实,也可以用以前市有制度和社会主义运动的实例说明。

大规模的产业把小资本家和劳动者陷在很困难的地位。从前煤气、水道的独占事业,随着大产业的勃兴,更使他们不能忍受。所以劳动者和小资本家把独占人认作仇敌。灭却独占人这件事,成了他们生活上的要求。他们的头脑中,生出这一种思想,以为"独占人所干的事很不正当。这种事业一切都该归都市所有。我们劳动阶级非与这种资本家战斗不可"。可是资本家的想法不同。他们以为"占有煤气水道乃是我们的权利。若把营利事业一一夺去,我们的利益就完全失掉了。所以我们非与劳动阶级战斗不可。"于是斗争之间,发生新权利。原来新生产力的发展,生出新阶级斗争,而新斗争在此时又使新权利思想普及了。

劳动者晓得在精神的道德的肉体的各方面都为了大产业的发展以致堕落,因此要仇视资本家了。他们想到我们劳动者正在受人掠夺。资本家横取利益的全部很不合理。资本家是我们的敌人。所以我们非和他们战斗不可。最初只是一都市的劳动者一种类的劳动者是这样想着,到了后来,就成了全国全世界一切劳动者的思想了。于是全体劳动者都有同一感想,以为我们劳动阶级非与资本阶级战斗不可。一切生产机关都归我们掌握最为正当、最合正义。让我们为正义战斗罢!

然而资本家方面最初也是一个人一个人的,后来团结起来怀着与劳动者正相反对的思想了。他们的想法以为我们保有我们的财产是正当的,是合乎正义的。让我们扑灭劳动者的危险思想罢!让我们为阶级为正义而战罢!

生产技术愈益进步,生产力与财富越发多集在资本家手里,劳动者的数目越发增多越发穷乏,于是富有的人想大发财的欲望越强,贫困的人想领有生产机关的欲望也强起来了。同时两阶级的争斗更加激烈,双方正义不正义的思想也越发明了。

依上例可知正不正的观念生于阶级斗争之间,而且因为斗争更为发达。就是一阶级从前视为正当的事,渐次变为不正当了,阶级的厉害越切迫,正不正的观念感受越深。

故对于生产机关的物质的争斗,就是对于正不正的精神的争斗。后者不过是前者在精神方面的反映罢了。

六、表同情于贫人的富人

在这精神的,物质的斗争之中,究竟是什么阶级能够战胜呢? 战胜的阶级必定是依生产过程的发展变了最强的阶级,占有最大的精神力和真理的阶级,就是由自己处境发生出来的欲求带有一种自然解决新生产力与旧生产关系间的矛盾的任务之阶级。此事在本书末章再行详述,这里没有说明的必要,只答复一个反对论为止。

世有身为富翁而与贫困阶级表同情的人。此种事实,有说社会生活(社会的境遇)不决定人的思想,而某种高尚的精神,神秘的道德性,反而是决定人类社会的行动的证据。

身为资本家而加入劳动者方面的人,有两种理由。有时这两种理由结合生出作用。其一种理由,就是说将来的天下一定是劳动者的天下,所以资本家加入劳动者方面。若照这样说,这就是生产过程,和经济的关系,给了他这种见解,所以也不是什么精神的自由使然的。这种行为的动机,依然不外从社会生活里去探求。

其次就是基于感情的理由。譬如人的感情与其表同情于压制者,反不如表同情于弱者。关于这一点要在后面"道德"章中详细说明。总之,这也是由于人类社会经济的生活中产生的感情而来,决不是由于"神秘"、"超自然"、"绝对"那样精神的力量。

第八章 政　治

一、社会问题发生之原因

前章之中,已将社会主义者对于财产及犯罪之法律上考究作为证据,表明生产力所以影响于人的思想,阶级间精神的争斗(正不正的地位不同)所以发生的原因。这一章在政治上也举出同样的证据。

这里也将社会主义的考究法引例说明,因为新生产力对于社会主义者的头脑,影响最强的缘故。

新生产力影响于大工业家、大银行家、大商人等的精神,最为强烈。就是他们因为要增加他们的势力、金钱、权力,所以想出大规模的事业,要攫取莫大的利益。想出托辣斯的办法,想得海外市场和殖民地,想建设强大的海陆军。这种想法,比较前世纪的资本家和权力阶级的想法,其程度相差虽大,而其性质种类却没有变异。

中等阶级的想法,较之以前就不相同了。生产力增大,把他们陷在危险的地位。他们今日想着明日会要堕落到劳动阶级里面。所以他们为免除危险起见,就想出信用机关、国家保护、产业联合等起来。这类事,在他们祖父母的时代是完全没有想到的。可是这种想法依然与个人的营业,营业的利益那种想法,其方法没有不同的。

非社会主义者的劳动者的头脑中,从19世纪前半期以来,也大生变化了。增加赁银,减少时间,国家保护,生活改善等思想,都从他的头脑中涌现出来了。所以渐渐发生了工会的运动。然而这些人也是旧式的想法,他们只希望从资本家所得的利益里,多分润一点,还是立在私有制度地盘上的一种希望。

然而在社会主义者则有一种完全与此不同的新想法。他们一面站在私有制度的地盘上,一面希望废止私有制度。他们一面在资本家制度之下生活,一面要求绝灭资本家制度。他们的思想是在资本家制度的皮壳内被发芽培植的,现在已渐次发育破壳而出。那思想的自身也要变成别种性质了。劳动阶级否定自己所从出的根源,就是否定资本,否定生产机关私有。所以生产力对于社会主义所生的影响与对于他阶级所生的影响颇不相同,而且是更大更深又是根本的。所以要举例证明生产技术对于精神所生的影响,以社会主义者的思想最为适当。

又社会生活与思想,在政治上也表现得非常明了。因为政治把国内欲望、希望、努力、思索、事业等一切阶级的近代国家生活的全部都包含在内的。而且在那国内有参政权的人民非考虑全社会的事和自身的事不可,所以在文字上所表现的全部精神生活之内,要受社会变化的影响。

然则以何种政治问题最为重大最为普遍最适合于此种研究的证据呢? 也没有别的,就是社会问题。就是资本劳动间的争斗问题。

这个问题原来就是从资本中发生的,换句话说,就是从生产力发展之中发生的。所以因人类对于这问题的态度之变迁,可以看得出生产技术的进步,如何使人类的思想发生变化。譬如 60 年前,想到劳动者的法定劳动时间,妇女及儿童劳动的保护以及伤害保险这类事情的,有几人呢? 虽然偶有少数人想到了,可是也不过听得资本制度最发达的外国有那种劳动者保护方法罢了。若是在百年以前的话,恐怕就没有一个人曾经想到。

然而社会一定要保护劳动者的这种远大的思想,究竟从何处印入人心的呢?

基督教的思想决不会把那种思想印入人心,这是可以知道的。因为人的思想未经此种变化以前,早已有几千几万的劳动者,因为过劳、害病、灾难,无衣无食的缘故横死了。又有几千万人因为悲惨不胜老死了。而在那个时候基督教信徒不知有多少。这样看来,人类在此时还没有想到国家保护这件事情,这就是证明保护劳动者那种思想全因别种原因来的。

要发见这种原因,决非难事。就是因为劳动者在那时候还没有势力。对于富裕阶级的人,只希望获得一些慈善施与的恩惠物罢了。

然而劳动者在那时没有得着势力的原因,也是因为生产过程(即当时生产状态)的缘故,就是劳动者不晓得团结的缘故。他们的数目虽然增加了许多,可是都互相分离,从事小规模的生产,因此之故,所以不能发展大势力出来。

然而受了生产过程的逼迫之后,他们几百几千的人都集合一处在公司或工厂里做工,他们就自然而然的觉悟他们自己的力量了。他们先前因为劳动而团结,现在又因为竞争而团结了。于是这种由生产过程自然发生出来的竞争(即是这种新现象)影响于社会各阶级的人心,引起了思想上的革命。

二、德国劳动阶级之发达

新生产过程,先发生于英、法两国,思想的变化,也先发生于英、法两国。在这两国的实例,此处姑从省略,现在只记述两国中被这新现象新关系所迫而发生的圣西门、傅立叶、涡文的空想社会主义,以及恩格斯研究英国生产关系的结果,马克思研究英法政治的结果所构成的近世社会主义。

至于德国也有确证我们的议论的事实。

1848 年的革命,劳动者没有得到什么好处。普鲁士三级选举制,使劳动者得不到政治上的势力。资本家的掠夺,势益猖獗,并且由这种结果,保护劳动者的法律,连一条都没有。

可是到了 1860 年之初,劳动者渐渐开始团结了。他们虽然受绅士阀排斥,却能在拉塞尔指导之下,组织了全德劳动同盟。普通选举运动也干起来了。封建的贵族阶级看了也惊异起来了。保守党的首领等也开始说国家的天职要保护下级人民了。

全德劳动同盟的运动扩张到全国。俾士麦在德奥战争以前对众约定的普通选举也实行了。最初在北德意志联邦实行,接连就在新建的德帝国实行。

柏伯尔(Bebel)、里布奈西(Liebknecht)、石卫次(Schweitzer)等人陆续被选,代表劳动阶级到议会充议员了。每次选举社会主义者的投票数增加了。社会党的两派在哥达(Gotha)大会统一了。权力阶级看见社会主义的势力这样的增进越觉不安起来。于是俾士麦发布社会主义法要镇压他们了。

然而劳动阶级不是单用暴力可以压服的。1881 年的选举,就可以显得社会主义镇压法的无效。要想防塞这种不平的潮流,无论如何,总要设个良方。于是德皇"积极的增进劳动者幸福"的诏敕也发表出来了。不公平的《疾病保险法》,也提出于 1882 年的议会,在 1884 年发表了。

镇压法虽然存在,社会主义运动,反更加得势。1884 年、1887 年、1890 年的选举,社会党投票数竟由 55 万增至 76 万达到 140 万。社会党镇压令也废止了。俾士麦也逃走了。1890 年 2 月的敕令公约劳动者的保护,又对于劳动者公约说法律上的平等了。

这样看来,思想上的变化如何大呢? 通国各阶级一切的人都干与社会问题(阶级斗争)了。

这些事情之中都包有生产技术的发达及其关系,这是很明了的。这些都可由统计上看得出来。1860 年及 1870 年之初以及 1880 年之末,产业发达最盛,这也是社会主义正成长的时代。生产增加之数,劳动战士增加之数,以及权力阶级的政见政策,这三者可用三条平行线表示出来。生产增加,劳动战士亦必增加。阶级斗争,明明由生产技术发达中产生出来。

阶级斗争的特色,也非常明了。皇帝、宰相、大臣,政治家所以抱有新政见政策的原因,不是因为基督教思想,也不是因为自由意思,也不是因为纯粹理性,也不是因为什么神秘的时代精神,这实在是完全因为劳动者依了团结、运动与争斗,逼着绅士阀变化了他们精神的内容。

一切的神秘,都完全扫除了。事物的关系和太阳系的运动一样,现实表现在我们面前。

劳动者精神的发达,发生于生产技术。劳动者的思想现于行为,这种行为使权力阶级受其影响,所以权力阶级精神的发达,是从这种地方发生的。

然而发达犹不止此。劳动者因为政府约定给他们的权利,越发多向社会党投票了。

此时政府晓得劳动者这样的自觉,不特给与劳动者以预约的权利,而且更觉得有大加改良的必要。从前社会改良政策实行得太迟。劳动阶级的实力单单满足这点事,已是很够了。

工会的组织在 1890 年发达得很强大,已经从资本家方面夺取了许多利益。权力阶级要想用暴力来镇压他们,曾经提出了内乱法案、监狱法案,可是也没有实行的勇气就中止了。

劳动者的团结,劳动者的自觉,劳动者的力量,这样的强大,那权力阶级要想把改良的话来引诱他们早已不行了,就是要用暴力来镇压他们也没有希望。于是忙得要坚守自己的武力保持自己的地位了。这样猛烈的阶级对立,实例不曾多见。然则斗争的原因如何?在全欧洲中照这样的大产业骤然勃兴,巨大的财富骤然蓄积,技术进步这样急激,在19世纪除德国以外也是少有的。

三、有产阶级中之差别

太说琐碎了惹人讨厌亦未可知,现在把这问题,深深地讨论一下。劳动者对于这问题应有充分理解的必要。

从上面说来,我们把有产阶级作为单一的团体和劳动阶级对立,其实有产阶级之中也有许多差别,所以生产技术的进步,对于有产阶级,并不是给了一律的影响。我们就这种差别的地方不可不过细考究一下。

生产技术的进步,使各阶级物质的状态及阶级的思想成为许多复杂的形式。若述其实例,我们一方面列举军国主义与帝国主义,他方面要列举社会主义。

四、大资本家的地位

国际间猛烈的竞争,驱使各国大资本家趋向于殖民政策。若是已经领有殖民地的国家,那大资本家在那地方经营起来,比较在别国内的殖民地,更可以吸收多量的财富。他们先投入殖民地内去。本国也极力奖励他们,保护他们。殖民地首先就是本国的营利的目的物。劳力低廉。压制虐待一概不问。殖民地的利润,有时达到莫大数目。所以本国中过剩的资本,若投资殖民地经营,更为有利。德国大资本家羡慕他国大资本家从殖民地得了大利润,所以很努力扩张殖民势力,这就是一个实例。

然而守护殖民地要有军备,尤要有海军军备。这不单是为了要防卫殖民地,实在主要的目的,要和那有同一目的的他处殖民地(竞争国)对抗。所以大资本对于海陆军备需要多大的支出。军备尤有一个最大的目的,就是绅士阀所以能够承认多大的军费的,实在是因为怕了劳动阶级的缘故。

还有一种原因。这种重大的军费,务必要使上流阶级减轻负担而加重下层阶级的负担。所以他们常常努力设间接税。间接税,实际就是以赋课下等社会的贫民为主。

若把社会政策行使得相当有效,这笔费用很大。社会政策本因怕了劳动阶级才行的,当然不能完全废止。而行社会政策的代价,又不能多取于有产阶级。所以社会政策,自然不能圆满进行,一方面又不得不设法使劳动者也负担一部分的费用。

大资本家的想法大概总是如此。矿山主、工场主、大地主、纺织业者、船舶业者、银行家等一流人都有这样想法。

所以大资本阶级得势,海陆军备增大,对于殖民事业也热心办理,但同时对于善良的社会政策,却有不热心的倾向,渐次暴露出来。要之强盛的帝国主义和军国主义和不充分的社会政策,都是常常相并而行的。

五、旧贵族阶级之地位

旧贵族阶级,对于这个问题,也取相似的态度。他们是狭小的田舍地主,对于殖民地和海军等事,却不大热心,只是若给他们新势力范围,给他们有利益的行政位置,他们就可以用政府党的资格来妥协的。然而陆军是他们的根据,将校的地位,都被他们盘踞。他们是统率陆军的人,那些惧怕劳动阶级的绅士阀,就崇拜他们和不可缺乏的必要品一样了。原来普鲁士是以陆军国著名的,其势力的基础,在于陆军,所以旧贵族常常为了陆军要求巨额的新经费。

其次这笔大经费,一定可以知道要从间接税、从关税征取的。关税一项,就各个人说,贵族要占多大的利益。若没有这笔关税,贵族立刻就要破产。

贵族是劳动阶级有毒的敌人,是社会政策的最恶的反对者。往时地方的人民苦为贵族支配,逃到都市躲避,所以在贵族看起来,这些劳动阶级,就是他们以前逃亡了的奴隶了。这样看来若把劳动者地位改善,就无异奖励地方人逃亡。所以这些贵族只因为防止地方劳动者都要逃亡,于其虐待里略略加些限止。

六、中等阶级之地位

中等阶级(小资本家)对于这个问题,态度稍为不同。他们对于海陆军,而尤以对于殖民一事,决没有多大的热心。与殖民地通商是小事,若说是内国工业的消费地的话,殖民地对于他们也没有什么意义。

中等阶级(即小工业者、小商人、手工业者、农民等)有一事可以做得到的,就是能够使他们自己业务中所安插不下的子弟等,学作国家、城乡和他种大工业大商业的事务员。所以中等阶级对于海陆军和殖民地,只有这两种些小的利益关系。

可是大部分中等阶级依然服从大资本家的政策。小工业者、农民的代议士、旧教信徒和自由思想家,都常常赞成军事费和殖民费的。

此种事实不是与我们前面所述的,生产力进步,变化人的欲望,变化阶级,变化政策的话,有相矛盾的吗?又德国的农民和小市民,对于殖民和战舰不是都有一种欲望喜欢纳出多大的租税吗?

要充分解释这难问,非将这大部分中等阶级完全作为大资本家的附属物不可。他们充当私营事业和各官衙的事务员,此外又靠信用制度谋生,这是切要的地方。而尤以农民小商人更是如此。过剩的资本,在他们看来是低利的信用之意义。工商业的繁昌生出过剩的资本。所以这部分中等阶级的人,以为国家和大资本越占优势越好,就是陆海军殖民事业越尽力助长发达越好。

又如小工业者,使用徒弟的职工,使用奴隶的农民,以及许多商店主等大部分中等阶级的人,除了干上述的事情之外,以直接榨取劳动者谋生。榨取劳动者这一点,他们却和大资本家一样。所以他们对于行社会政策的费用负担若是太大,就于他家的存在发生危险。所以他们也要和劳动者争斗的。

可见大部分中等阶级对于军国主义,虽没有直接关系,却有间接关系,而关于掠夺劳动者一事则有直接的利益关系。

七、中下阶级之地位

受资本家制度的利益的中等阶级,已如上述,而宁愿与劳动阶级接近的中等阶级,却有不同。小农、小工、小商人、小事务员等人虽都是附属于资本家,然不过因此受些虐待罢了。他们没有信用的方便。他们还是与劳动阶级有密切关系。他们的顾客多是劳动者。所以他们反对军国主义、帝国主义,又赞成社会政策——虽然没有劳动者那样热心。

生产技术越进步,劳动阶级渐渐增大,就是中等阶级变为贫穷降而为劳动阶级的危险因而增加,国家和资本的压逼因而变为强大,于是在同等程度的中下阶级的思想也生变化了。他们反对资本阶级的意向也增多了。

所以这一部分的中等阶级对于社会政策虽没有直接的利益关系,却有间接的关系。

八、中上、中下及劳动阶级

从上面看来,中上阶级对于大资本没有直接的利益关系,中下阶级对于社会政策没有直接的利益关系,所以这些各阶级的政治思想,很暧昧而且易于变动的。有时中上阶级毋宁接近于劳动者方面,有时中下阶级反倾向于资本家。这样趋势,自然不能永久继续下去。所以他们又常被一般有名声者和策士一流人所利用。生产关系和财产关系的影响,在这种地方,也可以明白地反映出来。

至说到劳动阶级,不待言,对于帝国主义军国主义和殖民政策,自然是没有利益,不问是直接的或间接的。因为这一类的事情,常常榨取劳动者,又使有实质的社会改良难于实现,而且使其不能实现。又战争及国际战争,破坏劳动者国际的团结,夺取劳动者征服资本家制度的大武器。此事以后再述,此处暂从略。

帝国主义和军国主义是大绅士阀的宠儿,是劳动者的仇敌。中等阶级迷于爱憎,不知适从,大部分终究跟着强者后面走。

激进的社会政策。就富者说,是可怕的妖怪,就劳动者说是向上的地盘,中等阶级往来于二者之间。

阶级关系和财产关系,是照这样的在各阶级的政治思想中反映而出的。

九、阶级与个人之关系

然而对于上面所说的话,也有一种反对论发生出来。就是说:同阶级的人都抱着同一样的感想,不是太过于机械的说法么?

各阶级各有各的利益。阶级的利益,对于各人就是阶级的生死问题。若把这种事实略略想一想,就觉得上面那样反对论毫不足怪了。阶级一定要拥护自己阶级的存在。个人因为维持自己的存在要用尽一切的方法;而阶级的作用依多数人的协力和团结,其力量大于个人千百倍,自然也是要用尽一切方法维持自己阶级的势力了。

所以人都适应那种能力,其结果就演出政治的阶级斗争。本来无论何人若注意看自己周围的事就知道有气慨有热情的人,比较懒惰和胆小的人,更容易和生产进步的喊声相呼应。技术革命用大速度前进,人的行步却是很迟缓的。可是结果都答应着这个呼声前进。社会生产力的发展是全能的。

于是几百千万的劳动者,最初很缓慢的,其次却也渐次增加速度,答应这生产技术的呼声,终至于急激地向着社会主义前进了。

所以在社会进化发展的途径上,个人的力量,有很大的意义。有精力的人、热烈的人、多感情的人、多才的人常常促进一阶级的步骤,迟钝的人、懒惰的人、冷淡的人都常常阻碍阶级的进行。可是无论如何天才英雄,断然不能使社会反背着技术的发达前进。又无论如何顽冥固陋的人,也断不能填塞这个大潮流。社会生活的事实是万能的力。反抗这力的个人,必致大受失败。实在就是反抗的自身,也被社会生活的事实决定了的。

第九章　习惯与道德

一、精神界之高级方面

精神界所谓低级方面的说明,在上面业已说完了,此后要论述所谓高级方面的习惯、道德、宗教、哲学、艺术诸事。支配阶级往往把这一方面的事情比较前一方面的事情要放在更高的位置,他们的见解,就是因为低级方面诸事,颇多与物质有关系,而高级方面诸事则全然超越物质以上。譬如法律、政治、科学,原来就是高尚的精神的东西,而所处理的,都是一些俗事。就是有许多地方都是很可厌恶的物质的事物。反之,如哲学、宗教、道德、艺术之类,是纯然精神的美的天上的东西。和裁判官、议员、技师、学者等人比起来,艺术家、宗教家、哲学者等人都算是很高尚的人物了。

我们对于这种区别,原来不表同意。可是艺术、哲学、宗教、道德等事,就我们看来,确是很困难的题目。支配阶级向来把这方面的事列入超自然的范围,作为与地上和社会无关系的,全然是精神的东西;因而那种思想,成了一个成见,深入人心;于是要在这一方面,指示思想和社会生活的关系就困难了。所以我们要为劳动者利益计,不得不更用一番努力把这个道理阐明出来。在此一点攫得真理的人,就是实际有力的战斗者。

我们在这方面之中,由最单纯的习惯立论。而首先尤宜严重确立习惯和道德的区别。习惯是对于特定方面的指南针,道德比较的反是一般的东西。例如在文明社会中裸体不外出,是一种习惯,爱邻人如爱自己一样,是一种道德。道德之事稍为复杂,论习惯之后,再行考究。

二、习惯变化之实例

此处列举劳动者天天看见的两个明了的实例,表示习惯往往同生产关系共同变化的事实。

古时的习惯,劳动阶级的人对于公共问题不劳心研究的。劳动者对于政府不但没有什么势力,就是所谓"政府"这二字连考究也不考究的。唯有当着和外国开始战争或者国内的王公、贵族、僧侣、富豪等互相战斗,这种危急之际,才能唤起劳动者的注意。又各党各派互相罗致劳动者做自己的羽翼这等时候,劳动者多少也有些势力。所以在这种时候,也有自己使用势力的事,也有被人利用的事。可是从平时继续无事的政治生活这一点看来,劳动者简直不算什么。

时至今日就完全不同了。有许多劳动者,不单只干政治运动,就是在社会主义教育发达的国家中,劳动阶级干的政治运动也非常有力。

古时习惯,劳动者大概在自己家里过夜,现在就不同了,劳动者每晚或者到自己所属的工会,或者到社会党或者到夜学校去赴会等事,反成了习惯了。这种习惯,以后必定更为流行,毋容疑义。

这种习惯从阶级的利益发生,而阶级的利益,又从财产关系发生。古时劳动者的德性是勤俭、柔顺、卑屈,惟遇临时有事,才参与政治问题,但是这都是支配阶级的利益。所以劳动阶级力量最弱,是由当时生产技术上看来,任凭支配阶级所驱使的。僧侣、学校、官吏,以及后来的新闻,也都用这种方针鼓吹他们。

可是到了今日,劳动者阶级的利益大不相同了。生产技术进步的结果,劳动者力量日增强大,有些不听从雇主的说话了。现时不晓得团结的劳动者是愚蠢陋劣的劳动者。热心奔走运动的劳动者是善良的劳动者。

所谓善,所谓恶,原来是由当时习惯而定的。现时所谓善与古时所谓善完全相反。古时说夜游不是好事,现在却不同,晚间务必外出,或者集会或行示威运动,都是好事。现在生产技术进步,劳动阶级一定要得胜利。这种胜利对于劳动者固然是善,就对于全社会也是善。

三、善恶观念之变化

"智识树,变化了善恶的观念。"我们的同志罗兰霍司德（Roland-Holst）女士说这句话的时候,曾惹起世人的许多恶声。可是若停止了那种无谓的愤慨,冷静的把事实研究一下,就晓得相异的人民或阶级,或相异的时代中的同一人民或阶级,对于同一的事物,或称为善,或称为恶,并无一定的。这种事实,在历史上充满了。试举一例,把两性关系和结婚的习惯,考察起来一看。相异的人民和阶级之间,在相异的时代其习惯不是有很多不同的地方么?

四、妇人解放运动之原因

再由现代举一卑近的实例看看。现在除了日趋兴隆的劳动阶级以外,还有一大部分的人类,都另外要求社会活动的自由。这些人就是妇人。到近年来,从前单单受了家庭和婚姻两项教育的妇人,现在都集合几百人几千人成群结队,更以他种目的,要求在一般社会中的劳动范围了。这种现象究从什么地方发生呢?

在劳动阶级的妇人说起来,那种现象,是从大工业发生的。使用机械的劳动,有时非常容易了。虽然因为劳动时间长了的缘故,仍不免有些困难,可是这种劳动,连妇人女子都干得来,实在再容易也没有了。有家室的劳动者,自己一个人所得的工钱太少,不够养家,无论如何,妻子幼儿非一齐做工取些工钱维持一家经济不可。于是劳动阶级的妇人投入了工业界,其数也渐次增加起来了。

这种事实发生以后,妇人的精神的内容也跟着变化了。配得上称作劳动之花的社会主义思想,也印入她们脑筋中去了。在某国（譬如德国）中,妇人劳动者早已组织了伟大的社会主义团体了。在其余资本制度的国家中,妇人运动都有同一的倾向。劳动的妇人在政党中,在工会中,早已和男子提携,成了战斗员了。把这种现状和往时专干缝纫、洗濯、烹饪及养育儿童诸事的妇人比较起来,相差得不是很可惊异吗?

又社会主义的劳动妇人头脑中,还有一种感想。就是做妻做女的妇人,都已能完全独立于社会,而成为谋完全自由生活的劳动者;这种时代已经到了。在将来的社会中,无论为男无论为女在结婚上在劳动上都不必要什么主义,各个人都平等自由,互相并立了。这种思想都是从生产过程注入于妇人头脑中的。

五、女权论者与社会主义的妇人

劳动妇人以外,中等社会的妇人,也努力于解放运动,这也是本于生产过程发生出来的思想。第一,大工业兴起以后,家庭中妇人劳动首先减少了。灯火、暖室、设备、衣服裁缝,及其他一切日用品,由大工业出产品供给,价值非常低廉,这类东西早已无须在家庭制造或在家庭设备了。第二,竞争激烈的结果,小资产家的妻女非共同工作不可,非到学校、会社、电话局、药局等地方去求地位职业不可。第三,绅士阀之间,因为生存竞争激烈,生活费高昂以及奢侈安逸等风习之故,一般结婚之数也减少了。这类事情都是近代生产方法的结果。

因为如此,所以中等阶级青年女子的精神,一切都趋向于扩大社会的自由活动诸事。她们的思想完全一变。把这事和她的祖母比起来,完全是一个别的新人了。

可是劳动阶级的妇人,因为她们在社会的生产过程上占了地位,所以一面想着劳动阶级的解放,同时想着人类的解放,中等阶级妇人的思想,却只是中流妇人解放的一件事。女权论者希望在资本家社会部内,使妇人得有权利,这事自然与现时绅士阀男子所行的一样,仅是由经济的、政治的,猛烈去压迫劳动者的事情而成就的。

女权论者不是由财产方面解放女子,乃是使女子得有财产的自由。她们不是由赚钱的污点一事来解放女子,乃是使女子得有竞争的自由。劳动妇女却不然,要把自己和一切女子一切男子都由财产的压迫和男女竞争的压迫中解放出来,因此使全体人类,都能得着真的自由。

连上所述,两者的精神的内容,虽似太阳的光与灯火的光有程度的差异,而这两种思想，都是由生产过程中发生出来的。

六、大理想与地上的根底

由上面看来，这种妇人解放、劳动者解放、人类全体解放的理想，使世人得了几许的赫耀光明之感！使万人胸中唤起了几许炽烈的情感和实行的信念！使我们心中涌起了几许精力的源泉！使画家在战斗以后的平和日里，画出了几许崇高美丽的想象！这种事情或者有人要说是人的精神独立作用，所以能造出这些强大的精力和炎炎的战斗心和如花的想象，也未可知。然而不是的。

诸君绝不要忘记！劳动者那样猛烈的意志，胜利的期待，征服后的希望，一言以蔽之，这种劳动者的大理想——是古来无比的最大最高最自由的，因而最为深酷的这种庄严美丽的精神现象，都是从劳动器具发生的。所以那种精神的根柢，还是在地上——即所谓俗界之中。

七、善恶的根本之难解

上述两个实例，是对于现时习惯的两个显著的变化，辨明我们唯物史观是极其正确的事情。我们现在更进而考察一般道德的问题。

人的道德心，究从何处发生而且如何发生的呢？那道德心的内容自古至今果是一定不变的么？或者因时因地有种种变化的么？这是从希腊哲学以来长时间内未解决的问题。

我们遭遇种种事变之时，心中就有一种争战，是善是恶，立刻要判定的。随着那声音的命令，而爱他和牺牲等行为自然发现于我们身上。在这种声音的指导之下，忠、信、公正诸德，在我们之上很有权威。我们若是不听从这种争战，良心就要责备。我们若不行善，他人虽然不知，自己也觉惭愧。我们的心中有道德心、有义务的要求。

这种自然发现的地方，此种有权威的地方，就是道德的特质。自然科学、政治、宗教、哲学，都是学了而后知道，决没有自然的权威。

有人想把这种道德心归诸个人的经验；又有人想把这种道德心归诸教育

或归诸习惯;或归诸追求幸福的心念;或归诸精炼出来的利己心或对于他人的同情心。然而总不能说明在他心中命令他爱他人的声音之根源。又为救他人的生命,甘心舍弃自己的生命;那种不可思议的行为,也是不能说明的。

于是道德心无论如何,不能由地上的现实生活说明了。例如逃入无智的隐匿所的宗教中去探究它的根源,就不能不求于超自然的地方。就是说善心,是神灵特别赋予人的,恶心是由人的肉欲发生的,由物质界发生的,由罪恶发生的。

善恶的根源不能解说,就是发生宗教的一个原因。柏拉图、康德实在为着这一点,建设了超自然的灵界。然而当着自然界的研究比之当时大为进步,而人类社会的真相大为明了的今日,犹不免有许多人为了道德心即善恶心难解一事所苦,以为非借助于神灵,无论如何不能说明那不可思议的原因。在现今的时代要说明自然现象和人类历史,早已无须乎凭藉神灵,而竟有一般人,为了满足那伦理的情操反主张有凭藉神灵的必要。这也许是一种合理的主张罢。自己不能理解而且又无法解决的事,无论谁人,也不得不把这事神灵化了。

然而到了19世纪的后半期,这种最高要求的道德本质,开始说明了。达尔文、马克思就是说明了这事实的两个学者。达尔文研究人类动物的起源,马克思研究人类历史的变迁,终究把这问题解决了。

八、社会的本能即道德心

达尔文教我们说:一切生物对于他周围的自然界都行生存竞争。为防卫自身,获取食物,惟具有最有效的特殊器官,而最善于适应外界的生物,方能打胜这竞争,继续存在。所以生物界一大群的动物,因为生存竞争的结果使它的自动力和认识力发达了(在所谓认识力之中,凡外界个体之观察,及其统一与差别之理解,及过去经验之记忆等均包含在内)。一切动物行了生存竞争,它的自己保存与种族蕃殖的本能,必因自然淘汰法而变强而分业,自动及思索力也跟着变强了。母亲爱护儿子的本能,亦与此同时发生的。因为生存竞争而大小营社会共同生活的动物,即如某种肉食兽,许多食草兽、反嚼兽、猿猴等类,其社会的本能,更为发达。人也属于这些兽类之中,非营社会的共同生活,不能立于自然界,所以人的社会的本能也是发达的。

这种社会的本能究竟是什么? 动物的种类,生活状态的差别,各有不同,而其社会的本能,当然也有种种的差异,可是其中一定有几种社会的本能,成了社会生活存续的必需条件。若没有这种本能,社会生活无论如何不能继续存在。这种本能,像人类所有的,在非营社会的生活不能存在的动物种属之间发生成长。然则这种本能究竟是什么呢?

第一就是为社会全体舍弃自己的牺牲心。若没有这种本能,各人专为自己谋生活,不把社会全体放在自己的目的之上,那种社会一定要被周围的自然力或敌人所压迫而至于灭亡。例如,群居生活的水牛为虎所袭,若各个水牛不为一群全体而死,各自逃各自的生命,这水牛群(即社会)一定要灭亡的。所以自己牺牲是这种动物所不可不有的第一种社会的本能。

此外如拥护社会的勇气,对于社会的忠诚,对于全体意志的服从,以及感知毁誉褒贬的名誉心,一切都是社会的本能,这些都已发现于动物社会,多发达至于最高度。

这种社会的本能即与那一种所谓最善至高灵妙不可思议的人类道德完全相同。可是所谓公平这种道德,恐怕动物中是缺乏的。在动物的社会中,天然的生理上的不平等是有的,却没有由社会的关系生出的不平等(即社会的不平等),所以没有要求社会的平等这种道德存在的理由。所以只有公平这一件事,是人类社会特具的道德。

所以道德原是动物界的产物。人类的道德在人类单是营群居生活的动物时代早已存在了。人类惟依多数的协力能征服自然。这种协力心,这种道德心,这种社会的本能,即是能使人类进步的东西。

因为如此,所以人类的道德心,由那最古的人类生活的时代起,早就成了强烈的社会的本能,在他们的心中发出声音。现时我们心里(如前所述)这种声音所以能够具有神秘的性质,不受外界刺激,不因厉害关系,而能自然具有权威发动出来,就是这个缘故。道德心无论如何是神秘的要求。而其实际的性质也与性欲的神秘都是相同。单把道德看作超自然界的产物(或神力),当然没有理由。

又道德心是动物的本能，与保存自身及蕃殖种族的本能，其根柢相同，惟其如此，所以能够使我们毫无踌躇而听命于他的如许之力量，如许之欲求。又惟其如此，所以我们对于件件事情能够即刻判断善恶邪正。又惟其如此，所以我们的道德判断有强大的确信力。又惟其如此，所以我们的道德判断有强大的确信力。又惟其如此，所以要探究那活动的理法来分解说明是件难事。

若已明白这些事，义务之感是什么，良心是什么，这些事也会明白了。义务之感和良心，毕竟是社会的本能的呼声。当这种呼声正在发生的时候，保存自身的本能或蕃殖种族的本能的呼声也要同时发生了。在这种地方，后二者也往往反抗社会的本能的呼声。反抗的结果，使保存自身的本能和蕃殖种族的本能得了相当的满足，以后暂时归于镇静，这时候社会的本能更发出强烈地呼声来了。这就是悔悟之念。有些人把良心当作是对于营共同生活各同伴的恐怖声，即是对于同族所加的摈斥或刑罚的恐怖声，这是大大的错误。前面说过的，良心就是对于他人完全不知道的私人行为，也是发生的。又对于四周的人所赏赞的私人行为也发生的。更进一层，就是对于因为怕了同族和舆论而敢行的私人行为，良心也是发生的。尤以舆论的褒贬确是使人的行为受大影响的要素。然而舆论生影响这件事，就是预先存有一种社会的本能的名誉心的缘故。舆论虽如何激昂若没有以褒贬介意的名誉心的社会的本能，那就不能使他受何等的影响了。所以舆论造不出社会的本能。

依上面的说明，那被解作神秘不可思议的精神作用，即最高的道德心，很可简单的了解了。要而言之，道德不是超越自然的东西，也不是凌驾物质的东西，其根源实存在于我们自身的（人类的、动物的、地上的）生活之中。

九、私有竞争与阶级

道德心的本质业已阐明了。这一点我们最主要的是受了达尔文的教训。可是那道德心却依国民性，依时代关系，发生种种变化，这又是什么理由？为什么社会的本能的活动生出了那种种差别？达尔文对于这点没有研究过。这点我们专受了马克思的教训。

马克思发现了有史以来，私有财产时代，和商品生产时代中社会的本能，所以发生种种变化的主要原因。

依马克思所论证的地方看起来,人类社会因为有了生产技术发达的结果,和分业进步的结果所产生的私有制度,然后发生了所有者与无所有者的阶级。这两阶级自开始以来常为了生产物和生产机关互相争斗。后来生产技术愈益发达,两阶级间的争斗,也随着更发达起来了。这种趋势到了近代更加成了道德思想变化的原因。

首先是私有财产的人中互相竞争起来。这种竞争就发生了很大影响,于是"人人互助"、"为他人牺牲"这种道德也就靠不住了。这种道德在以竞争为道德的社会中,全是死话。在这种社会中,这种道德是离却地上的实际而翱翔于空虚的天上的教化,虽然非常华丽却一点不能实行,只是逢着礼拜日或商工业休息之日,单单在教会中说说法罢了。一方面在实际的生活上互争销路,互争地位,互争劳动,同时在他一方面又要听从"协力"、"互助"那种太古以来在心中嗫嚅的声音,是不可能的。于是宣传这种名词的道德,成了伪善了。

马克思解剖商品和资本家生产的性质,曾经明白表示了下列的事实。人若各自独立为交换才生产商品的时候,人的性情必然成为敌视的、疏隔的了。他们的关系是物与物的关系,已不是人与人的关系了。这即是真正现实的人类关系,和那诗人的空想牧师的说教中所仅有的那样关系,完全不对。

生产技术的发达和分业的进步,造出了社会的阶级。社会阶级中的属员,在那阶级中多有互相竞争之事,而对于他阶级则有共通的厉害。例如地主对于工业家,工业家对于地主,企业家对于劳动者,劳动者对于企业家,各在各的同一阶级内,各有同一的厉害。

所以这阶级争斗又大伤道德了。一阶级对于那要灭亡或衰弱本阶级的他一阶级,当然没有讲道德的道理。他一阶级对于这阶级,当然也没有什么牺牲心诚实心了。只是同阶级中间,唯有在阶级斗争的范围之内,到某种程度为止的道德是可以发生的。在群栖的动物中道德唯有对同群的动物行的;依同理,在太古的人种中,道德唯有对于同种的人行的;依同理,在阶级的社会中,道德只有对于同阶级的人行的——而且只行在那阶级内的竞争所许可的范围以内。

生产技术更增进步的结果,一方面产出了一群大富豪,一方面产出了一群无资产的劳动者。在今日阶级斗争越发激烈起来了，所以现时阶级与阶级间实行道德的事越发稀少了。反之，他种大的本能，即保存自身及蕃殖种族的本能，在现在各阶级的内部已经压倒旧社会道德，大占优势了。即保存自身的本能使资本家虐待劳动者更加厉害而且阻止他必然的发展。他们自己也觉得他们一切所有、一切权力，都不免有放弃的一日，心怀恐惧，一事一物都不肯放松。在他方面，劳动者对于资本家也不觉得有爱他心了，他们也为保存自身的本能和爱护子孙的心念所迫，敢公然要征服资本家，努力去现出光辉灿烂、幸福的将来。

竞争照这样的渐次增大，就将我们社会的感情消灭了。即是将对于社会内同辈的感情消灭了。即是把我们的道德心消灭了。又阶级斗争这件事，把我们对于他阶级中分子的社会的感情即是我们的道德也消灭了。我们对于同阶级中分子的感情，牺牲心也越发增大起来。

更有甚者，阶级斗争的结果，就最有力的阶级中各分子看起来，自己阶级的福利即与全社会的福利其意义相同。他们为全社会的福利计，要拥护自己阶级中的分子，断然要和他阶级对战。

总括以上说起来，道德的本质在于牺牲、勇气、忠诚、服从、信义、公平、平等，以及值得他人赏赞的努力；而这类道德（或本能）的作用，常为财产、战争、竞争及阶级斗争所变化了。

以下依据达尔文、马克思的教训，征诸现时实例考究一下：

譬如此地有一个工场主和他工场主干激烈的竞争。这时候，甲工场主对于乙工场主，能够实行那所谓永劫不变的道德吗？决不会实行的，他无论如何非维持自己的销路或夺取他人的销路不可。他在本性上虽有许多社会的感情，在这时候恐怕全然生不出效果来。他那保存自身的欲望和爱护子孙的心念，把他那社会的感情征服了。既然互相竞争，那扩张销路增加主顾的事就是生死问题了。逡巡踌躇就是灭亡的第一步！于是竞争越发激烈，工场主的社会的感情越发减少了。

又这工场主对于工厂内的劳动者，能够实行道德吗？这种事就不应该问了。他本性上是个善人也未可知，或者对于贫者弱者有多大的同情也未可知。然对于工场的利益，却力谋增大，雇劳动者非用低廉的劳银不可。没有利益或者利益太小，就觉得把事业停滞了。事业要常常扩大常常刷新的。若不然，数年之后，就落在他同业之后，十年之后就不能和他同业竞争了。有同情的工场主也是一样，而一般工场主，为了积蓄财富，老早就把社会的感情消灭尽了。若是他们对于劳动者讲几分保护救济的方法，他们更可以把劳动者束缚在他们的工场里，使成为更有益的奴隶。若是劳动者也组织团体陆续向资本家提出要求，就会惹起资本家对劳动者阶级的反感，资本家就会与他资本家提携，把劳动者当作仇敌看了。

资本家工场主更组织托辣斯商业公司制限生产力，若为维持商品价格的必要所逼迫的时候，他们一点也不踌躇，就把几百几千几万的劳动者解雇。资本家对于劳动者的饥寒和穷迫的道德，至此完全消灭了。

其次再把代表资本阶级的国会议员引一个例看看。这类国会议员对于劳动阶级，究能实行道德与否？道德是要求平等的，要求付与各人以平等的权利的。可是若对于劳动者也付与平等的权利，资本阶级立刻要灭亡了。真的平等，须要求政治上的平等并要求经济上的平等。若许可经济上的平等，资本家不啻自杀。他们做议员的也做不成了。

所以阶级斗争越发激烈，劳动者多方团结，势力越发增大的时候，绅士阀的政治家对于劳动者社会的感情就越发减少，就不得不使劳动者听从他们专谋保存自己的呼声了。所以这些议员一方面对于劳动者渐次生出了反感憎恶的念头，一方面就渐次和许多资本家同阶级相提携亲善了——然同阶级中也存有许多的竞争。

有些政治家，当着在野的时候，或者年少的时候，对于劳动阶级很有同情，一朝站上有责任的地位负担实行之任的时候，他们就立刻抛弃前日的态度，铁面无情，要压迫仇视劳动阶级了。这许多的实例把上面所述的看起来，其理由很容易明白的。他们的本性上虽然也有点社会的感情，而当实际握政之时，他们为绅士阀阶级自卫计，必然的要把那道德性消灭掉。

所以绅士阀对于劳动阶级精神的态度，生出两种类。第一，就是明言道德是不能实行的一种暴慢态度，就是自己心中发生出来的善声，也就不好把他压住了。第二，就是承认道德而不实行的一种伪善态度，言行常不一致，花言巧语，要隐藏自己非社会的行为。

我们再举第三个实例,考察劳动者的地位。劳动者对于雇主果可以守牺牲的道德么?

劳动者对于雇主若守着牺牲的道德,他们的自身就要灭亡,他们的妻子就要穷困。若劳动者不为自己的运命战,资本家阶级无论何时要把他们放在"不生不死"的境遇,这是历史明白指示我们的。所以劳动者无论如何,对于资本家不能守牺牲的道德。劳动者无论如何,非与资本家战斗不可。尤其是斗争次第激烈,资本家各阶级,越发互助提携对付劳动者,劳动者对于资本家社会的感情便越发减少,双方互用阶级的憎恶相对立了。

可是劳动者对于生产关系的智识,更加进步,多数变成社会主义者团结起来,对于资本家社会的感情一面减少,而在同一的时候,对于自己阶级(即无产阶级全体)的同情同感,一面增大了。若劳动者在本性上是道德感情强烈的人,必定依着上述那种理解,更加热烈而为自己阶级充分发挥忠实、公正、勇气、牺牲等德性。

这种斗争使劳动者对于社会主义新社会的欲求,越发旺盛,对于新社会平和幸福的生活的预想越发明了的时候,他们道德的热情必定更加强烈。就是他们相信,他们若是战胜了这斗争,而贫富阶级绝灭了的新社会若是出现,这时候方可对于人类的全体,一样的实行我们的道德。所以他们在努力战斗之中,他们痛切的觉得他们底心里,有真正对于人类的最高道德的曙光在当中发亮。

照以上的实例,我们的精神作用之中,就是称为最高最大最灵妙不可思议的道德,也为了阶级斗争为了阶级关系,即为了生产关系即为了生产技术的进步,发生了种种变化,全然可以知道了。

要知道德不是永远不变的。道德是活的。道德是变化的。

第十章　宗教与哲学

一、由自然力的崇拜到精神的崇拜

宗教的派别也不知有几十种几百种,而多数的各派都称自己的一派是真的宗教,凡是为生产技术所左右与生产技术同变迁的东西,更没有甚于宗教了。

在人类技术生产还未能征服自然力的时期中"自然"差不多完全支配了人类。人把自然界所存在的东西,就是原样的利用他作为劳动器具,又在人类还造不出什么器具的时期中,人类很崇拜自然力的。即如太阳、天、电光、火、山、木、川、动物等项于人类种族都是最重要的物件。就是在今日野蛮人还是这样。例如纽几尼亚(Neu-Guinea)人,就把他们所常吃的一种扎可巴米(Sagopalme)槟榔,当作神灵崇拜,以为他们的种族都是由这种槟榔发生出来的。

后来生产技术稍稍进步,农业兴起了;军人、祝者(祝者即担任祭祀的人)之类,掌握权力,管理财产,于是而有治者被治者之分,即生出阶级的差别,因而人类不如从前那样被"自然"所支配,此时要受那地位高的人所支配;早已不像先前那样单纯的崇拜自然物,却把自然物想作是有伟大力量的人了。希腊荷马(Homer)的诗中所表现的人类,都是有力的男女之君长,都以为他们是智、美、爱的化身。即是自然神变了伟大的人了。生产技术使人类得了权力的结果,神就变为有力的人了。

后来希腊人生产技术更为进步,在陆地则开拓道路,在海洋则漂浮船舶,沿岸造成了许多都市,商工业大为繁昌;土地、生产物、劳动器具、舟车等项,一切都带商品性质,总之世界变成了一般的商业的社会;太阳、火、海、山、木等等,早已不是古时那样有神秘不可思议的魔力而为可惊可怪的神体;人类已经把"自然"放在自己掌握中了。又人类的体力,技术勇气,美貌那种肉体的属性,与荷马时代也不相同,在这种竞争的社会之中,早已没有那样重大的意义了。只是在这种社会之中,一般人觉得有神秘不可思议那种万能力的东西别有一个。这就是精神,就是人的精神。

在以竞争为事的商业社会之中,人的精神为最重大的要素。计算数量的也是精神。发明新事物的也是精神。卖物得利益的也是精神。考量事物,征服他类的,也是精神。要之,精神是支配人和物的东西。此事恰和槟榔在纽几尼亚人之间、美貌体力在荷马时代的一样,精神这种东西,在这商业社会之中,成了人类生活的中心点,即是精神已成了最有力的东西了。

在这希腊商业社会的时期内,最初的大哲学家苏格拉底和柏拉图,业已明白说过了。"自然界早已不引起我们的注意,引起我们注意的东西,只是思想上和精神上的现象",这种变迁,明明是生产技术的结果。

二、善恶的观念与社会的本能

人的精神之中,实有许多难以理解的奇怪现象。譬如生于精神之中的抽象观念,究竟是什么? 这种抽象观念究竟从什么地方发生的? 无缘无故生出这抽象观念的思考力这种东西,究竟是一种什么不可思议的力呢? 而且是从什么地方发生的呢?

这个到底不是从地上生来的东西。地上所有的都是个个特殊的事物,抽象的事物一件也没有。那种道德心即善恶的观念,又是什么呢? 在这种商业的竞争社会之中,善恶观念的适用常很困难,在此一人则称为善,在他一人则称为恶;在此一人则为死灭,在他一人则为面包;在个人则为利益,在公众则为不利;这类的善恶观念,究从何处发生的呢?

这一类的疑迷,都是当时大学者柏拉图、苏格拉底、亚里斯多德等人所不能解释的地方。他们不能从自然界的智识和经验把这种疑迷解释出来。所以结局只有说精神不是地上的产物,而是有神灵的起源的东西。

社会的本能(譬如道德心那种社会的感情),在人类有强大的意义,这种本能的发现在商业社会中被阻止的时候,无论如何,人必定要把那根源探究出来,总要再三设法使他实现。又这种社会的本能,实是强有力而且崇高严肃的东西,若把它研究一下,就生出一种满足,感觉得一种兴奋;若研究不出道理的时候,就觉得这种本能,在崇高严肃之中,更加上一种理想的光彩,以为无论如何,这一定是由天上落在地下来的东西了。

因为要说明这种社会的本能(道德心),就发明了一种别的想法,从前因为说明多数自然现象必须想定有多数神灵的天界,现在却不同了,现在只有一个神灵就很够了。善恶既是精神的观念,所以这种神灵,也成为精神表现出来。

在商业社会之中,精神的劳动支配手足的劳动。产业上和政治上的经营,都是头脑的工作。手足的劳动,虽不至说是奴隶,总算是下级人的工作。这也是把精神想作神灵的,把神灵想作是精神的一种理由了。

加以在商业社会之中,各人孤立与他人立在竞争的地位。所以各人各把自身当作是最高最大的目的物。各人都把自己的精神,当作是感受、考虑,制定一切事物的东西,所以精神就变成上面所述的目的物中最高最大的部分了。于是社会上的人,就不得不把精神当作神灵,把神灵当作是独立自主的精神了。

如上所述,生产技术进步,渐渐使人类发达进步,早已不把猫、蛇、狮子般的东西当作神灵看待了;也不把体力美貌般的东西当作神灵看待了;可是对于心的本质和善恶的观念还没有理解出来。所以当时的人把这种大有力而且不得理解的道德的精神,当作神灵来说明。这种现象在今日商业的社会依然继续存在。神灵就是精神的一句话,就是今日也有人唱道,所以有许多人还是呆想着,以为道德心的确是有超自然根源的东西。

三、罗马之统一与一神论

当世界各国,经济的政治的没有成为统一体,即是各国还没有成为一个大商业社会的期内,多神和自然神还很有生出的余地;而希腊世界的商业发达以后,接连有马其顿王亚力山大的征服,遂使罗马在地中海沿岸全部建设了商业的世界帝国,所以在这时候,单用一个精神的神灵(或神灵的精神)就很可以说明当时全世界中所有的疑问，就很可以使一切自然神都消灭了。总之，当时罗马有大威力的生产技术，罗马的商业交通，罗马的商业社会，到处都可以驱逐自然神。柏拉图、亚里斯多德派哲学中的一神论，就是这种表征。

其后到了罗马帝政时代，那样大的经济组织，全体崩坏，此时恰好有一种适合当时社会关系的一神教传出来了。这就是耶稣教。这耶稣教就把原有的希腊一神论，掺入在自己的教中了。

当时包围地中海的各国，造成了一个商业的大社会，到处都有同样的难问题，有同样的矛盾冲突，有同样的商人。所以到处都以为人的精神为神秘不可思议的全能力，即是神。

自此以后哥尔人（Gallier）、日耳曼人、那种北方的野蛮人等，次第杂在这商业的社会之中，他们因此也渐渐失掉了原始的宗教来奉耶稣教，把一切的力都归到一个的精神了。

四、适应封建制度的耶稣教

然而耶稣教并不是在任何时代都照最初的原因继续存在的。即是从单一的阶级宗教变而为多阶级的宗教了。罗马商业的大社会破坏，个个分立的自然的经济复为旧态，中世纪的社会组织渐次发展而来，耶稣教的内容，也自然发生变化了。

中世纪的社会，是分有土地的领主制度（封建制度）的社会，和梯子一样，一段一段的造出互相隶属的关系，下级的人不把生产的余剩物发卖，却恭恭敬敬的供献给他的主人。全社会的最高峰有皇帝，其下有王公，其下有诸侯，其下有小领主，最下级则为平民和农奴。寺院教会也有多大的土地，其内部的阶级也和社会一样。教会原是共产的联合，后来次第发达，遂成了强大的掠夺组织。就是教会中的极高峰是法皇，其次自大僧正、僧正、高僧以至于普通僧尼，有种种僧官的阶级，而其最下级仍然是农人。

中世社会有这样的生产方法和分配方法，耶稣教为适应这种组织，也自然把他的实质变化了。就是天上并不是住着唯一的神灵，实在不过以神灵作极高峰，极高峰之下，有神之子有精灵，其下更有多种复杂的天使，又有堕落的天使,又有恶魔,还有以供献生产物于社会为事的,就是所谓葡萄之神、枯草之神等等。要之神灵的一族,与那支配着数阶级的皇帝或法皇形态相像,在社会最下级的百姓农奴就是隶属于天使和众神的人类了。

宗教中照这样明明白白反映社会实状的例,恐怕很少了。就是人的精神把地上的实例映射到天上去了。

五、宗教改革的真意义

然而都市后来渐渐发达,宗教也跟着的变了。

意大利、南德意志、法兰西、和兰、英吉利方面都市的住民,因商工业的发展,渐有了势力,对于贵族僧侣占了独立的地位。他们有金钱、有资本,可以为所欲为,成了独立自由的人了。

他们对于社会的思想一变,同时他们对于宙宇的思想也一变了。为此他们要求新宗教了。因为宗教原来是人类对于宇宙的关系用感情描写出来的东西。

他们在经济上,业已不承认有比自身更大的力量。在政治上也是一样,他们成了独立的市民,独立的商人,独立的资本家,立在自由的地位了。

他们对于自我和宇宙之间不要介绍人,所以对于自我和神灵之间也不要介绍人。所以他们蔑视法皇,蔑视僧官,自己做自己的牧师,直接对于神灵而自立了。就是路德(Luther)和加尔文(Kalvin)所创的新教。

所以新教勃兴,就是近世资本阶级自己觉悟他经济的实力的结果。宗教是社会的反映一句话,在这里也非常明了,资本家是个人的,同时那新宗教也是个人的了。

六、抽象的不可解之神

亚美利加和印度发现以后,资本家制度越发强大,商工业亦愈发达,地方上自己使用的生产减少,贩卖用的生产增加,一切生产多渐渐成为商品,一切的人多渐渐成了商品的生产者和贩卖者;因为谋生产机械和交通机关的进步,而各人社会的斗争,越发重大;因此人类在他的经济生活上在他的精神上,越发成了孤独的人了。近代资本制度如是发达,人越发多被自己的生产物所支配;生产物在现时有和人一样大的力量,人反与物品相同,受其使役;一切物品除了各有实质的使用价值之外,一般又有共通抽象的交换价值了。在这种社会之中,人也互相认为抽象的人,因而所信的神灵,也不得不成为一个抽象的概念了。

又因资本家制度发达,下级人民的贫困,越发跟着增大,社会一层一层的增加复杂的程度,这是不易看透的事情;为人类社会全体计,究竟何为善,何为恶,差不多是不能一定的事情。所以在这种凄惨的竞争场内,工商业日见发达正如波谲云涌,想要求得安全和幸福,除了内观、冥想、灵化以外也无事了。

所以这时代中神灵的姿态渐多变成孤独的、灵的、抽象的了。在 17 世纪大哲学者笛卡儿(Descartes)、斯宾挪莎(Spinoza)、莱布尼(Leibniz)等人看起来,神只是一个绝大的存在物,万物都包容于神灵之中,神灵之外就没有一物了。而尤以斯宾挪莎为最,他是建设了最完全的哲学组织,无瑕无疵和珠玉一样的哲学组织的人,可是他那斯宾挪莎的神灵,是有绝大精神的绝大体格,常常能自己动作自己思考的。这种的神,就是成了近代个人的资本家的那种人的姿体。

又在他一方面,生产技术日益进步,资本制度日益发达,同时对于自然界的智识骤然增大,在 17 世纪时,对于自然现象的那种神秘不可解的事实大概已归于消灭了。可是对于精神理性观念诸事而尤以对于善恶观念和精神科学,还没有解释出来。于是在各宗教方面,自然界的事,物质界的事,远远的排斥去了,神灵完全离了现实界成为不可思议的抽象的灵体了。从古来基督教蔑视"肉体"的思想,助长这种倾向也不少。又生产技术愈复杂分业愈多的结果,精神劳动和手足劳动越发分离起来,精神劳动专属上流阶级,手足劳动专属劳动阶级,所以这种分离,也是由宗教排除物质的原因。所以由这些原因看起来,那大哲学家康德就说时间及空间的事物是单纯的现象不是真实的存在了。斐希特也单单认定精神的主观即"自我"的存在;黑智儿的想法也以为一个绝对观念(绝对精神)发展而现出这个世界,而这世界最后生出自觉,复还原到绝对精神的存在。

如此，资本制度的社会，使各个人孤立，使各个人灵化，使各个人自身不能解释自身，其结果遂使 18、19 世纪的各哲学家都造成功上面所说的那种孤立抽象不可解的神灵。

七、宗教之灵化空化

这时期内蒸汽机械发明，生产力更为增大，交通机关更见发达，因而资本也变成巨大的东西了。同时新生产技术使自然界的研究更进一步。生产技术进步，自然研究也容易了，可是自然研究更进步，生产技术也更进步了。于是自然界在人类中越发明了，自然现象各法则，渐多为人智所发明，所谓超自然的存在那种神秘，次第由自然界驱逐出去，遂至于完全消灭了。

在这时候，同时人类社会的实质也开始明了起来了。研究历史以前的研究也发生了。有史以后的研究，也进行顺利了。各种统计也做成了。总之，人类行为的法则开始发见了。于是在人类界的自然现象，渐得了解，因而超自然的事也消失了。要之，自然界人类社会中，那神秘不可解的事实已渐次不见了。

所以对于自然界的研究给了刺激与方法的东西，就是当时的生产技术，是交通机关，是生产方法，是大资本的力量。又驱使人类精神趋向于研究人类社会的实质一方面的东西，就是从含有这种暴力生产过程中发生出来的社会问题。此外使人深入地底研究地层地质，使人周游地球研究原始野蛮人的情况，使人搜集历史统计等材料编纂书类等等的原动力，都是生产技术。总之，这都是当时生产方法，惹起那种欲求，同时又造出了满足这欲求的方法和手段。

要求这种新科学智识的阶级，即是使自己的生产技术进步，使自己的利益增大，要征服地主贵族僧侣的那个商工阶级（在政治上称为自由主义者）——这个阶级渐渐看破了自然界和人类社会中一切现象的法则，所以在他们看起来，宗教差不多完全消失了。只是不知什么理由，心里总觉得有些感触的地方，这就是在他们心中一点宗教的残留的印象，这种感触在实行上也是没有什么价值了。

于是与政治上自由主义相适应的宗教上自由神教徒，或专为要说明善恶的观念,或专为要满足所谓道德上的欲望,或专为要把他们平日当作疑迷不能理解的精神,从什么超自然的根源除了出去,所以他们还是以为"神灵"有存在的必要。其实对于自然界的事物以及对于人类社会大部分的事实,他们早已不承认有神灵的必要。他们已经能够依据科学把那理由充分地说明了。

所以近世资本制度,自路得、加尔文以后,就渐渐把宗教使它灵化,使它空化,使它离却人间,使它超脱尘世了。总之,宗教在今日正和引进来的鬼物一样,只有一个脑袋还留在地上罢了。此时惟有旧时小资产阶级农民阶级和保守的大地主阶级一流人,还固守着前世纪的旧信仰;至于在大部分的资本家阶级和依附资本家的智识阶级看起来,宗教不过只留着一个影儿作为纪念;否则就是为了要使劳动者服从,或者因为有别种理由,假装一个信宗教的样儿罢了。总之,由资本家的生产方法发达生出来的新智识,剥了宗教的肉,削了宗教的足,单单留着一个怪物罢了。

八、劳动阶级之无宗教

由上面看来,那样的经济的进化,对于自由主义的绅士阀,已经除去了宗教中的大部分,至对于劳动阶级,却把宗教完全除去了。劳动阶级,现在差不多完全没有宗教了。

原来宗教的起源,就是因为有支配人类的一种不可解的力,前面已经说过。自然力、社会力等等,凡是人类觉得既不能理解又不得不服从的时候,就化而为神灵了。可是在近代的劳动者,尤其是都会中工业劳动者看起来,自然力并不是不可解的东西了。他们天天在工场中驱使自然力利用自然力。他们在理论上虽不知道,在实际上却很了解的。又他们自己虽然不晓得那种理论,可是别的人们都明明白白晓得的。

至于说社会力的话,他们也晓得这就是他们自身所以致贫困的原因。他们学会了!他们晓得资本家的生产方法惹起了阶级斗争,由这阶级斗争,他们晓得私有制度和资本家的掠夺,确是他们所以致贫困的原因。他们学会了!他们晓得社会主义确是救济他们的福音。所以在他们看来,在自然界在人类社会中早已没有超自然不可解的东西存在了。他们虽然还没有得着充分理解自然界和社会事实的机会,可是他们相信总有一日可以理解的。他们相信现在社会中虽存有陷害他们的一种暴力原因,可是这原因决不会永久存在的。他们晓得阶级斗争和劳动者的团结终究可以把这种原因绝灭它。那种不可解力的感想既不存在,宗教就没有发生的道理。所以社会主义的劳动者完全是无宗教的,是主张无神论的。

上面所述,专就没有智识没有读书的时间,热心和机会的普通劳动者而言,若就那为阶级斗争热心求学的劳动者说起来更不同了。他们在地位上在必要上比大学教授们更能了解社会的真相。绅士阀阶级的人,不愿意承认自己阶级将要灭亡,无论如何决看不出社会的实况。他们甚至连阶级斗争的事实都不敢承认。反之,专希望未来的劳动者,犹如猎犬探求猎兽一般,专向真理方面突进的。

九、狄更之哲学

然则劳动者关于所求的真理,究有何种证据何种渊泉呢?距今60年前,马克思对于劳动阶级早已说过,资本是从未给赁银的劳动所发生的(见马克思所著《赁银劳动与资本》一书)。其次马克思、恩格斯两人对于劳动阶级明示阶级争斗的真相(见两人所著《共产党宣言》),其后马克思更将那学说发展出来,著了有名的《资本论》,解剖资本家生产过程的本质,明示劳动阶级。在这样的真理的渊泉中润了渴喉的劳动者,早已不见人类社会中有什么超自然的东西了。他们不特消极的放弃了宗教,更且因此积极地得了明晰坚实的人生观。

于是他们学会了马克思、恩格斯及他种学说的结果,就晓得人的精神依社会状态决定的事情,晓得法律是阶级的法律,政治是阶级的政治,晓得道德是变化无常的一种社会的观念,晓得唯物史观的真相,晓得一般思想变化的原因,又晓得自己的思想的由来。用自己的手造出了这社会的人,当然也用自己的精神洞观这社会。他们终能够晓得阶级思想的真相,弃去从前在家庭教会所承受的形而上学的神秘思想,于是又破坏了一个宗教的支撑棒了。

照这样看来还有一些劳动者,不以在工场工会和政治运动中得来的智识为满足的,他们更可以得一进步。

称为劳动阶级的哲学家,称为社会主义哲学家的狄更,把精神的内容,更加详细地指示我们。他把那绅士阀学者怀疑不解的脑髓作用的本质的那种疑迷,也对劳动者说明了。依他所证明的看起来,无论在什么思想方面,除了结合特殊的个个经验达到普通的方面,更无他法。所以精神这种东西,唯有就个个经验即是就已经觉知的事实方能思索,单指这一事就是精神的作用,就是本质。所以人要思索那神灵、那本体、那绝对的自由、那永劫的人格、那绝对的精神、那超自然的事物,断然不可能的。那种不可能,正如要考究那超自然的铁,和超自然的小刀的不可能,实是一样。精神本来非常庄严有力而且贵重,可是和宇宙间其他一切现象比较起来,决不是神秘不可思议的东西。要之。依狄更所说,精神的本质在于理解,即在看出普遍的性质,所以决不是不可理解的东西。

劳动者若有热诚要救自己和自己的阶级,渴望求得智识,若把这种学说理解清楚,就明白那思想之中,决没有宗教存在的余地。资本家的生产过程,使劳动者贫困饥寒,又使他们获得脱离这贫困饥寒的欲望,最后又使他们得有满足那种欲望的智识,这就是使他们心中的宗教死灭了。幸而宗教思想,现在已日就衰灭了。太阳业已升上来了,拿灯火走路的人当然没有了。

他日社会主义若是实现,自然界的事物,当可以明白认识出来。人类社会的研究,不像今日这样困难,当可以明白透彻地表现在我们面前。这时候,现在所谓宗教思想,连小孩的头脑中都不会发生了。

上面我们所论证的如此。宗教虽然暂时在人的精神生活中起了重大的作用,可是随着生产关系变了种种的性质。就是最初崇拜树木、崇拜川河、崇拜太阳;其次崇拜神灵化的美人、勇士、大力者;再其次崇拜精神、崇拜父亲、崇拜支配者;再其次崇拜神变不可思议的抽象物;到了最后就变为无宗教了。这些变化一概都是人类社会境遇的变化所生出的结果。即是人与自然界,人与人关系的变化所生出的结果。

十、宗教是个人的私事

然而有某种唱反对论的人这样说:"我们在前面所说明的事,与社会民主党纲领中'宗教是个人的私事'一句话相矛盾。所以社会民主党的纲领,因为要罗致宗教信徒入党,才把社会主义的本质隐藏起来,说出伪善的虚语。"可是决不会有这种情弊的。关于这一点,我们的同志荷兰人班涅可辨明得最为适中。其大要如下:

我们所主张的,宗教是个人的私事,所以这是属于各人自己决定的事情,决不是可以勉强要求于他人或指示他人的。这事自然是由实际运动的必要上而生的主张;不关于是宗教信徒与否,总要集合各种劳动者使为全体阶级的利益干起阶级斗争来。社会党劳动运动的目的,是社会经济的改革,是生产机关公有。对于这种目的无关系而能使劳动者之间发生乖离的事情,务必要努力除去,这是当然的道理。可是社会党的实际运动,决不许发生与社会主义的根本理论有矛盾的事情。唯物史观把社会生活的基础放在经济关系之上。所以在从前思想家看见信仰上的差异或宗教上的争斗的地方,我们就看见物质上的要求,阶级的争斗和生产方法的变革。宗教上思想信仰这种东西不过是现实界生活关系(即经济的境遇)的表现,是他的反映。今日的问题是经济的变革的问题,而站在可以实行变革的地位的阶级(即劳动阶级)业已自己觉悟这并不是精神的问题了。于是"宗教是个人的私事"这种主张发生出来了。所以这种主张由实际运动的要求发生,同时又实为明晰的科学的认识之结果发生出来的。

又唯物史观对于宗教的态度,决不是可以和绅士阀的无神论相混同的。无神论者直接敌视宗教,以为宗教是保守阶级的思想,是进步主义根本上的障碍物。他们把宗教当作单是无智无学的结果。因此要把科学的启蒙运动来破坏愚民的迷信。

我们则不然,我们把宗教作为生活关系尤其是经济关系所生的结果。例如占气候良否(天帝的意旨)卜收成多少的农夫,或因物价高低,行情好坏生出意外损益的商工业者,在他们看来,自然是依赖人力以上的神秘力发生出来的。对于由这样生活得来的直接的感情,就是把自然科学说明气候,摘发《圣经》的虚伪,都是无效的。

可是有级阶自觉的劳动者,明白看出了他们自身贫困的原因,是资本家生产和资本家掠夺的结果。晓得此中并无所谓超自然的力量。他们有一种大希望想用自己的力量造成功善美的现实世界出来。所以他们虽然没有读达尔文的书，虽然不晓得自然科学，他们却已有了非宗教的人生观了。他们所以无信仰，并不是从他人说话中听来的结果，实是由他们的境遇中产出来的直接的感情；然而他们既然生了这种感情，要使这感情得着学理的基础，他们就自然而然要读自然科学和无神论了。劳动阶级的无信仰和非宗教思想是这样生出来的；所以他们决不把这事当作战斗的主体。他们战斗的主体是社会观。是他们人生观的根本的社会观。所以他们对于与自己同被资本阶级压迫的劳动者，就是因为特殊境遇有前述那样迷信，他们都看作是自家战斗上的僚友。

实际上在特殊境遇中的人，虽不依宗教上的因袭也有某种的迷信，除了自己渐渐的改革以外也无别法。例如矿山劳动者或海上劳动者这类人，常被强大的冷酷力所威胁，其结果一面对于资本家成了有力的战斗员，而一面犹有强烈的宗教心。

所以社会主义与宗教的关系，与唱反对论的人所说的完全相反。社会主义不是依唯物史观使劳动者无信仰，实在是劳动者由自己的实际生活看破了社会关系，其结果自然失了信仰的。若更要根本的理解那社会关系，他们就不得不研究唯物史观了。唯物史观不必定要反对宗教。实在把宗教当作是历史的当然的现象，在将来新社会状态之下方可以完全消灭的。所以现在信仰上的差异不是根本问题，只有经济上的目的方算根本的问题。所以在实际运动上成了"宗教是个人的私事"这种主张了。

第十一章　艺　术

关于所谓精神问题的艺术问题,我们只能大略讲几句话,因为不幸而无产阶级还没有尝着这种生活的滋味。

我们的理论在这一方面也是有效的,我们只用以下的观察和唯一的实例,就可以解释明白。

艺术是用线,或色,或声,表示情趣的。人除了对于人以外,不会发生情感,所以人对于人的关系改变了,艺术也不能不随之改变。

取一个例说:

资本主义社会的个人都是孤立的,都是受生产和生产品支配的。这个状态一定要在艺术上面露现出来;自纪元前第 5 世纪希腊市民的艺术起一直到今天,都是露现出来了的。

社会主义社会的个人都是觉悟个人与全体的关系的,都是在全体上有力量的,都是与全体支配生产和生产品的。这个状态也一定是要在艺术上露现出来的;如果人内藏得有相当的热情和发露,权力、自由、幸福,以及一切的情感,一定非露现出来不可,也一定是要露现出来的。这个艺术,又一定刚与社会主义的个人之与资本主义的个人不同的一样,与资本制度下的艺术有霄壤之别的。这个差别的发生,不待说,是由于现在根基于私有财产和赁银劳动的生产关系,变而根基于共有财产和共同劳动的了。

第十二章　结　论

我们在上面,把一切问题都解说完了,现在把这些问题拿来再考察一遍。

科学、法律、政治、习惯、宗教和哲学、艺术,都是随生产关系的变迁而变迁,这个生产关系又随技术的进化而变迁。

我们发见了有许多完全单纯的,普通知道的,而且为全阶级以及全民众在自己周围所能看见的极大实例的存在。

我们自然不能提出无穷的证据;历史上实在也有许多时代,因为我们对于反对者所意识的一切东西不十分晓得解释,我们要把这一切时代的实例都引来解释唯物史论,就很困难。但我们提出了那样内容丰富的实例,这些实例在他广大范围内都是有效的,所以这个唯物史论的真确也就可以证实了。

况且这唯物史论已经由我们的同志(尤其德国的同志,以及别国的同志)适用到历史的一切领域,都得到了完全的效果,所以我们能够放心说:"经验已经证实了马克思学说的这一部分是真实的。"

唯物史观,决不能把它看作只有一个无论甚么历史上的问题都可以装得进的形体。我们还得要从事研究。如果我们要了解为什么一个阶级、一个国民,有他一定的一个想法,我们就不要说:"是的! 生产方法是怎样,所以就产生了怎样的思想。"如果我们是这种想法,我们就时常要受迷惑了;因为同一技术在一国民产出的思想,往往与在别一国民产出的思想完全不同(刚与同一的技术在不同的国民能够保持不同的生产方法一样)的缘故。别的要素我们也不能不加入考察,那个国民底政治历史、气候、地理的情形,都是同时与技术影响到生产的方法和思想的。我们要把别的一切要素都知道了,唯物史观即生产力和生产关系底效果,然后才能明白显露出来。

不能研究历史的人,就只好以我们现在的观察,即劳资间的争斗为满足;

这争斗的照影以在劳动者的精神为最明了，劳动者能够用好的教意和好的主义向这个争斗底理解努力前进。

精神的各种领域决不是互相孤立的。各种领域是合起来成一个完体的，那些都是互相影响的，政治影响到经济，习惯影响到政治，技术影响到科学，经济影响到政治，政治影响到习惯，科学影响到技术，此影响到彼，彼影响到此。相互的影响，反影响，前代精神生活的独立的遗存，都是有的。但是这些东西底原动力就是劳动，精神所流通的河道就是生产关系。

传说也是一种势力，往往又是一种阻碍的势力。

全过程，如上所述，就是一个人类的过程，是由人类在人类里面互相完成的过程，所以不是机械的过程。我们曾再三说我们能够说明一切物事发生的基础，是人类的欲求和冲动。这个冲动就是自存的冲动、生殖的冲动、社会的冲动。冲动和欲求不是纯机械的，乃是精神的，有生命的，乃是感情，所以决不是纯粹机械的。世间上最愚蠢最不忠实的人，莫过于把历史的唯物论和机械的唯物论相混同的人。技术自身不是仅仅一个机械的，乃是一个思考的过程。自然所用以发展人类思想的大手段，就是争斗，在我们今天尤其是阶级争斗。我们看见了许多实例：技术把种种生产关系和财产关系里面的阶级转换了位置，他们的思想也由此发生了敌对的冲突；他们关于所有权发生了争斗，同时关于法律、政治、宗教等等的思想也由此发生了争斗；而一阶级的物质的胜利就是那阶级底思想的胜利。

一切我们所看见的，和我们所能放心引以为结论的，就是思想是无间断地变化的，这个思想总是在运动中领会的，又在我们所论议的这一切范围内没有永久的真理，唯一的永久的真理，即变化的绝对真理，就是进化。这个进化又完全是普遍的大真理，如我们起初所说，在我们还没有特别加以讨论的时候，就由我们实行中发生了。读者诸君大概了解了，这个结论不是我们预先确定的信条，乃是由事实的结果，单纯的历史的经验来的。

第十三章　真理之力

以上大概把唯物史观解说完了。还有些少地方要添写几句。

这部解说决不是要使劳动者变做哲学家。精神这种东西不是绝对的存在，与他种事物相同，是常常变化的；这种考究成为哲学的真理，确能使劳动者的精神受大影响。但这也不过是副产物罢了。

著书人的目的，在使劳动者成为战斗员，成为胜利者。他们读这部书的时候，心里若不生一种力量，就糟了。然而这部书所注重的在什么地方呢？生产技术变化了，从来无足称道的一阶级成了有力的阶级，奴隶成了战斗者；他们的阶级的思想就会由贫弱变为有力，由奴隶的变为战斗的而向上了。生产技术若终究能够使这阶级成为占胜利的阶级，那阶级的思想，结局也可以成了唯一的"真实"。所以著者依此书对于劳动者给了一种"握得真理的人就是自己"的自信。即是对于自己的精神给了一种自信。生产技术的进步，使劳动阶级人数增加得和海滨的沙粒一样多，又使他们晓得团结，使他们趋向战斗，又使他们成了精神的、道德的、物质的有力阶级。旧式生产关系即私有财产制度，由近世劳动者看起来，已成了很狭隘的东西了。劳动已成了社会的劳动。若要把他解放，善为使用，唯有凭藉社会共有制度。小规模工业残垒之中，合股公司之中以及托辣斯之中所有的生产技术，他的羽翼正要充分扩张，要求社会共有制度。有时妄行鞭策，有时妄行沮抑；像这样办法，已不是生产技术所要求的了。所以劳动者终究要依自己意志，使用生产技术，分配生产机关。这毕竟是因为生产技术使劳动者成了有力的阶级，劳动的意志，自然表现生产技术的要求。所以立在这种确信之上的劳动者的思想，一切都是真理。若是劳动者主张要把依现实证明出来的生产机关归为公有，则以此种主张为目的的劳动者的思想（限于这种人）就是真理，与这种相反对的思想，就不是真理。

若一旦把土地和机械一切都归人所共有,这种一切都归于人所共有的事就是正当。因此有这种欲求的意见就是真理,这是可以证明的。所以若是现实的接近这种状态,劳动者的思想在法律上更加成为真理,成为正当,反对者的意见与现实矛盾,就更加成为虚伪了。这事在政治上也是一样。劳动者在数字上在团结上在实力上成为最后的阶级,所以他们要发现这实力的政见,就成为真理;若与此相反的反对党的政见,就成为虚伪了。要之真理与思想是一致的东西。

劳动阶级所奉的社会主义是生产技术的要求,若没有这种要求,生产上就再不能谋发展,所以劳动阶级的道德(限于符合这目的者)是正当的。

社会主义专由生产力社会的发展而生。即是自然力与社会力归劳动阶级的手中运用的时候,才开始发生的。劳动阶级的思想若是正当,他们不承认超自然力这件事也是正当的。

一切生产技术的发达不但使一阶级发生了物质的盛衰,而且发生了精神的盛衰。一阶级所欲求的各关系,是现实的发生出来的,所以有这种欲求的思想,就是真理。总之思想是对于现实的理论,是考案,是概括。

所以著者努力替劳动者把唯物史观,明了地解说出来。这就是要使劳动者的精神中吸收真理。

第十四章　个人之力

最后有略就"个人之力"说明的必要。

有说生产技术进步,自然要达到社会主义的。有说我们因生产技术被社会主义所驱逐的。有说我们不能任意造出历史的。

有说劳动是社会的。生产关系也非成为社会的不可。财产关系也非成为社会的不可。

有说社会中物质的势力比个人的精神更为有力。个人非服从这引导不可。

大概是这样说的罢。然而生产技术这样东西,是由机械和人类的协力产生的。劳动这种东西,就含有能自己活动的人的手、头、心脏的意义。财产关系这种东西,是财产所有者与财产无所有者的关系。

又这进化的过程是活的过程。驱逐我们的社会力,决不是死的宿命。这实在是活着的力。

我们无论如何,除了向着社会所进行的方向前进以外没有法子。劳动过程无论如何一定要驱使我们向着我们自己所不能决定的方面前进的。然而这也是我们所干的事。

劳动者诸君! 诸君决不是为盲目的运命所驱使的,实在是依活的社会所发出的社会主义决定的。诸君依阶级的地位非如此不可。诸君不得不求更高的工银,不得不求更大的幸福,不得不求更多的休养。诸君不得不自行团结。诸君不得不与绅士阀战斗。战斗不得不掌握政权。诸君非成胜利者不可。生产力是这样要求的,劳动是这样要求的。要如何迅速,如何完善,如何正当方能成就,不是诸君的责任么? 不是仰赖诸君各种的活力吗? 不即是仰赖诸君各个的体力和精神吗? 有强健的体力和精神力的劳动者,比较别的贫弱的人,更能成就世间未曾有的大事业。诸君,在资本家制度之下要有强健的体力自然是困难的。诸君的工银和劳动时间和生活法不能由诸君自定。然而同此事比较起来,诸君的精神要成为强健,诸君自己可以料理。诸君可以攫得真理的力,攫得社会主义真理的力。精神实有特别的作用。社会生活能使他疲劳,到了差不多不能为自发的活动时为止,可以被社会生活所支配。可是生产技术一旦使他们觉醒,使他们在对面的水平线上看见一道光明,指示他们的目的,指示他们的希望,指示某一阶级的胜利,他们为阶级中一分子的精神,立刻就大活动起来了。那精神就要燃烧要努力起来了。精神支配肉体的一句话,到这时候就成了真理了。精神至此成了肉体以上的东西。肉体尽管衰弱,精神总是强健的自由的。劳动者诸君! 诸君的精神现在资本家制度之下可以得到自由了。诸君可以脱离绅士阀精神的隶属关系了。唯物史观教诸君明白自然与人类的关系。唯物史观教诸君晓得人类不但支配自然,而且能支配人类自身的时代也接近了。唯物史观又教诸君说诸君带有招致这种时代的任务。善于理解的人,就是获得自由的人。这种人对于自己阶级造出新社会的事,很能够用个人的努力多方助长这事的成功。

附录　马克思唯物史观要旨[*]

一

马克思唯物史观的思想，最初是在 1848 年和恩格斯共著的《共产党宣言》中发表的。对于这个宣言，恩格斯后来曾经有下列一段说话。

这个宣言虽然是我和马克思共著的，可是这篇宣言根本的主见，还是马克思提出的，我在这里有声明的义务。他所提出的主见就是：

在历史上各时代中，必然有关于生产分配的经济上的特殊方法，又必然由这种特殊方法产出一种社会组织，那时代的政治和文明的历史，都在那个基础上建设，依据那个基础说明。所以人类的全历史（在原始土地共有的氏族的社会消灭以后）是阶级斗争的历史，即是掠夺阶级和被掠夺阶级、压制阶级和被压制阶级相对抗的历史。这些阶级斗争的历史，相连相续，构成社会进化的阶段，到了现在，又达到一种新阶段，被掠夺被压制的阶级（即是平民劳动者）要脱离掠夺压制阶级（即绅士阀资本家）的权力自己解放出来；同时要把一切掠夺、压制，和阶级差别、阶级斗争，完全铲除，将来永远的把社会全体解放出来。

依我所见，这个主见，使历史学上发生新生面，正如达尔文在生物学上发明进化说一样；马克思和我两人，在 1845 年以前，已经渐渐地有了这种倾向的。我在最初对于这种倾向究竟到了一种什么程度，把我所著的《英国劳动阶级之状态》一书看起来，最容易明了的。到了 1845 年的春

天,我和马克思在不律塞①第二次相会的时候马克思已经把这种思想完成了,他对我说的话,差不多和我在前面所用的明晰的字句是一样的。

二

1859 年是达尔文发表《物种原始》的一年,同时马克思也在这一年发表了《经济学批评》(*Zur Kritik der Politischen Oekonomie*)。马克思在这书的序文上,很简明的把自己学问的经路说明了。

　　1842 年至 1843 年间我做《来因新闻》主笔的时候,因为出了大学不久,先前学习的学科,都是哲学历史法律之类,所以遇着经济上的实际问题就难下批评。后来我批评法国流行的各派社会主义的时候,也觉得智识不足。恰好那时候《来因新闻》的主人,要求我取稳健态度,我就借着这个机会,退出这个报馆,再去研求必要的智识了。

　　但是我为了要解决这些难问题,首先做的事业就是再研究黑智儿的法理哲学。这次研究的结果,就得了一个信念,觉得法律上各种关系和政体等项,并不是可以自行理解的,也不是可以依赖一般文化进步说明的,实在是在人类生活物质的关系上有根据的。但是物质的关系是什么呢,在当时黑智儿也仿照 18 世纪英法各文士的故智,把一切都包括在私的社会(即民间社会)的名下;但是要把这私的社会解剖出来,还是不外用经济学。

　　所以我就在巴黎开始研究经济学,后来被法国基左(Guizot)把我逐出法国境外,我又跑到不律塞继续研究。我这时候所得到的结论,后来成了我的学问的指导线。

　　人类因为用社会的生产,生产那生活资料时,造成某种必然的离自己意志而独立的关系。这个关系,就是适应于那社会物质的生产力发展程

---

　　① 即布鲁塞尔。——编者注

度的生产关系。这生产关系的总和,成为社会上经济的构造,是作成法律上政治上建筑物的真实基础,又生出与此相适应的某种社会的自觉。物质的生活资料之生产方法,可以决定社会的、政治的及精神的,一切生活过程。不是人的意识,决定人的生活,倒是人的社会生活,决定人的意识。

社会上物质的生产力,发展到了一定阶段的时候,就与现在的生产关系,发生冲突。换句话说,就是与那生产关系仅仅在法律上表现的,而且使那种生产力在自己的内部活动的财产关系发生冲突。这个关系本是生产力发展的形式,这时候变作他的障碍物。于是乎社会革命的时代开始到了。经济的基础生出变化,所以在这基础上面的建筑物,也要或徐或速地革起命来。

考虑这种革命,我们要常把那在科学上有实证的经济生活条件之物质的变革,与人人了解这种冲突而和他决战的,法律上、政治上、宗教上、艺术上的形态,简单说就是精神的革命,善为区别。我们要想批评这种革命时代,决不要依据那时代的意识来下判断;恰如我们要批评某一个人决不要依据他自己所想的事来下判断一样。时代的意识,要从那物质生活矛盾之中说明。即是要就那在社会的生产力和生产关系,两者之间的矛盾来说明的。

一社会的组织,非到他的全生产力在其组织内,更无发展之余地以后,决不能颠覆。这新的,比从前还高的,生产关系,在他物质的生存条件未完全孵化于旧社会的母胎以前,决不能产生。所以人类往往只能提起可以解决的问题来解决的。因为拿正确的眼光去看,就晓得凡是成为问题的东西,必定那解决这问题所必要的物质条件已经存在,或至少也在成立过程中的时会,才能发生的。

综其大体而论,我们可以用亚细亚的、古代的、封建的及现代资本家的生产方法,排列出社会之经济的进化阶级。而在这里面,资本家的生产关系,是社会的生活过程最后敌对的形态。——所谓敌对,不是个人的敌对,是由各个人社会的生活条件生出来的敌对,——而在资本家社会母胎内所发展出来的生产力,同时又造成可使解决这种敌对之物质的条件。人类历史的前史,于是就和这种社会组织同时终结。

三

马克思唯物史观的要旨，大概如上面所述，他后来著的《资本论》，就是适用这种学说的。此外还有别的著述和论文，也是由这种根本思想阐明出来的。

马克思对于他的唯物史观学说没有著过专书，也没有特别作一篇论文，所以他在《经济学批评》的序文上，所写的这一段文字，是非常重要的。

译者附言

一、这部书是荷兰人郭泰为荷兰的劳动者作的，解释唯物史观的要旨，说明社会主义必然发生的根源，词义浅显，解释周到；我想凡是要研究、批评、反对社会主义的人，至少非把这书读两遍不可。这书的价值，有柯祖基一篇序文，把它表显了出来。至于书的内容，我想读了这书的人自然能够知道，用不着我来絮说。若是读者读完了这书，必要垂询译书人的见解，我也不能另说别的赞美的话，除了一个"好"字。

二、这书和柯祖基著的《伦理与唯物史观》一书，互相发明的地方很多，请读者把两书对看。

三、这书有日文的译本，是日本堺利彦从德文本译成日语的。可是堺氏的日译本中，缺字的地方太多，还有柯祖基的"序文"和"艺术"一章、"结论"一章，都未曾译出。所以我用德文本和日文本两书对照，缺的地方，都补上了。这部书可算是完全译本。

四、我有一句话要声明的，译者现在的德文程度不高，上面所说的那些补译的地方，大得了我的朋友李汉俊君的援助，我特意在这里表示我的谢意。

五、这部书虽说是完全译本，可是不免还有误译的地方，译书的人对于这一点，心里很纪念着，读者若肯指摘我的错处，我十二分的感激。

译者识

责任编辑:方国根

图书在版编目(CIP)数据

李达全集.第一卷/汪信砚 主编. —北京:人民出版社,2016.12
ISBN 978 - 7 - 01 - 016892 - 0

Ⅰ.①李⋯　Ⅱ.①汪⋯　Ⅲ.①李达(1890—1966)-全集　Ⅳ.①C52

中国版本图书馆 CIP 数据核字(2016)第 255151 号

李达全集
LIDA QUANJI
第一卷

汪信砚　主编

人民出版社 出版发行
(100706　北京市东城区隆福寺街 99 号)

北京新华印刷有限公司印刷　新华书店经销

2016 年 12 月第 1 版　2016 年 12 月北京第 1 次印刷
开本:710 毫米×1000 毫米 1/16　印张:32.5
字数:530 千字　插页:8

ISBN 978 - 7 - 01 - 016892 - 0　定价:169.00 元

邮购地址 100706　北京市东城区隆福寺街 99 号
人民东方图书销售中心　电话 (010)65250042　65289539